ICHS
International Cultural-historical Human Sciences

Herausgegeben von Hartmut Giest
und Georg Rückriem
Band 36

Falk Seeger (Hrsg.)

Yrjö Engeström

Lernen durch Expansion

2. stark erweiterte Auflage

lehmanns media

Falk Seeger
(Hrsg.)

Yrjö Engeström

Lernen durch Expansion

2. stark erweiterte Auflage

Berlin 2011

ICHS
International Cultural-historical Human Sciences
ist eine Schriftenreihe, die der kulturhistorischen Tradition verpflichtet ist – das ist jene, vor allem von Lev S. Vygotskij, Aleksej N. Leont'ev und Aleksandr R. Lurija entwickelte theoretische Konzeption, die den Menschen und seine Entwicklung konsequent im Kontext der Kultur und der gesellschaftlich historischen Determination betrachtet. Dabei kommt der Tätigkeit als der grundlegenden Form der Mensch-Welt-Wechselwirkung für die Analyse der menschlichen Entwicklung und Lebensweise entscheidende Bedeutung zu, sowohl unter einzelwissenschaftlichen Aspekten und deren Synthese zu übergreifender theoretischer Sicht als auch im Hinblick auf praktische Problemlösungen. Die Schriftenreihe veröffentlicht sowohl Texte der Begründer dieses Ansatzes als auch neuere Arbeiten, die für die Lösung aktueller wissenschaftlicher und praktischer Probleme bedeutsam sind.

Bibliografische Informationen der Deutschen Nationalbibliothek:
Die Deutsche Nationalbibliothek verzeichnet diese Publikation in der deutschen Nationalbibliografie; detaillierte bibliografische Informationen sind im Internet unter: **<http://dnb.ddb.de>** abrufbar.

Falk Seegers (Hrsg.)
Yrjö Engeström • Lernen durch Expansion (2. stark erweiterte Auflage)

2011: lehmanns media • Verlag • Berlin

www.lehmanns.de • www.ich-sciences.de

ISBN: 978-3-86541-431-1

Druck: docupoint Magdeburg • Barleben

Inhalt

Vorbemerkung des Herausgebers

Das vorliegende Buch präsentiert eine Sammlung von Texten Yrjö Engeströms, die sich – wenn die Auswahl auch nicht als mit Absicht repräsentativ bezeichnet werden kann – doch über die ganze Periode seines bisherigen enorm produktiven Schaffens erstreckt. Die ersten beiden Kapitel stellen eine überarbeitete Neuauflage der deutschen Übersetzung *Learning by Expanding* dar, des Buches von 1987 also, welches das theoretische Rahmenwerk für die künftigen Projekte Engeströms formulierte. Bereits für die deutsche Übersetzung 1999 (Kapitel 2 in diesem Buch) hatte Engeström eine Einleitung (Kapitel 1 in diesem Buch) verfasst, die eine Bilanz der 10 Jahre zieht, die zwischen der ersten Publikation und der deutschen Übersetzung vergangen waren.

In die vorliegende Ausgabe sind drei weitere Arbeiten aus den Jahren 2007 – 2010 übernommen worden. Sie stellen in gewisser Weise bestimmte bedeutende Erweiterungen und Anwendungen der ursprünglichen Theorie des expansiven Lernens zusammen. Die Arbeit, die in Kapitel 3 abgedruckt ist, führt der Begriff der Ko-Konfiguration ein, der insofern für die Theorie des expansiven Lernens im Rahmen der kulturhistorischen Theorie eine bedeutsame Erweiterung darstellt, als es hierbei darum geht, neue Formen der Warenproduktion einzubeziehen. Hierbei geht es vor allem darum, dass Waren heute oft nicht länger für einen anonymen Markt produziert werden, sondern dass Waren der Massenproduktion auf spezifische, sich ändernde Wünsche von Käufern und Kunden hergestellt werden. Dies erfordert eine neue Form der komplementären Beziehung zwischen Produzenten und Konsumenten, die der Begriff der Ko-Konfiguration erfassen soll.

Die in Kapitel 4 abgedruckte Arbeit von Engeström, Keruoso, und Kajamaa aus dem Jahr 2007 präsentiert schwerpunktmäßig die praktische Arbeit mit der Theorie des expansiven Lernen an drei ausführlichen Fällen.

Kapitel 5, *Untersuchungen zum expansiven Lernen*, stellt einen aktuellen und umfassenden Versuch dar, die Theorie des expansiven Lernens auf einen neuen theoretischen Stand zu bringen. Dazu werden die Grundbegriffe systematisch diskutiert und erweitert, es wird die Kritik der Theorie des expansiven Lernens ausführlich dargestellt und schließlich ein Ausblick auf die weitere Entwicklung gegeben.

Der Inhalt des vorliegenden Buches entstammt den folgenden Quellen:

Engeström, Y. *Lernen als Expansion*. Hrsg. u. übers. von F. Seeger. Marburg: BdWi-Verlag, 1999. (Kapitel 1 und 2)

Engeström, Y. Enriching the theory of expansive learning: Lessons from journeys toward coconfiguration. *Mind, Culture, and Activity*, 2007, Vol. *14*(1), 23-39. (Kapitel 3)

Engeström, Y., Kerosuo, H., & Kajamaa, A. Beyond discontinuity. Expansive organizational learning remembered. *Management Learning*, 2007, *38*(3), 319-336. (Kapitel 4)

Engeström Y. & Sannino, A. Studies of expansive learning: Foundations, findings and future challenges. *Educational Research Review*, 2010, *5*(1) , 1-24. (Kapitel 5)

In dieser Auswahl von Texten, die alle Phasen der historischen Entwicklung der Theorie des expansiven Lernens widerspiegelt, liegt den Interessenten an diesem Ansatz ein Buch vor, das sowohl für die theoretische wie für die praktische Arbeit seinen Nutzen zeigen sollte. Durch die Aufnahme von Indexen und Verzeichnisse sollen dieser Nutzen und die Orientierung unterstützt werden.

An dieser Stelle sei Claudia Ang-Stein für die Übersetzung des 5. Kapitels herzlich gedankt!

Falk Seeger

Verzeichnis der Abbildungen und Tabellen

1

Lernen durch Expansion: Zehn Jahre danach

Yrjö Engeström

Autobiographische Anmerkung

Learning by Expanding erschien 1987 in Helsinki. Einige Monate später begann ich meine Tätigkeit als Gastprofessor für Kommunikation an der University of California, San Diego. 1989 wurde daraus eine Dauerstelle. Das von Michael COLE gegründete *Laboratory of Comparative Human Cognition* in San Diego wurde die Heimat und Basis meiner Forschungstätigkeit. Ich habe jedoch in all den Jahren auch weiter eine Forschungsgruppe an der Universität Helsinki geleitet. Im Jahre 1995 wurde ich zum Akademieprofessor an der Akademie von Finnland ernannt, eine Position, die es mir ermöglicht, ein Forschungsprogramm in Finnland bis zum Jahre 2000 durchzuführen.

Die Bewegung zwischen Finnland und Kalifornien haben auf mein Denken und meine Forschungstätigkeit einen beträchtlichen Einfluss ausgeübt. In Kalifornien musste ich einiges über Multikulturalismus lernen, und ich lernte die ethnischen, religiösen und anderen Unterschiede zwischen Menschen schätzen. Ich musste auch lernen, meine theoretischen Ideen mit konkreten Fällen und sorgfältig dokumentierten ethnographischen Details zu begründen. Ich lernte auch gewisse Dinge in Finnland schätzen. Dies bezieht sich auch auf die Zusammenarbeit und die gemeinsame Autorenschaft mit Kollegen, die in den US-amerikanischen Sozialwissenschaften nicht selbstverständlich ist. Am wichtigsten war, dass ich die relative Offenheit finnischer Arbeitsstätten für kritische Forschung und weitreichende Interventionen schätzen lernte.

Drei Generationen Tätigkeitstheorie

Ich möchte vorschlagen, drei Generationen in der Entwicklung der kulturhistorischen Tätigkeitstheorie zu unterscheiden. Die erste Generation, die um VYGOTSKIJ zentriert ist, formulierte die Idee der Vermittlung. Diese Idee kristallisiert sich in VYGOTSKIJS berühmtem Dreiecksmodell einer „komplexen, vermittelten Handlung" (VYGOTSKIJ, 1978), ausgedrückt in der Triade von Subjekt, Gegenstand und vermittelndem Artefakt.

Die Einführung kultureller Artefakte in menschliche Handlungen war insofern revolutionär als die grundlegende Einheit der Analyse nun die Trennung von kartesianischem Individuum und der unberührbaren Struktur der Gesellschaft überwand. Das Individuum konnte nun nicht länger ohne seine kulturellen Mittel verstanden werden – und die Gesellschaft konnte nicht länger verstanden werden, ohne die verantwortliche Tätigkeit von Individuen, die Artefakte herstellen und benutzen. Das bedeutete auch, dass die Gegenstände nun aufhören, wie bei PIAGET bloßes Rohmaterial für die Herausbildung des Subjekts zu sein. Gegenstände wurden zu kulturellen Entitäten und die Gegenständlichkeit der Handlung wurde zum Schlüssel für das Verständnis der menschlichen Psyche.

Die Grenze der ersten Generation bestand in der Fokussierung ihrer Analyseeinheit auf das Individuum. Die zweite Generation überwand diese Grenze, zum großen Teil inspiriert durch LEONT'EVS Arbeiten. In seinem berühmten Beispiel der „kollektiven Jagd in der Urgesellschaft" (LEONT'EV, 1971) zeigte er, wie die historische Entwicklung der Arbeitsteilung die fundamental wichtige Unterscheidung zwischen einer individuellen Handlung und einer kollektiven Tätigkeit hervorgebracht hat. LEONT'EV hat jedoch niemals VYGOTSKIJS ursprüngliches Modell in graphischer Form zu einem Modell eines kollektiven Tätigkeitssystems erweitert. Ein solcher Versuch der Modellierung findet sich in 2. Abschnitt von *Lernen als Expansion* (Kapitel 2 dieser Ausgabe).

Der Begriff der Tätigkeit brachte das Paradigma insofern einen großen Schritt voran, als es die Aufmerksamkeit auf die komplexen Beziehungen zwischen individuellem Subjekt und seiner sozialen Gemeinschaft richtete. In der Sowjetunion beschränkten sich die gesellschaftlichen Tätigkeitssysteme, die konkret von Tätigkeitstheoretikern untersucht wurden, weitgehend auf Spiel und Lernen bei Kindern. Widersprüche der Tätigkeit blieben ein außerordentlich heikles Problem. Seit den siebziger Jahren wurde die Tradition von kritischen Wissenschaftlern im Westen aufgenommen und in einen neuen Kontext gebracht. Neue Bereiche der Tätigkeit, einschließlich der Arbeitstätigkeit, wurden für konkrete Forschungsvorhaben erschlossen. Eine ungeheure Vielfalt von Anwendungen der Tätigkeitstheorie begann sich zu entwickeln, was in neueren Sammelbänden seinen Ausdruck findet (z.B., ENGELSTED, HEDEGAARD, KARPATSCHOF, & MORTENSEN, 1993; ENGESTRÖM, MIETTINEN, & PUNAMÄKI, 1999; NARDI, 1996). Die Idee der inneren Widersprüche der Tätigkeit, die von IL'ENKOW (1977, 1982) eindringlich auf den Begriff gebracht worden war, begann den ihr gebührenden Status als leitendes Prinzip empirischer Forschung zu gewinnen.

Schon seit VYGOTSKIJs grundlegender Arbeit beschäftigte sich der Diskurs der kulturhistorischen Schule oft mit einer vertikalen Entwicklung zu „den höheren psychologischen Funktionen". LURIJAS (1986) kulturvergleichende Untersuchungen blieben ein isolierter Versuch. Michael COLE (1988; vgl. auch GRIFFIN & COLE, 1984) war einer der ersten, der nachdrücklich daraufhingewiesen hat, dass die zweite Generation der Tätigkeitstheorie mangelnde Sensibilität gegenüber kultureller Verschiedenartigkeit zeigt. In dem Maße, in dem die Tätigkeitstheorie international wurde, wurden Fragen der Differenz und des Dialogs zunehmend zu ernsthaften Herausforderungen. Diesen Herausforderungen muss sich die dritte Generation der Tätigkeitstheorie stellen.

Die dritte Generation der Tätigkeitstheorie muss begriffliche Werkzeuge entwickeln, mit deren Hilfe sich Dialog, multiple Perspektiven und Stimmen sowie Netzwerke von interaktiven Tätigkeitssystemen verstehen lassen. In dieser Forschungsrichtung ist das Grundmodell so erweitert, dass es minimal aus zwei interagierenden Tätigkeitssystemen besteht. Diese Bewegung zu Netzwerken der Tätigkeit ist in einer noch unentwickelten Form im vorliegenden Buch antizipiert (vgl. die Abbildungen 2.7 und 2.11).

Entwicklungs- und arbeitsbezogene Forschung als Anwendungsbereich

Die zentralen Ideen dieses Buches lassen sich in den folgenden fünf Thesen zusammenfassen:

1. das gegenständliche und durch Artefakte vermittelte kollektive Tätigkeitssystem ist die primäre Analyseeinheit für kulturhistorische Untersuchungen menschlichen Verhaltens;
2. die historisch sich entwickelnden inneren Widersprüche sind die herausragenden Quellen der Bewegung und Veränderung von Tätigkeitssystemen;
3. expansives Lernen ist eine historisch neue Form des Lernens, die in der Auseinandersetzung der Tätigkeitssysteme von Praktikern mit Entwicklungen und Veränderungen entsteht, die sie durch kollektive Zonen der nächsten Entwicklung führt;
4. die dialektische Methode des Aufsteigens vom Abstrakten zum Konkreten stellt das wichtigste Werkzeug für die Beherrschung von Zyklen des expansiven Lernens dar; und
5. es wird eine eingreifende Methodologie erforderlich, deren Ziel es ist, Zyklen expansiven Lernens in lokalen Tätigkeitssystemen anzuregen, zu vermitteln, aufzuzeichnen und zu analysieren.

Als dieses Buch geschrieben wurde, hatten meine Kollegen und ich die ersten Schritte unternommen, entwicklungs- und arbeitsbezogene Forschung als Methodologie der Anwendung der Tätigkeitstheorie, insbesondere der Theorie des expansiven Lernens, in der Welt der Arbeit, der Technologie und der Organisationen zu formulieren. Seit damals sind eine ganze Reihe von Untersuchungen und Dissertationen erschienen, die diesen theoretischen Rahmen anwenden, wenn auch meistens in Finnisch (für eine Einführung in die entwicklungs- und arbeitsbezogene Forschung, vgl. ENGESTRÖM, 1991c, 1993, 1996a; vgl. auch ENGESTRÖM & MIDDLETON, 1996 für einen breiteren Überblick in Bezug auf die aktuelle Entwicklungstendenz kontextbezogener Arbeitsstudien).

In den folgenden Abschnitten werde ich kurz Erfahrungen und Herausforderungen der Theorie des expansiven Lernens darstellen, die wir im Verlaufe der zehn Jahre seit der Publikation dieses Buches in unseren Untersuchungen an unterschiedlichen Arbeitsplätzen gemacht haben.

Die Horizontale und die Vertikale in der Entwicklung

In einem neueren Aufsatz (ENGESTRÖM, 1996b) habe ich die Neufassung des Begriffs der Entwicklung in drei parallelen Aspekten vorgeschlagen: (l) statt Entwicklung als unproblematische Erlangung von Fähigkeiten zu sehen, sollte sie teilweise als destruktive Widerlegung des Alten betrachtet werden; (2) statt als einfache individuelle Transformation sollte Entwicklung als kollektive Transformation gesehen werden; (3) statt als einfache vertikale Bewegung über verschiedene Ebenen, sollte Entwicklung als horizontale grenzüberschreitende Bewegung gesehen werden. Die ersten beiden Punkte werden im vorliegenden Buch ziemlich gut abgedeckt. Der dritte Punkt der grenzüberschreitenden horizontalen Bewegung begann mir 1987 erst allmählich klar zu werden. Besonders in Abschnitt 4 von *Lernen als Expansion*, dem Abschnitt über „Historische Formen der Tätigkeit und expansive Übergänge" spiegelt noch den Einfluss eines vertikalen evolutionären Denkens wider, das qualitativ unterschiedliche Formen der Tätigkeit tendenziell als Stufen in einer normativen evolutionären Folge fixiert.

Drei Jahre nachdem „Learning by Expanding" geschrieben worden war, habe ich meinen Standpunkt folgendermaßen formuliert:

> unter diesem Gesichtspunkt die Identifizierung vergangener Zyklen des Systems der Tätigkeit. Die Re-Orchestrierung der Stimmenvielfalt wird auf dramatische Weise erleichtert, wenn man die verschiedenen Stimmen auf ihrem historischen Hintergrund betrachtet, als Schichten einer Gesamtheit von komplementären Fähigkeiten innerhalb des Systems der Tätigkeit. (ENGESTRÖM, 1991a, S. 15)

Carol KRAMSCH hat kürzlich (1993) den Begriff der „Kontaktzone" für wichtige Formen des Lernens und der Entwicklung geprägt, die sich zeigen, wenn Menschen aus unterschiedlichen Kulturen aufeinandertreffen und sich miteinander verbinden. Kris GUTIERREZ und ihre Mitautoren (GUTIERREZ, RYMES, & LARSON, 1995) schlagen den Begriff der „dritten Dimension" für ähnliche Ereignisse im Unterricht vor, wenn die anscheinend selbstbezogenen Welten von Lehrern und Schülern aufeinandertreffen und miteinander interagieren, um dabei neue Bedeutungen hervorzubringen, die über die Grenzen der jeweiligen Welten hinausgehen. Der Begriff der „Perspektive" (z.B. HOL-

LAND & REEVES 1996) ist zu einem Bestandteil des Vokabulars der Tätigkeitstheorie geworden.

Die entwicklungs- und arbeitsbezogene Forschung untersucht empirisch Netzwerke vielfältiger Tätigkeiten (z.B. SAARELMA, 1993; MIETTINEN, 1993). Eine Diskussion zwischen der Tätigkeitstheorie und Bruno LATOURS Akteur-Netzwerk Theorie ist in Gang gesetzt worden (ENGESTRÖM & ESCALANTE, 1996; ENGESTRÖM, 1996c). Der Begriff der Grenzüberschreitung entwickelt sich zu einem Instrument innerhalb der Forschung zur entwickelnden Arbeitsuntersuchung (ENGESTRÖM, ENGESTRÖM, & KÄRKKÄINEN, 1995).

Die Beachtung der horizontalen Dimension lenkt die Aufmerksamkeit auf den Dialog als diskursive Suche nach gemeinsamer Bedeutung in gegenständlichen Tätigkeiten. Jim WERTSCH (1991) kommt das Verdienst zu, Michail BACHTINS Ideen (1981, 1986) über den Dialog als Möglichkeit eingeführt zu haben, die Theorie von VYGOTSKIJ zu erweitern. Ritva ENGESTRÖM (1995) ist noch einen Schritt weitergegangen, indem sie die Parallelen zwischen BACHTINS Ideen zur sozialen Sprache, zur Stimme und zum Sprach-Genre mit LEONT'EVS Begriffen der Tätigkeit, der Handlung und der Operation verglichen hat.

Man könnte sagen, dass die Tätigkeitstheorie, und die entwicklungs- und arbeitsbezogene Forschung als ihre Anwendung, in den 90er Jahren eine Wende zum Dialog vollzogen haben, insbesondere inspiriert durch die Arbeiten von BACHTIN. Diese Entwicklung wird gegen Ende des vierten Abschnitts von *Lernen als Expansion* antizipiert.

Während ich darauf dränge, dass die horizontale Dimension mehr Beachtung und theoretisches Verständnis erfordert, betone ich zugleich auch, dass es eine wichtige vertikale Dimension menschlichen Lernens und menschlicher Kognition in einem allgemeineren Sinne gibt (ENGESTRÖM, 1995). Ansätze zu Lernen und Innovation, die allein mit horizontalen oder „flachen" Ansichten der Kognition operieren, lassen eine entscheidend wichtige Grundlage vermissen, insofern die besonderen komplementären Potentiale und Beschränkungen solcher Instrumente nicht erfasst werden, die verschiedene Ebenen vermitteln.

Die Betonung der Bedeutung dieser vertikalen Dimension ist manchmal als Rückfall in deterministische Modelle von Stufen der Entwicklung interpretiert worden, die zu einem vorbestimmten Endpunkt führen. So hat zum Beispiel Klaus HOLZKAMP die Ebenen des Lernens von BATESON (1972) und ihre Anwendung in Lernen als Expansion wie folgt interpretiert: „Entwicklung wird als Abfolge von Lernen durch logisch vorgegebene Stufen der Entwicklung dargestellt" (HOLZKAMP, 1993, S. 238).

Impliziert die Betonung der vertikalen Dimension von hierarchischen Ebenen automatisch einen vorgegebenen Verlauf der Entwicklung? Holzkamp übersieht hier die Dialektik von Universalität und Kontextspezifik. Eben dieses Problem hat Sylvia SCRIBNER (1985) in ihrer Analyse des geschichtlichen Aspekts bei VYGOTSKIJ diskutiert.

> Genauso wenig aber wie VYGOTSKIJ eine „Abfolge kultureller Stufen" anbietet, bietet er auch keine stufenförmige Abfolge der höheren Formen des Verhaltens an. Ich glaube, dass ein Grund dafür darin besteht, dass er höhere Systeme nicht als allgemeine Formen des Denkens oder als allgemeine Strukturen der Intelligenz im Sinne von PIAGET versteht. VYGOTSKIJ wandte sich der Frage der allgemeinen Prozesse der Herausbildung spezifischer funktionaler Systeme zu, einem Projekt, das sich ziemlich von dem Ziel unterscheidet, eine bestimmte Sequenz allgemeiner funktionaler Systeme zu skizzieren... VYGOTSKIJs Vergleiche beziehen sich immer auf bestimmte Systeme zeichenvermittelnden Verhaltens - Gedächtnis, Zählen, Schreiben. ... Jedes dieser Systeme besitzt seinen eigenen Verlauf der Entwicklung, und alle (als „höher" oder „kulturell" definiert) nehmen ihren Ausgang von rudimentären Formen und schreiten zu weiter entwickelten fort. Es gibt aber keine theoretische Notwendigkeit, dass alle funktionalen Systeme, die das Verhalten eines Individuums oder die Verhaltensweisen in einer sozialen Gruppe charakterisieren, sich auf der gleichen Ebene befinden. (SCRIBNER, 1985, S. 132; erste Hervorhebung von mir, Y.E.)

Im Kontext meiner eigenen Argumentation lässt sich SCRIBNERs Argument wie folgt übersetzen. Ich behaupte, dass Ebenen des Lernens „allgemeine Prozesse der Herausbildung besonderen funktionaler Systeme" darstellen. Als allgemeine Prozesse oder allgemeine Mechanismen enthalten sie keine festgelegte Abfolge und auch keinen festgelegten Endpunkt. Sie sind permanent als Grundlage für die Herausbildung spezifischer Innovationen und Transformationen in spezifischen Organisationen gegenwärtig. Es ist kennzeichnend für die Ebenen des Lernens, dass sie in verschiedenen Kombinationen existieren und dass es eine beständige Interaktion zwischen den verschiedenen Ebenen gibt. In diesem Sinne kann man die Ebenen als einen Satz von Schraubenschlüsseln in aufeinanderfolgenden Größen verstehen.

Der Satz von Werkzeugen selbst ist ziemlich allgemein – er kann auf außergewöhnlich viele verschiedene Aufgaben angewendet werden. Er wird aber immer in einem bestimmten Kontext und einer bestimmten Situation angewendet. Es gibt mit Sicherheit eine Hierarchie in dem Satz von Schlüsseln. Es gibt jedoch keine inhärente Notwendigkeit, die Schlüssel in einer bestimmten Reihenfolge zu gebrauchen.

Es ist von enormer praktischer Bedeutung, großen Wert auf die Arbeit mit beiden Dimensionen zu legen, der Horizontalen und Vertikalen, oder allgemeiner, der räumlich-sozialen und der zeitlich-historischen.

> Es ist ganz sicher richtig zu vermeiden, der sozialen Wirklichkeit rigide, eindimensionale Sequenzen aufzudrücken. Besonders unter Wissenschaftlern aus dem englischen Sprachraum, die sich auf die Ideen VYGOTSKIJS beziehen, scheint jedoch die übliche Alternative in einem totalen Verzicht auf Geschichte zu bestehen. Kognitive Unterschiede zwischen verschiedenen Kulturen, sozialen Gruppen und Praxisbereichen werden dann gewöhnlich erklärt, ohne ernsthaft die historische Entwicklung zu untersuchen, die zu diesen Unterschieden geführt hat. Die zugrundeliegende relativistische Auffassung besagt dabei, dass wir keine Werturteile in Bezug darauf abgeben dürfen, welche Kognition „besser" oder „weiter entwickelt" ist, dass alle Formen des Denkens und der Praxis gleich wertvoll sind. Diese liberale Haltung mag eine angenehme Grundlage für den akademischen Diskurs sein, sie übersieht jedoch die Tatsache, dass in allen Bereichen der gesellschaftlichen Praxis eben diese Werturteile und Entscheidungen jeden Tag gefällt werden müssen. Die Menschen müssen sich entscheiden, wohin sie gehen wollen, wo es „voran" geht. Wenn die Verhaltens- und Sozialwissenschaften dieses Problem umgehen wollen, dann werden sie nicht in der Lage sein, nützliche und zugleich theoretisch anspruchsvolle intellektuelle Werkzeuge für Praktiker auszuarbeiten, die eben diese wichtigen Entscheidungen treffen. (ENGESTRÖM, 1991a, S. 10)

Die Reichweite von Zyklen des expansiven Lernens

Die Theorie des expansiven Lernens beruht auf der Dialektik des Aufsteigens vom Abstrakten zum Konkreten. Dies ist eine Methode, das Wesen eines Gegenstandes zu erfassen, indem man die Logik seiner Entwicklung, seiner historischen Herausbildung mit Hilfe der Entwicklung und Auflösung seiner inneren Widersprüche nachzeichnet und theoretisch reproduziert. Eine neue theoretische Idee wird anfänglich in Form einer abstrakten, einfachen erklärenden Beziehung formuliert, einer „Keimzelle". Diese Anfangsabstraktion wird Schritt für Schritt angereichert und in ein konkretes System multipler, sich ständig entwickelnder Manifestationen transformiert. In einem Zyklus expansiven Lernens wird die anfänglich einfache Idee in einen komplexen Gegenstand transformiert, in eine neue Form der Praxis. Zugleich formuliert dieser Zyklus neue theoretische Begriffe – die theoretisch verstandene Praxis –, die konkret in ihrer systemischen Reichhaltigkeit und der Vielfalt ihrer Manifestationen sind.

Abstrakt meint in diesem theoretischen Rahmen partialisiert, getrennt vom konkreten Ganzen. Beim empirischen Denken auf der Grundlage von Vergleichen und Klassifikationen, erfassen Abstraktionen beliebige, nur formal miteinander verbundene Eigenschaften. Beim dialektisch-theoretischen Denken auf der Grundlage des Aufsteigens vom Abstrakten zum Konkreten erfasst eine Abstraktion die kleinste und einfachste, genetisch primäre Einheit des ganzen funktional miteinander verbundenen konkreten Systems (vgl. IL'ENKOV, 1977; DAVYDOV, 1990; auch BAKHURST, 1991; FALMAGNE, 1995).

Ein expansiver Zyklus wird in Gang gesetzt, wenn einzelne Individuen die akzeptierte Praxis in Frage stellen, und er expandiert allmählich zu einer kollektiven Bewegung oder zu einer Institution. Die Theorie des expansiven Lernens bezieht sich auf die Akteur-Netzwerk Theorie von LATOUR, die ebenfalls Innovationen als schrittweise Konstruktion neuer Formen der kooperativen Praxis oder technisch-ökonomischer Netzwerke versteht (LATOUR, 1987, 1988, 1993; vgl. auch ENGESTRÖM & ESCALANTE 1996).

Das Aufsteigen vom Abstrakten zum Konkreten erfolgt mit Hilfe spezifischer epistemischer oder Lernhandlungen. Zusammengenommen bilden diese Handlungen einen expansiven Zyklus oder eine Spirale. Der Prozess des expansiven Lernens kann als Konstruktion und Auflösung von sukzessiv sich entwickelnden Widersprüchen im System der Tätigkeit verstanden werden.

Die Theorie des expansiven Lernens wurde zunächst auf größere Transformationen in Tätigkeitssystemen angewendet, die sich oft über einen Zeitraum von mehreren Jahren erstreckten (ENGESTRÖM, 1991c, 1994). In mehreren neueren Untersuchungen (z.B. ENGESTRÖM, 1995; ENGESTRÖM, ENGESTRÖM, & KÄRKKÄINEN, 1995; ENGESTRÖM, VIRKKUNEN, HELLE, PIHLAJA, & POIKELA, 1996; BUCHWALD, 1995; KÄRKKÄINEN, 1996) sind andere Größenordnungen benutzt wurden. Statt auf ganze Unternehmen richtete sich die Aufmerksamkeit dieser Untersuchungen auf kleinere Einheiten oder Teams. Statt größerer Zyklen, die Jahre dauern, untersuchen die Forscher einerseits kleinere Phasen und Zyklen, die Minuten und Stunden dauern, und andererseits mittlere Zyklen oder Entwicklungsbahnen, die Wochen oder Monate dauern. Können solche kleinen und mittleren Zyklen auch als expansiv angesehen werden?

Die Antwort lautet: Ja und Nein. Ein größerer expansiver Zyklus der Umgestaltung einer Organisation schließt immer auch kleinere Zyklen des innovativen Lernens ein. Das Auftreten kleinerer Zyklen innovativen Lernens garantiert jedoch selbst noch nicht, dass ein expansiver Zyklus abläuft. Kleinere und mittlere Zyklen des innovativen Lernens sollten daher als potentiell expansiv angesehen werden. Kleinere Zyklen können isolierte Ereignisse bleiben, und der Gesamtzyklus der Entwicklung einer Organisation kann stagnieren, regredieren oder sogar auseinanderfallen. Das Auftreten eines vollständigen expansiven Zyklus ist nicht selbstverständlich, es erfordert üblicherweise langfristige Anstrengungen und entschlossene Interventionen. Mit diesen Einschränkungen im Hinterkopf lassen sich der Zyklus expansiven Lernens und die in ihn eingebetteten Handlungen als theoretischer Rahmen auf die Analyse innovativer Lernprozesse kleinerer Reichweite anwenden.

Ansätze einer utopischen Methodologie

Die Theorie des expansiven Lernens impliziert einen radikalen lokalen Standpunkt. Die fundamentalen gesellschaftlichen Beziehungen und Widersprüche einer bestimmten sozioökonomischen Formation, und damit die Möglichkeiten einer qualitativen Veränderung, sind in jeder einzelnen Tätigkeit dieser Gesellschaft gegenwärtig. Und umgekehrt bestehen die mächtigsten, unpersönlichsten gesellschaftlichen Strukturen aus lokalen Tätigkeiten, die von konkreten menschlichen Wesen mit Hilfe vermittelnder Artefakte ausgeübt werden, selbst wenn sie in Büros auf den höchsten Etagen der Politik und der Vorstandsebene stattfinden und nicht in Werkhallen und an Straßenecken. In diesem Sinne ist es vielleicht nützlich zu versuchen, die Gesellschaft eher als Netzwerk mit vielen Schichten und Ebenen miteinander verbundener Systeme von Tätigkeiten zu betrachten und weniger als eine Pyramide rigider Strukturen, die von einem einzigen Machtzentrum abhängen.

In dem hier vertretenen Ansatz zielt Forschung auf die reorganisatorische Entwicklung der Arbeitstätigkeiten. Forschung macht, in anderen Worten, die Widersprüche der untersuchten Tätigkeit sichtbar, verschärft sie und fordert damit die Akteure heraus, neue begriffliche Werkzeuge in Besitz zu nehmen und zu benutzen, um ihre eigene Praxis zu analysieren und neu zu gestalten (vgl. ENGESTRÖM et al., 1996; ENGESTRÖM, 2007c).

Das bedeutet, dass die Praktiker dazu aufgefordert sind, an der Analyse von Störungen ihrer Tätigkeit teilzunehmen. Dabei betrachten Praktiker üblicherweise gemeinsam mit den Wissenschaftlern eine Reihe von Störungen, die mit Video oder anderen Mitteln aufgezeichnet worden sind. Die Praktiker werden aufgefordert, die prinzipiell gleiche Analyse wie die Wissenschaftler durchzuführen, die gleichen begrifflichen Werkzeuge in Besitz zu nehmen und zu gebrauchen. In einigen Fällen erheben die Praktiker den Großteil der Daten, indem sie beispielsweise mit Video wechselseitig ihre eigene Arbeitstätigkeit und ihre Interaktionen aufzeichnen. Diese Form der Forschung ist schematisch in Abbildung 1.1 dargestellt.

In Abbildung 1.1 bezieht sich „intermediäre begriffliche Werkzeuge" auf relativ empirienahe und kontextsensitive Begriffe. Solche intermediären Begriffe werden typischerweise im Prozess der Datensammlung und Datenanalyse und im Prozess der Entwicklung von Lösungen für die identifizierten Widersprüche geschaffen. Das Grundmuster der Entwicklung solcher Interventionen folgt VYGOTSKIJs Methode der dualen Stimulation (vgl. VAN DER VEER und VALSINER 1991). Die entscheidende Idee besteht dabei darin, dass eine Aufgabe nicht einfach die Aufgabe ist, wie sie vom Experimentator entwickelt worden ist. Sie wird immer durch die Subjekte mit Hilfe ihrer „psychologischen Instrumente" interpretiert und rekonstruiert, die von außen nicht vollständig kontrolliert werden können. Statt einem Kind einfach eine Aufgabe zu geben, seine Interpretation und Rekonstruktion der Aufgabe zu ignorieren und zu beobachten, wie es damit fertig wird, stellten VYGOTSKIJ und seine Kollegen dem Kind auch potentiell hilfreiche Artefakte zur Verfügung – Werkzeuge oder Zeichen. Mit ihrer Hilfe konnte die Art und Weise der Aufgabenstellung radikal verändert werden. Auf diese Weise konnten sich dann die potentiellen Fähigkeiten und die entstehenden neuen psychologischen Formationen zeigen.

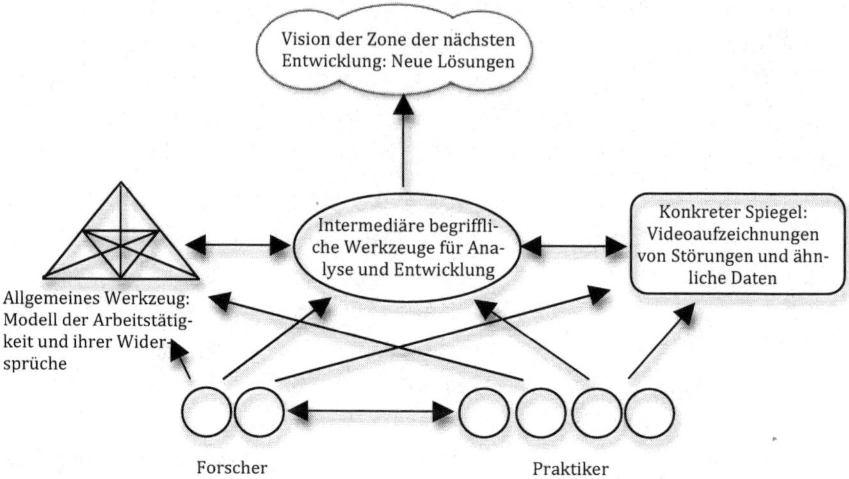

Abb. 1.1 Schematische Darstellung der entwickelnden Arbeitsforschung (ENGESTRÖM, 1991b, S. 80)

Solche Interventionen basieren nicht auf Vorschriften, sondern auf der Einführung und kollektiven Anwendung neuer Werkzeuge - buchstäblich auf einer Re-mediatisierung oder Re-instrumentierung. Dies ist mehr als ein zufälliger, angelegentlicher und informeller Dialog: der Wissenschaftler hat einen wesentlichen Beitrag zu leisten und muss oft sehr entschlossen und systematisch bei dem Vorhaben sein, diesen Beitrag anzubieten.

Bisher hat sich die Theorieentwicklung und die Forschung im Sinne von VYGOTSKIJ meistens auf ein einzelnes Individuum oder auf eine Dyade von zwei Personen beschränkt, die ein einzelnes, wohl definiertes Werkzeug oder Artefakt benutzen. Die vermittelnde Funktion von Sprache hat eine komplexere Herangehensweise erforderlich gemacht, Untersuchungen semiotischer Vermittlung haben aber in der Regel gegenständliche Instrumente und Werkzeuge ausgeschlossen. In den Interventionsstudien zum expansiven Lernen ist die Lage in Bezug auf die Vermittlung komplex und vielschichtig, und zwar sowohl in semiotischer wie in instrumenteller Hinsicht, und doch sind die entscheidenden Ereignisse zeitlich und räumlich so eingegrenzt, dass sie die Sammlung originalgetreuer Daten mit Hilfe von Videoaufzeichnungen erlauben. Die Analyse solcher Daten zwingt die Wissenschaftler dazu, die Vermittlung unter einem neuen Blickwinkel zu sehen: statt einzelner Instrumente muss man die gesamte miteinander verbundene Instrumentalität untersuchen (vgl. GRIMSHAW 1981 für eine ältere und restriktivere Auffassung von Instrumentalität).

Der Begriff der Instrumentalität impliziert, dass die Instrumente ein System bilden, welches eine Vielfalt kognitiver Artefakte und semiotischer Mittel für die Analyse und Entwicklung einschließt, aber auch einfache primäre Werkzeuge, die in der alltäglichen Praxis angewendet und zum Zwecke der Überprüfung, der Modifikation und des Experimentierens Gegenstand der Betrachtung werden. In einer solchen Umgebung mit hoher Vermittlungsdichte wird eine Reihe von miteinander verbundenen soziokognitiven Prozessen verlangt – es muss im wahrsten Sinne des Wortes eine neue Mentalität entwickelt werden. Es ist genau die Komplexität dieser Umgebung, die auch dazu führt, dass sich die Instrumentalität selbst beständig entwickelt, alte Werkzeuge werden modifiziert und neue geschaffen.

Diese Form der Entwicklungsarbeit erfordert eine offensive experimentelle Einstellung statt der eines gelegentlichen Beobachters und Katalysators. Kollektive Zonen der nächsten Entwicklung hervorzubringen und zu durchqueren bedeutet, mit Tätigkeitssystemen zu experimentieren. Wenn Praktiker ihre eigenen Störungen wie in einem Spiegel sehen, erfahren sie dies oft als persönliches Versagen oder sogar als Krisen. Es werden mächtige und unvorhersehbare kognitive, emotionale und soziale Dissonanzen ausgelöst.

Bei einer auf die Entwicklung bezogenen Intervention muss man diese Prozesse aufzeichnen, analysieren und unterstützen. Die Wissenschaftler müssen auch ihre eigenen Handlungen und Interaktionen aufzeichnen und analysieren. Die Interventionen müssen selbst zum Gegenstand eingehender Untersuchung werden.

Lernen als Expansion ist ein Plan für utopische Forschung bezogen auf konkrete menschliche Tätigkeiten, die eine historische Transformation durchmachen. Es ist ein sowohl theoretisch wie praktisch ehrgeiziges Forschungsprogramm, das sich noch ganz in seinen Anfängen befindet.

2

Lernen durch Expansion

Einleitung

Das erste Problem: Die Nutzlosigkeit des Lernens

In seinem Lehrbuch *Die Bedingungen des menschlichen Lernens* hat Robert GAGNÉ (1973) acht hierarchisch organisierte Formen des Lernens unterschieden. Die höchste, kognitiv fortgeschrittenste Form nennt er Problemlösen. Beim Problemlösen werden „zwei oder mehr zuvor erworbene Regeln ... auf irgendeine Weise miteinander kombiniert und ergeben eine neue Leistungsmöglichkeit, deren Abhängigkeit von einer Regel ‚höherer Ordnung' gezeigt werden kann" (GAGNÉ, 1973, S. 58). Problemlösen ist dabei abhängig von dem „dem Individuum verfügbaren *Vorrat an Regeln*" (GAGNÉ, 1973, S. 177).

GAGNÉs Position ist zwar schon etwas älter, sie ist jedoch nicht wirklich durch neuere theoretische Entwürfe innerhalb der kognitiven Psychologie überwunden worden. Donald NORMAN nennt beispielsweise in seinem Lehrbuch *Learning and memory* (1982) drei Grundtypen des Lernens: Anwachsen, Strukturieren und Feinabstimmen. Sein „Strukturieren" entspricht ziemlich genau GAGNÉs Problemlösen. Es beinhaltet die Herausbildung einer neuen begrifflichen Struktur oder eines Schemas auf der Grundlage von zuvor erworbenem Wissen und Erfahrung. NORMAN stellt hier als typisches Beispiel vor, wie er das Morsealphabet gelernt hat. Nachdem er sich selbst eine lange Zeit darin geübt hatte, einzelne Buchstaben des Morsealphabets zu entziffern, was zu keiner wesentlichen Verbesserung der Geschwindigkeit geführt hatte, riet man ihm, sich auf Worte und Sätze zu konzentrieren statt auf Buchstaben. Eine dramatische Verbesserung war das Ergebnis. „Ich besaß bereits eine solide Basis in Bezug auf die einzelnen Buchstaben und so konnte ich von dem Ratschlag profitieren, die Größe der Einheiten auszuweiten – um mein Wissen umzustrukturieren" (NORMAN, 1982, S. 83).

Die Ähnlichkeit zwischen NORMANs Strukturieren und GAGNÉs Problemlösen ist deutlich. Die Wahl der Worte hat sich geändert, aber die Substanz ist die gleiche geblieben.

Auf den ersten Blick erscheinen Problemlösen und Strukturieren als hinreichende Beschreibungen der größten Leistungen des menschlichen Lernens. Was kann man mehr erwarten als einsichtige Lösungen von Problemen durch eine neue Strukturierung der mentalen Modelle oder der kognitiven Schemata des Individuums?

Das Problem besteht darin, dass Problemlösen und Strukturieren im Wesentlichen reaktive Formen des Lernens darstellen. Beide setzen einen gegebenen Kontext voraus, der das Individuum mit einer vorgegebenen Lernaufgabe konfrontiert. Lernen ist dabei so definiert, dass es die Möglichkeit ausschließt, neue Kontexte zu finden oder zu scharfen. Es ist jedoch gerade dieser Aspekt menschlichen Leistungsvermögens, oder vielmehr seine Abwesenheit, der in zunehmendem Maße zu einer wesentlichen Quelle des Unbehagens und der Sorge in verschiedenen Bereichen der gesellschaftlichen Praxis wird. Allgemein gesprochen geht es bei diesen Sorgen um die Schwierigkeit, qualitative Veränderungen des individuellen Lebens, Veränderungen in Familien und Organisationen und in der Gesellschaft als Ganzes zu antizipieren, zu beherrschen und zu steuern.

Es ist schon symptomatisch, dass NORMAN sein Buch mit einer Klage darüber beendet, wie schlecht die moderne Technologie an die menschlichen Fähigkeiten angepasst ist. Seiner Meinung nach missbrauchen und ignorieren die Systemdesigner die Benutzer: „Sie beginnen mit der Maschine und an den Menschen wird erst am Ende gedacht, wenn es zu spät ist: Man denke nur an die Kontrolltafeln in den Atomkraftwerken" (NORMAN, 1982, S. 115). NORMANs Lösung besteht darin, dass technologische Systeme so entwickelt werden sollten, dass sie das Lernen leichter machen.

Diese Art von Klagen folgt dem traditionellen Muster der Entmündigung: Man muss den armen Lernern helfen, mit den Aufgaben klar zu kommen, die ihnen gegeben werden. Diese Herangehensweise führt sich selbst ad absurdum. NORMAN weist selbst daraufhin, dass man sehr lange dazu braucht, eine komplexe Fertigkeit zu lernen. Dabei erfahren die Kontexte der Aufgaben und die Fertigkeiten tiefgreifende qualitative Veränderungen, die oft vorhergehende Aufgaben und Fertigkeiten obsolet machen. NORMAN sagt selbst: „wenn es zu spät ist". Diese Kluft kann niemals durch eine Strategie der Entmündigung überwunden werden, dadurch, dass man von Designern verlangt, benutzerfreundlichere Systeme zu planen. Sie kann nur dadurch überwunden werden, dass man die Nutzer selbst in die Lage versetzt, in ihren Lebenskontexten qualitative Veränderungen zu planen und zu verwirklichen (einschließlich der Entwicklung und Implementation von Technologien).

Wenn Lernen in dieser Hinsicht nichts anzubieten hat, dann haben wir gute Gründe, von der Nutzlosigkeit des Lernens zu sprechen. Sowohl in der Theorie wie in der Praxis scheint das menschliche Lernen tatsächlich dazu verurteilt zu sein, hinter diesen qualitativen Veränderungen in den Lebenskontexten der Menschen hinterher zu rennen: Während die Lerner mit emsigem Problemlösen und Strukturieren beschäftigt sind, um mit den Veränderungen klarzukommen, die ihr Leben erschüttert haben, gibt es bereits neue qualitative Veränderungen, die schnell heranreifen und bald ihren Einfluss auf sie ausüben werden. Dieser Punkt wird von GAGNÉ wie folgt behandelt:

> Eine große wissenschaftliche Entdeckung oder ein großes Kunstwerk ist sicherlich das Ergebnis von Problemlösungsvorgängen. ... Nichts ... stützt den Gedanken, dass irgendeine Besonderheit jenes Problemlösen auszeichnet, das zu Entdeckungen von weitreichender Bedeutung für die menschliche Gesellschaft führt. ... Aber in einer bedeutenderen Entdeckung - im Unterschied zum Feld-, Wald- und Wiesentyp - steckt eine Kraftleistung der Verallgemeinerung, die weit über das hinausgeht, was man in der alltäglichen Lernsituation erwarten darf. Da geschieht ein „induktiver Sprung", eine Verknüpfung von Gedanken aus weit entfernt liegenden Kenntnissystemen, eine kühne Verwendung von Analogien, die das übersteigt, was man normalerweise Verallgemeinerung innerhalb einer Klasse von Problemsituationen nennt. (GAGNÉ, 1973, S. 180)

Wir finden hier zwei Annahmen. Erstens, dass große kreative Leistungen auf der gleichen Art von induktivem, kombinatorischem Problemlösen beruhen wie beim normalen Lernen durch Problemlösen. Zweitens, dass die gewöhnlichen Lernvorgänge beim Problemlösen praktisch nichts gemein haben mit den wahrhaft kreativen Entdeckungen, weil bei den letzteren der „induktive Sprung" so viel größer ist. In anderen Worten: GAGNÉ verneint zuerst, dass Kreativität etwas qualitativ Besonderes ist. Daran anschließend weist er darauf hin, dass Kreativität tatsächlich etwas qualitativ Besonderes ist, weil sie über den gegebenen Kontext hinausgeht.

Das Ergebnis für das Lernen sieht einigermaßen traurig aus.

> Weil es sich dabei um eine Methode mit reichen Bekräftigungswerten handelt, kann das Lösen von Problemen innerhalb der zu lernenden Strukturen intellektueller Fähigkeiten eine Liebe zum Lernen, einen „Durst nach Wissen" im einzelnen Schüler wecken. Aber es ist eine ganz andere Sache anzunehmen, dass diese Form des Lernens den einzelnen notwendigerweise zu einem „kreativen" Denker prädisponiert, der große Beiträge zur Wissenschaft oder Kunst zu leisten imstande ist. Um nicht missverstanden zu werden: Die Variablen, die ein Genie hervorbringen, sind sicherlich nicht völlig angeboren und müssen an hervorragender Stelle Faktoren enthalten, die sich auf Erfahrung und Umwelt des einzelnen beziehen. Aber außer als Methode für den Erwerb von Fähigkeitsvoraussetzungen scheint „Übung des Entdeckens" als Voraussetzungsvariable für die Entstehung eines Genies nicht sehr wahrscheinlich zu sein. (GAGNÉ, 1973, S. 181-182)

Dies ist ein Beispiel für eine zirkuläre Argumentation, die sich selbst ad absurdum führt. Zunächst geht der Autor von der impliziten Annahme aus, dass die höchsten Formen des Lernens in der Ausübung von induktivem, kombinatorischem Problemlösen bestehen, das definitionsgemäß den gegebenen Kontext nicht überschreitet. Dann kommt der Autor zu der triumphalen Schlussfolgerung, dass das Lernen durch Problemlösen nicht zu echter Kreativität rühren kann, d.h. den gegebenen Kontext nicht überwinden kann.

In diesem Buch werde ich untersuchen, ob das Lernen wirklich dazu verdammt ist, nutzlos zu sein oder ob es sich dabei um einen historisch vorübergehenden Zustand von begrenzter und temporärer Gültigkeit handelt; und zwar sowohl im Hinblick auf Theorien des Lernens wie auf die gesellschaftliche Praxis, in der Lernen eine Rolle spielt.

Ich werde im einzelnen genauer darlegen, dass es (a) grundlegend verfehlt ist, Kreativität als induktive kombinatorische Verallgemeinerung (wenn auch auf einer höheren Stufe) zu verstehen, und dass es (b) ebenfalls fundamental verfehlt ist, die höchsten Formen des Lernens als induktives, kombinatorisches Problemlösen oder Strukturieren zu verstehen.

Das zweite Problem: Die schwer zu fassende Expansion

Die Alternative zu reaktiven Formen des Lernens besteht in der Expansion, die einen gegebenen Kontext überschreitet. Weil die Expansion schwer zu fassen ist, ist sie üblicherweise nicht als ein geeigneter Gegenstand wissenschaftlicher Forschung betrachtet worden. Sie ist weitgehend eine Domäne des Mystizismus geblieben.

C.G. JUNG hat einen der wichtigen frühen Versuche unternommen, die Expansion in die psychologische Theorie einzubauen. Für ihn war das Schlüsselkonzept das kollektive Unbewusste.

> Die bewusste Persönlichkeit ist ein mehr oder weniger willkürlicher Ausschnitt aus der Kollektivpsyche. Sie besteht aus einer Summe von psychischen Tatsachen, die als persönlich empfunden werden. Das Attribut „persönlich" drückt die ausschließliche Zugehörigkeit zu dieser bestimmten Person aus. Ein nur persönliches Bewusstsein betont mit einer gewissen Ängstlichkeit sein Eigentums- und Urheberrecht an seinen Inhalten und versucht damit ein Ganzes zu schaffen. Alle jene Inhalte aber, die zu diesem Ganzen nicht recht passen wollen, werden entweder übersehen und vergessen oder verdrängt und abgeleugnet. Dies ist auch eine Art Selbsterziehung, aber eine willkürliche und zu gewalttätige. ... Daher solche „persönlichen" Leute auch immer sehr empfindlich sind, denn allzu leicht geschieht etwas, das ihnen ein unwillkommenes Stück ihres wirklichen („individuellen") Charakters zum Bewusstsein bringen könnte. (JUNG, 1971, S. 171-172)

Nach JUNGs Auffassung kann eine Psychoanalyse dazu führen, dass tiefere Schichten des kollektiven Unbewussten hinzugefügt werden, was eine Erweiterung der Persönlichkeit produziert, die schließlich zu dem pathologischen Zustand der „Inflation" führt.

> Sie kommt überall vor, wo Menschen von einem Wissen oder einer Erkenntnis überwältigt sind. „Das Wissen blähet auf", schreibt Paulus an die Korinther, denn die neue Erkenntnis hatte einigen den Kopf verdreht, wie es stets so zu gehen pflegt. Die Inflation hat mit der Art der Erkenntnis nichts zu tun, sondern bloß mit der Tatsache, dass eine neue Erkenntnis dermaßen von einem schwachen Kopf Besitz ergreifen kann, dass er nichts anderes mehr sieht und hört. Er wird davon hypnotisiert und glaubt, soeben die Lösung des Welträtsels entdeckt zu haben. Das aber ist gleichbedeutend mit Selbstüberhebung. Dieser Vorgang ist eine so allgemeine Reaktion, dass schon die Genesis 2,17 das Essen vom Baume der Erkenntnis als den zum Tode führenden Sündenfall darstellt. (JUNG, 1971, Fußnote S. 171-172)

Auf der anderen Seite kann Expansion auch zu Wissen über das Selbst und zu einem wirklich erweiterten Bewusstsein führen.

> Je mehr man sich aber durch Selbsterkenntnis und dementsprechendes Handeln seiner selbst bewusst wird, desto mehr verschwindet jene dem kollektiven Unbewussten aufgelagerte Schicht des persönlichen Unbewussten. Dadurch entsteht ein Bewusstsein, das nicht mehr in einer kleinlichen und persönlich empfindlichen Ich-Welt befangen ist, sondern an einer weiteren Welt, am Objekte, teilnimmt. Dieses weitere Bewusstsein ist nicht mehr jener empfindliche, egoistische Knäuel von persönlichen Wünschen, Befürchtungen, Hoffnungen und Ambitionen, der durch unbewusste Gegentendenzen kompensiert oder etwa auch korrigiert werden muss, sondern es ist eine mit dem Objekt, der Welt, verknüpfte Beziehungsfunktion, welche das Individuum in eine unbedingte, verpflichtende und unauflösbare Gemeinschaft mit der Welt versetzt. Die auf dieser Stufe entstehenden Verwicklungen sind nicht mehr egoistische Wunschkonflikte, sondern Schwierigkeiten, die sowohl mich wie den anderen angehen. (JUNG, 1971, S. 196)

Expansion wird für JUNG durch das kollektive Unbewusste ermöglicht, das man mit Hilfe der psychoanalytischen Therapie aufsuchen kann. Die Konzeption ist irgendwie sehr statisch: Das kollektive Unbewusste residiert irgendwo unterhalb von eher oberflächlichen Schichten. Die Aufgabe besteht darin, mit ihm Fühlung aufzunehmen, etwas von seiner immensen Kraft aufzufangen. Aber wie ist das kollektive Unbewusste überhaupt entstanden? Wie entwickelt es sich? Kann das Individuum daran teilnehmen, neue Formen des kollektiven Unbewussten zu schaffen? Und vor allem: Ist das kollektive Unbewusste nur eine mentale, geistige Schicht oder besitzt es irgendeine Art von materieller Basis und Verkörperungen in den gesellschaftlichen und produktiven Praktiken der Menschen?

Solange diese Fragen nicht gestellt werden und damit unbeantwortet bleiben, bleibt auch die Theorie von JUNG mystisch.

In der neueren psychologischen Theoriebildung sind Versuche gemacht worden, die Expansion als einen wissenschaftlichen Begriff wieder einzuführen. In seinem „transgressiven Modell des Menschen" hat Jozef KOZIELECKI (1986) zwischen protektivem und transgressivem Verhalten unterschieden. Das Letztere „erlaubt es, sich nach vorne zu bewegen: Die Person ist in der Lage, über die Grenzen ihrer materiellen oder symbolischen Leistungen hinauszugehen, d.h. sie ist in der Lage, neue Werte zu schaffen oder sie sich anzueignen" (KOZIELECKI, 1986, S. 90). Das transgressive Verhalten ist darüber hinaus in zwei Formen unterteilt, die Expansion und die Kreation. Die erste Form besteht in der Aneignung und Assimilation von existierenden materiellen oder symbolischen Werten (Waren, Geschäfte, Macht, Einfluss, Wissen). Die zweite Form schließt die Lösung von neuen unkonventionellen Problemen ein.

KOZIELECKI gerät in Schwierigkeiten, wenn er versucht, diese Unterscheidungen auf konkrete Fälle anzuwenden.

> Es gibt keine Probleme damit, die Reise des Kolumbus oder Einsteins Entdeckungen als typische Beispiele von transgressivem Verhalten zu definieren. Wir zögern jedoch, wenn wir vor die Entscheidung gestellt sind, die Lösung des Problems der Missionare und Kannibalen als einen Fall von Transgression einzuordnen oder nicht. Ähnliche Probleme der Einordnung entstehen natürlich in jedem anderen Gebiet der Psychologie. (KOZIELECKI, 1986, S. 92)

Um solche Schwierigkeiten zu vermeiden, schlägt KOZIELECKI eine Definition vor, die so umfassend ist wie nur irgend möglich.

> Jede intentionale Handlung, deren Ergebnis die Leistungen des Individuums in der Vergangenheit überschreitet, kann als ein Fall von transgressivem Verhalten angesehen werden. (KOZIELECKI, 1986, S. 92)

In anderen Worten, wenn das Individuum in der Vergangenheit das Problem der Missionare und Kannibalen nicht lösen konnte und es nun schließlich löst, dann sollte dies ganz klar als ein Fall von Transgression akzeptiert werden. Damit gibt es tatsächlich keinen klaren Unterschied zwischen irgendeiner Art von Problemlösen oder Strukturieren und der Transgression. Der Unterschied zwischen einem Problem und dem Kontext, der das Problem produziert, wird verwischt – oder vielmehr, Kontexte werden überhaupt nicht in Betracht gezogen. Es ist bemerkenswert, dass KOZIELECKI von Transgression nur in der Form von intentionalen und individualpsychologischen Prozessen spricht, als „Überschreiten der Grenzen der Leistungen einer Person". JUNGS wichtige, wenn auch undurchsichtige Idee des Kollektiven und der oft nicht sehr intentionale Charakter der Expansion wird ohne Diskussion aufgegeben. Ebenso bemerkenswert ist die Zirkularität von KOZIELECKI Definition: Überschreitung (Transgression) ist das, was überschreitet. Damit halten wir sehr wenig Erklärungskraft in unseren Händen.

Einen weiteren neueren Ansatz liefert Karsten HUNDEIDE (1985). Sein Schlüsselbegriff ist die Perspektive. Indem er eine räumliche Metapher benutzt, führt HUNDEIDE eine allgemeine theoretische Vorstellung von zwei Entwicklungsprinzipien ein, der Expansion und der Kontraktion. Befindet man sich in einer bestimmten Position, kann man gewisse Dinge direkt sehen. Sie besetzen eine zentrale Position im Wahrnehmungsfeld. Andere Dinge liegen an der Peripherie und noch andere liegen außerhalb des Wahrnehmungsfeldes oder der Perspektive.

Befindet man sich in einer bestimmten interpretativen Position, dann werden dementsprechend gewisse Schlussfolgerungen, Urteile und Einsichten als unmittelbar plausibel und evident angesehen. Andere erscheinen dagegen unmöglich, irrelevant oder unplausibel. Damit man also zu einer bestimmten Schlussfolgerung oder Einsicht gelangen kann, muss man sich in der richtigen Position befinden. Befindet man sich in einer „falschen Position" in Bezug auf eine bestimmte Schlussfolgerung oder Einsicht, dann macht es wenig Sinn, von dieser Position aus Alternativen auszuarbeiten. Man muss stattdessen die Situation neu definieren oder „das Feld umstrukturieren", wie es in der Theorie der Gestaltpsychologen heißt. Solch eine Neudefinition der eigenen Position kann einen expansiven Charakter haben.

> Diese Expansion kann das Ergebnis einer Konfrontation zwischen verschiedenen Positionen sein, zwischen der immer wiederkehrenden Alternative, die man als selbstverständlich annimmt und einer kontrastierenden Alternative. Damit sie diesen Konflikt lösen kann, muss die Person sich „zurückbewegen" auf die mehr distanzierte und abstrakte Position.... Von dieser Position aus können die beiden konfligierenden Perspektiven integriert und vereint werden.... Es gibt aber auch die entgegengesetzte Bewegung ... Ich nenne das die Kontraktion der Perspektive. Dieser Begriff wurde gewählt, weil es um eine Bewegung von einer breiteren umfassenderen Position zu einer engeren mit weniger Optionen geht. Die Kontraktion der Perspektive kann stattfinden unter monotonen Bedingungen, reduzierter Variation oder der Abwesenheit von kontrastierenden Alternativen. (HUNDEIDE, 1985, S. 314-315)

HUNDEIDE ist sich des Unterschieds zwischen Problem und Kontext sehr wohl bewusst. Er sieht auch, dass eine spezifische Form von Problemen, nämlich Konflikte oder Widersprüche, als die Quelle einer expansiven Rekontextualisierung anzusehen sind. Seine expansive Rekontextualisierung leidet jedoch unter der gleichen Schwäche wie KOZIELECKIS gesamte Konzeption. Sie ist auf ein Individuum und auf mentale Prozesse reduziert. Ein Hauch von Abstraktion und Distanzierung wird ihm daher auf ganz einseitige Art und Weise zugeschrieben. JUNGS Einsicht in die kollektive Natur der

Expansion steht daher wirklich im Gegensatz zu dieser Form der kognitivistischen Verarmung menschlicher Entwicklung.

Der kollektive Traum hat auch bei uns eine Gefühlsbedeutung, die nach Mitteilung drängt. Er geht aus einem Beziehungskonflikt hervor und muss daher in die bewusste Beziehung hineingebracht werden, weil er diese kompensiert und nicht bloß eine innere persönliche Schiefheit.

> Die Vorgänge des kollektiven Unbewussten beschäftigen sich aber nicht nur mit den mehr oder weniger persönlichen Beziehungen eines Individuums zu seiner Familie oder seiner weiteren Gesellschaftsgruppe, sondern auch mit seinen Beziehungen zur Gesellschaft - mit der menschlichen Gesellschaft überhaupt. Je allgemeiner und unpersönlicher die Bedingung ist, welche die unbewusste Reaktion auslöst, desto bedeutsamer, fremdartiger und überwältigender wird die kompensatorische Manifestation sein. Sie drängt nicht nur zu privater Mitteilung, sondern zur Offenbarung, zum Bekenntnis, ja sie zwingt sogar zu einer darstellenden Rolle. (JUNG, 1971, S. 197)

JUNG sieht also, dass an der Expansion neue Formen der Kommunikation notwendig beteiligt sind. Werden aber nur die Kognition und die Kommunikation reorganisiert? Bleibt die materielle Praxis unberührt?

Ich werde in diesem Buch zeigen, dass sie nicht unberührt bleibt. Im Gegenteil, wirkliche Expansion ist immer sowohl intern als auch extern, sowohl mental als auch materiell. Im einzelnen werde ich zeigen, dass (a) expansive Prozesse tatsächlich analysiert und modelliert werden können, dass (b) der Weg zu einem Verständnis der Expansion weder im Begriff des kollektiven Unbewussten noch dem der Perspektive, sondern im Begriff der Tätigkeit zu finden ist, dass (c) expansive Prozesse in Prozesse des Lernens integriert werden, d.h. dass eine historisch fortgeschrittenere Form des Lernens – expansives Lernen – sich gegenwärtig in verschiedenen Bereichen der gesellschaftlichen Praxis entwickelt.

Theoretische Forschung als empirische Forschung

Das vorliegende Buch ist ein Bericht über ausgedehnte theoretische Forschung. Für viele besteht Theoriebildung entweder in induktiver Generalisierung von sogenannten empirischen Fakten oder in rein spekulativer Überlegung. In meinen Augen ist theoretische Forschung in ihrer reifen Form weder eins von beiden noch eine Kombination dieser beiden.

Ich kann Klaus HOLZKAMPS (1983) Beschreibung theoretischer Forschung nur zustimmen. Er unterscheidet zwischen dem, was er die Ebene der Kategorien nennt, und der Ebene von speziellen Theorien. Kategorien sind grundlegende Begriffe, mit denen ein wissenschaftliches Paradigma oder eine wissenschaftliche Schule ihren Gegenstand definieren, seine innere Struktur und seine Grenzen. Solche Kategorien „schließen stets bestimmte methodologische Vorstellungen darüber ein, wie man wissenschaftlich vorzugehen hat, um den Gegenstand adäquat zu erfassen" (HOLZKAMP, 1983, S. 27–28). Die Forschung, über die in diesem Buch berichtet wird, gehört zu der Ebene der Konstruktion von Kategorien.

> Während in bürgerlicher Sicht die Erstellung von Kategorien als theoretischen Grundbegriffen lediglich als Sache von beliebigen Definitionen und Begriffsfestsetzungen aufgefasst werden kann, ist die von uns voranzutreibende „historische" Kategorialanalyse ein in empirischem Material begründetes ... Verfahren, in welchem die wissenschaftliche Rationalität auf einen Problembereich ausgedehnt ist, der ihr bisher verschlossen war: Die Konzipierung psychologischer Grundbegriffe. Der methodologische Unterschied zwischen einzeltheoretisch-aktualempirischer Forschung und Kategorialanalyse liegt also nicht darin, dass die erstere „empirisch" ist, die letztere aber „spekulativ", bloß „deduktiv" o.a. „Empirisch" sind vielmehr beide Forschungsverfahren, wobei das herangezogene Material nur in einem Falle „aktualempirischer" und im anderen Falle „historisch-empirischer" Art ist. (HOLZKAMP, 1983, S. 50)

Die Forschung, um die es in diesem Buch geht, ist also theoretische Forschung, die sich die Konstruktion von Kategorien zum Ziel gesetzt hat, wobei sie eine besondere Art von empirischen Daten benutzt. Diese besondere Art von Daten besteht typischerweise aus Propositionen und Ergebnissen von schon durchgeführten Analysen oder allgemeiner gesagt, von bereits existierenden Repräsentationen des Gegenstandes der Forschung.

Solche Daten können dabei überwiegend gegenständlich-historisch oder theoretisch-historisch sein. Gegenständlich-historische Daten bestehen aus Sätzen und Ergebnissen, die die Entwicklung des Forschungsgegenstandes beschreiben – in diesem Buch ist es die historische Entwicklung des menschlichen Lernens und der Expansion. Theoretisch-historische Daten bestehen aus Theorien oder theoretischen Aussagen in Bezug auf den Gegenstand, unter dem Aspekt ihrer historischen Ursprünge und Folgen – in diesem Buch sind es Theorien in Bezug auf menschliches Lernen und Expansion.

Bei der Konstruktion von Kategorien sind oft auch aktualempirische Daten nützlich und notwendig. Hier ist HOLZKAMPS Unterscheidung zwischen der Ebene der Konstruktion von Kategorien und der Ebene der Konstruktion von spezifischen Theorien sehr wichtig. In der Forschung, die auf spezifische Theorien ausgerichtet ist, sind aktualempirische Daten ein unverzichtbares und integrales Element des Forschungsprojektes. In der Forschung, die auf die Bildung von Kategorien in einem umfassenden paradigmatischen Ansatz ausgerichtet ist, können aktualempirische Daten eine nebengeordnete oder mehr vermittelnde Rolle spielen, als ob sie aus verschiedenen konkreten Projekten allmählich in die vorgeschlagenen Kategorien hineinwachsen (und diese dabei gleichzeitig verändern).

Bei jedem theoretischen Forschungsvorhaben, das sich auf der Ebene der Kategorien bewegt, müssen drei methodologische Fragen implizit oder explizit beantwortet werden. Diese Fragen sind: 1. wie die Daten ausgewählt werden sollen; 2. wie die Daten in die Kategorien überführt werden sollen; 3. wie die entwickelten Kategorien in einen fruchtbaren Kontakt mit der Praxis gebracht werden können.

In den folgenden Abschnitten werde ich diese drei Fragen behandeln, wobei ich von zwei sehr unterschiedlichen Beispielen theoretischer Forschung ausgehen und diese miteinander vergleichen werde. Das erste Beispiel ist der kurze aber bahnbrechende Aufsatz *Vorstudien zu einer Theorie der Schizophrenie* (BATESON, 1981, S. 270–301), von Gregory BATESON, Don JACKSON, Jay HALEY und John WICKLAND im Jahre 1956 geschrieben. Das zweite Beispiel ist das vieldiskutierte zweibändige Werk *Theorie des kommunikativen Handelns* von Jürgen HABERMAS (1981).

In beiden Beispielen geht es übrigens um das Thema der Kommunikation. Der Aufsatz von BATESON et al. hat sich dabei jedoch das Ziel gesetzt, eine neue Theorie der Schizophrenie zu entwickeln, während HABERMAS' Buch die Formulierung einer umfassenden Theorie des kommunikativen Handelns im allgemeinen zum Gegenstand hat. Es mag so aussehen, als ob der Aufsatz von BATESON et al. ganz spezifisch ist und überhaupt nicht zu der Ebene der Kategoriekonstruktion gehört. Der theoretische Kern, die zentrale Kategorie, die von den Autoren in diesem Aufsatz entwickelt wird, hat jedoch Auswirkungen gehabt, die bei weitem die Grenzen einer spezifischen Subtheorie überschreiten. Sie ist ein Werkzeug in der Neuorientierung des gesamten Feldes der Familientherapie (vgl. HOFFMAN, 1981) gewesen, und sie hat eine Vielfalt von neuartigen theoretischen Anfängen in anderen Bereichen inspiriert.

Über die Auswahl der Daten

Wie bei jedem empirischen Forschungsvorhaben so ist auch bei der theoretischen Forschung die Auswahl von Daten entscheidend für die Glaubwürdigkeit des Ergebnisses. Man ist ständig mit zwei Gefahren konfrontiert. Die erste Gefahr besteht in einer Datenauswahl aufgrund blinden Zufalls oder Intuition ohne eine ausführliche Rechtfertigung. Die zweite Gefahr besteht in der Unterordnung der Datenauswahl unter bereits vorliegende Ergebnisse, d.h. die Daten werden als bloße Illustration für Schlussfolgerungen gebraucht, die der Forscher bereits vorher festgelegt hat. In beiden Fällen konzentriert sich die typische Kritik auf die fragwürdige Repräsentativität oder den Umfang der Daten. BATESON und seine Mitarbeiter erläutern zu Beginn ihres Aufsatzes ihre Datenbasis wie folgt:

> Die hier vorgelegte Theorie der Schizophrenie beruht auf der Kommunikationsanalyse und insbesondere auf der Theorie der logischen Typen. Von dieser Theorie und von Beobachtungen an schizophrenen Patienten werden eine Beschreibung und die notwendigen Bedingungen einer Situation abgeleitet, die als „Doublebind" (Beziehungsfalle) bezeichnet wird - eine Situation, in der eine Person, egal was sie tut, „nicht gewinnen kann". ... Unsere Arbeit auf diesem Gebiet entwickelte sich über die Diskussion eines reichhaltigen Fundus von Daten und Ideen, zu dem wir alle etwas aus unserer breitgefächerten Erfahrung in der Anthropologie, Kommunikationsanalyse, Psychotherapie, Psychiatrie und Psychoanalyse beigesteuert haben. Inzwischen sind wir uns einig bezüglich der groben Umrisse einer Kommunikationstheorie über den Ursprung und die Natur der Schizophrenie; dieser Aufsatz ist ein vorläufiger Bericht über unsere noch andauernde Forschungsarbeit. (BATESON, 1981, S. 270-271)

Die Daten, auf die sich der Aufsatz selbst bezieht, bestehen hauptsächlich (l) in der philosophischen Theorie der logischen Typen (in Anlehnung an WHITEHEAD und RUSSELS *Principia mathematica*) in ihrer Anwendung auf Kommunikation und (2) im Beobachten von schizophrenogenen Familiensituationen und schizophrenen Patienten. Die Daten sind jedoch in einer ziemlich kurzen und kondensierten Form dargestellt. Das gesamte Papier umfasst 27 Seiten in der Version von 1972. Es enthält 16 Fußnoten (von denen sich zwei auf persönliche Mitteilungen beziehen). Es wird kein Versuch gemacht, die Daten als repräsentativ darzustellen. Die Auswahl der Daten scheint eine Angelegenheit der persönlichen Inspiration der Autoren und nicht das Ergebnis einer systematischen Analyse von existierenden Theorien oder der Geschichte der Schizophrenie. Der gesamte Aufsatz besitzt die Merkmale einer glücklichen Mischung: Eine gute Idee, die in einer Gruppe entstanden ist, die vielseitig, kenntnisreich und unkonventionell genug war, sich auf eine abenteuerliche intellektuelle Herausforderung einzulassen. Die Überzeugungskraft der entwickelten Kategorie (Doublebind) liegt weniger in ihrer Datenbasis als vielmehr in ihrer unmittelbar faszinierenden heuristischen Potenz und in der visionären Perspektive, die sie eröffnet.

HABERMAS' umfangreiches Werk ist in Bezug auf die Daten vollständig andersartig. Thomas MCCARTHY, der Übersetzer von HABERMAS, beschreibt sie wie folgt.

> Er entwickelt diese Themen (des kommunikativen Handelns) durch eine etwas ungewöhnliche Kombination von theoretischen Konstruktionen und historischen Rekonstruktionen der Ideen von „klassischen" Gesellschaftstheoretikern. Die Denker, die er diskutiert - Marx, Weber, Durkheim, Mead, Lukàcs, Horkheimer, Adorno, Parsons - sind seiner Meinung nach immer noch sehr lebendig. Statt sie als Leichname zu behandeln, die exegetisch auseinandergenommen werden müssen, behandelt er sie als virtuelle Partner in einem Dialog, in dem von ihnen noch viel gelernt werden kann, das von aktueller Bedeutung ist. Das Ziel seiner „historischen Rekonstruktion mit systematischer Absicht" ist es, ihre positiven Beiträge freizulegen und miteinander zu verbinden, ihre Schwächen zu kritisieren und zu überwinden, indem er mit ihren Gedanken über sie selbst hinausgeht. (MCCARTHY, 1984, S. VI-VII)

Tatsächlich lässt HABERMAS einen massiven Aufzug von Theorien und Begriffen auf den Seiten seines Buches erscheinen. Im einzelnen bringt es „Theorien der Handlung, der Bedeutung, der Sprechakte und anderer ähnlicher Bereiche der analytischen Philosophie" (HABERMAS, 1984, S. XIV) mit klassischen soziologischen Theorien zusammen. In den 1174 Seiten des Buches gibt es 1242 Fußnoten (HABERMAS, 1981). Der Leser wird buchstäblich mit Quellenangaben bombardiert. Die Überzeugungskraft der Argumentation beruht sehr stark auf den Daten. Sie ist dabei nicht auf die angebliche Repräsentativität der Daten gestützt, sondern vielmehr auf die internen Verbindungen, die gemeinsamen Themen, die zwischen und innerhalb der verschiedenen Quellen gefunden werden.

In dem vorliegenden Buch werde ich mich weder an Bateson et al. noch an Habermas bei meiner Auswahl der Daten orientieren – und ich werde in bestimmten Punkten beiden folgen.

Ich werde in diesem Buch drei Grundtypen von Daten gebrauchen. Der erste Typ von Daten besteht aus Theorien und theoretischen Sätzen, die sich auf menschliches Lernen und Expansion beziehen. Dieser Typ von Daten hat in der vorliegenden Arbeit eine dominierende Rolle. In der Auswahl und Präsentation dieser Daten folge ich bestimmten strukturellen Schritten oder Stufen der Argumentation.

Erstens, beginnt in jedem Kapitel (mit Ausnahme von Kapitel 5, das ein methodologisches Postskriptum darstellt) die Konstruktion von Kategorien mit einer Identifizierung und Beschreibung des fortgeschrittensten Standes der Theoriebildung innerhalb des gegenwärtig dominanten Paradigmas. Mit „am meisten fortgeschritten" beziehe ich mich auf solche Theoriebildung, die sich entweder auf sehr klare Art und Weise in der vorherrschenden Konzeption niederschlägt oder die in einem weitergehenden Anspruch tendenziell die begrifflichen und methodologischen Grenzen des dominanten Paradigmas überschreitet und auf diese Weise die Grenzen oder Beschränkungen sichtbar macht. Diese Theoriebildungsprozesse werden jedoch auch innerhalb des Paradigmas als fortgeschritten anerkannt – sie werden nicht allgemein bloß als eine exzentrische Merkwürdigkeit beiseite gelassen. Bezogen auf den Gegenstand dieses Buches ist das dominante Paradigma die kognitive Psychologie des Lernens und der Entwicklung. Ich werde mich mit ihren folgenden Vertretern beschäftigen: mit Gagné, Norman, Kozielecki und Hundeide im Kapitel 1; mit Bereiter, Langley und Simon und Klix in Kapitel 2; mit Baltes et al., Braun, Riegel, Bronfenbrenner, Werner und Buss in Kapitel 3; Hallpike, Dreyfus und Dreyfus, Brehmer, Bruner, Miller und Simon – gefolgt von einer längeren Liste von anderen – in Kapitel 4.

Zweitens werden die Aussagen der kognitiven Psychologen problematisiert und kritisiert, indem ich gewisse klassische Theorien prüfe und anwende, die das Problem des jeweiligen Kapitels in einem deutlicheren Licht erscheinen lassen. Die Aufgabe dieser Quellen ist es, eine Vertiefung der Analyse zu erzwingen, so dass die Herkunft oder die historischen roten Fäden der Kategoriebildung ausgemacht werden können. Diese klassischen Theorien wurden auf der Grundlage ihrer bekannten allgemeinen Eigenschaften ausgewählt; im Verlaufe der Untersuchung stellte sich jedoch jede als eine Quelle von Überraschungen heraus. In Kapitel 1 untersuche ich die Theorie von C. G. JUNG. In Kapitel 2 werden drei klassische Leitlinien untersucht: Die semiotische und epistemologische von C. PEIRCE bis K. POPPER, die Leitlinie vom symbolischen Interaktionismus von G. H. MEAD bis zur modernen interaktionistischen Entwicklungspsychologie und die Entwicklungslinie der kulturhistorischen Psychologie von VYGOTSKIJ bis LEONT'EV. In Kapitel 3 wird die Arbeit von G. BATESON untersucht und in Kapitel 4 die Theorien von J. DEWEY, M. WERTHEIMER und F. BARTLETT.

Drittens werde ich, um die Argumentation weiter zu entwickeln, die Ideen der kulturhistorischen Theorie der Tätigkeit in ihrer modernen Form aufnehmen und untersuchen. Ich werde versuchen, diese Denkrichtung zu verfolgen und weiter zu entwickeln. Zu diesem Zweck ist es notwendig, die relevanten Einsichten ausführlich darzustellen, die innerhalb oder in Nachbarschaft dieser Schule gewonnen worden sind. In Kapitel 2 werde ich deshalb besonders die Analysen von A. N. LEONT'EV und E. V. IL'ENKOV diskutieren, aber auch diejenigen von V. P. ZINCHENKO, L. A. RADZIKHOVSKIJ und D. B. EL'KONIN. In Kapitel 3 werde ich mich weiter mit der Arbeit von L. S. VYGOTSKIJ, A. N. LEONT'EV und ihren Schülern beschäftigen, aber es werden auch westliche Arbeiten von M. WARTOFSKY, R. HARRÉ et al., I. PRIGOGINE, M. COLE, S. SCRIBNER, K. HOLZKAMP und anderen herangezogen. In Kapitel 4 wird besonders das Werk von E. V. IL'ENKOV und V. V. DAVYDOV zur Begriffsbildung und Dialektik diskutiert, sowie die einschlägigen Ideen von M. BACHTIN über die dialogische Natur des Denkens. Und in Kapitel 5 setze ich mich mit den methodologischen Ideen von L. S. VYGOTSKIJ, S. SCRIBNER und M. COLE auseinander, parallel dazu mit den spezifischeren Vorschlägen von G. ALTSHULLER und B. FICHTNER. Dieser dritte Schritt wird, allgemein gesprochen, nicht auf eine dogmatische Art und Weise durchgeführt. Auf dieser Stufe der Untersuchung werde ich oft theoretische Einsichten aufnehmen, die nicht ihren Ursprung innerhalb der Grenzen einer genau abgegrenzten Schule haben – oder die innerhalb eigener Schulen entwickelt worden sind. Diese Einsichten beruhen jedoch auf philosophischen und methodologischen Annahmen, die substantiell jenen sehr verwandt sind, die durch die kulturhistorische

Schule inspiriert sind, die von VYGOTSKIJ, LEONT'EV und LURIJA gegründet wurde.

Bei allen drei Schritten benutze und diskutiere ich theoretisch–historische Daten auf eine ähnliche Weise wie HABERMAS. Die jeweiligen Theorien werden angesehen als Partner in einer aktuell stattfindenden Diskussion. Indem ich sie kritisiere und sie oft einfach widerlege, versuche ich, einiges von ihrem Wissen und ihrer Erfahrung in meine weitere Argumentation einzubauen. Kritik um der Kritik willen würde nicht viel Sinn machen.

Der zweite Typ meiner Daten besteht in allgemein historischen Berichten über die Entwicklung des menschlichen Lernens und der Expansion. Solche Daten werden hauptsächlich in den Abschnitten in Kapitel 2 gebraucht, die sich auf die Evolution der Tätigkeit und die kulturhistorische Evolution des menschlichen Lernens beziehen.

Der Abschnitt über die Evolution der Tätigkeit ist eine zusammengefasste systematische Rekonstruktion auf der Grundlage der evolutionären und anthropologischen Daten, die in den Arbeiten von KEILER, LEAKEY, LEWONTIN, REYNOLDS und SCHURIG dargestellt sind. Dieser Abschnitt beabsichtigt nicht, eine große Verschiedenartigkeit der Daten darzustellen, weil die subtilen Variationen und Meinungsverschiedenheiten in der Interpretation der Anthropogenese für meine Argumentation nicht relevant sind. Meine Schlussfolgerungen beruhen auf ziemlich allgemein akzeptierten Hauptkennzeichen der Anthropogenese. Der Schlussteil dieses Abschnittes beruht auf der Analyse der menschlichen gesellschaftlichen Produktion, die MARX in den Grundrissen bereitgestellt hat.

Der größere Abschnitt über die kulturelle Evolution des menschlichen Lernens ist in drei Unterabschnitte aufgeteilt. Der erste ist eine systematische Rekonstruktion der historischen Entwicklung des schulischen Lernens. In diesem Unterabschnitt greife ich auf Daten über die Entwicklung der Literalität und des schulischen Lernens zurück, die von Forschern wie FICHTNER, ONG, SCRIBNER und COLE u.a. dargestellt worden sind. Der zweite Unterabschnitt ist eine Rekonstruktion der Entwicklung des Lernens innerhalb der Arbeitstätigkeit, beschränkt auf das Zeitalter des Kapitalismus. Dieser Abschnitt beginnt mit den Daten, die MARX im Kapital vorgelegt hat, geht dann über zu einer Diskussion der Auswirkungen der tayloristischen Rationalisierung und kritisiert BRAVERMANs lineare Dequalifikationsthese mit einem Fall, den HIRSCHHORN dargestellt hat. Der dritte Unterabschnitt diskutiert schließlich die Entwicklung des Lernens innerhalb der Wissenschaft und der Kunst. Untersuchungen von ZILSEL, LEFÈVRE, MALINOWSKI, BRONOWSKI, VYGOTSKIJ und WARTOSKY werden als Material für diese Rekonstruktion benutzt.

Alle drei Unterabschnitte, wie auch der Abschnitt über die Evolution der Tätigkeit tragen das Merkmal von Skizzen, die sich historisch sachkundig gemacht haben, aber in der Breite und im Anspruch beschränkt sind. Sie stellen selbst keine gegenstandshistorischen Untersuchungen dar. Sie sind Skizzen in dem Sinne, dass sie eine vorläufige Basis für hypothetische Kategorien ausarbeiten helfen. Gegenstandsgeschichtliches Material wird auf eine ähnliche Weise benutzt, wie die Theorie der logischen Typen von BATESON u.a. benutzt worden ist, nämlich als ein heuristischer Zugang (oder eine Kurzfassung oder vielleicht eine Krücke) zur Formulierung einer hypothetischen neuartigen Kategorie. Aus diesem Grunde werden sekundäre gegenstandsgeschichtliche Quellen, die fast in anekdotischer Art und Weise benutzt werden, in diesem Buch als ausreichend betrachtet. Auf der anderen Seite wird dieser Zugang hier begründet in einer umfassenderen vorausgehenden theoriegeschichtlichen Diskussion.

Der dritte Typ meiner Daten besteht aus Berichten über spezifische historische Fallbeispiele in der Entwicklung des menschlichen Lernens und der Expansion. Diese Fälle dienen als Testmaterial, auf das ich die formulierten Kategorien anwende. Die Analysen dieser Fälle produzieren zugleich Ergebnisse, die mich in die Lage versetzen, die Kategorien weiterzuentwickeln. Es gibt zwei Typen von Hauptfällen und zusätzliche subsidiäre Fälle.

Die beiden Haupttypen von Fallbeispielen sind (a) Fallbeispiele aus der Literatur und (b) Fallbeispiele aus der Geschichte der Wissenschaft. Zwei Fälle von jeder Art werden analysiert. In Kapitel 3 analysiere ich die literarischen Fallbeispiele *Die Abenteuer des Huckleberry Finn* von Mark TWAIN und *Sieben Brüder* von Alexis KIWI. In Kapitel 4 analysiere ich MENDELEJEVs Entdeckung des periodischen Systems der Elemente, wie es von B. F. KEDROV beschrieben und dokumentiert worden ist, und die Entdeckung der Kernspaltung, die zur Konstruktion der Atombombe führte, wie sie von R. JUNGK beschrieben und dokumentiert worden ist. Alle vier Fallbeispiele sind Beispiele für expansive Übergänge in der Entwicklung.

Der Grund für den Gebrauch literarischer Texte als Daten über entwicklungsmäßige Übergänge ist der folgende. Expansive Übergänge in der Entwicklung erstrecken sich über einen relativ langen Zeitraum. Sie sind komplexe kollektive Dramen, in denen sowohl der Kontext als auch die Akteure grundlegende Änderungen erfahren. Solche Prozesse sind schwer zu dokumentieren, besonders wenn man die psychologischen Aspekte des Prozesses einfangen will. Klassische Entwicklungsromane sind oft ausgezeichnete Rekonstruktionen dieser Prozesse, „indem sie das Individuum in Bewegung sehen, in beständiger Entwicklung, als eine notwendige Bedingung seiner Existenz" (BRATUS, 1986, 95). Ihre Gültigkeit und „Wahrhaftigkeit" kann natürlich in Frage gestellt werden. Sie sind sicher nicht einfach Beschreibungen oder Dokumentationen von Ereignissen, die „wirklich stattgefunden haben". Sie sind aber aus dem genannten Grunde klassisch geworden, weil sie etwas Wesentliches ausdrücken und widerspiegeln, es auch hervorbringen und öffentlich machen, etwas, das eine konkrete Allgemeinheit in den expansiven Prozessen besitzt, die innerhalb einer bestimmten Kultur und einer bestimmten historischen Periode entstehen und für diese typisch sind. Das Heranziehen von Berichten über wichtige wissenschaftliche Entdeckungen ist dabei andererseits durch die zunehmende gesellschaftliche Bedeutung solcher expansiven Prozesse gerechtfertigt. Es existieren auch einige relativ gut dokumentierte Fälle, so wie die beiden, die ich heranziehen werde. In der Fallstudie über MENDELEJEVs Entdeckung hatte KEDROV ein außergewöhnlich vollständiges Archivmaterial zur Verfügung. MENDELEJEV hatte die Angewohnheit, sogar kleinere Ereignisse und Gedanken niederzuschreiben, die ihm widerführen, und er bewahrte alle diese schriftlichen Dokumente mit großer Sorgfalt auf. In dem Fallbericht über die Entdeckung der Kernspaltung und der sich daran anschließenden Konstruktion der Atombombe hatte JUNGK die Gelegenheit, nicht nur ausführliches schriftliches Material durchzugehen, einschließlich privater Korrespondenz, sondern er konnte auch persönlich eine beeindruckende Anzahl der Schlüsselpersonen interviewen, die direkt in diesen historischen Prozess involviert waren. Zusätzlich zu diesen vier zentralen Fällen werden einige andere Fälle aufgegriffen und eher oberflächlich analysiert. Dazu gehören HIRSCHHORNS

Bericht über einen Unfall in dem Kernkraftwerk auf *Three Mile Island* (Kapitel 2) und GRÜNEWALDS Bericht über die *Children's Campaign for Nuclear Disarmement* (Kapitel 3) sowie einige kleinere Fälle, die hauptsächlich aus Gründen der Illustration und Konkretisierung der Argumente herangezogen werden.

Es könnte möglicherweise gefragt werden, warum ich nicht einen einzigen umfassenden Bericht über meine eigene konkrete Forschung als Daten genommen habe. Die Antwort ist, dass die Forschungsmethodologie in Bezug auf die expansive Entwicklung, die in diesem Buch vorgestellt wird (besonders in Kapitel 5), wenn sie verstanden werden will, einen komplexen und ausführlichen Bericht erforderlich machen würde. Ich fand es unmöglich, einen solchen Bericht in das Buch aufzunehmen, ohne es damit über die Maßen umfangreich zu machen oder den konkreten Forschungsbericht schwer zu verstümmeln. Dies kann vielleicht auch auf die Tatsache zurückgeführt werden, dass ich selbst den konkreten Projekten, die ich im Prinzip als Datenquelle hätte benutzen können, noch zu nahe und zu involviert in sie bin. Im Text habe ich auch davon Abstand genommen, irgendwelche anderen meiner Publikationen zu zitieren. Meine vorliegenden Publikationen, die sich auf Themen dieses Buches beziehen, sind in einer gesonderten Bibliographie am Ende des Buches aufgeführt.

Wie Kategorien aus Daten entwickelt werden

Bei der Darstellung einer Theorie, d.h. dem Ergebnis theoretischer Forschung, kann die Entstehung der Kategorien sehr einfach aussehen, als ob sie aus dem „reinen Denken" des Autors erschienen wären. Diese Art der Darstellung ist trügerisch. Sie enthüllt nur, dass der Autor selbst sich des Weges nicht bewusst ist, den er gegangen ist. Je besser dieser Weg der Entwicklung von Kategorien aus Daten ans Tageslicht gebracht wird, desto größer ist die Möglichkeit, dass die Leser als aktive Diskussionspartner in die Theorie hineingezogen werden und so zu ihrer weiteren Entwicklung beitragen können. Die Theorie wird zu einer prozessierenden Ganzheit und zu einem Werkzeug ihrer eigenen Entwicklung.

Wenn andererseits der Weg oder der Prozess der Ableitung und kritischen Analyse zum alleinigen zentralen Fokus wird, dann kann das Ergebnis selbst verloren gehen. Wenn nichts mehr an klar voneinander unterschiedenen

Kategorien festgemacht werden kann, dann haben die Leser wenig, an das sie sich in ihren eigenen Bemühungen der Rekonstruktion, Anwendung und Kritik halten können. Theorie wird dann zu einem Strom, in dem die Leser versuchen, ihren Kopfüber Wasser zu halten, ohne ganz genau zu wissen, wohin sie getrieben werden.

In dem Aufsatz von BATESON et al. wird die neue Kategorie (Doublebind) unmittelbar nach der Diskussion der Nützlichkeit der logischen Typen in der Kommunikation präsentiert. Die Kategorie wird zunächst vorläufig mit Hilfe einer Reihe von sechs notwendigen Bestandteilen definiert. Dann werden die Auswirkungen einer Beziehungsfalle in allgemeinen Begriffen dargestellt. Danach wird die Kategorie konkretisiert, indem sie in den Kontext einer Familiensituation eingebettet wird und weiter, indem Illustrationen durch klinische Daten herangezogen werden. Die Vorgehensweise ist dabei ziemlich deduktiv und geradlinig.

Es ist bemerkenswert, dass im Unterschied zu so vielen deduktiven Theorien die gesamte Argumentation nicht wie eine endgültige und starre Struktur aussieht. Im Gegenteil, sie ruft eine Menge von Fragen, Gegenargumenten, Anwendungsideen usw. hervor (und hat dies in der Vergangenheit auch tatsächlich getan). Wie ist das möglich?

Ich denke, dass es dafür zwei Gründe gibt. Erstens, spezifizieren die Autoren etwa in der Mitte des Aufsatzes ihre Datenbasis auf eine wichtige Art und Weise:

> Die theoretische Möglichkeit von Doublebind-Situation regte uns an, im schizophrenen Patienten und in seiner Familiensituation nach solchen Kommunikationsabläufen zu forschen. Zu diesem Zweck haben wir die schriftlichen und mündlichen Berichte von Psychotherapeuten studiert, die solche Patienten eingehend behandelt haben; wir haben Tonbandaufnahmen von psychotherapeutischen Interviews sowohl mit unseren eigenen als auch mit anderen Patienten untersucht; wir haben Eltern von Schizophrenen interviewt und die Gespräche aufgenommen; zwei Mütter und einen Vater ließen wir an intensiver Psychotherapie teilhaben; und wir haben Eltern und Patienten zusammen interviewt und auf Band aufgenommen. (BATESON, 1981, S. 283)

Es scheint offensichtlich, dass diese Daten tatsächlich nicht erst benutzt worden sind, nachdem die Kategorie gefunden und theoretisch formuliert worden war, wenn auch nur zu dem Zweck ihrer Verifizierung und Konkretisierung – zugleich ergibt sich aber ein solcher Eindruck aus der deduktiven

Struktur des Aufsatzes. Es ist klar, dass die verschiedenen Arten von gegenstandsgeschichtlichen und aktualempirischen Daten, die oben charakterisiert wurden, eine wichtige Rolle gerade bei der Problemfindung und Formulierung gespielt haben. Diese Schlussfolgerung wird auch durch eine Fußnote unterstützt, in der sich die Autoren auf eine der berühmtesten authentischen gegenstandsgeschichtlichen Quellen über die Schizophrenie beziehen, nämlich *Perceval's Narrative*[2] von 1830–1832. Ich behaupte, dass BATESON et al. den Kern ihres Forschungsgegenstandes so gut getroffen haben oder so etwas wie seine Keimzelle gefunden haben, weil sie nicht nur die Bekanntschaft mit der philosophischen Theorie der logischen Typen gemacht hatten (wie es der Aufsatz impliziert), sondern gerade weil sie tatsächlich sehr anspruchsvolle gegenstandsgeschichtliche und aktualempirische Analysen ihres Gegenstandes durchgerührt hatten. Die Theorie der logischen Typen fungierte dabei vielleicht eher als Sprungbrett, als neuartige Analogie, die notwendig war, damit der Durchbruch vonstatten gehen konnte. Der zweite Grund für die Lebendigkeit der Theorie von BATESON et. al. liegt einfach in ihrer Unvollständigkeit und Offenheit. Anders als klassische deduktive Theorien hört das Papier kurz vor dem Punkt auf, an dem es anfangen könnte, Subkategorien aus der zentralen Kategorie des Doublebind zu deduzieren. Der Aufsatz gibt kaum genug konkrete Hinweise durch die klinischen Illustrationen, um den Leser zu eigenen Gedankenexperimenten anzuregen. Dieser Punkt hat viel Frustration und viel kreative Anstrengungen hervorgerufen.

Wenn BATESON et al. ihre Kategorie „in einem Guss" entwickeln, dann ähnelt die Methode von HABERMAS eher dem Spinnen und Weben einer komplizierten begrifflichen Textur oder eines Gewebes. Das gesamte Gewebe stellt extrem hohe Anforderungen an den Leser, weil es eine Vielzahl von Abschwei-

---

[2] *Perceval's Narrative* bezieht sich auf den Selbstbericht eines Falles von Schizophrenie von *John Perceval, A Narrative of the Treatment Experienced by a Gentleman, during a State of Mental Derangement Designed to Explain the Causes and the Nature of Insanity*. London: E. Wilson, 1840. Dieser Bericht wurde von Gregory Bateson mit dem Titel *Perceval's Narrative. A patient's Account of his Psychosis*, 1830-1832, London: Hogarth, 1962 wieder herausgegeben. (Anm. des Hrsg.)

fungen und Seitenlinien gibt. Im Ganzen gesehen ist die Argumentationskette jedoch logisch.

HABERMAS' Ausgangspunkt besteht in dem expliziten Wechsel des Paradigmas der Bewusstheit zu dem Paradigma der Sprache als Sprechen. Die zielgerichteten Handlungen verschiedener Individuen sind sozial koordiniert und Sprache ist das Mittel dieser Koordination. Die fundamentale Kategorie des kommunikativen Handelns wird auf dieser Grundlage errichtet: Sie besteht in der koordinierenden Handlung, die darauf ausgerichtet ist, „Verständigung ... als Teil eines kooperativen Deutungsvorgangs" (HABERMAS, 1981, Bd. 1, S. 107) zu erreichen. Die Kategorie der kommunikativen Kompetenz wird auf dieser Grundlage entwickelt. Diese impliziert ihrerseits die allgemeine Kategorie der Rationalität als Herstellen eines gegenseitigen Verstehens in der Kommunikation, das frei von Zwang ist. Die Kategorie des kommunikativen Handelns wird benutzt, um zu analysieren, „ob und in welchem Sinne die Modernisierung einer Gesellschaft unter dem Gesichtspunkt von kultureller und gesellschaftlicher Rationalisierung beschrieben werden kann" (HABERMAS, 1981, Bd. 1, S. 22). Die Kategorien der Modernität und Rationalisierung werden mit Hilfe der Kategorien der Lebenswelt und des Systems analysiert, die zusammen HABERMAS' Zwei–Ebenen–Theorie der Gesellschaft darstellen. Modernität wird als Rationalisierung und Kolonialisierung der Lebenswelt analysiert oder als Entkopplung von Lebenswelt und System.

Alle diese Kategorien werden mit Hilfe von theoriegeschichtlichen Daten abgeleitet und ausgearbeitet, die die klassischen soziologischen Theorien von WEBER, LUKÀCS, ADORNO, MEAD, DURKHEIM, PARSONS und MARX bereitstellen.

Diese Kette von Kategorien, Koordinierung – Sprache – kommunikatives Handeln – kommunikative Kompetenz – Rationalität – Modernität – Rationalisierung – Lebenswelt – System, ist weder linear noch deduktiv in einem einfachen Sinne. Die Glieder dieser Kette, d.h. die Kapitel und Abschnitte des Buches, stellen selbst relativ unabhängige Zyklen der Argumentation und der Analyse dar, und doch ist die Kette ein logisches Ganzes. Sie folgt einer komplexen und sprunghaften Logik von Zwischenverbindungen und wechselseitigen Übertragungen, die vom Autor nicht sehr klar expliziert wird. Der Leser muss die Logik für sich selbst mit großen Anstrengungen rekonstruieren. Dies ist ganz offensichtlich die Intention des Autors. Der ideale Leser lässt sich auf das Buch ein, blättert vor und zurück, entdeckt neue Verbindungen und Ideen, indem er immer wieder in die Textur eintaucht. Das Problem ist natürlich, dass es nicht sehr viele solcher idealen Leser geben mag. Viele Leser werden in dem Strom von Begriffen ertrinken und werden niemals an den Punkt kommen, an dem sie ihr eigenes Segelschiff konstruieren.

In dem vorliegenden Buch stellen die zentralen Kapitel ebenfalls relativ unabhängige Zyklen der Analyse und Kategoriekonstruktion dar. Kapitel 2, 3 und 4 folgen ungefähr der gleichen Logik.

(1) Zunächst wird das Problem vorgestellt, in dem gewisse Antinomien oder begriffliche Schwierigkeiten innerhalb der kognitiven Psychologie erläutert werden.

(2) Dann wird zweitens das Problem mit Hilfe theoriegeschichtlicher Daten weiter ausgearbeitet.

(3) Dann werden drittens die neuen Kategorien vorläufig bestimmt, definiert und modelliert.

(4) Viertens werden die neuen Kategorien überprüft und weiter ausgearbeitet, wobei allgemeine gegenstandsgeschichtliche Berichte oder spezifische gegenstandsgeschichtliche Fälle als Daten benutzt werden.

(5) Fünftens werden einige Implikationen diskutiert und eine vorläufige Bilanz wird als Vorbereitung für die nächste Runde der Kategoriekonstruktion gezogen. Die Abfolge kann teilweise wiederholt und die Reihenfolge der Schritte geändert werden, aber dies ist die allgemeine Logik der Argumentation.

In Kapitel 2 besteht die Aufgabe darin, die Anfangsabstraktion zu finden, die Keimzelle, die von der Kategorie gebildet wird, die zwischen Lernen und Expansion vermitteln kann. Die Analyse bewegt sich in fünf Schritten entsprechend der oben angegebenen Art. (1) Das Problem wird eingeführt als das „Lernparadox" von BEREITER und als das Problem der Evolution des Lernens, wie es von KLIX formuliert worden ist. (2) Das Problem wird ausgearbeitet, indem theoriegeschichtliche Daten benutzt werden, die von drei Entwicklungslinien stammen, die das System des Menschen in der Gesellschaft oder des Individuums in einem Kontext als ihre grundlegende Einheit der Analyse gewählt haben. (3.1) Die allgemeine Kategorie der Tätigkeit wird definiert und modelliert. (4) Drei historische Linien der kulturellen Evolution des menschlichen Lernens werden mit Hilfe des Modells der Tätigkeit interpretiert. (3.2) Die Keimzellen-Kategorie der Lerntätigkeit, oder des Lernens durch Expansion, wird definiert und modelliert als Ergebnis des vorhergehenden Schrittes. (5) Zwei Arten vom Implikationen werden diskutiert, nämlich jene, die das Subjekt der Lerntätigkeit betreffen, und jene, die das Entstehen der Lerntätigkeit in der Ontogenese betreffen.

In Kapitel 3 besteht die Aufgabe darin, den Mechanismus des Übergangs vom Lernen zur Expansion zu finden, von alltäglichen individuellen Handlungen zu neuartiger kollektiver Tätigkeit, (1) Das Problem wird eingeführt als das Dilemma zwischen Lernen und Entwicklung und als das Dilemma zwischen individueller und gesellschaftlicher Entwicklung. (2) Zunächst wird BATESONs Arbeit, dann werden neuere tätigkeitstheoretische und verwandte Arbeiten als theoriegeschichtliche Daten benutzt, um das Problem weiter auszuarbeiten. (3.1) Die Kategorie der Zone der nächsten Entwicklung wird als Lösung des Problems definiert. (4) Zwei historische Fallberichte von expansiven Übergängen (klassische Entwicklungsromane) werden mit Hilfe der Kategorie der Zone der nächsten Entwicklung analysiert. (3.2) Die Analysen ergeben ein detaillierteres Bild der Phasen oder Schritte innerhalb der Zone der nächsten Entwicklung – die schrittweise Struktur wird modelliert. (5) Implikationen dieser Kategorie für den Unterricht werden diskutiert.

In Kapitel 4 besteht die Aufgabe darin, die zentralen Instrumente zu finden, die man für die Beherrschung von expansiven Übergängen oder Zonen der nächsten Entwicklung benötigt. (1.1) Das Problem wird eingeführt in der Form von drei Dichotomien in kognitiven Theorien des Denkens. (2.1) Die Ideen von DEWEY, WERTHEIMER und BARTLETT werden als theoriegeschichtliche Daten analysiert, um das Problem weiter auszuarbeiten. (1.2) Das Dilemma der fortgeschritteneren kognitiven Theorien des Begriffs wird als Ausweitung des anfänglichen Problems aufgenommen. (2.2) Tätigkeitstheoretische Ideen des Begriffs werden als theoriegeschichtliche Daten untersucht, um das Problem weiter auszuarbeiten. (3.1) Drei Grundtypen von sekundären Instrumenten der expansiven Übergänge werden definiert: Sprungbretter, Modelle und Mikrokosmen. (4) Zwei historische Fallberichte der expansiven Übergänge (wissenschaftliche Entdeckungen) werden analysiert, und die sekundären Instrumente, die in den Fällen benutzt wurden, werden bestimmt. (2.3) Theorien des dialektischen und dialogischen Denkens werden als weitere theoriegeschichtliche Daten untersucht. (3.2) Eine vorläufige Definition von Dialektik als tertiärem Instrument der Expansion wird vorgeschlagen. (5) Es wird auf Implikationen für die konkrete Forschungsmethodologie hingewiesen.

Mein Verfahren der Entwicklung von Kategorien aus Daten in diesen drei Kapiteln hat gewisse Ähnlichkeiten sowohl mit BATESON et al. als auch mit HABERMAS. Ich versuche wie BATESON u.a. die neuen Kategorien in relativ eindeutiger und systematischer Art zu definieren. Dies schließt ein gewisses Risiko von Starrheit ein. Auf der anderen Seite habe ich wie HABERMAS den Anspruch, einer Kette von zyklischen Analysen theoriegeschichtlicher Daten zu folgen, wobei die Theorien wie lebendige Diskussionspartner behandelt werden. Dies beinhaltet ein gewisses Risiko, den Leser in Theorien zu ertränken. Im schlimmsten Falle verstärken sich die beiden Risiken gegenseitig. Im besten Falle gleichen sie sich aus und neutralisieren einander.

Darüber hinaus gibt es zwei Besonderheiten der Darstellung und Verarbeitung von Daten in diesem Buch. Die erste besteht in einem extensiven Gebrauch von Zitaten aus den theoretischen Quellen, die diskutiert und untersucht werden. Die zweite besteht in dem fast ebenso extensiven Gebrauch von graphischen Modellen.

Alle Theorien besitzen einen zweifachen Charakter. Sie sind zugleich fixe begriffliche Strukturen und lebendige Prozesse einer fortlaufenden Begriffsbildung. Die fortlaufende Entwicklung einer Theorie ist nur innerhalb ihrer selbst möglich, durch ihre immanenten Widersprüche und Lücken. Je polierter und geschlossener die Oberfläche der Theorie erscheint, desto schwerer ist es für den Leser, in den immanenten Prozess ihrer kritischen Weiterentwicklung einzutreten. GLAZMAN (1972, S. 204) weist darauf hin, dass Wissenschaftler mehr oder weniger bewusst „Fenster" in ihre Theorien einbauen. Diese Fenster sind Lücken, Inkonsistenzen oder ambivalente Formulierungen, die den Leser zu einer immanenten Polemik mit dem Autor einladen. In diesem Buch gebrauche ich Zitate als Fenster in das Innerste der Bewegung und Dynamik meiner Theoriekonstruktion. In der theoretischen Forschung ist der Unterschied zwischen der Darstellung der Originalzitate und der Darstellung, die allein aus der Interpretation der gegebenen theoretischen Quellen durch den Autor besteht, ganz analog dem Unterschied zwischen der Darstellung der Transkripte der Originalinterviews und der Darstellung von Fragebogendaten in der empirischen Forschung. Die Zitate dienen in anderen Worten in der Theorie dem, was in der empirischen Anthropologie als „dichte Beschreibung" (GEERTZ, 1973) bezeichnet wird.

Ein Zitat, wenn es nicht falsch behandelt und verstümmelt wird, um es den redlichen Absichten des Autors vollständig unterzuordnen, stellt eine Stimme und die Sprache eines Forschers dar, die nicht die des Autors sind. Es stellt eine dynamische Beziehung eigener Art dar, die niemals vollständig mit den Absichten des Autors übereinstimmt. Es erlaubt eine Vielzahl von Interpretationen und Assoziationen, nicht nur diejenigen, die der Autor in seiner Argumentationslinie benutzt. Der absichtliche Gebrauch verschiedenartiger Stimmen, verschiedenartiger Sprachen wird als Heteroglossie (Redevielfalt) bezeichnet.

> Die Redevielfalt ... ist fremde Rede in fremder Sprache, die dem gebrochenen Ausdruck der Autorenintentionen dient. Das Wort einer solchen Rede ist ein zweistimmiges Wort. Es dient zugleich zwei Sprechern und drückt gleichzeitig zwei verschiedene Intentionen aus: die direkte Intention der sprechenden Person und die gebrochene des Autors. In einem solchen Wort sind zwei Stimmen, zwei Sinngebungen ... und zwei Expressionen enthalten. Zudem sind diese beiden Stimmen dialogisch aufeinander bezogen, sie wissen gleichsam voneinander ... , sie führen gleichsam ein Gespräch miteinander. (BACHTIN, 1979, S. 213)

In diesem Zitat z.B. spricht Michael BACHTIN von der Heteroglossie im Roman, nicht der wissenschaftlichen Theoriebildung. Ich gebrauche seine Stimme, um in einer gebrochenen Form meine Intentionen und Argumente über die Heteroglossie in der theoretischen Forschung auszudrücken. Seine Stimme gibt sich jedoch nicht einfach meinen Absichten hin, ohne gleichzeitig das zu produzieren, was BACHTIN (1982, S. 325) die „dialogische Unbestimmtheit" nennt.

Zitate werden in diesem Buch nicht in erster Linie für illustrierende Zwecke gebraucht, im Gegenteil: Zitate fungieren hier wie die Teile eines Puzzles oder Mosaiks. Die diesem Buch übergeordneten Themen und begrifflichen Muster entstehen aus den Zitaten. Die dialektische Ableitung von Kategorien erfordert es, dass Forschung „in die Materie versenkt und in deren Bewegung fortgehend" (HEGEL, 1952, S. 45) wird. „Dadurch emergiert das einfache sich übersehende Ganze selbst aus dem Reichtume, worin seine Reflexion verloren schien" (HEGEL, 1952, S. 45).

Ich gebrauche graphische Modelle mit einer zweifachen Absicht. Zunächst beabsichtige ich, die zentralen gefundenen Kategorien transparent und kompakt zu machen. Dies ist die Darstellungsfunktion der Modelle. Ich gebrauche die graphischen Modelle aber nicht nur als vereinzelte Darstellungen, sondern in einer Reihe von aufeinander folgenden Variationen. Die Reihe von aufeinanderfolgenden Variationen dienen der instrumentellen oder prozessualen Funktion der Modelle. Mit Hilfe solcher Variationen versuche ich darzustellen, wie die Modelle Bewegung und Veränderung abbilden können. Der Leser ist aufgefordert, seine eigenen Variationen zu formulieren und auszuprobieren.

Über die Wirklichkeitsmächtigkeit der Kategorien

Eine Theorie ist ein Instrument, das es möglich macht, sich mit der Praxis auseinanderzusetzen. In Theorien des Menschen und der Gesellschaft wie denjenigen, die in diesem Buch diskutiert werden, sind unterschiedliche intendierte Praxisbeziehungen eingebettet. Die Praxisbeziehung, die in traditionelle Theorien eingebaut ist, ist eine, die zu den akademischen empirischen Forschern spricht, die die theoretischen Kategorien verifizieren und konkretisieren sollen. In solchen traditionellen Theorien bleibt die gesellschaftliche Praxis ein entferntes Testgebiet, das hauptsächlich (a) für ex-post-facto-Daten oder für Daten, die auf der Grundlage experimenteller Designs abgeleitet werden (vgl. MASCHEWSKY, 1977), und (b) als Gegenstand wohlwollender Empfehlungen auf der Grundlage von Forschungsergebnissen gebraucht wird.

Es gibt wenigstens zwei radikalere und direktere Formen, die Praxisbeziehung in die Theorie einzubauen. Eine Alternative besteht darin, direkt zu den professionellen Praktikern in dem Feld zu sprechen, mit dem es die Theorie zu tun hat, d.h. sie dazu zu bewegen, als Experimentatoren in ihren praktischen Kontexten zu handeln. Eine andere Alternative besteht darin, zu sozialen Bewegungen zu sprechen, die es mit dem Problem zu tun haben, das die Theorie versucht zu erhellen. Das klassische Beispiel ist hier natürlich die theoretische Arbeit von Karl MARX und Friedrich ENGELS.

Der Aufsatz von BATESON et al. spricht ganz klar zu den professionellen Praktikern im Bereich der Psychotherapie.

> Das Verständnis des *Doublebind* und seiner Kommunikationsaspekte kann zu Neuerungen in der therapeutischen Technik führen. Es ist zwar schwer zu sagen, worin diese Neuerungen bestehen könnten, wir nehmen aber auf der Basis unserer Forschung an, dass *Doublebind*-Situationen in der Therapie ständig auftreten. Manchmal sind sie unbeabsichtigt in dem Sinne, dass der Therapeut eine *Doublebind*-Situation schafft, die der in der Lebensgeschichte des Patienten gleicht, oder dass der Patient den Therapeuten in eine *Doublebind*-Situation bringt. Bei anderen Gelegenheiten scheinen Therapeuten - absichtlich oder intuitiv – *Doublebinds* zu verhängen, die den Patienten zwingen, anders zu reagieren als in der Vergangenheit. ... Viele der außerordentlich zweckmäßigen therapeutischen Schachzüge, mit denen Therapeuten ihre Behandlung eröffnen, scheinen intuitiv zu sein. Wir teilen die Erwartung der meisten Psychotherapeuten, die den Tag herbeisehnen, an dem solche Geniestreiche gut genug verstanden werden, um systematisierbar und alltäglich zu sein. (BATESON et al., 1981, S. 300-301)

Die Praxisbeziehung, die in HABERMAS' Werk eingebaut ist, ist nicht so eindeutig. HABERMAS betont, dass er sein Buch für Wissenschaftler geschrieben hat, „für diejenigen ... , die ein fachliches Interesse an den Grundlagen der Gesellschaftstheorie nehmen" (HABERMAS, 1981, S. 10). Er weist auf der anderen Seite darauf hin, dass neue Formen des Konflikts und der sozialen Bewegungen sich in den hochentwickelten westlichen Gesellschaften während der letzten Jahre entwickelt haben.

> Sie entzünden sich nicht mehr in Bereichen der materiellen Reproduktion, sie werden nicht mehr über Parteien und Verbände kanalisiert und sind auch nicht mehr in Form systemkonformer Entschädigungen zu beschwichtigen. Die neuen Konflikte entstehen vielmehr in Bereichen der kulturellen Reproduktion, der sozialen Integration und der Sozialisation; sie werden in subinstitutionellen, jedenfalls außerparlamentarischen Formen des Protestes ausgetragen; ... es geht nicht primär um Entschädigungen, die der Sozialstaat gewähren kann, sondern um Verteidigung und Restituierung gefährdeter, oder um die Durchsetzung reformierter Lebensweisen. (HABERMAS, 1981, Bd. 2, S. 576).

Hier, gegen Ende des Buches, spricht HABERMAS immer mehr zu den „neuen sozialen Bewegungen". Er erwähnt solche Phänomene wie die ökologische und die Antikernkraftbewegung, die Debatte über die Grenzen des Wachstums, die Friedensbewegung, die Frauenbewegungen, die Experimente mit gemeinschaftlichen und ländlichen Lebensformen, die Befreiungsbewegung von verschiedenen Minderheiten, die Konflikte bezüglich regionaler und kultureller Autonomie, die Proteste gegen die „große Politik", religiösen Fundamentalismus und das Anwachsen religiöser Sekten, die Mannigfaltigkeit der „Psychoszene", das Anwachsen von Solidaritätsgruppen usw. Die meisten von diesen sind rein defensiv, nur einige (wie der Feminismus) haben offensive Merkmale, die in der Modernität begründet liegen. HABERMAS fasst seine Botschaft an diese Bewegungen wie folgt zusammen:

> Die Beschränkung des Wachstums monetär-administrativer Komplexität ist keineswegs gleichbedeutend mit der Preisgabe moderner Lebensformen. In strukturell ausdifferenzierten Lebenswelten prägt sich ein Vernunftpotential aus, das nicht auf den Begriff der Steigerung von Systemkomplexität gebracht werden kann. (HABERMAS, 1981, Bd. 1, S. 10)

Die Perspektive, die in dieser Botschaft angeboten wird, ist die eines vagen Optimismus, der den Bewegungen mit ihren emanzipatorischen und defensiven kommunikativen Handlungen einigen Freiraum in den Enklaven der modernen rationalisierten Gesellschaft verspricht.

Im vorliegenden Buch spreche ich sowohl zu Forschern wie zu Praktikern, wobei die letzteren sowohl Professionelle wie Arbeiter sein können oder auch mit Tätigkeiten beschäftigt sind, die von der Lohnarbeit grundverschieden sind. Die Methodologie der expansiven Forschung, die in Kapitel 5 skizziert wird, ist notwendigerweise ein gemeinsames Unternehmen. Der Forscher (oder vielmehr das Forscherteam) hat die Aufgabe, den Kreis der expansiven Übergänge weiter voran zu bringen und Instrumente oder Bestandteile für neue Instrumente in ihn hineinzubringen. Die Praktiker haben die Aufgabe, sich den Widersprüchen ihres Tätigkeitssystems zu stellen und sie in dem Maße zu lösen, in dem sie während der Reise durch die Zone der nächsten Entwicklung bestimmt und verschärft werden. Die Praktiker werden in diesem Prozess tendenziell zu Subjekten – oder vielmehr zu einem kollektiven Subjekt – ihres sich entwickelnden neuen Tätigkeitssystems und daher auch zu Subjekten der Analyse und Intervention.

Die Methodologie, die in Kapitel 5 vorgeschlagen wird, ist in anderen Worten nicht nur eine Methodologie der Forschung, sondern auch eine Methodologie der praktischen gesellschaftlichen Transformation. Das heißt, dass ich auch zu sozialen Bewegungen spreche. Soziale Bewegungen werden aber nicht in einem empiristischen Sinne als etwas Gegebenes betrachtet. Sie werden vielmehr als etwas potentiell Entstehendes verstanden, etwas das im Prozess des Werdens innerhalb eines realen gesellschaftlichen Tätigkeitssystems begriffen ist.

Ich stimme hier mit HABERMAS nicht überein, der Hoffnung nur außerhalb der Systeme der Produktion und Administration zu sehen scheint. Ich behaupte, dass ein solcher Standpunkt auf einem Mangel intimer Kenntnis der inneren Widersprüche und der emanzipatorischen Dynamik innerhalb der Welt der Lohnarbeit beruht, sei es in der Produktion oder in der Administration.

Im Herzen der modernen Produktion oder Administration sind auch die verborgenen Kräfte eines qualitativen Wandels am größten. Der Rückzug in die sichere Welt des akademischen Diskurses ist heute fast eine Garantie für eine verzerrte Wahrnehmung. Der naive Optimismus von BATESON et al., der „Innovationen" in der professionellen therapeutischen Arbeit prophezeit, besitzt eine tiefere historische Wahrheit als die wortreichen Weitschweifigkeiten von HABERMAS.

Zusammenfassung der Intentionen

Die Probleme, die diese Untersuchung motivieren, sind (1) die zunehmend erkennbare Nutzlosigkeit des Lernens in seinen reaktiven Standardformen und (2) die schwer fassbare und unkontrollierbare Natur expansiver Prozesse, in denen menschliche Wesen die ihnen gegebenen Kontexte überschreiten. Die Hypothese, an der sich der weitere Verlauf meiner Untersuchung orientiert, ist die, dass Lernen und Expansion integriert werden und dabei eine historisch neue Form von Tätigkeit bilden.

Die vorliegende Untersuchung fällt damit in die Kategorie der allgemeinen Theorie der Entwicklung und Erziehung. Aus Gründen, die im Kapitel 2 klar werden, sehe ich die zentralen Anwendungsbereiche dieser Theorie in den Lebenspraktiken von Erwachsenen und Heranwachsenden, besonders in den Verbindungen von Arbeit und Lernen.

Die Methode die in dieser Untersuchung gebraucht wird, ist die dialektische Ableitung und Konstruktion von Kategorien. Jedes größere Kapitel stellt einen relativen unabhängigen Zyklus der Analyse und Konstruktion dar und folgt ungefähr der gleichen logischen Reihenfolge, (1) Das Problem wird dargestellt, indem gewisse Antinomien oder begriffliche Schwierigkeiten innerhalb der kognitiven Psychologie eingeführt werden. (2) Das Problem wird ausgearbeitet mit Hilfe theoriegeschichtlicher Daten. (3) Die neuen Kategorien werden vorläufig charakterisiert, definiert und modelliert. (4) Die neuen Kategorien werden mit Hilfe allgemeiner gegenstandsgeschichtlicher Berichte oder spezifischer gegenstandsgeschichtlicher Fälle als Daten überprüft und weiter ausgearbeitet. (5) Einige Implikationen werden diskutiert und eine vorläufige Bilanz wird als Vorbereitung für die nächste Runde der Kategoriekonstruktion gezogen.

Die Ergebnisse der Untersuchungen schlagen sich in einer Reihe von graphischen Modellen nieder. Insofern diese Modelle Instrumente des Denkens und der Praxis sind, versteht man sie am besten, indem man ihrer Entwicklung folgt und indem man sie in der Tätigkeit anwendet.

Die Entstehung der Lerntätigkeit als historische Form menschlichen Lernens

Die Grenzen des Kognitivismus

Innerhalb der kognitiven Entwicklungspsychologie hat der unbefriedigende Zustand der Lerntheorie neuerdings zu Versuchen einer ernsthaften Rekonzeptualisierung geführt. Einen solchen Versuch stellt Karl BEREITERs (1985) Diskussion des „Paradox des Lernens" dar. Ein weiterer ist Friedhard KLIX' (1982) Darstellung der evolutionären Natur der Lernprozesse. Auf exemplarische Art und Weise manifestiert sich in diesen beiden Versuchen der qualitative Unterschied - oder die paradigmatische Grenze - zwischen Kognitivismus und der kulturhistorischen Theorie der menschlichen Entwicklung, trotz ihres anspruchsvollen Bemühens um ökologische Validität bzw. gerade wegen dieses Bemühens. Indem sie die Grenzen des Kognitivismus ausweiten, machen Versuche wie diese die Grenzen erst sichtbar. BEREITER illustriert das „Paradox des Lernens" wie folgt:

> Was unter dem Gesichtspunkt der Paradoxie des Lernens erklärt werden muss, ist nicht nur wie das Kind es lernt, Theorien zu überprüfen, sondern auch, wie das Kind sich die zu überprüfenden Theorien überhaupt aneignet. Aussagen, die darauf hinauslaufen, dass das Kind, „aus der Erfahrung lernt", ... umgehen das Problem und sind oft nicht sehr plausibel. Wie geschieht es, dass aus der unübersehbaren Menge von Beziehungen, die man zwischen einem Ereignis und einem anderen wahrnehmen kann, Kinder gerade solche wahrnehmen, die einfache Theorien ergeben, wie die Welt zusammenhängt - und dass darüber hinaus verschiedene Kinder mit einer Konsistenz, die weit jenseits des Zufalls ist, tendenziell die gleichen Beziehungen wahrnehmen? (BEREITER, 1985, S. 204)

Der Autor formuliert dann das „Paradox des Lernens" auf einer metatheoretischen und theoretischen Ebene. Metatheoretisch gesprochen besteht das Problem darin, „wie eine Struktur eine andere Struktur generieren kann, die komplexer als sie selbst ist." Theoretisch gesprochen besteht das Problem darin, „wie die Entwicklung komplexer mentaler Strukturen durch Mechanismen erklärt werden kann, die selbst nicht eine hohe Intelligenz besitzen oder mit Wissen angereichert sind." In anderen Worten: Wie ist eine Fortentwicklung in Richtung auf höhere Niveaus der Komplexität möglich, ohne dass es „schon irgendeine Leiter oder ein Seil gibt, an dem man emporklettern kann" (BEREITER 1985, 204-205).

BEREITER weist völlig richtig daraufhin, dass das Paradox des Lernens

> voll auf solche Formen des Lernens durchschlägt, die im Mittelpunkt des pädagogischen Bemühens stehen ... – die Formen des Lernens, die zum Verständnis der Schlüsselkonzepte einer Disziplin führen, dazu, dass wirksamere intellektuelle Werkzeuge angeeignet werden können, und dazu, dass Wissen kritisch und kreativ benutzt werden kann. (BEREITER, 1985, S. 202)

Er weist ebenfalls daraufhin, dass Probleme, die dem Lernparadox sehr ähnlich sind, bei dem Versuch auftreten, Intuition und Kreativität zu erklären (BEREITER, 1985, S. 205-206).

Der Autor geht dann dazu über, Kultur als eine Erklärungsmöglichkeit zu betrachten, die insbesondere von VYGOTSKIJ angeboten wird.

> Folgt man Vygotskij z.B., dann könnte man die folgende Erklärung formulieren: Lernen hängt tatsächlich von der vorhergehenden Existenz komplexerer kognitiver Strukturen ab, aber diese komplexeren kognitiven Strukturen sind in der Kultur situiert, nicht im Kind. Das Kind eignet sie sich durch die Interaktion mit den Erwachsenen an, die dem Kind helfen, Dinge zu tun, die es nicht allein tun könnte. Durch solche gemeinsamen Aktivitäten internalisiert das Kind die kognitiven Strukturen, die notwendig sind, um allein zurechtzukommen. Solch eine Erklärung, so befriedigend sie auch erscheinen mag, eliminiert das Paradox des Lernens keineswegs. Das gesamte Paradox liegt in dem Wort „internalisiert." Wie findet die Internalisierung statt? ... Wenn man dieses Problem löst, stellt man sich dem Lernparadox und weicht ihm nicht aus. (BEREITER, 1985, S. 206)

Nach dieser ziemlich umstandslosen Widerlegung der kulturhistorischen Schule, fährt BEREITER fort mit der Darstellung von, wie er es nennt, „zehn theoretischen Prinzipien, die einen möglichen Beitrag zu einer Theorie darstellen, wie Bootstrapping in der kognitiven Entwicklung stattfinden kann" (BEREITER, 1985, S. 208).

Im Zentrum dieser zehn Prinzipien stehen „Zugangsmöglichkeiten zum Feld", „Imitation", „Systeme, die Lernen unterstützen" und „konkrete Kontexte des Verhaltens". Dies alles sind tatsächlich unterschiedliche Aspekte der Idee, die in der Kultur situierten, komplexeren kognitiven Strukturen sowohl in materiellen Artefakten als auch in Mustern der sozialen Interaktion heranzuziehen. BEREITER stellt in anderen Worten eine Liste von möglichen Erklärungsmechanismen dar, die sich auf Prozesse der Internalisierung beziehen können.

Man ist natürlich versucht, darauf hinzuweisen, dass eine Liste keine Theorie ist - besonders da nicht versucht wird, „sich mit dem Überlappen oder möglichen Verbindungen zwischen Prinzipien auseinanderzusetzen" (BEREITER, 1985, S. 208). Man ist auch versucht, darauf hinzuweisen, dass in den fünfzig Jahren nach VYGOTSKIJS Tod ein umfangreiches Werk durch seine Nachfolger - besonders durch LEONT'EV, LURIJA, GALPERIN, EL'KONIN, DAVYDOW und MESHCHERJAKOV - erarbeitet (und sogar in englisch publiziert) worden ist, das theoretisch und praktisch das Wesen der Internalisierung erfasst. Aber diese Argumente wären natürlich nicht angebracht. Das Hauptproblem besteht darin: Liegt das gesamte Paradox wirklich in dem Wort „internalisiert"? Kann das Paradox des Lernens wirklich gelöst werden, indem man herausfindet, wie Internalisierung stattfindet?

Wir finden hier eine seltsame Unregelmäßigkeit in BEREITERS Darstellung. Auf der einen Seite spricht er wiederholt von den höheren Formen des Lernens als „Schöpfung". Auf der anderen Seite scheint aber Schöpfung für ihn nur die Schöpfung von neuen kognitiven Strukturen im Subjekt, „im Kopf" des Individuums zu sein. Lernen wird so im Endeffekt auf Internalisierung reduziert – selbst wenn Internalisierung dabei als ein Prozess der kreativen Restrukturierung verstanden wird. Kann man Schöpfung wirklich nur als Internalisierung verstehen? Wenn dies so wäre, wie können wir dann die Entstehung und Erneuerung der externen Kultur erklären? Hat dies nichts mit Lernen zu tun? Oder ist es nur eine selbstverständliche Konsequenz oder ein Nebenprodukt der Internalisierung?

Dies ist der erste Komplex von Fragen, den ich in diesem Kapitel behandeln werde. Um den zweiten Komplex zu formulieren, wende ich mich nun dem Aufsatz von Friedhart KLIX (1982) zu.

Zunächst möchte ich noch auf ein Vorspiel hinweisen. Ein Jahr bevor KLIX diesen Aufsatz veröffentlichte, behaupteten Pat LANGLEY und Herbert SIMON (1981, S. 378): „die Annahme, dass Lernen invariant ist, stellt eine nützliche Forschungsstrategie für die unmittelbare Zukunft dar".

KLIX beginnt, indem er die Annahme infrage stellt, dass Lernen invariant ist, d.h. dass die Lerngesetze im Prinzip in allen Organismen gleich sind. Er weist daraufhin, dass es zwei qualitativ verschiedene große Klassen des Lerngeschehens bei Tieren und Menschen gibt, nämlich die Klasse der Konditionierung und die Klasse des Schlussfolgerns oder des kognitiven Lernens.

Diese haben ihren Ursprung in verschiedenen Niveaus der Evolution. Lernprozesse sind in anderen Worten evolutionär nicht invariant.

Innerhalb der Klasse der Konditionierung erwähnt er die Unterklassen der Gewöhnung, des konditionierten Reflexes und des instrumentellen (operanten) Konditionierens. Innerhalb des Schlussfolgerns nennt er die Unterklassen der Hypothesenbildung, der induktiven und deduktiven Schlussfolgerung, des analogischen Denkens und des Regellernens (heuristische Techniken). Der wesentliche qualitative Unterschied zwischen den beiden Grundklassen ist darauf zurückzuführen, was als Hauptinformationsquelle für die Entscheidungsfindung dient. Bei der Konditionierung stellen die „Eigenschaften der Umwelt" die Informationsquelle dar. Beim Denken ist die Quelle in „Eigenschaften des Langzeitgedächtnisses: Begriffen, Relationen, Prozeduren" (KLIX, 1982, S. 389) zu sehen. In anderen Worten:

> „Einsicht ist nicht vollständig durch Wahrnehmungsinformation vermittelt, sondern beruht vielmehr auf geistigen oder kognitiven Operationen, die auf das gespeicherte Wissen angewendet worden sind" (KLIX, 1982, S. 388).

Mit dem kognitiven Lernen „entsteht eine zunehmende Unabhängigkeit von irgendeiner spezifischen Umwelt"; kognitives Lernen ist „nichtspezialisiertes angepasstes Verhalten" (KLIX, 1982, S. 389).

Nach KLIX (1982, S. 386) „können frühe Formen des schlussfolgernden (oder kognitiven) Lernens bei den prähominiden Primaten gefunden werden", in einem eingeschränkten Sinne (Hypothesenprüfung) sogar bei Hunden. Die Klasse des Denkens oder des kognitiven Lernens unterscheidet also nicht auf eine prinzipielle Art und Weise den Menschen von anderen Säugetieren.

Es wäre für das theoretische Verständnis und die praktische Beherrschung des menschlichen Lernens wesentlich zu wissen, ob Menschen irgendwelche evolutionären Qualitäten besitzen, die ihre Lernmöglichkeiten qualitativ verschieden von denen anderer Arten machen. KLIX' Analyse weist daraufhin, dass dies nicht der Fall ist. Sie weist daraufhin, dass das Wesen menschlichen (und anderen kognitiven) Lernens eben nur in der Tatsache besteht, dass es kognitiv ist, dass es sich auf Eigenschaften des Langzeitgedächtnisses bezieht. Einfach ausgedrückt: Menschliches Lernen ist im wesentlichen Lernen „innerhalb des Kopfes" des Individuums – es gestattet es dem Individuum, „die richtige Entscheidung ohne beobachtbare Fehlversuche vorherzusagen und zu entwickeln" (KLIX, 1982, S. 388).

Ist die Evolution des Lernens im wesentlichen eine Geschichte der zunehmend vergrößerten Kapazität für interne individuelle Informationsverarbeitung? Lässt der Mensch endlich die restriktiven spezifischen Einflüsse der Umgebungseigenschaften hinter sich? Ist das, was den Menschen auszeichnet, einfach der Tatbestand, dass er mehr als seine evolutionären Vorfahren denkt?

Dies ist der zweite Komplex von Problemen. Bevor ich diese beiden Komplexe angehe, will ich zunächst P. I. ZINCHENKO um methodologischen Rat bitten.

ZINCHENKOS Beitrag

P. I. ZINCHENKO veröffentlichte 1939 einen wichtigen größeren Aufsatz mit dem Titel *Das Problem des unwillkürlichen Gedächtnisses*. Diese Arbeit ist unmittelbar für die Analyse des Lernens relevant, die in dem vorliegenden Kapitel durchgeführt wird. ZINCHENKO beschäftigt sich mit dem Problem der Evolution des Gedächtnisses.

> Die Annahme, dass das unwillkürliche Gedächtnis die erste genetische Stufe in der Entwicklung des Gedächtnisses darstellt, steht sowohl in der klassischen wie in der gegenwärtigen Psychologie außer Frage. Sowohl in der historischen Entwicklung des menschlichen Bewusstseins wie in der Entwicklung des kindlichen Bewusstseins, sind die anfänglichen Formen des Gedächtnisses unwillkürlich. Bei Tieren ist das unwillkürliche Gedächtnis natürlich nicht bloß die erste, sondern die einzige Form des Gedächtnisses. ... Trotz der extremen Unterschiedlichkeit heutiger Ansichten über die Natur des Gedächtnisses, wird das unwillkürliche Gedächtnis durchgängig als mechanisches Gedächtnis charakterisiert.... Hier gibt es eine Trennung des Gedächtnisses in mechanische und logische Formen, die ihrerseits als zwei aufeinanderfolgende genetische Stufen in der Entwicklung des Gedächtnisses verstanden werden. (ZINCHENKO, 1983/1984, S. 56-57)

ZINCHENKO legt dar, dass diese Art der Interpretation der evolutionären Natur des Gedächtnisses fundamental verzerrt und falsch ist. Tatsächlich reproduziert sie zwei der klassischen Sackgassen der traditionellen Psychologie. Erstens reproduziert sie den Assoziationismus und den mechanischen

Materialismus, indem das unwillkürliche Gedächtnis als etwas rein Mechanisches und Physiologisches behandelt wird. Zweitens reproduziert sie den Intellektualismus und Idealismus, indem das willkürliche Gedächtnis als etwas rein Logisches und Geistiges behandelt wird.

Um diese Auffassung zu überwinden, ist es notwendig, zu verstehen, dass das unwillkürliche Gedächtnis nicht das gleiche ist wie ein mechanisches Gedächtnis. Das unwillkürliche Gedächtnis kann wie folgt definiert werden.

> Es ist dadurch charakterisiert, dass das Erinnern innerhalb einer anderen Handlung geschieht, einer Handlung, die eine bestimmte Aufgabe, ein Ziel und ein Motiv hat sowie eine bestimmte Bedeutung für das Subjekt, die aber nicht direkt auf die Aufgabe des Erinnerns orientiert ist. (ZINCHENKO, 1983/84, S. 77)

Beispiele für unwillkürliches Gedächtnis sind aus Alltagssituationen geläufig: Wir erinnern uns an viele Dinge, die in einige für uns bedeutsame Handlungen eingebettet sind, ohne dass wir jemals bewusst versuchen, uns an sie zu erinnern. Nach ZINCHENKO „kann keine dieser Formen des Gedächtnisses auf die Gesetze der Assoziation oder des konditionierten Reflexes reduziert werden, da diese immer dem tatsächlichen Inhalt der Handlung äußerlich sind" (ZINCHENKO, 1983/84, S. 77). Das unwillkürliche Erinnern verändert und entwickelt sich in anderen Worten entsprechend den Veränderungen in der Natur der Tätigkeit des Subjekts, der Handlungen, innerhalb derer es stattfindet. Es ist buchstäblich ein Nebenprodukt und Nebenprozess - aber keinesfalls ein einfacher und mechanischer.

Obwohl das willkürliche Gedächtnis eindeutig eine spätere und also höhere evolutionäre Form ist, gilt entsprechend, dass es auf keinen Fall notwendiger Weise logisch oder nicht-mechanisch ist. Das willkürliche Erinnern ist einfach eine besondere Handlung, die dem Erinnern gewidmet ist: „Das Subjekt ist sich des Gegenstandes der Handlung als Gegenstand des Erinnerns bewusst" (ZINCHENKO, 1983/84, S. 78). Tatsächlich nimmt das willkürliche Erinnern ganz häufig die Form des mechanischen Memorierens ein.

> Unserer Auffassung nach ist das, was als mechanisches Gedächtnis bezeichnet wird, keine Stufe in der Genese des Gedächtnisses: Es ist vielmehr eine besondere Form des Gedächtnisses, die tendenziell auftritt, wenn die Bedingungen es dem Subjekt erschweren, eine bedeutungsvolle Tätigkeit auszuführen, die eine besondere Situation erfordert. Das sich daraus ergebende Gedächtnis ist „mechanisch" in dem Sinne, dass ein Gegenstand unter den Bedingungen erinnert wird, unter denen seine Be-

> deutung oder Signifikanz dem Subjekt nicht augenscheinlich ist. Es ist jedoch wichtig zu betonen, dass sogar diese Form des Gedächtnisses eher psychologisch als physiologisch ist. Die Analyse kommt zu dem Ergebnis, dass sie nicht „ohne Bedeutung" ist, und dass sie nicht eine Funktion von mechanischen Eindrücken ist, die auf ein passives Subjekt ausgeübt wird. Sie ist das Ergebnis der Tätigkeit des Subjekts, einer Tätigkeit, die die Beziehungen des Subjekts zu einem gegebenen Gegenstand realisiert. Wenn das Erinnern mechanisch ist, dann ist jedoch diese Beziehung nicht der Situation angemessen, in der die Tätigkeit ausgeführt wird. (ZINCHENKO, 1983/84, S. 108-109)

Auf ähnliche Weise kann das sogenannte „logische Gedächtnis", das logische Operationen benutzt, entweder willkürlich oder unwillkürlich sein.

ZINCHENKO fasst seinen Aufsatz mit einem schonungslosen Verdikt zusammen.

> Die Einteilung des Gedächtnisses in mechanische und logische Formen, im Sinne von zwei genetisch aufeinanderfolgenden Stufen, ist falsch. Diese Perspektive ist mit der Tendenz verbunden, das Geistige und das Physiologische gleichzusetzen und einander gegenüberzustellen, einer Tendenz, das Wesen des Geistes und seine materielle Basis zu identifizieren und einander gegenüberzustellen. (ZINCHENKO, 1983/84, S. 108)

Aus ZINCHENKOs Beitrag lassen sich drei wichtige Schlussfolgerungen ziehen.

1. Die Art und Weise, in der KLIX die Evolution des Lernens behandelt, stimmt haargenau mit den Kriterien einer falschen Analyse überein, die von ZINCHENKO ausgearbeitet worden sind. Es ist in Bezug auf die Evolution nicht legitim, frühere oder niedere Formen des Lernens als „Konditionierung" und spätere oder höhere Formen als „Denken" zu behandeln. Verschiedene Formen des Denkens kann man bereits in sehr frühen evolutionären Formen des Lernens finden - und umgekehrt (ein Punkt, der teilweise von KLIX selber demonstriert wird).

2. In der Evolution besteht die anfängliche Form des Lernens in inzidentellen (oder unwillkürlichen) Lernoperationen, die sich stillschweigend und gelegentlich als Nebenprodukt und Nebenprozess anderer Tätigkeiten und Handlungen ergeben. Die bewussten, zielgerichteten Lernhandlungen stellen eine spätere und höhere Formation dar (obwohl ich nicht soweit gehen würde, sie nur auf die menschliche Art zu beschränken; ein Vorbehalt, der in Kapitel 3 weiter ausgeführt wird).

3. Um die Struktur und Dynamik der verschiedenen Formen des Lernens zu verstehen, seien sie nun inzidentell oder bewusst, müssen wir sie als Teile

oder Aspekte konkreter historischer Tätigkeiten mit spezifischen Subjekten, Gegenständen und Instrumenten innerhalb spezifischer Kontexte untersuchen. Die dritte Schlussfolgerung impliziert, dass wir begriffliche Mittel besitzen müssen, mit denen Tätigkeiten untersucht werden können. Die nächsten Abschnitte haben die Entwicklung solcher begrifflichen Mittel zum Ziel. Erst danach können wir zur Analyse des Lernens zurückkehren.

Die Dreiecke der Tätigkeit

Im 19. Jahrhundert erfuhren die Philosophie, die Biologie und die Sozialwissenschaften fundamentale begriffliche und methodologische Umbrüche, die mehr oder weniger direkt mit der gigantischen Entwicklung der Produktivkräfte und des globalen Handels durch den industriellen Kapitalismus verbunden waren. In der Philosophie bewirkte vor allem HEGEL diesen Umbruch. In der Biologie wurde er durch DARWIN, und in den Sozialwissenschaften durch MARX in Gang gesetzt.

Zwei grundlegende Merkmale sind in diesen Umbrüchen augenfällig. Erstens bedeuteten sie, dass Organismus und Umwelt, Mensch und Gesellschaft nicht länger als getrennte Einheiten, sondern als integrierte Systeme verstanden wurden, in denen retroaktive Kausalität und interne dynamische Übergänge vorherrschen. Zweitens bedeuteten diese Umbrüche, dass Organismus und Umwelt, Mensch und Gesellschaft nicht länger als stabile, unveränderliche Einheiten betrachtet werden konnten, sondern nur als etwas, das durch qualitative Transformationen charakterisiert ist, und so eine historische Perspektive erforderlich macht.

Jeder dieser drei Umbrüche hatte seinen spezifischen Inhalt und seine spezifische Wirkung. In sehr allgemeiner Weise kann HEGELS Beitrag wie folgt zusammengefasst werden.

> Indem er sich auf die feste nationale Tradition (die deutsche Aufklärung, Kant, Fichte, Schelling) stellt, verbindet Hegel von Beginn an das Tätigsein des menschlichen Bewusstseins nicht mit den Besonderheiten der körperlichen und natürlichen Organisation des Menschen, sondern mit dem Prozess, in dem jedes Individuum den durch die vorhergehende Geschichte akkumulierten geistigen Reichtum aktiv assimiliert, und mit der Realisierung dessen, was es in seiner eigenen Tätigkeit assimiliert hat, was die Widerständigkeit des Gegenstandes überwindet. (MIKHAILOV, 1980, S. 87)

HEGEL war der erste Philosoph, der die Aufmerksamkeit auf die Rolle der materiellen, produktiven Tätigkeit und der Arbeitsinstrumente in der Entwicklung des Wissens gelenkt hat. Er sprach sich ganz klar für die Theorie aus, dass das individuelle Bewusstsein unter dem Einfluss von Wissen geformt wird, das von der Gesellschaft akkumuliert wird und sich in der Welt der Dinge, die von der Menschheit geschaffen werden, vergegenständlicht.

> Das Individuum besitzt Bewusstsein (Geist), insofern der Geist der Geschichte von ihm Besitz ergriffen hat, insofern Geschichte sich in ihm und durch ihn vollzieht. (MIKHAILOV, 1980, S. 92; vgl. auch MARKOVÀ [1982] für eine neuere Interpretation von HEGELS psychologischer Bedeutung)

Es war Charles DARWIN, der die naturwissenschaftliche und empirische Grundlage für die systemischen und historischen Auffassungen des Menschen legte.

> Indem er die widerstreitenden Kräfte der internen Struktur und der externen Umwelt koordinierte, eliminierte Darwin das Bedürfnis, auf übernatürliche Kräfte in der wissenschaftlichen Erklärung zurückzugreifen. Er schuf das erste überzeugende Modell eines natürlichen, abgeschlossenen Systems, das progressiven Veränderungen unterliegt. (RICHARDS, ARMON, & COMMONS, 1984, XX)

Wie Howard GRUBER (1974, S. 71) in seinem ausgezeichneten Buch *Darwin on Man* bemerkt, haben MARX und ENGELS bei seinem Erscheinen den *Ursprung der Arten* begeistert begrüßt. MARX und ENGELS haben die Einsichten von HEGEL und DARWIN zusammengebracht. Mehr als das: Sie entwickelten eine Konzeption, in der der Mensch nicht bloß als Produkt der Evolution und als die Kultur assimilierend verstanden wird, sondern als Schöpfer und Veränderer.

> Der Hauptmangel alles bisherigen Materialismus ... ist, dass der Gegenstand, die Wirklichkeit, Sinnlichkeit nur unter der Form des Objekts oder der Anschauung gefasst wird; nicht aber als sinnlich menschliche Tätigkeit Praxis» nicht subjektiv. Daher die tätige Seite abstrakt im Gegensatz zu dem Materialismus von dem Idealismus - der natürlich die wirkliche, sinnliche Tätigkeit als solche nicht kennt - als solche entwickelt. ... Die materialistische Lehre von der Veränderung der Umstände und der Erziehung vergisst, dass die Umstände von den Menschen verändert und der Erzieher selbst erzogen werden muss. Sie muss daher die Gesellschaft in zwei Teile – von denen der eine über ihr erhaben ist – sondieren. Das Zusammenfallen des Änderns der Umstände und der menschlichen Tätigkeit oder Selbstveränderung kann nur als revolutionäre Praxis gefasst und rationell verstanden werden. (MARX, Thesen über Feuerbach, 1969, S. 5-6)

Diese berühmten Zeilen aus den Thesen über FEUERBACH setzen die Leitlinie für meine weitere Untersuchung. Das Problem besteht darin, dass die Humanwissenschaften des 20. Jahrhunderts, besonders die Psychologie und die Pädagogik, sich noch nicht der Herausforderung gestellt haben, kohärente theoretische Werkzeuge zu konstruieren, die solche Prozesse erfassen und hervorbringen, in denen „die Umstände von den Menschen verändert und der Erzieher selbst erzogen wird". BIBLER weist jedoch daraufhin, dass die begriffliche Umwälzung, die von HEGEL und MARX vorhergesehen wurde, „nun die produktive Tätigkeit im allgemeinen ergreift, eine logische Notwendigkeit wird" (1970, S. 157).

Auch wenn man sich der Aufgabe noch nicht gelöst hat, die die Umbrüche des 19. Jahrhunderts gestellt haben, so hat man sie doch in bestimmten Richtungen des Denkens im 20. Jahrhunderts erkannt und sich mit ihnen auseinandergesetzt. Diese Richtungen haben die Idee des Menschen als systemisches und historisches Wesen ernst genommen. Auf dieser Basis haben sie versucht, die grundlegende Struktur der menschlichen Tätigkeit zu modellieren.

Ich werde die Suche nach einem vernünftigen Grundmodell der menschlichen Tätigkeit durch die folgenden anfänglichen Einschränkungen begrenzen.

Erstens, Tätigkeit muss dargestellt sein in ihrer einfachsten, genetisch ursprünglichen, strukturellen Form, als die kleinste Einheit, die noch die wesentliche Einheitlichkeit und Qualität hinter irgendeiner komplexen Tätigkeit beinhaltet.

Zweitens, Tätigkeit muss in ihrer Dynamik und Veränderbarkeit untersucht werden können, in ihrer Evolution und ihrem historischen Wandel. Dies werden statische oder auf Ewigkeit gestellte Modelle nicht tun können.

Drittens, Tätigkeit muss als kontextspezifisches oder ökologisches Phänomen untersucht werden können. Die Modelle müssen sich dabei auf die systemischen Beziehungen zwischen dem Individuum und der äußeren Welt konzentrieren.

Viertens, menschliche Tätigkeit muss im Besonderen als kulturell vermitteltes Phänomen untersucht werden können. Modelle der Dyade Organismus-Umwelt reichen nicht aus. Diese Anforderung ergibt sich schon aus HEGELS

Betonung der kulturell vermittelten, triadischen oder triangulären Struktur der menschlichen Tätigkeit.

Die erste Begrenzung schließt, neben anderen Theorien, die Arbeit von HABERMAS aus der gegenwärtigen Diskussion aus. An Stelle der ursprünglichen inneren Einheit nimmt Habermas die Trennung der Handlung in Arbeit und Interaktion zu seinem Ausgangspunkt (vgl. GIDDENS 1982).

Die letzte Beschränkung macht es z.B. unnötig, sich hier mit PIAGETs Konzept der Tätigkeit auseinanderzusetzen (vgl. PIAGET, 1977 und GALLAGHER, 1978; Kritische Einsichten ergeben sich insbesondere aus den Darstellungen von DAMEROW, 1980 und WARTOFSKY, 1982).

Diese vier Anforderungen als Vorbedingungen an eine Theorie der menschlichen Tätigkeit finden sich in drei größeren Forschungstraditionen. Die erste beschäftigt sich mit der Theoriebildung über Zeichen, Bedeutung und Wissen; sie beginnt mit PEIRCE und erstreckt sich über OGDEN und RICHARDS bis hin zu POPPERS evolutionärer Epistemologie. Die zweite besteht in der Untersuchung der Genese der Intersubjektivität, die von G. H. MEAD begründet wurde und die in Untersuchungen der kindlichen Kommunikation und der Sprachentwicklung ihre Fortsetzung findet. Und die dritte besteht in der kulturhistorischen Schule der Psychologie, die mit VYGOTSKIJ beginnt und bei LEONT'EV zur Reife gelangt. In allen drei Theorien wird der Begriff der Vermittlung, der „Drittheit" oder Triangularität als konstitutives Merkmal menschlicher Tätigkeit verstanden. Diese Idee wird häufig in der Form graphischer Modelle ausgedrückt, entwickelt und angewendet.

Die erste Entwicklungslinie: Von PEIRCE zu POPPER

C. S. PEIRCE,[3] einer der Begründer der Semiotik, baute seine Theorie der Vermittlung auf der Idee einer triadischen Beziehung zwischen einem Objekt, einem geistigen Interpretanten und einem Zeichen auf.

> Ein Zeichen, oder Repräsentamen, ist ein Erstes, das so in einer echten triadischen Beziehung zu einem Zweiten, seinem Gegenstand, steht, dass es in der Lage ist, ein Drittes zu bestimmen, das Interpretant genannt

---

[3] Ich möchte klarstellen, dass das äusserst umfangreiche und oft schwer verständliche Werk von PEIRCE (siehe PEIRCE 1931-1935) hier nur auf der Grundlage der ausführlichen aber ausgewogenen Interpretation durch PARMENTIER (1985) diskutiert wird; vgl. auch die einschlägige Darstellung bei PHARIES (1984).

> wird, und das dabei die gleiche triadische Beziehung zu seinem Gegenstand annimmt, indem es selbst zu dem gleichen Gegenstand steht. (PEIRCE 1902, zitiert nach PARMENTIER, 1965, S. 27)

Die triadische Beziehung kann nicht auf unabhängige Dyaden reduziert werden. So würde der dynamische Charakter der Triade zerstört und „es gäbe keine Interpretation oder Repräsentation dessen, was vorher ist, aus dem, was sich anschließt; keine symbolischen oder konventionellen Beziehungen existieren zwischen den Elementen; und kein Gedanke, keine Idee oder Bedeutung kann in dem Prozess verkörpert und übermittelt werden" (PARMENTIER, 1985, S. 26).

In dieser dynamischen Beziehung gibt es zwei Vektoren. Zunächst gibt es den Vektor der *Repräsentation*, der von dem Zeichen und dem Interpretanten auf das Objekt zeigt. Zweitens gibt es den Vektor der *Determination*, der von dem Objekt sowohl auf das Zeichen wie auf den Interpretanten zeigt.

> Dieses Ineinandergreifen der Vektoren der Repräsentation und der Determination beinhaltet, dass die drei Elemente in der Zeichenbeziehung niemals dauerhaft Objekt, Repräsentanten und Interpretant sein können, sondern dass jedes von ihnen eine andere Rolle spielt, wenn weitere Determinationen und Repräsentationen realisiert werden. ... Semiosis ist daher ein „unendlicher Prozess" oder eine „endlose Reihe," in welcher der Interpretant sich an eine wahre Repräsentation des Objektes annähert in dem Maße, in dem weitere Determinationen in jedem Moment akkumuliert werden. (PARMENTIER, 1985, S. 29)

Außer auf rein logische und linguistische Gegebenheiten wandte PEIRCE seine Konzeption auch auf menschliche Handlungen an.

> Man kann in jeder Handlung, die durch Vernunft geleitet wird, eine solche echte Triplizität finden, während rein mechanische Handlungen nur zwischen Paaren von Elementen stattfinden. Ein Mann gibt seiner Frau eine Brosche. Der bloß mechanische Teil der Handlung besteht darin, die Brosche hinzulegen, und dabei gewisse Töne von sich zu geben, während sie sie aufnimmt. Es gibt hier keine echte Triplizität, und es findet auch kein Geben statt. Das Geben besteht darin, dass er vereinbart hat, dass ein gewisses intellektuelles Prinzip die Beziehungen der Brosche zu seiner Frau beherrschen soll. Der Händler in „Tausendundeine Nacht" warf den Stein einer Dattel weg, der das Auge eines Geistes traf. Dies war rein mechanisch und es gab keine echte Triplizität. Das Werfen und das Auftreffen war voneinander unabhängig. Hätte er aber auf das Auge des Geistes gezielt, dann wäre das mehr gewesen als das bloße Wegwerfen des Steines. Es hätte eine echte Triplizität vorgelegen, der Stein wäre nicht nur geworfen worden, sondern ins Auge geworfen worden. Hier wäre die Intention, die geistige Handlung ins Spiel gekommen. Intellektuelle Triplizität, oder

> Vermittlung ist meine dritte Kategorie." (PEIRCE, 1902, zitiert nach PARMENTIER, 1985, S. 41)

Dieses Zitat zeigt das erste fundamentale Problem in der Konzeption von PEIRCE. Das vermittelnde Zeichen wird hier, im Kontext der menschlichen Handlung, wie etwas rein Geistiges und Intentionales behandelt. Es verliert so seine mögliche anti-kartesische, kulturelle Qualität und kehrt zum Individualismus und Rationalismus zurück.

> Auch wenn Peirce oft deutlich gemacht hat, dass seine Auffassung von Repräsentation alles einschloss, Geistiges wie auch Nicht-Geistiges, das Attribute besitzt, wandte er den sinnlichen oder materiellen Qualitäten von Zeichen in der nicht mentalen Kategorie wenig Aufmerksamkeit zu, dem was er später das Repräsentamen nannte. Dass es irgendein „Medium für nach außen gerichteten Ausdruck" braucht, wird nur in dem Zusammenhang zugegeben, indem es notwendig erscheint, um ein „Gedanken-Zeichen" einer anderen Person zu übermitteln. Diese materiellen Qualitäten sind jedoch selbst nur ein Residuum von nicht-semiotischen Eigenschaften des Zeichens, die keine positive Rolle in seiner repräsentationalen Funktion spielen. (PARMENTIER, 1985, S. 33)

Das zweite Problem in PEIRCE' Denken wurde gegen Ende seiner produktiven Kariere beherrschend. Dieses Problem besteht in der strikten Trennung der Form vom Inhalt der Zeichen und dem ausschließlichen Interesse an der reinen Form. Die Inhalte leisten dabei keinen Beitrag zur Determination der Form, und Zeichenformen wurden zu „blinden Vehikeln zur Kommunikation von Bedeutung, die sie nicht beeinflussen" (PARMENTIER, 1985, S. 45).

In ihrem bahnbrechenden Werk über die Bedeutung der Bedeutung stellen OGDEN und RICHARDS (1974) das folgende Diagramm (Abbildung 2.1) als ihren Ausgangspunkt dar.

Die Autoren weisen auf die besondere Natur der unteren Linie des Dreiecks hin, d.h. auf die Beziehung zwischen Symbol (Wort) und Referenten (Ding).

> Zwischen dem Symbol und dem Referenten gibt es keine andere relevante Beziehung als die indirekte, die darin besteht, dass das Symbol von jemandem dazu benutzt wird, einen Referenten zu vertreten. Symbol und Referent sind also nicht direkt verknüpft, ... sondern nur indirekt über die beiden Seiten des Dreiecks. (OGDEN und RICHARDS, 1974, S. 19)

Das bedeutet, dass es keine direkte Korrespondenz zwischen dem Symbol und dem Ding gibt, das es symbolisiert, oder zwischen Worten und Dingen. Ihre Beziehung ist immer von Menschen konstruiert und verändert sich daher historisch.

> Wir werden jedoch feststellen, dass die Art von Vereinfachung, wie sie diese einstmals universale Theorie der direkten bedeutungshaltigen Beziehungen zwischen Worten und Dingen darstellt, die Quelle fast aller Schwierigkeiten darstellt, die das Denken antrifft. (OGDEN & RICHARDS 1923, S. 12)

Bedeutungen sind also Konstruktionen. Konstruktion von Bedeutung ist die spezifisch menschliche Form der Tätigkeit.

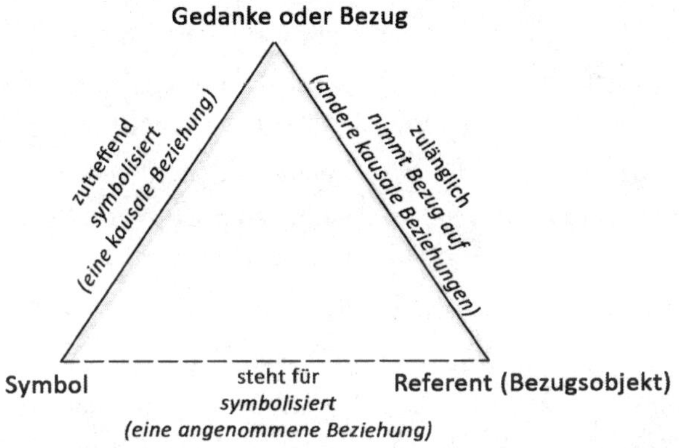

Abb. 2.1. Bedeutung als Triade von Denken, Worten und Dingen (OGDEN & RICHARDS, 1974, S. 18).

OGDEN und RICHARDS verstehen aber, ganz ähnlich wie PEIRCE, die Konstruktion der Beziehung zwischen Symbol und Referendum rein und ausschließlich als einen gedanklichen Prozess, als einen mentalen Akt des Individuums. Sie sehen darüber hinaus die Bedeutung ausschließlich in Symbolen und Sprache eingebettet und verkörpert, nicht in materiellen Dingen oder Artefakten im allgemeinen. Dies macht sie natürlich ziemlich hilflos angesichts des Problems der Entstehung des Denkens, der Symbole und der Sprache.

Es ist auch symptomatisch, dass OGDEN und RICHARDS die indirekte, vermittelte Natur auf die untere Linie des Dreiecks beschränken. Die anderen beiden Beziehungen, die zwischen Denken und Symbol und die zwischen Denken und Ding, werden als „mehr oder weniger direkt" betrachtet (OGDEN & RICHARDS, 1974, S. 19).

Können diese beiden Beziehungen wirklich direkt sein? Betrachten wir zunächst die Beziehung zwischen Denken und Symbol. Symbole sind gesellschaftlich-historisch produzierte und übermittelte Artefakte. Sie sind von der Produktion und dem Gebrauch materieller Werkzeuge und Gegenstände abstrahiert und verallgemeinert. Die Beziehung eines Individuums zu einem Symbol erscheint direkt. Aber die kulturelle Entwicklung der Symbole kann niemals als direkte individuelle verstanden werden. Sie ist ein überindividueller, kollektiver Prozess, der auf der vermittelten, indirekten Interaktion von Subjekten mit Symbolen über Objekte (Referendum) beruht. Auch die individuelle Auffassung und der Gebrauch von Symbolen haben ihren Ursprung in praktischen Kontakten mit der Welt der Gegenstände, welche die Symbole repräsentieren und aus denen sie stammen.

Dieser Ursprung der Worte und Symbole aus praktischen materiellen Handlungen wird von MALINOWSKI im Anhang zum Buch von OGDEN und RICHARDS hervorgehoben.

> Wenn also ein Wilder lernt, die Bedeutung eines Wortes zu verstehen, so vollzieht sich dieser Prozess nicht durch Erklärungen, durch eine Reihe von Apperzeptionsakten, sondern dadurch, dass er lernt, damit umzugehen. Ein Wort bedeutet für einen Eingeborenen den richtigen Gebrauch des Dinges, für welches es steht. (MALINOWSKI, 1974, S. 361)
>
> Zur wirklichen Kenntnis eines Wortes gelangt man dadurch, dass man es innerhalb einer bestimmten Situation richtig anwendet. Das Wort wird, wie jedes von Menschen geschaffene Gerät, erst dann bedeutungserfüllt, wenn es unter den verschiedensten Bedingungen angewandt, und zwar richtig angewandt worden ist. (MALINOWSKI, 1974, S. 367)

Historisch und theoretisch ist dieses Thema von LEONT'EV (1971, besonders S. 175-176), LEROI-GURHAN (1980, besonders S. 147-153) und TRAN DUC THAO (1984) ausgearbeitet worden. Innerhalb der kognitiven Psychologie hat David MCNEILL (1985) neuerdings den gemeinsamen Ursprung von Gesten und Sprachen diskutiert.

Das überzeugendste experimentelle Material hat MEŠČERJAKOV (1979) vorgelegt, das seiner pädagogischen Arbeit mit taub-blinden Kindern entstammt. MEŠČERJAKOVs Neubetrachtung der Entwicklung von Helen KELLER, die oft als die Entfaltung des in ihr schlafenden spirituellen Wesens charakterisiert wird, ist auf ihre Weise erfrischend.

> Zu der Zeit als ihr Lehrer auf der Szene erscheint, konnte Helen ihren Weg im Haus leicht finden, ebenso im Obstgarten, im Gemüsegarten und in der gesamten unmittelbaren Nachbarschaft des Hauses. Viele Haushaltsgegenstände waren ihr bekannt, Küchenutensilien und Gartenwerkzeuge, sie wusste, wofür viele der Objekte in der Umgebung gebraucht

> wurden und war in der Lage, sie sachgerecht zu benutzen. Sie gebrauchte eine gut entwickelte Gebärdensprache, die sie ausführlich und systematisch benutzte. ... Tatsächlich gibt es bestimmte Gründe zu behaupten, dass Helen Kellers erster Lehrer das kleine schwarze Mädchen Martha Washington war. Sie war es, die als erste die Mauer durchbrach, die das kleine taub-blinde Mädchen isolierte, und dank ihres Kontakts mit Martha entwickelte Helen ihre Gebärdensprache. Es muss daraufhin gewiesen werden, dass weder Anne Sullivan, noch jene Spezialisten, die später versuchten, Helens Lernen von einem psychologischen Standpunkt aus zu analysieren, keinen besonderen, ganz zu schweigen von einem entscheidenden Einfluss auf diese Periode von Helens Leben hatten. (MEŠČERJAKOV, 1979, S. 60)

Die Beziehung zwischen Gedanken und Ding kann auf ganz ähnliche Weise analysiert werden. Dinge sind nicht einfach da, um darüber nachzudenken und sich auf sie zu beziehen. Sie werden von menschlichen Wesen in ihrer kollektiven Lebenstätigkeit, in ihrer Praxis, produziert und benutzt. Dies geschieht nicht direkt, sondern immer mit der (sichtbaren oder unsichtbaren) Hilfe von Symbolen, d.h. von Werkzeugen und Modellen, die sich auf die Qualitäten und Verhaltensweisen der Dinge beziehen. Wenn wir ein Individuum betrachten, das sich auf ein materielles Objekt bezieht, dann scheint auch hier eine direkte Beziehung zu diesem Objekt zu bestehen. Aber das sich Beziehen wird immer mit irgendwelchen Mitteln bewerkstelligt – Gesten, Bildern, Worten, anderen Objekten, die wenigstens einigen anderen Individuen mitteilbar und verständlich sind. Die Handlung ist nicht direkt, nicht einmal wenn sie automatisch abläuft. Das vermittelnde kulturelle Instrument ist da, ob das Subjekt sich dessen bewusst ist oder nicht.

In dem Dreieck von OGDEN und RICHARDS befindet sich das primäre Agens in der obersten Ecke, dem Gedanken. Aber das Subjekt denkt nicht nur - und nicht einmal in erster Linie. Vor allem handelt es praktisch, verändert die materielle Umwelt. Und das Subjekt tut dies nicht allein, sondern in Kooperation.

Unter den modernen epistemologischen Theorien ist Karl POPPERS (1972) Konzeption der drei Welten sicher die bekannteste Version eines Dreierschemas. Die grundlegende Position ist wie folgt:

> Da gibt es zunächst die physische Welt - das Universum physischer Gegenstände -, ... ich möchte sie „Welt 1" nennen. Zweitens gibt es die Welt psychischer Zustände, einschließlich der Bewußtseinszustände, der psychischen Dispositionen und unbewussten Zustände; diese will ich „Welt

> 2" nennen. Doch es gibt noch eine *dritte* Welt, die Welt der Inhalte des Denkens und der Erzeugnisse des menschlichen Geistes; diese will ich „Welt 3" nennen. (POPPER & ECCLES, 1982, S. 63)

In seine Welt 3 schließt POPPER Geschichten, erklärende Mythen, Werkzeuge, wissenschaftliche Theorien, wissenschaftliche Probleme, soziale Institutionen und Kunstwerke ein. Diese Gegenstände können in materieller Form existieren und tun das auch. Aber der materielle Aspekt ist nicht wesentlich. Die Gegenstände der Welt 3 können auch in nicht-materieller, nicht-verkörperter Form existieren. Das herausragende Beispiel für solche Gegenstände sind wissenschaftliche und andere Problemsituationen. Problemsituationen existieren nach POPPER objektiv innerhalb der Masse des Wissens, ungeachtet der Tatsache, ob Menschen sich ihrer bewusst geworden sind oder nicht. Die Aufgabe besteht darin, sie zu entdecken. POPPER behauptet, dass das Erfassen von Objekten der Welt 3 völlig unabhängig von den materiellen Verkörperungen dieser Objekte ist.

> Diese Theorien wie auch ihre logischen Beziehungen sind Gegenstände der Welt 3, und im allgemeinen macht es weder für ihre Eigentümlichkeit als Gegenstände der Welt 3 noch für deren Begreifen durch unsere Welt 2 einen Unterschied, ob diese Gegenstände materialisiert sind oder nicht. So kann sich eine noch nicht entdeckte und noch nicht materiell vorhandene logische Problemsituation als entscheidend für unseren Denkprozess erweisen und zu Tätigkeiten mit Rückwirkungen auf die physische Welt 1 führen z.B. zu einer Veröffentlichung. (POPPER & ECCLES, 1982, S. 73)

Probleme und selbst logische Möglichkeiten müssen aber auch in irgendeiner Art von Sprache fixiert werden. POPPER gesteht das bereitwillig zu. Dennoch seien diese Entitäten nicht-körperlich – weil die Sprache es auch sei.

> *Sprache ist nicht-materiell* und erscheint in den vielfältigsten physikalischen Formen – nämlich in Gestalt höchst verschiedener Systeme physikalischer Laute. (POPPER & ECCLES, 1982, S. 76; Hervorhebung von mir, Y.E.).

POPPER besteht in anderen Worten auf der absoluten Trennung von Inhalt und Form, von immaterieller Substanz und dem materiellen Träger, ganz im Sinne des späten PEIRCE, den er für „einen der größten Philosophen aller Zeiten" (POPPER, 1984, S. 254) hielt. Immer wieder führt ihn das dazu, Aussagen zu formulieren, die die Unabhängigkeit und die eigenständige Natur der drei Welten unterstreichen. Auch hierbei ist Helen KELLERs Entwicklung ein typisches Beispiel.

> Alle normalen Menschen sprechen; und Sprechen ist für sie von größter Bedeutung, so sehr, daß sogar ein taubstummes und blindes kleines Mädchen wie Helen Keller sich rasch und mit Begeisterung einen Ersatz für das Sprechen schuf, einen Ersatz, durch den dieses Mädchen zu wahrer Meisterschaft in der englischen Sprache und Literatur wurde. Physikalisch war ihrer Sprache völlig verschieden vom gesprochenen Englisch; doch sie hatte eine eindeutige Entsprechung zum geschriebenen oder gedruckten Englisch. Ohne Zweifel hätte Helen Keller sich statt Englisch jede andere Sprache aneignen können. *Ihr starkes, wenn auch unbewußtes Bedürfnis galt der Sprache – Sprache an sich.* (POPPER & ECCLES, 1982, S. 76; Hervorhebung von mir, Y.E.)

Würde POPPER dann behaupten, dass sogar Helen KELLERS frühe Gebärdensprache mit ihren untrennbar miteinander verbundenen weltlichen Inhalten und Formen „immateriell" war? Vielleicht.

Nach POPPER (1984, S. 188): „(hängen) die drei Welten ... so miteinander zusammen, dass die ersten beiden und die letzten beiden miteinander in Wechselwirkung stehen können". Er postuliert mit anderen Worten diskontinuierliche Beziehungen zwischen den drei Welten. Er reduziert das Dreieck auf zwei Dyaden - etwas, das PEIRCE nur innerhalb der Sphäre der rein mechanischen Handlungen als legitim betrachtete, wie etwa bei der Bewegung von Billardbällen (PARMENTIER, 1985, S. 25-26).

Dieser dualistische Reduktionismus zerstört tatsächlich den beabsichtigten interaktionistischen oder systemhaften Charakter von POPPERS Theorie. Statt der Vermittlung als realer praktischer Bewegung, als Tätigkeit, haben wir nun drei Welten, die ein autonomes Dasein führen und die bekannten dualistischen Subjekt-Objekt-Beziehungen mit je einer der anderen Welten eingehen.

Die Theorien der Welt 3 existieren also nicht nur autonom, sondern sie handeln auch autonom, „(sie) erzeugen ... neue, unbeabsichtigte und unerwartete Probleme, selbständige Probleme, die entdeckt werden müssen" (POPPER, 1984, S. 195). Mit anderen Worten: Problemsituationen befinden sich in Welt 3 – man könnte sagen, sie sind dort gelagert.

Vom Gesichtspunkt der Tätigkeit aus betrachtet macht dies keinen Sinn. Problemsituationen sind nicht statisch situiert oder gelagert, sie sind vielmehr eine wesentliche Form der Bewegung des Dreiecks, wobei sie innerhalb und zwischen allen drei „Ecken" konstruiert werden und erscheinen.

POPPER spricht auch von Tätigkeit – „die Tätigkeit des Verstehens besteht im wesentlichen im Umgehen mit Gegenständen der Welt 3" (POPPER, 1972, S. 184).

Diese dyadische Konzeption kann nicht erklären, wie Objekte der Welt 3 geschaffen werden. Verstehen wird so zu einem rezeptiven Intellektualismus, und das nicht nur in dem gewöhnlichen Sinne einer Distanziertheit von der Welt l, sondern in dem wichtigeren Sinne, dass es unfähig ist, praktisch die produktive Natur der kontinuierlichen Dreiheit der Tätigkeit zu erfassen.

Der Biologe und Epistemologe R. C. LEWONTIN fasst POPPERs Position der evolutionären Epistemologie präzise zusammen.

> Für Popper sind Wissenschaft und Natur, das Individuum und die reale Welt einander entfremdet. ... Jedes besitzt seine autonomen Prozesse. Die äußere Welt ist Teil einer fixierten Wirklichkeit mit ewigen Naturgesetzen, entwickelt sich aber teilweise durch physikalische Prozesse der kosmischen und terrestrischen Evolution. ... Auf der anderen Seite besitzen Lebewesen einen autonomen Prozess der Variation, des Hervorbringens von Neuem, von „Vermutungen". Ihr Entstehen hat keine besondere Verbindung zu der äußeren Natur, mit Ausnahme natürlich der Tatsache, dass sie Verkörperungen der universellen molekularen und physikalischen Kräfte darstellen. Die autonome Variation der Organismen und die autonomen Zustände der äußeren Natur sind also miteinander durch einen in eine Richtung verlaufenden Prozess verbunden, in dem der Organismus sich an die äußere Natur durch eine differenzierte Selektion von Variationen anpasst. Ebenso generiert die individuelle Psyche Neues auf der Grundlage von Vermutungen, die dann von der äußeren Welt widerlegt werden. (LEWONTIN, 1982, S. 163-164)

Was bleibt nach dieser Kritik? Die erste Entwicklungslinie der Theorie der Tätigkeit hat uns zu der grundlegenden Idee von Wissen und Bedeutung als vermittelte Konstruktion geführt. Auch POPPER bezeugt dies.

> Meiner Ansicht nach sollten wir das Erfassen oder Begreifen eines Gegenstandes der Welt 3 als einen aktiven Prozeß verstehen. Wir müssen es als ein Machen, als eine Nachschöpfung dieses Gegenstandes erklären. Um einen schwierigen lateinischen Satz zu verstehen, muss man ihn konstruieren: Man muss sehen, wie er gemacht ist, man muss ihn nachkonstruieren, nachvollziehen. (POPPER & ECCLES, 1982, S. 70)

Die Theorien der ersten Entwicklungslinie engen menschliche Tätigkeit jedoch auf individuelles, intellektuelles Verstehen ein. Sie liefern uns wenig Hinweise dafür zu verstehen, wie die materielle Kultur in der gemeinsamen Tätigkeit geschaffen wird.

Die zweite Entwicklungslinie: Von MEAD zu TREVARTHEN

Die zweite Linie der Entwicklung der Theorie der Tätigkeit beginnt mit George Herbert MEADS „Sozialem Behaviorismus".

Es war das Ziel von MEADS Theorie, Individualismus und Intellektualismus zu überwinden.

> In der Sozialpsychologie konstruieren wir nicht das Verhalten der gesellschaftlichen Gruppe im Hinblick auf das Verhalten der einzelnen Wesen, die diese Gruppe bilden. Vielmehr gehen wir von einem gesellschaftlichen Ganzen, einer komplexen Gruppenaktivität aus, innerhalb derer wir (als einzelne Elemente) das Verhalten jedes einzelnen Individuums analysieren. ... In der Sozialpsychologie erfassen wir den gesellschaftlichen Prozess sowohl von innen als auch von außen her. Die Sozialpsychologie ist in dem Sinne behavioristisch, dass sie mit einer beobachtbaren Aktivität beginnt – dem dynamischen gesellschaftlichen Prozess und den ihn konstituierenden gesellschaftlichen Handlungen –, die untersucht und wissenschaftlich analysiert wird. Sie ist jedoch nicht in dem Sinne behavioristisch, dass die innere Erfahrung des Individuums – die innere Phase dieses Prozesses oder dieser Aktivität – ignoriert wird. Ganz im Gegenteil, sie befasst sich vornehmlich mit dem Entstehen dieser Art von Erfahrung innerhalb des Prozesses als ganzem. Nur arbeitet sie bei ihren Untersuchungen darüber, wie eine derartige Erfahrung innerhalb dieses Prozesses entsteht, von außen nach innen, anstatt gleichsam von innen nach außen fortzuschreiten. (MEAD, 1968, S. 45-46)

MEADS Auffassung wird gemeinhin als symbolischer Interaktionismus oder Theorie der „symbolisch vermittelten Interaktion" (JOAS 1980) bezeichnet. Eine zentrale Annahme dieser Auffassung besteht in der Priorität der sozialen Objekte und des sozialen Bewusstseins gegenüber den physikalischen Objekten.

> Da der gesellschaftliche Prozess Kommunikation voraussetzt, ist er in gewisser Weise für das Auftreten neuer Objekte im Erfahrungsbereich des in ihn eingeschalteten individuellen Organismus verantwortlich. In gewisser Weise scharfen organische Prozesse oder Reaktionen selbst die Objekte, auf die sie eine Reaktion darstellen; das soll heißen, dass der jeweilige biologische Organismus irgendwie verantwortlich ist für die Existenz der Objekte (im Sinne ihrer Bedeutung für ihn), auf die er physiologisch und chemisch reagiert. Es gäbe z.B. keine Nahrung – keine eßbaren Objekte –, wenn es keine Organismen gäbe, die sie verdauen können. Ebenso schafft der gesellschaftliche Prozess die Objekte, auf die er reagiert oder denen er sich anzupassen hat. Das soll heißen, dass Objekte, was ihren Sinn betrifft, innerhalb des gesellschaftlichen Erfahrungs- und Verhaltensprozesses durch die gegenseitige Anpassung der Reaktionen oder Handlungen der verschiedenen in diesen Prozess eingeschalteten

> individuellen Organismen geschaffen werden. Es ist dies eine Anpassung, die durch eine Kommunikation ermöglicht wird, welche in den früheren Entwicklungsstadien dieses Prozesses in der Form der Übermittlung von Gesten und den späteren Stadien durch die Sprache stattfindet. (MEAD, 1968, S. 116-117)

Diese soziale, interaktive Konstruktion physikalischer Objekte geschieht mit Hilfe von Symbolen.

> Symbolisation schafft bislang noch nicht geschaffene Objekte, die außerhalb des Kontextes der gesellschaftlichen Beziehungen, in denen die Symbolisation erfolgt, nicht existieren würden. Die Sprache symbolisiert nicht einfach Situationen oder Objekte, die schon vorher gegeben sind; sie macht die Existenz oder das Auftreten dieser Situationen oder Objekte erst möglich, da sie Teil jenes Mechanismus ist, durch den diese Situationen oder Objekte geschaffen werden. Der gesellschaftliche Prozess setzt die Reaktionen eines Individuums zu den Gesten eines anderen Individuums als ihrem jeweiligen Sinn in Beziehung und ist somit für Auftreten und Bestehen neuer Objekte in der gesellschaftlichen Situation verantwortlich, die von diesem Sinn abhängig sind oder durch ihn geschaffen werden. (MEAD, 1968, S. 117-118)

Auf diese Weise wird eine dreifache Definition der Bedeutung herausgearbeitet.

> Diese Dreiecksbeziehung zwischen Geste, anpassender Reaktion und Resultante dieser durch die Geste ausgelösten gesellschaftlichen Handlung ist die Grundlage des Sinnes; denn Sinn hängt von der Tatsache ab, dass die anpassende Reaktion des zweiten Organismus auf die Resultante der jeweiligen gesellschaftlichen Handlung gerichtet ist, wie sie durch die Geste des ersten Organismus ausgelöst und aufgezeigt wurde. Die Voraussetzung für Sinn ist daher im gesellschaftlichen Verhalten oder in der Natur in der Beziehung zu solchem Verhalten gegeben. (MEAD, 1968, S. 120)

In MEADs Gedanken über die Tätigkeit scheint es also vier grundlegende Elemente zu geben: Das Individuum, der oder die Andere(n), das Symbol und das Objekt. Die interessante Frage ist die nach dem Ursprung der Symbole. Nach MEAD erwachsen Symbole aus Gesten.

> Die primitive Situation ist die einer gesellschaftlichen Handlung, die das Zusammenspiel verschiedener Mitglieder einer Gattung und damit die gegenseitige Anpassung des Verhaltens dieser verschiedenen Wesen beim Ablauf des gesellschaftlichen Prozesses voraussetzt. Innerhalb dieses Prozesses finden wir die Gesten, jene Phasen der Handlung, die die Anpassung in der Reaktion des anderen Wesens auslösen. ... Die vokale Geste wird zum signifikanten Symbol ... wenn sie auf das sie ausführende Individuum die gleiche Wirkung ausübt wie auf das Individuum, an das sie gerichtet ist oder das ausdrücklich auf sie reagiert, und somit einen Hinweis auf die Identität des Individuums enthält, das die Geste ausführt.

> Die Geste im allgemeinen und die vokale Geste im besonderen weist auf das eine oder andere Objekt innerhalb des gesellschaftlichen Verhaltensbereiches hin, ein Objekt von gemeinsamem Interesse für alle in einer gesellschaftlichen Handlung tätigen Individuen. Es ist die Funktion der Geste, die Anpassung zwischen den in die jeweilige gesellschaftliche Handlung eingeschalteten Individuen im Hinblick auf das Objekt oder die Objekte zu ermöglichen, auf die diese Handlung gerichtet ist; die signifikante Geste oder das signifikante Symbol bietet weit bessere Möglichkeiten für eine solche ständige Anpassung als die nicht signifikante Geste. (MEAD, 1968, S. 84-85

Aber woher kommen die Gesten? Für MEAD sind sie etwas, das ursprünglich sowohl im menschlichen wie im tierischen Verhalten gegeben ist. Signifikante oder bewusste Gesten kann man jedoch nur bei Menschen finden (MEAD, 1968, S. 121). Wie diese signifikanten oder bewussten Gesten entstehen, wird nicht erklärt.

Es ist aufschlussreich, MEADs Konzeption mit derjenigen von LEONT'EV und TRAN DUC THAO zu vergleichen. Diese Autoren stimmen mit MEAD bezüglich der konstruierten Natur und der Objekte überein. Bezogen auf die Interpretation oder Konstruktion als bloße Kommunikation und Symbolisierung stimmen Sie jedoch mit MEAD nicht überein. Für sie ist die Konstruktion von Objekten vor allem sinnliche, materielle Konstruktion mit Hilfe von Werkzeugen, d.h. Produktion. Kommunikation und Symbolisierung werden als abgeleitete, jedoch organisch miteinander verbundene Aspekte der Produktion betrachtet.

Nach LEONT'EV entstanden bewusste Gesten, als die Menschen erfahren haben, dass auch wenn eine Arbeitsbewegung aus dem einen oder anderen Grunde nicht zu ihrem praktischen Ergebnis führte, sie doch andere beeinflussen konnten, die mit der Produktion zu tun hatten, sie könnte z.B. Anlass sein, eine gegebene Aktion auszuführen.

> So entstehen Bewegungen, die die Form von Arbeitsoperationen beibehalten, denen aber der praktische Kontakt mit dem Gegenstand und damit auch die Anstrengung fehlt, durch die sie zu echten Arbeitsbewegungen würden. Diese Bewegungen und die sie begleitenden Sprechlaute lösen sich von der Aufgabe, auf den Gegenstand einzuwirken; sie behalten aber die Funktion bei, auf andere Menschen einzuwirken und sich mit ihnen sprachlich zu verständigen. (LEONT'EV, 1971, S. 175)

TRAN DUC THAO arbeitet diese Argumentationslinie im Detail aus. Er sieht den Vorläufer der Sprache im prähominiden indikativen Zeichen.

> Es ist sehr wahrscheinlich, dass mit dem Beginn der prähominiden Entwicklung mit der geistigen Erfassung des indikativen Zeichens die ursprüngliche Form einer Kreisbogengeste in die geradlinige Form verwandelt wurde. Wenn dann, angeregt durch die kollektive Arbeit, die geradlinige indikative Geste für einen Moment verlängert wird, folgt der Prähominide notwendig dem sich bewegenden Objekt: z.B. dem fliehenden oder stürzenden Wild, oder dem Knochenfragment oder Holzstück, das ein Tier durchdringt wie eine Spitze oder ein Dolch. Die auf diese Weise entwickelte Zeichengeste wird jedes Mal durch einen diffusen Laut emotionalen Ursprungs verstärkt, der aber nicht auf das tendenzielle Bild bezogen ist, das die Geste hervorbringt, und das auf diese Weise als Wort mit einer objektiven Bedeutung einen Wert erhält: „Dieses hier in einer Bewegung der Form der Entfernung, des Herumdrehens, des Durchstechens" usw. ... Es ist klar, dass die Kommunikation einer solchen inhaltlichen Bedeutung die Koordinierung der kollektiven Arbeit weit besser erlaubt als die einfache Konzentration auf die Kräfte der Gruppe bezüglich des Objekts, auf das als „dieses hier" hingewiesen wird. (TRAN DUC THAO, 1984, S. 56)

Sowohl LEONT'EV wie auch TRAN DUC THAO unterstreichen die genetische Verbindung zwischen Gesten und der werkzeugvermittelten Arbeit an materiellen Objekten. Ihr Ausgangspunkt ist die ursprüngliche Einheit von instrumentellen und kommunikativen Aspekten der Tätigkeit. Zeichen und Symbole werden deshalb als von der produktiven Tätigkeit abgeleitete Instrumente betrachtet, die notwendig eine interaktive, kommunikative Form besitzt.

Für MEAD ist die ursprüngliche Situation die einer Interaktion, eines sozialen Prozesses, in dem materielle Objekte nur sekundär und abstrakt präsent sind. Für ihn sind Symbole nicht in erster Linie Instrumente zur Beherrschung von werkzeugvermittelten Prozeduren, die auf Objekte ausgeübt werden.

> Ein Symbol ist nichts anderes als der Reiz, dessen Reaktion schon im vorhinein feststeht. Nur das verstehen wir unter einem Symbol. Wir haben ein Wort und einen Schlag. Der Schlag geht zeitlich dem Wort voraus; bedeutet das Wort aber eine Beleidigung, so ist die Reaktion mit dem Wort verbunden, manchmal direkt im Reiz gegeben. Nur das versteht man unter einem Symbol. Wenn nun diese Reaktion im Rahmen einer Haltung ablaufen kann, die der weiteren Kontrolle der Handlung dient, dann ist die Beziehung zwischen diesem Reiz und der Haltung ein signifikantes Symbol. (MEAD, 1968, S. 224)

Kontrolle der Handlung bedeutet hier Kontrolle der Interaktion zwischen Menschen. Objekte, an denen gearbeitet wird und die in nützliche Artefakte mit Hilfe von Werkzeugen verwandelt werden, spielen nur gelegentlich, wenn überhaupt eine Rolle.

MEAD diskutiert die materielle Produktion nicht. Er erwähnt sie gegen Ende von „Geist, Identität und Gesellschaft" (1968, S. 295-296, 413). Erweist daraufhin, dass bei der menschlichen Handlung „es das Stadium der Vermittlung gibt, das zwischen dem tatsächlichen Vollzug und dem Beginn der Handlung liegt" (MEAD, 1968, S. 295). Die menschliche Hand ist das fundamentale Werkzeug und Gerät der materiellen Produktion. MEAD (1968, S. 413-414) unterstreicht ihre kognitive Bedeutung, indem er anmerkt, dass „die manuellen Kontakte des Menschen, zwischen dem Beginn und die Vollendung seiner Handlungen geschaltet, eine Vielzahl verschiedener Reize für eine Vielzahl verschiedener Handlungsweisen (liefern) und regen somit Alternativimpulse an, in der Vollendung seiner Handlungen Ausdruck zu suchen, wenn Widerstände und Hindernisse auftreten".

Diese Gedankenlinie über die Rolle der Instrumente bleibt jedoch mehr oder weniger ein vereinzeltes Nebengleis in MEADs Werk. Kommunikative und instrumentelle Aspekte der Tätigkeit bilden kein einheitliches System. Ihre Verbindungen werden in keiner erkennbaren Weise ausgearbeitet.

Hans JOAS, ein Kenner und Förderer von MEADs Erbe, ist in einem wichtigen Punkt gegenüber der Theorie der symbolvermittelten Interaktion reserviert, nämlich „dass MEADs Konzept der Handlung sich zu sehr auf ein Modell des adaptiven Verkehrs und zu wenig auf die Objektivierung und materielle Produktion des Neuen richtet" (JOAS, 1980, 231).

Es fällt nicht schwer, sich mit dieser Bewertung anzufreunden. Es ist jedoch kaum eine Frage von „zuviel" oder „zuwenig". Was fehlt, sind die dynamischen Beziehungen zwischen beiden. MEADs Ideen sind in neueren Untersuchungen über die kommunikative Entwicklung von Kindern wieder aufgelebt (vgl. LOCK, 1978; BULLOWA, 1979). Einer der erfindungsreichsten Versuche in dieser Richtung stellt die Arbeit von Colwyn TREVARTHEN über die von ihm so genannte sekundäre Intersubjektivität bei kleinen Kindern dar. Nach TREVARTHEN findet etwa vierzig Wochen nach der Geburt eine fundamentale qualitative Veränderung in der menschlichen Kommunikation statt, genau bevor das Sprechen beginnt.

Das wichtigste Merkmal des neuen Verhaltens im Alter von neun Mona-

> ten ist...» dass es systematisch die Interessen des Kindes an der physikalischen vertrauten Realität um es herum und seiner kommunikativen Akte, die es an Personen richtet, kombiniert. Zum ersten Mal gelingt es, Erfahrungen über Ereignisse und Dinge absichtlich und bewusst auszutauschen. Vorher wurde Objekte wahrgenommen und benutzt und mit Personen wurde kommuniziert – aber diese beiden Arten von Absichten werden getrennt ausgedrückt. Kinder unter neun Monaten tauschen sich mit anderen aus, aber nicht über ihr Wissen oder ihre Absichten in Bezug auf Dinge. (TREVARTHEN & HUBLEY, 1978, S. 184)

Die Autoren weisen daraufhin, dass „wenn einmal die freie Interaktion zwischen kommunikativen und praktischen Modi des Handelns erreicht ist, das Kind plötzlich ein Verhalten zeigt, dass es nur bei Menschen in seiner Komplexität gibt" (TREVARTHEN & HUBLEY, 1978, S. 213-214).

Diese Entwicklung von sekundärer Intersubjektivität verbindet „Mutter, Kind und Objekt auf einer Ebene gleicher Bedeutung" (TREVARTHEN & HUBLEY, 1978, S. 214).

Illustriert wird dies mit Hilfe einer Reihe von Diagrammen (vgl. Abb. 2.2). HALLIDAY (1975) und NELSON (1979) haben Untersuchungen in ähnlicher Richtung vorgestellt, auch wenn sie die Koordination von sozialen und gegenständlichen Bereichen an späteren Punkten in der Ontogenese lokalisieren.

Der Übergang von der primären zur sekundären Intersubjektivität geschieht durch Spiele, was im Detail von TREVARTHEN beschrieben wird. TREVARTHENS Ergebnisse scheinen das zu liefern, was bei MEAD gefehlt hat, nämlich die Beziehung zwischen kommunikativen und instrumentellen Aspekten der Tätigkeit. Wir sollten hier jedoch einen Augenblick haltmachen.

TREVARTHEN spricht von einem Handlungsmodus der Praxis, nicht von einem instrumentellen. Tatsächlich hält er die Rolle von Instrumenten oder Werkzeugen nicht für etwas, was wesentlich verschieden und doch aufs Innigste verbunden ist mit den Objekten, auf die sie angewendet werden. In dieser Hinsicht ist TREVARTHENS Modell sekundärer Intersubjektivität vollständig vereinbar mit MEADS Konzeption der Intersubjektivität.

Es gibt jedoch ein weiteres Element, das MEAD für wesentlich hält, das aber in TREVARTHENS Modell nicht vorkommt – das Symbol. Symbole repräsentieren für MEAD die universelle oder öffentliche Dimension der Interaktion. Wie wir gesehen haben, werden sie von den Instrumenten und Prozeduren der materiellen Produktion getrennt – sie sind aber auf jeden Fall gesellschaftlich und historisch. Dieser gesellschaftlich-historische Aspekt kommt in TREVARTHENS Modell nicht mehr vor.

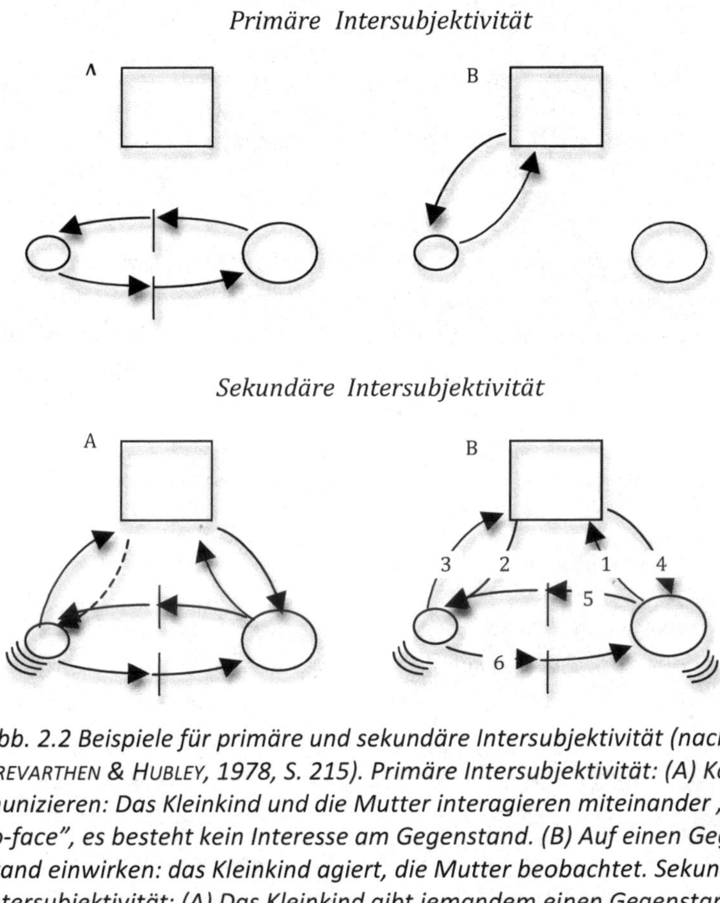

Abb. 2.2 Beispiele für primäre und sekundäre Intersubjektivität (nach TREVARTHEN & HUBLEY, 1978, S. 215). Primäre Intersubjektivität: (A) Kommunizieren: Das Kleinkind und die Mutter interagieren miteinander „face-to-face", es besteht kein Interesse am Gegenstand. (B) Auf einen Gegenstand einwirken: das Kleinkind agiert, die Mutter beobachtet. Sekundäre Intersubjektivität: (A) Das Kleinkind gibt jemandem einen Gegenstand und freut sich, wenn er akzeptiert wird. (B) Volle Person-Person-Gegenstand-Dynamik, z.B. die Mutter zeigt dem Kind, wie man etwas tun kann (1+2), das Kind akzeptiert dies (3+4), sieht dann die Mutter an und beide freuen sich (5+6).

John R. MORSS' Kritik der Grundannahmen der von ihm so genannten Neo-MEAD-Schule ist auf diesem Hintergrund interessant. Nach MORSS interpretieren die Neo-Medianer MEADs Theorie grundsätzlich falsch.

> Mead betont die Bedeutung des „verallgemeinerten Anderen" als die Personifizierung von Gruppenwerten, es muss aber hervorgehoben werden, dass diese Größe sehr abstrakt ist. Die soziale Bedeutung ist, wie im frühen Rollenspiel, nicht mit spezifischen individuellen Anderen verbunden: Der verallgemeinerte Andere ist tatsächlich ein allgemein Anderer. Meads Interesse liegt daher beim Individuum und seinen Beziehungen innerhalb einer Gemeinschaft, nicht mit spezifischen anderen Individuen. Die Betonung, die die Neo-Meadianer auf die dyadische Interaktion im Allgemeinen und auf die Mutter-Kind-Dyade im Besonderen legen, stellt also eine radikale Abweichung von Mead dar ... Die Sichtweise der Neo-Meadianer scheint die Gleichsetzung von „sozial" mit „interpersonal" nicht in Frage zu stellen (und damit auch nicht die Reduktion von „interpersonal" auf „dyadisch"). (MORSS, 1985, S. 168)

MORSS legt dar, dass diese Reduktion zu einer Sichtweise von Wissen führt, die der ursprünglichen von MEAD entgegengesetzt ist. Für MEAD bedeutete der soziale Charakter des Wissen, dass Wissen vor allem öffentlich und unpersönlich ist. Für die Neo-Meadianer bedeutet der soziale Charakter des Wissens, dass Wissen interpersonal ist.

> D.h., man kann dies so interpretieren, dass es kognitiv vollentwickelte Individuen unterstellt, die sich anschicken, miteinander Kontakt aufzunehmen. Das Interpersonale in diesem Sinne ist nur eine Erweiterung des Personalen – eben eines pluralistischen Personalen. (MORSS, 1985, S. 171; vgl. auch die anschließende Debatte zwischen SHOTTER, 1986 und MORSS, 1986)

Das heißt, dass die Neo-Meadianer zu einer neuen Version des Individualismus oder der Privatheit gelangen, indem sie stillschweigend die wirklich gesellschaftliche, öffentliche Dimension von MEADs Theorie bei Seite lassen.

Wenn die erste Entwicklungslinie von PEIRCE zu POPPER uns die Idee der Tätigkeit als individueller Konstruktion von Wissen geliefert hat, was bietet dann die zweite Entwicklungslinie an?

MEAD erweitert ganz offensichtlich das Bild, indem er uns die soziale, interaktive, symbolvermittelte Konstruktion der Realität darstellt. Aber diese Konstruktion wird immer noch als Konstruktion-im-Kopf verstanden, nicht als praktische materielle Konstruktion.

Die dritte Entwicklungslinie: Von VYGOTSKIJ zu LEONT'EV

Im Jahre 1930 skizzierte L. S. VYGOTSKIJ, der Gründer der sowjetischen kulturhistorischen Schule der Psychologie, seine Idee der Vermittlung wie folgt.

> Jede elementare Form des Verhaltens setzt eine direkte Reaktion auf die

Aufgabe voraus, die dem Organismus vorliegt (was durch die einfache S-R-Formel ausgedrückt werden kann). Aber die Struktur der Zeichenoperationen erfordert ein Bindeglied zwischen dem Reiz und der Reaktion. Dieses Bindeglied ist ein Reiz zweiter Ordnung (Zeichen), das in die Operation einbezogen ist, wo er eine besondere Funktion erfüllt; er schafft eine neue Beziehung zwischen S und R. Der Begriff „einbezogen" zeigt an, dass ein Individuum eine solche Verbindung aktiv herstellen muss. Das Zeichen besitzt auch die wichtige Eigenschaft der reversiblen Handlung (d.h., es wirkt auf das Individuum, nicht auf die Umwelt). Daraus folgt, dass der einfache Reiz-Reaktionsprozess durch einen komplexen, vermittelten Akt ersetzt wird, den wir wie folgt darstellen wollen:

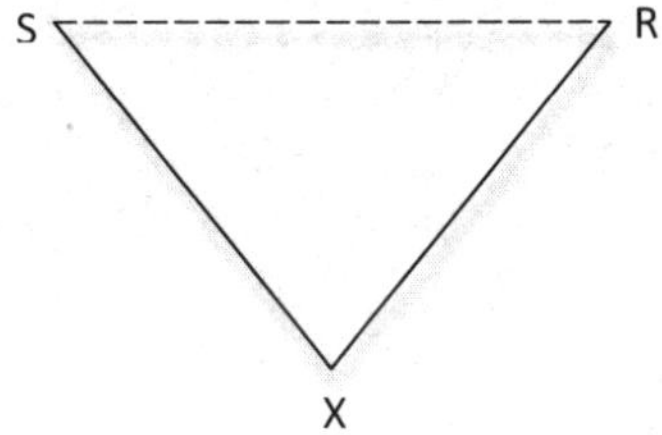

Abb. 2.3. Die Struktur der vermittelten Handlung nach VYGOTSKIJ *(1978, S. 40)*

In diesem neuen Prozess wird der direkte Impuls zu reagieren gehemmt und ein Hilfsreiz eingeführt, der die Vervollständigung einer Operation erleichtert.

Sorgfältige Untersuchungen zeigen, dass dieser Typ der Organisation grundlegend für alle höheren psychologischen Prozesse ist, wenn auch in vielen komplexeren Formen als derjenigen, die oben gezeigt ist. Das Bindeglied in dieser Formel ist nicht einfach nur eine Methode, die vorher existierende Operation zu verbessern, noch ist es eine einfache Hinzufügung zu einer S-R-Kette. Weil dieser Hilfsreiz die besondere Funktion der reversiblen Handlung besitzt, verwandelt sie die psychologische Operation in höhere und qualitativ neue Formen und erlaubt damit den Menschen, mit Hilfe von äußeren Reizen ihr Verhalten von außen zu kontrollieren. Der Gebrauch von Zeichen führt die Menschen zu einer spezifischen Struktur des Verhaltens, das mit der biologischen Entwicklung bricht und neue Formen von psychologischen Prozessen auf kultureller Grundlage schafft. (VYGOTSKIJ, 1978, S. 39-40)

VYGOTSKIJ unterscheidet zwischen zwei miteinander verbundenen Arten von vermittelnden Instrumenten in der menschlichen Tätigkeit: Werkzeugen und Zeichen. Letztere gehören zu der umfassenderen Kategorie der „psychologischen Werkzeuge".

Die Funktion des Werkzeugs besteht darin, den menschlichen Einfluss auf das Objekt der Tätigkeit zu lenken; es ist extern orientiert; es muss zu

> Veränderungen in den Gegenständen führen; es ist ein Mittel, dessen sich die äußere menschliche Tätigkeit in ihrem Bestreben bedient, die Natur zu beherrschen und über sie zu triumphieren. (VYGOTSKIJ, 1978, S. 55)

Psychologische Werkzeuge haben einen anderen Charakter.

> Die psychischen Werkzeuge sind künstliche Gebilde; ihrer Natur nach sind das soziale und nicht organische oder individuelle Mittel. Sie haben die Beherrschung der psychischen Prozesse, fremder und eigener, zum Zweck, wie die Technik die Beherrschung der Naturprozesse zum Zweck hat. ... Als Beispiele psychischer Werkzeuge und aus ihnen gebildeter komplizierter Systeme sind zu nennen: die Sprache, verschiedene Formen der Numerierung und des Zählens, mnemotechnische Mittel, die algebraischen Symbole, Kunstwerke, die Schrift, Schemata, Diagramme, Karten, Zeichnungen, alle möglichen Zeichen und ähnliches mehr. (VYGOTSKIJ, 1985, S. 309-310).

Sowohl technische wie psychologische Werkzeuge vermitteln Tätigkeit. Aber nur psychologische Werkzeuge implizieren und erfordern reflexive Vermittlung, Bewusstsein von den eigenen Prozeduren (oder denen anderer Personen). VYGOTSKIJ (1978, S. 54) beschreibt diese beiden Arten von Instrumenten als Parallelen, als „unter die gleiche Kategorie der vermittelten Tätigkeit subsumiert". Ein wenig später, in dem gleichen Text, charakterisiert er jedoch ihre Beziehung als hierarchische.

> Der Gebrauch künstlicher Mittel, der Übergang zur vermittelten Tätigkeit, verändert fundamental alle psychologischen Operationen ebenso wie der Gebrauch von Werkzeugen den Bereich von Tätigkeiten grenzenlos erweitert, innerhalb dessen die neuen psychologischen Funktionen operieren können. In diesem Kontext können wir den Begriff höhere psychologische Funktion gebrauchen oder höheres Verhalten als Ausdruck der Kombination von Werkzeug und Zeichen in der psychologischen Tätigkeit. (VYGOTSKIJ, 1978, 55)

Die letztgenannte hierarchische Charakterisierung ist wesentlich. Meine Interpretation läuft darauf hinaus, dass wir tatsächlich zwischen zwei Ebenen der Vermittlung unterscheiden können: der primären Ebene der Vermittlung durch voneinander getrennte Werkzeuge und Gesten (wenn Gesten noch keine wirklichen psychologischen Werkzeuge sind) und der sekundären Ebene der Vermittlung durch Werkzeuge, die mit den entsprechenden Zeichen oder anderen psychologischen Werkzeugen kombiniert sind. Die Aneignung und Anwendung neuer Werkzeuge erweitert die Einflussmöglichkeiten. Die Aneignung und Anwendung neuer psychologischer Werkzeuge bringt den Einfluss auf eine höhere Ebene (potenziell wird das Ergebnis nur dann erreicht, wenn das Werkzeug und das psychologische Werkzeug aufeinandertreffen).

Das Wesen psychologischer Werkzeuge besteht darin, dass sie ursprünglich Instrumente für die kooperative, kommunikative und selbstbewusste Formung und Kontrolle der Prozeduren bei dem Gebrauch und der Herstellung technischer Werkzeuge sind (einschließlich der menschlichen Hand). Diese ursprüngliche Funktion wird in TRAN DUC THAOs (1984) Analyse der Entstehung von entwickelten, indikativen Gesten und ersten Repräsentationen bei Prähominiden nachgewiesen. Ich würde behaupten, dass diese Entwicklung psychologischer Werkzeuge (sekundärer Instrumente) durch die Kombination zuvor getrennter Gesten und technischer Werkzeuge (primärer Instrumente) tatsächlich das Wesen dessen ist, was MEAD die Entstehung von „signifikanten Gesten" oder „signifikanten Symbolen" genannt hat und was TREVARTHEN „sekundäre Intersubjektivität" nennt.

Die Idee von primären und sekundären Instrumenten ist von M. W. WARTOFSKY klar formuliert worden .

> Was die spezifisch menschliche Form der Handlung bestimmt, ist die Schaffung und der Gebrauch von Artefakten, als Werkzeugen in der Produktion der Existenzmittel und in der Reproduktion der Gattung. Primäre Artefakte sind solche, die in dieser Produktion direkt benutzt werden; sekundäre Artefakte sind solche, die der Aufbewahrung und Übermittlung von Fähigkeiten oder Handlungsformen oder Praktiken dienen, mit deren Hilfe diese Produktion ausgeführt wird. Sekundäre Artefakte sind daher Repräsentationen solcher Handlungsformen, und sie sind in diesem Sinne mimetisch, nicht einfach in Bezug auf die Gegenstände einer Umwelt, die bei dieser Produktion interessant oder nützlich sind, sondern in Bezug auf diese Gegenstände, insofern sich die Handlung darauf richtet, oder in Bezug auf die Form der Operation oder Handlung, die solche Gegenstände einbezieht. Ein Kanon der Repräsentation besitzt daher umfangreiche konventionelle Elemente, die der Veränderung oder der Evolution von verschiedenen Formen der Handlung oder der Praxis entsprechen und die daher nicht auf eine einfache Vorstellung von „natürlicher" Gestalt oder Ähnlichkeit reduziert werden können. Die Natur oder die Welt wird in diesem Prozess durch die Vermittlung solcher Repräsentationen zu einer Welt-für-uns. (WARTOFSKY, 1979, S. 202)

WARTOFSKY nennt sekundäre Artefakte „reflexive Verkörperungen". Er weist daraufhin, dass ihre Form sich in Gesten, verbal oder visuell ausdrücken kann, aber „offensichtlich so, dass sie in einer oder mehreren Sinnesmodalitäten kommuniziert werden können" (WARTOFSKY, 1979, S. 201). Diese Repräsentationen „sind nicht als mentale Entitäten innerhalb des Kopfes", sie sind als „extern verkörperte Repräsentation" zu verstehen (WARTOFSKY, 1979, S. 202; vgl. auch KEILER & SCHURIG, 1978, S. 146-147).

Für mich sind WARTOFSKYs sekundäre Artefakte und VYGOTSKIJs psychologische Werkzeuge im wesentlichen das Gleiche. VYGOTSKIJs intellektualistische Schieflage (vgl. LEONT'EV & LURIJA, 1968, S. 354-355) führte zu einer etwas einseitigen Betonung der Zeichen- und Wortbedeutungen. Die breitere Kategorie der psychologischen Werkzeuge wie auch die sehr interessanten Beziehungen zwischen technischen und psychologischen Werkzeugen wurden von VYGOTSKIJ konkret nicht ausgearbeitet. Ironischerweise versuchte die Tätigkeitstheorie in der sowjetischen Psychologie nach VYGOTSKIJ, sich von VYGOTSKIJs Intellektualismus zu befreien, indem sie das Problem der Zeichen und psychologischen Werkzeuge ganz allgemein vernachlässigte: „Wenn die Polemik bezogen auf konkrete Arbeiten von VYGOTSKIJ über das Problem der Zeichen notwendig und natürlich war, dann führte die Entfernung dieser Problematik im Prinzip zu einer wesentlichen Einengung der Theorie der Tätigkeit" (DAVYDOV & RADZIKHOVSKIJ, 1985, S. 60). Beim aktuellen Wiederaufleben von Untersuchungen im Sinne VYGOTSKIJs kann es vorkommen, dass Zeichen wieder zu sehr als eigener Gegenstand behandelt werden, getrennt vom Spektrum psychologischer Werkzeuge und ihren Beziehungen zu den primären Werkzeugen. Diese Gefahr erkennt man sogar in herausragenden Analysen, wie in WERTSCHs (1985b) Analyse von VYGOTSKIJs Konzept der semiotischen Vermittlung.

Nach VYGOTSKIJ ist der instrumentell vermittelte Akt „der einfachste Abschnitt des Verhaltens, mit dem es die Erforschung zu tun hat, eine elementarer Einheit des Verhaltens vom Standpunkt der instrumentellen Methode" (VYGOTSKIJ, 1985, S. 313). Auf der anderen Seite gebrauchte VYGOTSKIJ in konkreten Forschungsvorhaben, besonders in *Denken und Sprechen*, eine andere grundlegende Analyseeinheit, nämlich die der Bedeutung oder Wortbedeutung, wie V.P. ZINCHENKO (1985, S. 100) gezeigt hat.

V. P. ZINCHENKO (1985, S. 100) stellt fest, dass die Bedeutung „nicht als hinreichende analytische Einheit akzeptiert werden kann, weil es in der Bedeutung keine .Motivkraft' für ihre eigene Transformation ins Bewusstsein gibt".

Nur der kognitive Aspekt des Denkens ist in der Bedeutung fixiert; die affektiven und volitiven Aspekte bleiben unerklärt.

Der Autor schlägt dann die werkzeugvermittelte Handlung als adäquate Einheit vor – was tatsächlich dasselbe wie VYGOTSKIJS instrumenteller Akt ist. Wie V. P. ZINCHENKO (1985, S. 103) darüber hinaus richtig feststellt, „kann man die werkzeugvermittelte Handlung als ganz ähnlich wie die Bedeutung als Einheit der Analyse betrachten", weil „die werkzeugvermittelte Handlung notwendigerweise sowohl die gegenständliche Bedeutung wie die kategoriale Bedeutung entstehen lässt".

Es gelingt V. P. ZINCHENKO jedoch nicht zu zeigen, wie die vorgeschlagene Einheit der werkzeugvermittelten Handlung die Beschränkungen überwinden kann, die mit der Analyseeinheit der Bedeutung verbunden sind. Werkzeugvermittelte Handlung löst keinesfalls die Probleme der Motivation, der Emotion und der Kreation. Es scheint im Gegenteil so zu sein, dass sowohl die Bedeutung wie die werkzeugvermittelte Handlung Formationen auf der gleichen strukturellen Ebene sind. Dies ist die Ebene der zielgerichteten, individuellen Kognition, der „rationalen Ebene" der Funktionsweisen der Menschen. Die Probleme der Motivation, Emotion und Kreation erscheinen auf dieser Ebene nicht beantwortet werden zu können. Sie gehören einer höheren, kollektiven und paradoxerweise weniger bewussten Ebene der Funktionsweise an. Ursprünge dieser Linie der Analyse sind in VYGOTSKIJS Betonung des Begriffs der höheren psychologischen Funktionen sichtbar. Dieser hierarchische Aspekt von VYGOTSKIJS Konzeption wird jedoch von V. P. ZINCHENKO nicht entwickelt.

P. I. ZINCHENKO (der Vater von V. P. ZINCHENKO) kam diesem Problem in einem Aufsatz von 1939 tatsächlich sehr nah. In einer kritischen Rückschau auf VYGOTSKIJS Idee des instrumentellen Aktes schrieb er die folgenden, ziemlich dunklen Zeilen.

> In Vygotskijs Denken wurde die Beziehung der Mittel zu dem Gegenstand aber getrennt von der Beziehung des Subjekts zur Realität hinsichtlich ihres aktuellen und vollständigen Inhalts. Diese Beziehung zwischen den Mitteln und dem Gegenstand war in einem strikten Sinne eine logische und nicht eine psychologische Beziehung. Die Geschichte der sozialen Entwicklung kann jedoch nicht auf die Geschichte der Entwicklung der Kultur reduziert werden. ... Die Geschichte der kulturellen Entwicklung muss in der Geschichte der sozialen und ökonomischen Entwicklung der

> Gesellschaft eingeschlossen sein; sie muss im Kontext der besonderen sozialen und ökologischen Beziehungen betrachtet werden, die den Ursprung und die Entwicklung der Kultur bestimmen. (ZINCHENKO, 1983/84, S. 70).

Das Problem der Existenz einer funktionalen Ebene jenseits einzelner Handlungen ist auch in den meisten gedankenreichen kognitivistischen Analysen anzutreffen – wenn auch nur in der Form eines beunruhigenden Geheimnisses. In ähnlicher Weise beendet V. P. ZINCHENKO seinen Aufsatz, indem er den Begriff der „befreiten Handlung" aufnimmt.

> Nach Auskunft von Spezialisten in der Prävention von Flugzeugkatastrophen stellt es sich also heraus, dass in komplexen Flugsituationen Menschen und Maschinen sich außerhalb der Zeit befinden (wir denken hierbei an die „Zeit" der bewusst kontrollierten Entscheidung und Handlung). Es ist genau diese Tatsache, die die Möglichkeiten bereitstellt, Katastrophen zu verhindern. Aber wo entsteht diese Möglichkeit? Oder müssen wir in solchen Fällen als Minimalbedingung annehmen, dass die Zeit doppelt gelesen wird – das heißt als tatsächlich situative Zeit und als übersituative Zeit, die im Raum der Tätigkeit selbst verläuft? Und müssen wir auch ihre Koordinierung annehmen? Aber von wem werden sie koordiniert? Gibt es ein Subjekt, das verantwortlich für diesen Akt der Koordinierung ist?
>
> Offensichtlich wird hier der Verlust des Subjekts an Selbstkontrolle vorausgesetzt (das heißt, die Trennung des persönlichen „Ich" von der Situation und entsprechend die Trennung nicht nur von der Zeit der Gegenstände, sondern auch von der Zeit des Subjekts). Das bedeutet, dass das Ich sich „außerhalb der Zeit" befindet. Diese Art des „Abschaltens" beeinflusst vielleicht nicht die Möglichkeit der Selbstreflexion über die Handlungen, die ausgeführt werden. Das Subjekt plant oder kontrolliert aber ihre Realisierung nicht. Dass das Subjekt seine Beobachtung über sich selbst hinaus richtet, gibt ihm die Möglichkeit, Handlungen im Gedächtnis zu fixieren. ... Wir meinen, dass wir in solchen Situationen tatsächlich mit der befreiten oder nicht-gebundenen Handlung konfrontiert sind und wie die Alten sagten, eine freie Person macht keine Fehler. ...
>
> Die Zeitlosigkeit der befreiten Handlung in Situationen, die kritisch für das Subjekt sind, ist wie die Zeitlosigkeit von schöpferischen Handlungen, Akten der Brutalität und Akten des Entdeckens. In all diesen besteht die notwendige Bedingung in der Befreiung oder Entfesselung des Subjekts, die Zurückweisung strikter Subjektivität (ZINCHENKO, 1985, S. 112-114).

ZINCHENKOs Zeilen erinnern uns an JUNGs Konzept der Kollektivpsyche (vgl. Kapitel 1). Es ist mehr als bloßer Zufall, dass Sir Frederic BARTLETT (1941) die gleiche Frage einer übergeordneten Ebene des Funktionierens aufgegriffen hat und dabei das gleiche Beispiel von extremen Situationen beim Fliegen benutzte. Während ZINCHENKO solche Situationen diskutiert, bei denen individuelle Leistungen über das Erwartete hinausgehen, diskutiert BARTLETT, wie von BROADBENT berichtet wird, Fälle, in denen die individuelle Leistung dramatisch abfällt.

> Das Laboratorium in Cambridge hatte das Versagen von RAF-Piloten betrachtet, die auf einem Simulator flogen. Die gesamte Aufgabe bestand darin, die Höhe, den Kurs und die Geschwindigkeit zu kontrollieren, wie auch periphere Funktionen zu übernehmen. Bartlett zitiert empirische Daten, die zeigen, dass die Ausübung eines Teils der Aufgabe über einen längeren Zeitraum selbst keinen Abfall in der Effektivität zeigte; dass aber, wenn alle Teile der Aufgabe zusammen ausgeführt wurden, es einen Abfall gab. Statt diesen Abfall auf die Überlast auf einer einzelnen Ebene zurückzuführen, sagt er: „Es ist nicht die lokale Reaktion, die ihre Genauigkeit oder ihre Effizienz verloren hat. Es ist die zentrale Kontrolle, die funktional, ohne dass man es weiß, die Grenzen dessen erweitert hat, was einen gleichgültig lässt." Nicht die isolierten Aufgaben, aber die Art und Weise, wie sie zusammenpassen. Er bemerkt, dass der bewusste verbale Bericht sich nur auf eine der beteiligten Ebenen bezieht; er diskutiert die Tatsache, dass die Piloten oft überhaupt nicht bemerkten, dass ihre Leistungen abfielen und vielmehr den Experimentator oder den Apparat für augenscheinliche Fehler verantwortlich machten. (BROADBENT, 1977, S. 183)

Das Problem sowohl bei ZINCHENKO wie auch bei BROADBENT (bei BARTLETT bin ich mir nicht sicher, vgl. EDWARDS & MIDDLETON, 1986) besteht darin, dass sie die Erklärung von im Wesentlichen überindividuellen Phänomenen innerhalb des Kopfes des Individuums suchen. Fliegen ist typischerweise auch eine Tätigkeit, die eine erhebliche „Infrastruktur" der Interaktion und Arbeitsteilung besitzt (zwischen dem Piloten und dem Bodenpersonal besonders) – obwohl es wie eine Tätigkeit aussieht, die man allein ausfuhrt. Sowohl die außergewöhnlichen Leistungen wie auch die unerwarteten Zusammenbrüche können von diesem Blickpunkt aus fruchtbar untersucht werden. ZINCHENKOs zeitloses Subjekt kann auf diese Weise möglicherweise auch etwas Fleisch und Blut erhalten.

Das Problem der verschiedenen Ebenen der menschlichen Tätigkeit wurde theoretisch von A.N. LEONT'EV, einem Mitarbeiter und Schüler von VYGOTSKIJ, ausgearbeitet.

> Erledigt ein Kollektivmitglied eine Arbeitsaufgabe, dann tut es das zunächst auch, um eines seiner Bedürfnisse zu befriedigen. Die Tätigkeit eines Treibers in der Urgesellschaft, zum Beispiel, der an einer gemeinsamen Jagd teilnimmt, dürfte auch durch das Bedürfnis nach Nahrung oder

> nach Kleidung, die ihm das Fell des erbeuteten Tieres liefert, ausgelöst worden sein. Worauf ist seine Tätigkeit jedoch unmittelbar gerichtet? Sie verfolgt möglicherweise das Ziel, die Tierherde zu erschrecken, um sie anderen Jägern zuzutreiben, die im Hinterhalt lauern. Damit ist seine Arbeit vollendet; alles übrige erledigen die anderen Jagdteilnehmer. Selbstverständlich befriedigt diese Tätigkeit des Treibers sein Bedürfnis nach Nahrung und Kleidung an sich noch nicht. Das Ziel, auf das seine Tätigkeitsprozesse gerichtet sind, deckt sich nicht mit dem Motiv seiner Tätigkeit; beide sind voneinander getrennt. Wir wollen solche Prozesse, deren Ziel und Motiv nicht zusammenfallen, als Handlungen bezeichnen. Die Tätigkeit eines Treibers, der das Wild erschreckt und es den Jägern zutreibt, wäre dann eine Handlung. (LEONT'EV, 1971, S. 168)
>
> Was verbindet in diesem Falle das unmittelbare Ergebnis seiner Tätigkeit mit ihrem endgültigen Resultat? Das ist offensichtlich nichts anderes als das Verhältnis des Individuums zu anderen Kollektivmitgliedern, von denen er seinen Teil des Produkts der gemeinsamen Arbeit erhält. Dieses Verhältnis wird in der Tätigkeit mit anderen Menschen realisiert. Die Tätigkeit der anderen Menschen bildet demnach die objektive Grundlage der spezifischen Tätigkeitsstruktur des menschlichen Individuums. Das bedeutet: Im Hinblick auf ihr Entstehen, das heißt unter historischem Aspekt, spiegelt die Verbindung zwischen Motiv und Ziel der Tätigkeit nicht die natürlichen, sondern die objektiven gesellschaftlichen Zusammenhänge und Beziehungen wider. (LEONT'EV, 1971, S. 170)

Diese ursprünglich 1947 publizierten Zeilen belegen das Ungenügen der individuellen werkzeugvermittelten Handlung als Grundlage psychologischer Analyse. Ohne die gesamte kollektive Tätigkeit mit einzubeziehen, bleibt die Handlung des Treibers „sinnlos und unbegründet" (LEONT'EV, 1971, S. 170). Menschliche Arbeit, die Mutter aller Formen menschlicher Tätigkeit, ist von Beginn an kooperativ. Wir können zwar von der Tätigkeit des Individuums sprechen, aber niemals von individueller Tätigkeit; nur Handlungen sind individuell.

Außerdem unterscheidet sich eine Tätigkeit von einer anderen hinsichtlich ihres Gegenstandes. Nach LEONT'EV ist der Gegenstand der Tätigkeit ihr wirkliches Motiv. Der Begriff der Tätigkeit ist also notwendig mit dem Begriff des Motivs verbunden. Unter den Bedingungen der Arbeitsteilung führt das Individuum meistens Tätigkeiten aus, ohne sich vollständig ihrer Gegenstände und Motive bewusst zu sein. Die Gesamttätigkeit scheint das Individuum zu kontrollieren und nicht das Individuum die Tätigkeit.

Tätigkeiten werden durch zielgerichtete Handlungen realisiert, die bewussten Zwecken untergeordnet sind. Dies sind die typischen Gegenstände der kognitiven Psychologie von Fähigkeiten und Leistungen, seien sie nun motorisch oder mental.

Menschliche Praxis ist aber nicht bloß eine Reihe oder eine Summe von Handlungen. In anderen Worten: „Tätigkeit ist eine ganzheitliche, nicht aber eine additive Lebenseinheit des körperlichen, materiellen Subjekts" (LEONT'EV, 1979, S. 83).

> Dementsprechend sind die Handlungen keine besonderen „Teile," die in der Tätigkeit enthalten sind. Die menschliche Tätigkeit existiert nicht anders als in Form einer Handlung oder einer Kette von Handlungen. (LEONT'EV, 1979, S. 103)

Auf der anderen Seite kann die gleiche Handlung verschiedenen Tätigkeiten dienen und kann von einer Tätigkeit zur anderen überwechseln. Und es ist klar, dass ein und dasselbe Motiv in verschiedenen Zielen und Handlungen Ausdruck finden kann.

Schließlich erfolgen Handlungen unter variierenden konkreten Umständen. Die Methoden, mit denen die Handlung ausgeführt wird, nennt man Operationen. Handlungen sind mit bewussten Zielen verbunden, Operationen mit Bedingungen, die oft nicht bewusst vom Subjekt reflektiert werden. Werkzeuge sind kristallisierte Operationen.

> Im Gesamtstrom der Tätigkeit, der das menschliche Leben in seinen höheren, durch psychische Widerspiegelung vermittelten Erscheinungsformen bildet, unterscheidet die Analyse somit einzelne (besondere) Tätigkeiten anhand der sie initiierenden Motive, des weiteren Handlungen als bewussten Zielen untergeordnete Prozesse und schließlich Operationen, die unmittelbar von den Bedingungen zur Erlangung des konkreten Ziels abhängen. (LEONT'EV, 1979, S. 108)

Das Beispiel der Treibjagd demonstriert die Entwicklung von einer Tätigkeit zu Handlungen im Ergebnis der Arbeitsteilung. Es gibt auch die entgegengesetzte Richtung der Entwicklung, die oft in der Interpretation von LEONT'EV s Werk vernachlässigt wird. Handlungen können sich auch in eine Tätigkeit entwickeln.

> Dafür gibt es genügend Beispiele. Unter dem Einfluss eines bestimmten Motivs führt der Mensch irgendeine Handlung aus; allmählich vollzieht er sie jedoch um ihrer selbst willen, denn ihr Motiv wird jetzt zum Ziel erhoben. Damit wird die gegebene Handlung zur Tätigkeit. (LEONT'EV, 1971, S. 190)

Im pathologischen Falle gewinnen separate Handlungen Bedeutung und werden zum Motiv des gesamten Lebens eines Individuums – sei es nun das

Trinken oder das Predigen (vgl. LEONT'EV, 1979, S. 176-177). Dies impliziert, dass die Aufgaben oder Handlungen (einschließlich ihrer Gegenstände) selbst nicht gegenständlich transformiert werden. Ihnen wird eine überwältigende, illusionäre Bedeutung zugeschrieben und oft ein durch Wiederholungen zunehmender Umfang. Dies ist der Kern von JUNGs Begriff der „Inflation", den wir in Kapitel 1 diskutiert haben.

Im Falle der Expansion werden die Handlungen selbst gegenständlich transformiert.

> Tätigkeitsmotive, die diesen Ursprung haben, sind bewusste Motive. Sie werden jedoch nicht von sich aus, nicht automatisch bewusst. Dazu bedarf es einer speziellen Aktivität, eines besonderen Aktes, nämlich der Widerspiegelung des Verhältnisses zwischen dem Motiv der gegebenen, konkreten Tätigkeit und dem Motiv einer umfassenderen Tätigkeit, mit der eine allgemeinere Lebensbeziehung realisiert wird, in die die gegebene, konkrete Tätigkeit einbezogen ist. (LEONT'EV, 1971, S. 190)

Ich werde später den Vorschlag ausführlicher begründen, der in dieser Passage enthalten ist und der auf die Notwendigkeit einer „besonderen Tätigkeit" hinweist. LEONT'EV antizipiert hier in der Tat den psychologischen Kern dessen, was den Begriff der Lerntätigkeit oder das Lernens durch Expansion ausmacht.

Für LEONT'EV ist die Tätigkeit eine systemische Formation, die sich in beständiger, interner Bewegung befindet.

> In diesem Prozess werden sie auch vom Menschen erkannt, wobei die menschliche Erkenntnis den Möglichkeiten der unmittelbar-sinnlichen Widerspiegelung vorauseilt. Während bei der direkten Einwirkung „Subjekt-Objekt" das letztere seine Eigenschaften nur innerhalb der Grenzen offenbart, die durch die Zusammensetzung und den Feinheitsgrad der Empfindungen des Subjekts bedingt sind, geht die Erkenntnis in dem durch das Werkzeug vermittelten Wechselwirkungsprozess über diese Grenzen hinaus. So können wir die relative Härte zweier Gegenstände unterschiedlichen Materials durch die mechanische Bearbeitung des einen mit dem anderen fehlerlos über die Grenzen hinaus erproben, die unseren Organen der Haut-Muskel-Empfindungen gesetzt sind. Aus der wahrnehmbaren Deformierung des einen Gegenstandes schließen wir auf die größere Härte des anderen. In diesem Sinne ist das Werkzeug die erste wirkliche *Abstraktion*. (LEONT'EV, 1979, S. 42-43)
>
> In der Tätigkeit erfolgt auch der Übergang des Objekts in seine subjektive Form, in das Abbild; gleichzeitig erfolgt in der Tätigkeit auch der Übergang der Tätigkeit in ihre objektiven Resultate, in ihre Produkte. Nimmt man die Tätigkeit von dieser Seite, fungiert sie als ein Prozess, in dem die

> wechselseitigen Übergänge zwischen den Polen „Subjekt – Objekt" verwirklicht werden. (LEONT'EV, 1979, S. 83)

Hans JOAS (1980), Klaus OTTOMEYER (1980) und andere Interaktionisten werfen LEONT'EV und seinen Nachfolgern eine einseitige Betonung der instrumentell-produktiven Aspekte der Tätigkeit und eine Vernachlässigung der sozialen und kommunikativen Aspekte vor. Das obige Zitat scheint diese Kritik zu unterstützen.

Eine genauere Lektüre gibt aber ein detaillierteres Bild.

> Nur über die Beziehungen zu anderen Menschen tritt der Mensch in Beziehung zur Natur. Die Arbeit ist damit von Anfang an Prozess, der durch das Werkzeug (im weitesten Sinne des Wortes) und zugleich durch die Gesellschaft vermittelt wird. (LEONT'EV, 1971, S. 167)

Und MEŠČERJAKOV, ein Schüler von LEONT'EV, nennt die Einheit der Analyse „gemeinschaftliche gegenständliche Tätigkeit" (MEŠČERJAKOV, 1979, S. 294).

> Es entwickelt sich eine Art circulus vitiosus: Um zu wissen, wie man mit einem Werkzeug handelt, muss das Kind es zunächst kennen und um das Werkzeug kennenzulernen, ist es wichtig, dass das Kind mit ihm handelt. Der circulus vitiosus wird dadurch aufgebrochen, dass der Erwachsene das Kind lehrt, mit dem Werkzeug im Prozess der Befriedigung seiner Bedürfnisse zu handeln. Diese Lehre ist nur in der Form von gemeinschaftlicher gegenständlicher Handlung möglich, an der Erwachsener und Kind teilhaben. (MEŠČERJAKOV, 1979, S. 296)

Das Problem besteht darin, dass die instrumentellen und die kommunikativen Aspekte der Tätigkeit von LEONT'EV nicht in ein einheitliches, komplexes Modell gebracht worden waren. VYGOTSKIJs Modell der instrumentellen Handlung (Abb. 2.3) findet keine graphische Entsprechung in LEONT'EVs Arbeit.

Diese unvollständige Vereinheitlichung der beiden Aspekte der Tätigkeit in LEONT'EVs Werk ließen Platz für LOMOVs (1980) Versuch, Tätigkeit und Kommunikation als die beiden Sphären des individuellen Lebensprozesses voneinander zu trennen. Nach LOMOV sollte Tätigkeit verstanden werden als die Beziehung Subjekt-Objekt, während Kommunikation die Beziehung Subjekt-Subjekt umfasst. Diese dualistische Konzeption wurde von A. N. LEONT'EV s Sohn, A. A. LEONT'EV, nachdrücklich kritisiert. Seiner Meinung nach kann Tätigkeit nicht als individuell charakterisiert werden, sie ist vielmehr in allen ihren Komponenten sozial (A. A. LEONT'EV, 1980, 527).

> Wenn wir es also mit gemeinsamer Tätigkeit zu tun haben, können wir mit voller Berechtigung von einem kollektiven Subjekt oder vom Gesamt-

> subjekt dieser Tätigkeit sprechen, dessen Wechselbeziehung mit den „individuellen" Subjekten nur über eine psychologische Analyse der Struktur der gemeinsamen Tätigkeit verstanden werden kann. (A. A. LEONT'EV, 1980, S. 530)

Kommunikation ist also für A.A. LEONT'EV ein integraler Bestandteil der Tätigkeit. Andererseits kann sich Kommunikation auch in ihre eigenen spezialisierten Tätigkeitssysteme differenzieren – sehr klar wird das zum Beispiel in den verschiedenen Formen der Massenkommunikation. In diesem Fall behält sie aber alle grundlegenden Elemente der Tätigkeit (einschließlich des Aspekts der internen Kommunikation). Die Ausführungen von A. A. LEONT'EV zu diesem Punkt sind überzeugend. Aber auch er hat davon Abstand genommen, ein adäquateres vereinheitlichtes Modell der Tätigkeit zu verfassen. In anderen Worten, die wesentlichen Elemente und inneren Beziehungen der Tätigkeit wurden weder durch den älteren noch durch den jüngeren LEONT'EV umfassend analysiert und modelliert.

Es ist kennzeichnend, dass dieses Problem neuerlich in der Diskussion in der Sowjetunion aufgenommen worden ist, dieses Mal von RADZIKHOVSKIJ (1984).

> Dieses morphologische Paradigma (von A.N. LEONT'EV, Y.E.) erklärt nicht sehr gut, warum sich die Tätigkeit als Folge der realen oder vorgestellten Gegenwart anderer Menschen verändern sollte, und es beantwortet auch nicht die Frage, worin denn von einem psychologischen Standpunkt der qualitative Unterschied zwischen „einer anderen" Person und irgendeinem physikalischen Gegenstand besteht, z.B. Fragen, die mit der Kommunikation oder Interaktion usw. in Zusammenhang stehen.... Die soziale Natur der Motive und Mittel der Tätigkeit spiegelt sich nirgendwo in einer spezifischen Struktur der Tätigkeit; diese soziale Natur erscheint invariant gegenüber ihrer Struktur. (RADZIKHOVSKIJ, 1984, S. 37)

RADZIKHOVSKIJS wichtigstes Argument ist, dass „die Genese der Tätigkeit selbst nicht erklärt wird, d.h. die strukturell-genetische Ursprungseinheit, aus der sich die Struktur der Tätigkeit... entfaltet, wird nicht dargestellt" (RADZIKHOVSKIJ, 1984, S. 40). Der Autor schlägt statt dessen „soziale Handlung" oder „gemeinsame Handlung" als die alternative Einheit der Analyse vor.

> Wir sagen ganz konkret, dass die allgemeine Struktur der ontogenetischen, primären gemeinsamen Tätigkeit (oder genauer, der primären gemeinsamen Handlung) wenigstens die folgenden Elemente beinhaltet: Subjekt (Kind), Objekt, Subjekt (Erwachsener). Das Objekt hat hier auch eine symbolische Funktion und spielt die Rolle des primären Zeichens. Tatsächlich ist die Bewegung des Kindes in Richtung auf ein Objekt und

> seine Manipulation, auch wenn es dabei das Ziel verfolgt, ein vitales Bedürfnis zu befriedigen, gleichzeitig ein Zeichen für einen Erwachsenen: zu helfen, zu intervenieren, teilzunehmen. ... In anderen Worten, echte Kommunikation, Kommunikation durch Zeichen, findet hier zwischen Erwachsenem und Kind statt. Eine gegenständliche Handlung baut sich um das Objekt als Objekt herum auf, und die Zeichenkommunikation baut sich um das gleiche Objekt als Zeichen auf. Kommunikation und gegenständliche Handlung fallen hier vollständig zusammen und können nur künstlich voneinander getrennt werden. (RADZIKHOVSKIJ, 1984, S. 44)
>
> Die oben definierte Einheit sollte als genetisch früher (in der Ontogenese) gesehen werden, sie bestimmt die grundlegende, interne Zeichenstruktur der menschlichen Tätigkeit und ist schließlich eine universale Einheit und ein Bestandteil der individuellen Tätigkeit. (RADZIKHOVSKIJ, 1984, S. 49)

Auf den ersten Blick scheint RADZIKHOVSKIJ nur eine neo-MEADsche Konzeption der Tätigkeit zu vertreten, wie sie sich exemplarisch in TREVARTHENS Modell der sekundären Intersubjektivität (Abbildung 2.2) darstellt. RADZIKHOVSKIJS Darstellung der Genese der „primären gemeinsamen Handlung" unterscheidet sich jedoch grundsätzlich von derjenigen von MEAD und TREVARTHEN. Der Gebrauch des Zeichens in der primären gemeinsamen Handlung ist für RADZIKHOVSKIJ nicht-bewusst und vollständig mit der gegenständlichen Handlung verschmolzen. Bei MEAD geht diese Art des Zeichengebrauchs der spezifisch menschlichen Stufe der bewussten „signifikanten Gesten" voraus. Und TREVARTHEN s ausführliche Daten zeigen, dass bis zum Alter von neun Monaten die Gesten des Kindes und die gegenständlichen Handlungen voneinander getrennt sind, nicht miteinander verschmolzen sind. Ihre Kombination (nicht ihre Verschmelzung) ist eine Leistung in der Entwicklung, die eine neue Ebene im Selbstbewusstsein des Kindes anzeigt.

Tatsächlich wurde genau das gleiche Prinzip bereits 1971 von EL'KONIN formuliert. EL'KONIN wies daraufhin, dass das in der Psychologie vorherrschende Denken Entwicklung in zwei einander ausschließende Sphären aufteilt: die Sphäre der Bedürfnisse und Motive auf der einen Seite und der Kognition und Instrumente auf der anderen. Die erste repräsentiert die „Welt der Menschen", die letzte die „Welt der Dinge". Dieses dichotome Denken ist keinesfalls bloß eine subjektive Laune. Es reflektiert vielmehr genau, wenn auch nicht bewusst, die historische Arbeitsteilung innerhalb der Klassengesellschaften, wobei „bestimmte Kinder in erster Linie zur Ausübung von operationalen und technischen Aspekten der Arbeit herangezogen werden, während andere in erster Linie als Bewahrer der Ziele und Motive dieser Tätigkeit erzogen werden" (EL'KONIN, 1977, S. 552).

> Wenn Dinge als physikalische Objekte und andere Menschen als beliebige Individuen betrachtet werden, dann scheint die Anpassung des Kindes an diese „zwei Welten" sich tatsächlich entlang zwei paralleler, fundamental unabhängiger Linien zu entwickeln. (EL'KONIN, 1977, S. 547)
>
> Wenn wir die Formation der Persönlichkeit in dem System „Kind in der Gesellschaft" betrachten, können wir sehen, wie die Bindeglieder in den Systemen „Kind – Ding" und „Kind – individueller Erwachsener" einen völlig verschiedenen Charakter annehmen. Sie entwickeln sich von zwei voneinander unabhängigen Systemen in ein einheitliches System. Und als Ergebnis wird der Inhalt jedes Systems wesentlich verändert. Wenn wir das System „Kind – Ding" untersuchen, sehen wir, dass jetzt die Dinge, die bestimmte physikalische und räumliche Eigenschaften besitzen, dem Kind als soziale Objekte erscheinen: die sozial entwickelten Handlungsmodi mit diesen Objekten herrschen vor. (EL'KONIN, 1977, S. 549)

Es scheint fast, als ob RADZIKHOVSKIJS Beschreibung der „primären gemeinsamen Handlung" derjenigen Struktur der Tätigkeit der Tiere entspricht, die der Menschheit aus evolutionärer Perspektive gesehen vorausgeht. RADZIKHOVSKIJS fast vollständige Vernachlässigung der Rolle der materiellen Produktion und der materiellen Instrumente (und ihrer Beziehungen zu Zeichen und anderen „psychologischen Werkzeugen") unterstützt diese Annahme.

Trotz seines wenig zukunftsweisenden Ergebnisses kann RADZIKHOVSKIJS Versuch als Symptom für die Existenz eines ungelösten Problems in der VYGOTSKIJ – LEONT'EV – Tradition verstanden werden.

Diese dritte Entwicklungslinie, von VYGOTSKIJ zu LEONT'EV, bringt das Konzept der Tätigkeit auf der Grundlage der materiellen Produktion hervor, vermittelt durch technische und psychologische Werkzeuge wie auch durch andere menschliche Wesen. Dies ist die Entwicklungslinie, die ich versuchen werde fortzusetzen und weiter zu entwickeln. Die nächste Aufgabe besteht darin, ein Modell der Struktur der menschlichen Tätigkeit mit Hilfe der Analyse ihrer Genese zu entwickeln.

Die Evolution der Tätigkeit

Der allgemeine Modus biologischer Anpassung als der tierischen Form der Tätigkeit kann wie folgt dargestellt werden (vgl. Abb. 2.4).

Eine zentrale Aussage, die in diesem Modell enthalten ist, ist der unmittelbar kollektive und populationsbezogene Charakter tierischer Tätigkeit und Artentwicklung (vgl. JENSEN, 1981). Die Art wird als eine systemische Formation betrachtet, als eine „Methodologie des Überlebens", die sich ergibt, um den Widerspruch zwischen Population und Natur zu lösen. In dieser Formation definieren der Prototyp und die Prozedur einander wechselseitig auf komplementäre Art und Weise.

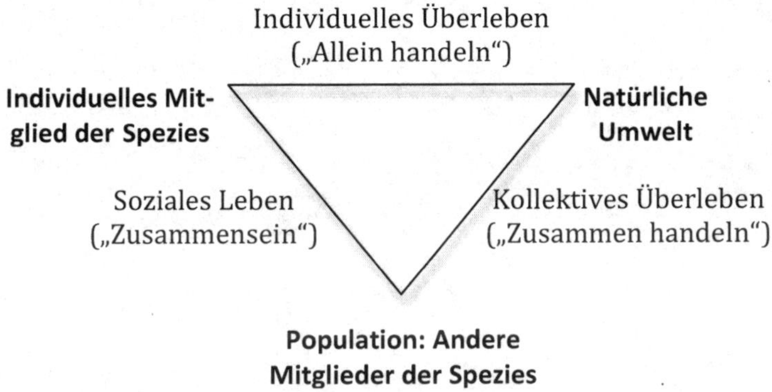

Abb. 2.4. Die allgemeine Struktur der tierischen Form der Tätigkeit

Die adaptive Natur der tierischen Tätigkeit bedeutet nicht ein passives Sich-Hingeben an die Anforderungen und den Druck der Natur. Wie LEWONTIN (1982, S. 160-161) zeigt, durchdringen Organismen und Umwelten einander auf verschiedene Art und Weise.

> Die Bedeutung dieser verschiedenen Formen der dialektischen Interaktion zwischen Organismus und Umwelt besteht darin, dass wir die Evolution nicht als „Lösung" einiger vorbestimmter „Probleme" der Umwelt ansehen können, weil es die Lebenstätigkeit der Art selbst ist, die sowohl die Probleme wie die Lösungen zugleich bestimmt. ... Organismen passen sich nicht innerhalb ihrer individuellen Lebenszeiten und im Verlaufe ihrer Evolution als Art an die Umwelten an, sie konstruieren sie. (LEWONTIN, 1982, S. 162-163)

Auf den höheren Ebenen der tierischen Evolution lassen sich Brüche in jeder der drei Seiten des in Abb. 2.4 dargestellten Dreiecks feststellen. Die oberste Seite des „individuellen Überlebens" wird durch den sich entwickelnden Werkzeuggebrauch gebrochen, wie er sich sehr SCHÖN bei den anthropoiden Affen zeigen lässt (vgl. SCHURIG, 1976). Die linke Seite des „sozialen Lebens" wird gebrochen durch kollektive Traditionen, Rituale und Regeln, die dort entspringen, wo sich Adaptation und Paarung treffen. Die rechte Seite des „kollektiven Überlebens" wird durch die Arbeitsteilung gebrochen, die von den Praktiken des Gebarens, Aufziehens und der Paarung bestimmt werden und die zuerst in der sich entwickelnden Arbeitsteilung zwischen den Geschlechtern erscheint

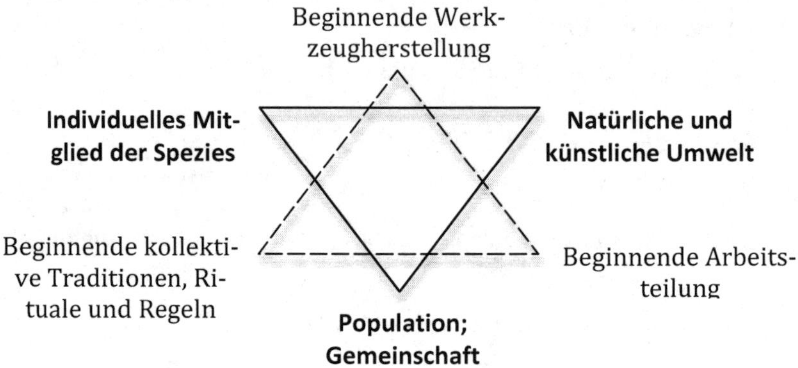

Abb. 2.5. Die Struktur der Tätigkeit im Tier-Mensch-Übergang

Diese Brüche kann man nicht „einfach als einen linearen Prozess der Höherentwicklung (verstehen), sondern vielmehr als einen Prozess, in dem unter dem Einfluss von verschiedenen evolutionären Faktoren verschiedene widerstreitende Linien der Entwicklung sich ergeben haben" (KEILER, 1981, S. 150). Die anthropoiden Affen sind das beste Beispiel für diesen Bruch durch Werkzeuge. Delphine, mit ihrer außergewöhnlichen „Fähigkeit, viele Individuen in einem System zu organisieren, das als Ganzes operiert" (KEILER, 1981, S. 151), sind ein ausgezeichnetes Beispiel für die Brüche beim „etwas zusammen tun" und „Zusammensein". Diese Stufe der „Brüche" ist tatsächlich das immer noch ziemlich unklare Übergangsfeld zwischen Mensch und Tier. Es kann mit Hilfe von Abb. 2.5 dargestellt werden.

Der Durchbruch zur kulturellen Evolution der Menschen – zu der spezifischen menschlichen Form der Tätigkeit – machte es erforderlich, dass das, was vorher voneinander getrennte Brüche oder emergente Vermittlungen waren, zu einheitlichen determinierenden Faktoren wurde. Zur gleichen Zeit wurde das, was ökologisch und natürlich war, ökonomisch und historisch.

Da die intentionale Handlung bei nicht-menschlichen Primaten oft koope-

> rativ und sozial reguliert ist, ist es zutreffender, die Kooperation aus den sozialen Interaktionen abzuleiten, wo sie bereits existiert, als aus Abläufen des Gegenstandsgebrauchs, wo sie noch nicht existiert. Eine Theorie der Evolution der menschlichen Technologie sollte daher weniger die Unterschiede zwischen den Fähigkeiten zum Werkzeuggebrauch zwischen Menschen und Affen betonen (so wichtig diese sind), sondern statt dessen fragen, wie die entstehenden Fähigkeiten des Werkzeuggebrauchs in den Bereich der intentionalen sozialen Handlung integriert wurden. (REYNOLDS, 1982, S. 382; vgl. auch REYNOLDS, 1981)

Richard LEAKEY und Roger LEWIN haben eine elegante Skizze dieser ursprünglichen Integration vorgelegt. Sie weisen darauf hin, dass Menschen die einzigen Primaten sind, die Nahrung zu dem Zweck sammeln, sie später zu essen. In ihrer gemischten Wirtschaft taten die ersten Menschen dies sowohl, indem sie Pflanzen sammelten, als auch, indem sie Jagd machten. Jedoch war es „das Teilen, nicht das Jagen oder Sammeln als solches, was uns zum Menschen machte" (LEAKEY & LEWIN, 1983, S. 120).

> Die Erfindung eines primitiven Behälters - die erste Tragetasche - verwandelte die Subsistenzwirtschaft der frühen Hominiden in eine Wirtschaft der Nahrungsmittelteilung. Der Grabestock kann vor oder nach der Tragetasche auftauchen, so wichtig er auch war, es fehlte ihm die soziale Bedeutung des Behälters: der Grabestock hat vielleicht das Leben leichter gemacht, aber er kündigte nicht einen völlig neuen Lebensstil an. (LEAKEY & LEWIN, 1983, S. 127).

Einen anderen Punkt der Integration bildete die Entstehung der kollektiv organisierten Werkzeugherstellung, die sich auf dauerhafte Lagerplätze konzentrierte (LEAKEY & LEWIN 1983, S. 83; 128).

Die paleoanthropologischen Ideen von LEAKEY und LEWIN korrespondieren mit einem philosophischen Argument von Peter RUBEN.

> Jedes soziale System sieht sich mit dem analytischen Problem konfrontiert, das gesamte Produkt in notwendige und Überschussproduktion aufzuteilen, und die Regulierungen, die für die Verteilung dieser Produkte geschaffen wurden, liefern die Normen für die „Rechtsprechung" in Jedem System. Die Existenz eines Überschusses an Arbeit, der über die notwendige Arbeit hinausgeht, stellt ein Apriori in jedem System der Arbeit dar, und man kann sagen, dass die Sozialität, im Unterschied zur Individualität, genau in diesem Überschussprodukt wahrnehmbar ist. ... Es ist der Kampf um das überschüssige Produkt, der die Gesellschaftlichkeit konstituierte! ... Ein gesellschaftlicher Mechanismus, der besonders als Mechanismus politischer Herrschaft verstanden wird... dient daher nicht als genetische Vorbedingung für das Hervorbringen des Überschussprodukts, sondern als ein Mittel einer quantitativen Expansion. (RUBEN, 1981, S.

128-129)

Die gesamte Struktur der Tätigkeit wird auf diese Weise reorganisiert (Abb. 2.6). Das Modell, das in Abb. 2.6 dargestellt ist, ist eine logische Weiterentwicklung des Übergangsmodells aus Abb. 2.5.

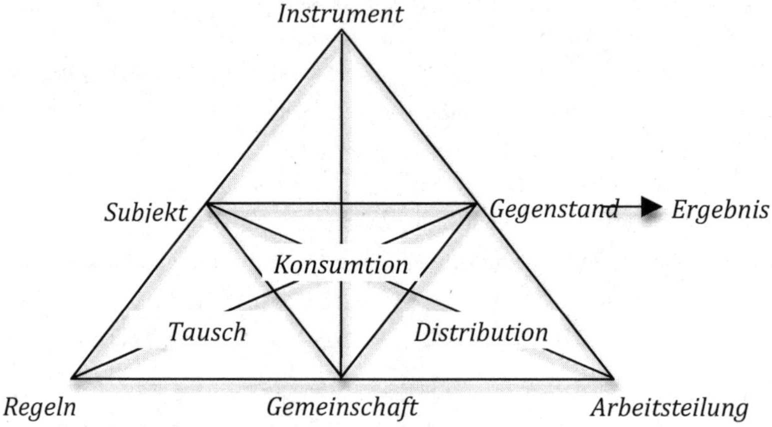

Abb. 2.6. Die Struktur der menschlichen Tätigkeit

Was zuvor die adaptive Tätigkeit war, ist in die Konsumtion transformiert und den drei herrschenden Aspekten der menschlichen Tätigkeit untergeordnet – Produktion, Distribution und Austausch (oder Kommunikation). Das Modell macht es möglich, eine Vielzahl von Beziehungen innerhalb der Dreiecksstruktur der Tätigkeit zu analysieren. Die wesentliche Aufgabe besteht jedoch immer darin, das systemische Ganze zu erfassen, nicht bloß voneinander getrennte Verbindungen. Die Analyse, die Karl MARX in der Einführung zu seinen Grundrissen vorgelegt hat, ist hier wesentlich.

> Die Produktion bringt die den Bedürfnissen entsprechenden Gegenstände hervor; die Distribution verteilt sie nach gesellschaftlichen Gesetzen; der Austausch verteilt wieder das schon Verteilte nach den einzelnen Bedürfnissen; endlich in der Konsumtion tritt das Produkt aus dieser gesellschaftlichen Bewegung heraus, wird direkt Gegenstand und Diener des einzelnen Bedürfnisses und befriedigt es im Genuß. Produktion erscheint so als der Ausgangspunkt, Konsumtion als der Endpunkt, Distribution und Austausch als die Mitte. (MARX, o.J., S. 10)

MARX weist darauf hin, dass die Dinge nicht so einfach sind. Die Produktion ist immer auch Konsumtion der Fähigkeiten des Individuums und der Mittel der Produktion. Dementsprechend ist Konsumtion auch Produktion der Menschen selbst. Darüber hinaus erscheint Distribution nicht einfach eine Konsequenz der Produktion, sondern auch als unmittelbare Vorbedingung in der Form der Distribution der Produktionsmittel und der Distribution der Mitglieder einer Gesellschaft auf die verschiedenen Arten der Produktion. Schließlich findet man auch den Austausch innerhalb der Produktion, in der Form der Kommunikation, Interaktion und des Austauschs von halbfertigen Produkten zwischen den Produzenten.

Bedeutet das, dass die Grenzen zwischen den kleineren Dreiecken in Abb. 2.6 verschwimmen und vielleicht sogar aufgegeben werden müssen?

> Das Resultat, wozu wir gelangen, ist nicht, dass Produktion, Distribution, Austausch, Konsumtion identisch sind, sondern dass sie alle Glieder einer Totalität bilden, Unterschiede innerhalb einer Einheit. Die Produktion greift über, sowohl über sich in der gegenständlichen Bestimmung der Produktion, als über die andren Momente. Von ihr beginnt der Prozess immer wieder von neuem. Dass Austausch und Konsumtion nicht das Übergreifende sein können, ist von selbst klar. Ebenso von der Distribution als Distribution der Produkte. Als Distribution der Produktionsagenten aber ist sie selbst ein Moment der Produktion. Eine bestimmte Produktion bestimmt also bestimmte Konsumtion, Distribution, Austausch und *bestimmte Verhältnisse dieser verschiedenen Momente zueinander.* Allerdings wird auch die Produktion, *in ihrer einseitigen Form*, ihrerseits bestimmt durch die andren Momente. Zum Beispiel wenn der Markt sich ausdehnt, d.h. die Sphäre des Austauschs, wächst die Produktion dem Umfang nach und teilt sich tiefer ab. Mit Veränderung der Distribution ändert sich die Produktion; z.B. mit Konzentration des Kapitals, verschiedner Distribution der Bevölkerung in Stadt und Land etc. Endlich bestimmen die Konsumtionsbedürfnisse die Produktion. Es findet Wechselwirkung zwischen den verschiednen Momenten statt. Dies ist der Fall bei jedem organischen Ganzen. (MARX, o.J., S. 20-21)

MARX' Auffassung von der „antithetischen Definition der Produktion" und der Produktion „in ihrer einseitigen Form" scheinen sich, besonders wenn sie auf die frühesten einfachen Formen der gesellschaftlichen Organisation angewandt werden, auf das zweifache Auftreten der Produktion sowohl als das gesamte Tätigkeitssystem von Abbildung 2.6 als auch auf das oberste kleinere Dreieck oder Handlungstyp dieses Systems zu beziehen.

Nehmen wir als Beispiel die ursprünglichen Sammler-Jäger, wie sie von LEAKEY und LEWIN beschrieben werden. Die gesamte Praxis ihres Lebens kann man Produktion im weiteren Sinne nennen. Auf der anderen Seite benutzten sie nur einen gewissen Teil ihrer Zeit zum Sammeln und Jagen – dies kann man *Produktion* im engeren Sinne nennen. Das Teilen der produzierten Nahrung war ein hervorstechender Teil ihres täglichen Lebens – dies kann man *Distribution* nennen. Nachdem sie ihren Anteil an der Nahrung erhalten hatten, aßen sie ihn – *Konsumtion*. Schließlich gab es „eine ganze Menge Freizeit" (LEAKEY & LEWIN, 1983, S. 326), die in verschiedenen Formen der sozialen Interaktion verbracht wurde – *Austausch*.

Jedes kleinere Dreieck in Abb. 2.6 ist also potentiell eine selbständige Tätigkeit. Innerhalb der gesamten Praxis der Gesellschaft sind die kleineren Dreiecke anfänglich nur Handlungen, da ihr *Gegenstand* noch ein relativ undifferenziertes Ganzes (hauptsächlich Nahrung) ist und die zeitlichen, räumlichen und sozialen Grenzen zwischen ihnen fließend sind. Wie LEAKEY und LEWIN (1983, S. 109) betonen, „gibt es keine voneinander getrennten Wohnbereiche und Arbeitsbereiche" und ebenso „keine Spezialisten in den Sammler-Jäger-Gemeinschaften". Schwierige Aufgaben wie das Jagen erfordern jedoch bereits sehr früh eine Arbeitsteilung und werden zu relativ unabhängigen Tätigkeiten, wie wir oben in LEONT'EVs Jäger-Treiber-Beispiel gezeigt haben.

In einer komplexeren und differenzierteren Gesellschaft gibt es eine Vielzahl von relativ unabhängigen Tätigkeiten, die durch alle kleinen Dreiecke dargestellt sind. Aber innerhalb jedes solchermaßen relativ unabhängigen Tätigkeitssystems finden wir *die gleiche interne Struktur*, wie in Abb. 2.6 dargestellt. Eine Tätigkeit, die z.B. den Austausch innerhalb der gesamtgesellschaftlichen Praxis darstellt (z.B. eine Freizeit- oder Hobbytätigkeit), schließt daher in sich die Unterdreiecke der Produktion, Distribution, des Austauschs und der Konsumtion ein. Dies hat die richtige Implikation, dass es *keine Tätigkeit ohne den Bestandteil der Produktion* gibt; nur Handlungen können frei davon sein.

Es ist eine Besonderheit der menschlichen Produktion, dass sie mehr hervorbringt als in die unmittelbare Reproduktion der Subjekte der Produktion eingeht. Ein Teil dieses „Mehr" ist das Überschussprodukt, das zum Teilen und zur Sozialität führt, wie es oben von LEAKEY und LEWIN diskutiert wurde. Der andere Teil besteht in den Werkzeugen und Instrumenten, die für den und innerhalb des Produktionsprozesses geschaffen werden.

> Von ihnen kann der Arbeitsprozeß jeweils neu ausgehen, und zwar derart, dass er nicht nur die Wiederholung des gleichen Vorgangs, sondern Wiederholung auf der Grundlage veränderter, d.h. selbst hergestellter und erweiterter Ausgangsbedingungen ist ... und das heißt im Hinblick auf das Spezifische des menschlichen Arbeitsprozesses, daß er ein Prozeß tendenziell erweiterter Reproduktion ist. (DAMEROW, FURTH, HEIDTMANN, & LEFÈVRE, 1980, S. 238)

In einer komplexen Gesellschaft bezieht sich „die antithetische Definition der Produktion" in erster Linie auf das gleichzeitige Vorhandensein der produktiven Tätigkeit (1) in Form der gesamtgesellschaftlichen Praxis und (2) in Form der zahlreichen spezifischen produktiven Tätigkeiten innerhalb der gleichen Gesellschaft. DAMEROW, FURTH, HEIDTMANN, und LEFÈVRE (1980, S. 241) nennen das erste „die konkrete allgemeine Arbeit" und das zweite „die konkrete spezifische Arbeit".

Das Modell in Abb. 2.6 kann nun mit den vier Kriterien des Grundmodells der menschlichen Tätigkeit verglichen werden, das zu Beginn dieses Kapitels entwickelt wurde. Erstens halte ich dieses Modell tatsächlich für die kleinste und einfachste Einheit, die noch die wesentliche Einheit und ganzheitliche Qualität hinter jeder menschlichen Tätigkeit enthält. Die einfacheren Modelle, die in den Abb. 2.1 bis 2.5 dargestellt worden sind, erwiesen sich entweder als zu einfach oder als Darstellungen von genetisch früheren Formen der Tätigkeit. Solche Vereinfachungen können natürlich nützlich sein, wenn sie in Kontexten angewandt werden, die eine Fokussierung auf oder Abstraktion von gewissen Aspekten der menschlichen Tätigkeit erfordern. Reduktion erfordert jedoch bewusste Rechtfertigung, damit aus ihr nicht Verzerrung wird.

Zweitens gehe ich davon aus, dass mit Hilfe dieses Modells Tätigkeit in ihren inneren dynamischen Beziehungen und ihrer historischen Veränderung untersucht werden kann. Diese Behauptung muss jedoch dadurch begründet werden, dass das Modell für die Analyse der Entwicklung konkreter Tätigkeiten benutzt und verändert wird. In diesem Kapitel wird die kulturelle Evolution des Lernens als ein solches Problem der Entwicklung dienen. In den Kapiteln 3 und 4 werden vier historische Fälle der Entwicklung der Tätigkeit analysiert. Bevor diese Analysen jedoch ausgeführt werden können, muss der Begriff der *inneren Widersprüche* als Quelle der Dynamik und der

Entwicklung in der menschlichen Tätigkeit eingeführt werden (nächster Abschnitt).

Was das dritte und vierte Kriterium betrifft (Tätigkeit als kontextuelles und ökologisches Phänomen; Tätigkeit als vermitteltes Phänomen), so ist der Status des Modells in Abbildung 2.6 offensichtlich.

Innere Widersprüche der menschlichen Tätigkeit

Der grundlegende interne Widerspruch der menschlichen Tätigkeit liegt in ihrer *zweifachen Existenzweise* als gesamtgesellschaftliche Produktion und als eine spezifische Produktion unter vielen. Dies bedeutet, dass irgendeine spezifische Produktion zugleich unabhängig von und untergeordnet der gesamtgesellschaftlichen Produktion sein muss (vgl. DAMEROW et al., 1980, S. 240-241). Innerhalb der Struktur irgendeiner spezifischen produktiven Tätigkeit wird der Widerspruch erneut deutlich als der Zusammenprall von *individuellen Handlungen und dem gesamten Tätigkeitssystem*. Dieser fundamentale Widerspruch erlangt verschiedene historische Formen in jeder gesellschaftlich-ökonomischen Formation. Der fundamentale Widerspruch entspringt der Arbeitsteilung.

> Die Teilung der Arbeit innerhalb der Gesellschaft und die entsprechende Beschränkung der Individuen auf besondre Berufssphären entwickelt sich ... von entgegengesetzten Ausgangspunkten. Innerhalb einer Familie, weiter entwickelt eines Stammes, entspringt eine naturwüchsige Teilung der Arbeit aus den Geschlechts- und Altersverschiedenheiten, also auf rein physiologischer Grundlage, die mit der Ausdehnung des Gemeinwesens, der Zunahme der Bevölkerung und namentlich dem Konflikt zwischen verschiednen Stämmen und der Unterjochung eines Stammes durch den andren ihr Material ausweitet. Andrerseits ... entspringt der Produktentausch an den Punkten, wo verschiedne Familien, Stämme, Gemeinwesen in Kontakt kommen, denn nicht Privatpersonen, sondern Familien, Stämme usw. treten sich in den Anfängen der Kultur selbständig gegenüber. Verschiedne Gemeinwesen finden verschiedne Produktionsmittel und verschiedne Lebensmittel in ihrer Naturumgebung vor. Ihre Produktionsweise, Lebensweise und Produkte sind daher verschieden. Es ist diese naturwüchsige Verschiedenheit, die bei dem Kontakt der Gemeinwesen den Austausch der wechselseitigen Produkte und daher die allmähliche Verwandlung dieser Produkte in Waren hervorruft. Der Austausch schafft nicht den Unterschied der Produktionssphären, sondern setzt die unterschiednen in Beziehung und verwandelt sie so in mehr oder minder voneinander abhängige Zweige einer gesellschaftlichen Gesamtproduktion. Hier entsteht die gesellschaftliche Teilung der Arbeit

> durch den Austausch ursprünglich verschiedner, aber voneinander unabhängiger Produktionssphären. Dort, wo die physiologische Teilung der Arbeit den Ausgangspunkt bildet, lösen sich die besondren Organe eines unmittelbar zusammengehörigen Ganzen voneinander ab, zersetzen sich, zu welchem Zersetzungsprozess der Warenaustausch mit fremden Gemeinwesen den Hauptanstoß gibt, und verselbständigen sich bis zu dem Punkt, wo der Zusammenhang der verschiednen Arbeiten durch den Austausch der Produkte als Waren vermittelt wird. Es ist in dem einen Fall Verunselbständigung der früher Selbständigen, in dem andren Verselbständigung der früher Unselbständigen. (MARX, 1970, S. 372-373)

Die zwei Richtungen oder „entgegengesetzten Ausgangspunkte", einmal *innerhalb* einer Tätigkeit und ein andermal *zwischen* zwei Tätigkeiten, sind wesentlich für die Entstehung des Konzepts der Expansion, wie in Kapitel 3 deutlich werden wird. Hier werde ich mich auf die Dialektik von Unabhängigkeit und Unterordnung konzentrieren.

In vorkapitalistischen, gesellschaftlich-ökonomischen Formationen nimmt der grundlegende Widerspruch, die Unterordnung der individuellen Produzenten unter das gesamtgesellschaftliche System der Produktion, die Form einer unmittelbar wahrnehmbaren *persönlichen Unterdrückung durch Gewalt* an, sei es durch Sklavenbesitzer oder adlige Herren.

> Je weniger gesellschaftliche Kraft das Tauschmittel besitzt, je zusammenhängender es noch mit der Natur des unmittelbaren Arbeitsprodukts und den unmittelbaren Bedürfnissen der Austauschenden ist, umso größer muss noch die Kraft des Gemeinwesens sein, das die Individuen zusammenbindet, patriarchalisches Verhältnis, antikes Gemeinwesen, Feudalismus und Zunftwesen ..., persönliche Abhängigkeitsverhältnisse (zuerst ganz naturwüchsig) sind die ersten Gesellschaftsformen, in denen sich die menschliche Produktivität nur in geringem Umfang und auf isolierten Punkten entwickelt. (MARX, o.J., S. 75)

Im Kapitalismus nimmt der Widerspruch die allgemeine Form der Ware an. Waren sind Objekte, die *Wert* besitzen (d.h. *Tauschwert*), nicht nur und nicht in erster Linie *Gebrauchswert*. Der Wert der Ware wird grundsätzlich durch die durchschnittlich notwendige gesellschaftliche Arbeit bestimmt, die für ihre Herstellung erforderlich ist. Dies schließt ein „die ‚Reduktion' aller Erscheinungen auf ‚Arbeit im überhaupt,' auf Arbeit ohne irgendwelche qualitativen Unterschiede" (IL'ENKOV, 1979, S. 94).

> Gebrauchsgegenstände werden überhaupt nur Waren, weil sie Produkte voneinander unabhängig betriebner Privatarbeiten sind ... Da die Produzenten erst in gesellschaftlichen Kontakt treten durch den Austausch ihrer Arbeitsprodukte, erscheinen auch die spezifisch gesellschaftlichen

> Charaktere ihrer Privatarbeiten erst innerhalb dieses Austausches. ... Erst innerhalb ihres Austauschs erhalten die Arbeitsprodukte eine von ihrer sinnlich verschiednen Gebrauchsgegenständlichkeit getrennte, gesellschaftlich gleiche Wertgegenständlichkeit. Diese Spaltung des Arbeitsprodukts in nützliches Ding und Wertding betätigt sich nur praktisch, sobald der Austausch bereits hinreichende Ausdehnung und Wichtigkeit gewonnen hat, damit nützliche Dinge für den Austausch produziert werden, der Wertcharakter der Sachen also schon bei ihrer Produktion selbst in Betracht kommt. Von diesem Augenblick erhalten die Privatarbeiten der Produzenten tatsächlich einen doppelten gesellschaftlichen Charakter. Sie müssen einerseits als bestimmte nützliche Arbeiten ein bestimmtes gesellschaftliches Bedürfnis befriedigen und sich so als Glieder der Gesamtarbeit, des naturwüchsigen Systems der gesellschaftlichen Teilung der Arbeit, bewähren. Sie befriedigen andrerseits nur die mannigfachen Bedürfnisse ihrer eignen Produzenten, sofern jede besondere nützliche Privatarbeit mit jeder anderen nützlichen Privatarbeit austauschbar ist, also ihr gleich gilt. (MARX, 1970, S. 87)

Im Kapitalismus werden alle Dinge, Tätigkeiten und Beziehungen von der zweifachen Natur der Ware durchdrungen, sie werden selbst zu Ware. Die Beziehung zwischen individuellen Handlungen und kollektiver Tätigkeit, zwischen spezifischen Produktionen und der Gesamtproduktion, wird entsprechend verändert.

> Die wechselseitige und allseitige Abhängigkeit der gegeneinander gleichgültigen Individuen bildet ihren gesellschaftlichen Zusammenhang. Dieser gesellschaftliche Zusammenhang ist ausgedrückt im *Tauschwert*, worin für jedes Individuum seine eigne Tätigkeit oder sein Produkt erst eine Tätigkeit und ein Produkt für es wird; es muss ein allgemeines Produkt produzieren – den *Tauschwert* oder, diesen für sich isoliert, individualisiert, Geld. Andrerseits die Macht, die jedes Individuum über die Tätigkeit der andren oder über die gesellschaftlichen Reichtümer ausübt, besteht in ihm als dem Eigner von *Tauschwerten*, von Geld. Es trägt seine gesellschaftliche Macht, wie seinen Zusammenhang mit der Gesellschaft, in der Tasche mit sich. Die Tätigkeit, welches immer ihre individuelle Erscheinungsform, und das Produkt der Tätigkeit, welches immer seine besondre Beschaffenheit, ist der *Tauschwert*, d.h. ein allgemeines, worin alle Individualität, Eigenheit negiert und ausgelöscht ist. ...
>
> Der gesellschaftliche Charakter der Tätigkeit, wie die gesellschaftliche Form des Produkts, wie der Anteil des Individuums an der Produktion erscheint hier als den Individuen gegenüber Fremdes, Sachliches; nicht als das Verhalten ihrer gegeneinander, sondern als ihr Unterordnen unter Verhältnisse, die unabhängig von ihnen bestehen und aus dem Anstoß der gleichgültigen Individuen miteinander entstehen. Der allgemeine Austausch der Tätigkeiten und Produkte, der Lebensbedingung für jedes einzelne Individuum geworden, ihr wechselseitiger Zusammenhang, er-

> scheint ihnen selbst fremd, unabhängig, als eine Sache. Im Tauschwert ist die gesellschaftliche Beziehung der Personen in ein gesellschaftliches Verhalten der Sachen verwandelt; das persönliche Vermögen in ein sachliches. (MARX, o.J., S. 74-75)

Der wesentliche Widerspruch besteht in dem gegenseitigen Ausschluss und der gleichzeitigen Abhängigkeit des Gebrauchs- und Tauschwerts innerhalb jeder Ware. Diese *doppelte Natur* und innere Unruhe ist charakteristisch für alle Eckpunkte der Dreieck-Struktur der Tätigkeit. Sie durchdringt die Punkte, an denen sich das Subjekt und die Gemeinschaft befinden, weil die Arbeitskraft selbst eine besondere Art der Ware ist.

LEONT'EV erkannte diesen Widerspruch als notwendige Vorbedingung für eine wissenschaftliche Untersuchung der Tätigkeit im Kapitalismus an.

> Unter der Herrschaft des Privateigentums nimmt sowohl die Tätigkeit des Menschen als auch die ihn umgebende gegenständliche Welt doppelte Gestalt an. ... Ein Arzt, der in irgendeiner Kleinstadt eine Praxis auf Kredit erworben hat, mag wirklich bestrebt sein, die Leiden seiner Mitbürger zu lindern, und darin seine Berufung zu sehen. Dennoch ist er gezwungen, in erster Linie die Zahl seiner Patienten zu erhöhen, denn davon hängen sein Leben und die Ausübung seines Berufes ab. ... Diese Verhältnisse finden auch im menschlichen Bewusstsein ihren Niederschlag. Psychologisch äußert sich das in einer „Desintegration" seiner allgemeinen Struktur. Der Sinn und die Bedeutung, in denen sich dem Menschen seine Umwelt und sein eigenes Leben darbieten, werden einander fremd. (LEONT'EV, 1971, S. 202)

Dies ist für LEONT'EV nicht bloß ein nebensächlicher Aspekt.

> Ignoriert man die Eigenheiten der Bewusstseinsstruktur dagegen und klammert sie aus psychologischen Untersuchungen aus, dann verliert die Psychologie ihre historische Konkretheit und wird zur Wissenschaft vom Psychischen des abstrakten Menschen, des Menschen an sich. (LEONT'EV, 1971, S. 202)

Darüber hinaus ist dies das Problem eines wirklichen Widerspruchs, nicht einer eindimensionalen Unterdrückung und Entfremdung. Innerhalb der Arbeitstätigkeit des Kapitalismus gibt es daher in anderen Worten widerstreitende, entgegengesetzte Kräfte – positive wie auch negative.

> Erstens im Hinblick auf die Qualität der Arbeitsverfahren: Sie bilden den realen Reichtum und die „technische" Seite im Leben des Arbeiters. Hierzu zählen die vielfältigen Kenntnisse und Fertigkeiten, über die der Arbeiter verfugen muss, um seine Tätigkeit auszuüben. Zweitens wird das Leben des Arbeiters durch einen Inhalt bereichert, der durchaus nicht gleichbedeutend mit dem eigentlichen Inhalt seiner entfremdeten Tätigkeit ist, der jedoch durch diese Tätigkeit entsteht. Der Werktätige im ka-

> pitalistischen Betrieb steht zwar seiner Arbeit fremd gegenüber, tritt jedoch in Beziehungen zu anderen Menschen. (LEONT'EV, 1971, S. 203)

MARX weist auf diese positive Perspektive in einem globaleren Sinne hin.

> Da die Verselbständigung des Weltmarkts ... (worin die Tätigkeit jedes einzelnen eingeschlossen) wächst mit der Entwicklung der Geldverhältnisse (Tauschwerts) und vice versa, der allgemeine Zusammenhang und die allseitige Abhängigkeit in Produktion und Konsumtion zugleich mit der Unabhängigkeit und Gleichgültigkeit der Konsumierenden und Produzierenden zueinander; da dieser Widerspruch zu Krisen führt etc., so wird gleichzeitig mit der Entwicklung dieser Entfremdung, auf ihrem eignen Boden, versucht, sie aufzuheben; Preiscourantlisten, Wechselkurse, Verbindungen der Handeltreibenden untereinander durch Briefe, Telegraphen etc. (die Kommunikationsmittel wachsen natürlich gleichzeitig), worin jeder einzelne sich Auskunft über die Tätigkeit aller andren verschafft und seine eigne danach auszugleichen sucht. ... Obgleich alles dies auf dem gegebnen Standpunkt die Fremdartigkeit nicht aufhebt, so führt es Verhältnisse und Verbindungen herbei, die die Möglichkeit, den alten Standpunkt aufzuheben, in sich einschließen. (MARX, o.J., S. 78-79)

MARX betont weiter, dass das objektive gesellschaftliche Band zwischen Tauschwert und Markt ein historisches Produkt darstellt, das durch die Individuen hervorgebracht wird. Es ist eine notwendige Zwischenstufe, die nicht nur Entfremdung des Individuums von seinem Selbst und von anderen produziert, sondern auch den „Grad und die Universalität der Entwicklung der Vermögen, worin diese Individualität möglich wird" (MARX, o.J., S. 79). Es wäre daher ein lächerlicher Romantizismus, eine Rückkehr zu jener angeblich „ursprünglichen Fülle" zu verlangen.

Innere Widersprüche finden ihren sichtbaren Ausdruck in äußeren. Letztere sind nicht weniger real, aber in genetischer Hinsicht abgeleitet (vgl. IL'ENKOV, 1977, S. 334-335). Bei der Analyse der menschlichen Tätigkeit können vier Ebenen oder Schichten von Widersprüchen unterschieden werden. Diese Ebenen können mit Hilfe der Abb. 2.7 veranschaulicht werden, die eine Weiterentwicklung des Modells der Tätigkeit aus Abb.2.6 darstellt.

Der primäre Widerspruch der Tätigkeit in kapitalistischen Gesellschaftsformationen existiert als der innere Konflikt zwischen Tauschwert und Gebrauchswert innerhalb jeder Spitze des Dreiecks der Tätigkeit.

Die sekundären Widersprüche sind die, welche zwischen den Spitzen erscheinen. Die streng hierarchische Arbeitsteilung, die hinter den Möglichkeiten, die durch fortgeschrittene Instrumente eröffnet werden, herhinkt und sie sogar verhindert, ist ein typisches Beispiel.

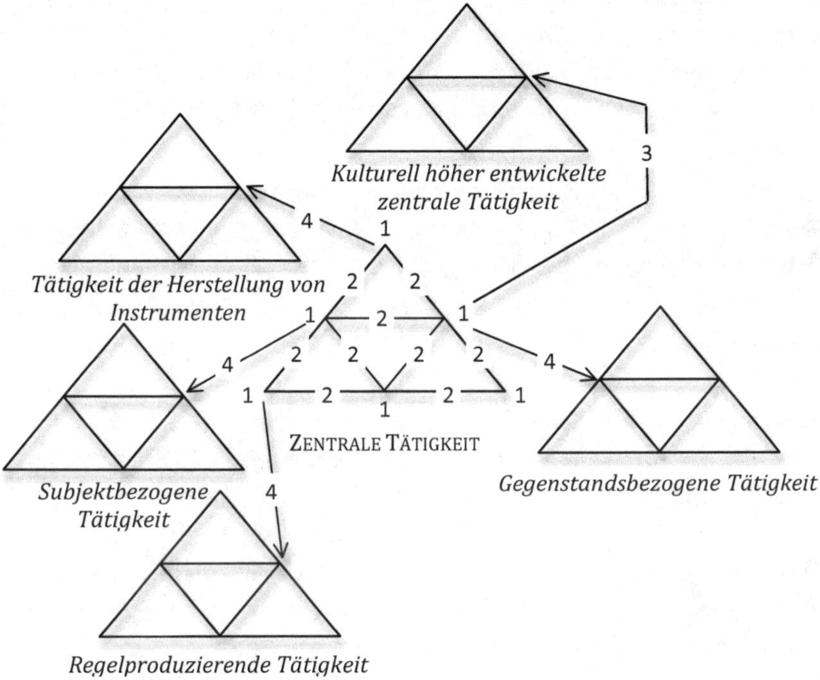

Abb. 2.7. Vier Ebenen des Widerspruchs innerhalb des Systems der menschlichen Tätigkeit

Ebene 1: Primärer innerer Widerspruch (Doppelnatur) innerhalb der konstitutiven Komponente der zentralen Tätigkeit.

Ebene 2: Sekundäre Widersprüche zwischen Bestandteilen der zentralen Tätigkeit.

Ebene 3: Tertiärer Widerspruch zwischen dem Gegenstand/Motiv der herrschenden Form der zentralen Tätigkeit und dem Gegenstand/Motiv der kulturell höher entwickelten Form der zentralen Tätigkeit.

Ebene 4: Quartäre Widersprüche zwischen der zentralen Tätigkeit und den Nachbartätigkeiten

Die tertiären Widersprüche erscheinen, wenn Repräsentanten einer Kultur (z.B. Lehrer) den Gegenstand und das Motiv einer kulturell höher entwickelten Form der zentralen Tätigkeit in die herrschende Form der zentralen Tätigkeit einführen. So geht z.B. der Grundschüler zur Schule, um mit seinen Klassenkameraden zu spielen (das dominante Motiv), aber die Eltern und Lehrer versuchen, ihn dazu zu bringen, ernsthaft zu lernen (das kulturell fortgeschrittenere Motiv). Kulturell fortgeschrittenere Gegenstände und Motive können auch aktiv durch die Subjekte der zentralen Tätigkeit selbst aufgesucht werden.

Die quartären Widersprüche machen es erforderlich, die wesentlichen „Nachbartätigkeiten" zu betrachten, die mit der zentralen Tätigkeit verbunden sind, die der ursprüngliche Gegenstand unserer Untersuchung sind.

Die „Nachbartätigkeiten" schließen *erstens* alle Tätigkeiten ein, in welche die unmittelbar erscheinenden Gegenstände und Ergebnisse der zentralen Tätigkeit eingebettet sind (nennen wir sie Gegenstands-Tätigkeiten). *Zweitens* bestehen sie aus den Tätigkeiten, die die Schlüsselinstrumente für die zentrale Tätigkeit produzieren (instrumenten-produzierende Tätigkeiten), wobei die allgemeinsten Repräsentanten durch Wissenschaft und Kunst dargestellt werden. *Drittens* bestehen sie aus Tätigkeiten wie Erziehung und Belehrung der Subjekte der zentralen Tätigkeit (subjekt-produzierende Tätigkeiten). *Viertens* bestehen sie aus Tätigkeiten wie Verwaltung und Rechtsprechung (regel-produzierende Tätigkeiten). Natürlich schließen die „Nachbartätigkeiten" auch solche zentralen Tätigkeiten mit ein, die auf andere Weise für einen längeren oder kürzeren Zeitraum mit der gegebenen zentralen Tätigkeit verbunden sind und die sich möglicherweise durch Austauschbeziehungen vermischen.

Die quartären Widersprüche sind also diejenigen, die sich aus der Interaktion der zentralen Tätigkeit mit der Nachbartätigkeit ergeben. Konflikte und Widerstände, die im Laufe der Implementation der Ergebnisse der zentralen Tätigkeit im System der gegenständlichen Tätigkeit erscheinen, sind hierfür ein Beispiel.

Die Arbeitstätigkeit von Ärzten in der medizinischen Versorgung (Allgemein-Medizin) kann als Illustration für die vier Ebenen von Widersprüchen dienen.

Der primäre Widerspruch, die Doppelnatur von Gebrauchswert und Tauschwert, kann durch Fokussierung auf eine der Ecken der „zentralen" Tätigkeit des Arztes analysiert werden. Die *Instrumente* seiner Arbeitstätigkeit schließen z.B. eine beachtliche Vielfalt von Medikamenten und Arzneien ein. Diese sind aber nicht bloß nützliche Einrichtungen – sie sind vor allem Waren mit Preisen, hergestellt für einen Markt, für die geworben wird und die um des Profits willen verkauft werden. Jeder Arzt ist mit diesem Widerspruch bei seinen täglichen Entscheidungen konfrontiert.

Ein typischer sekundärer Widerspruch in der Arbeitstätigkeit könnte sich darstellen als der Konflikt zwischen den traditionellen, biomedizinischen *Begriffsinstrumenten*, die in Bezug auf die Klassifikation von Krankheiten und die korrekte Diagnose vorliegen, einerseits, und andererseits der sich verändernden Natur der Gegenstände, nämlich die zunehmend ambivalenten und komplexen Probleme und Symptome der Patienten. Diese Probleme lassen sich immer häufiger nicht mit den Standards der klassischen Diagnose und Nomenklatur beschreiben. Sie erfordern die Integration sozialer, psychologischer und biomedizinischer Herangehensweisen, die vielleicht noch gar nicht existiert.

Ein tertiärer Widerspruch entsteht, wenn z.B. die Verwaltung des medizinischen Versorgungssystems den Praktikern den Auftrag erteilt, gewisse neue Verfahren zu benutzen, die mehr den Idealen einer ganzheitlichen und integrierten Medizin entsprechen. Diese neuen Verfahren können formal eingeführt werden, sie sind aber vielleicht immer noch der alten allgemeinen Form der Tätigkeit untergeordnet und werden von ihr blockiert.

Nehmen wir an, dass ein Arzt, der auf solch einer neuen integrativen und ganzheitlichen Grundlage arbeitet, dem Patienten den Auftrag gibt, ein neues Verhaltensmuster oder ein neues Verständnis anzunehmen und so in bestimmter Hinsicht sein Leben zu ändern. Der Patient kann vielleicht mit Widerstand reagieren. Dies ist ein Beispiel von quartären Widersprüchen. Die Lebensweise des Patienten oder sein „Gesundheitsverhalten" ist hier die gegenständliche Tätigkeit. Wenn Patienten als abstrakte Symptome und Krankheiten angesehen werden, isoliert von ihren Tätigkeitskontexten, dann wird es auch unmöglich sein, die Entwicklungsdynamik der zentralen Tätigkeit zu erfassen.

Widersprüche sind nicht einfach bloß unvermeidliche Erscheinungsformen der Tätigkeit. Sie sind „das Prinzip seiner Selbstbewegung und ... die Form, in die die Entwicklung gegossen ist" (IL'ENKOV, 1977, S. 330). Das bedeutet, dass neue qualitative Stufen und Formen der Tätigkeit als Lösungen für die Widersprüche der vorhergehenden Stufen oder Formen entstehen. Dies wiederum findet statt in Form von „unsichtbaren Durchbrüchen".

> In Wirklichkeit passiert ist es stets so, daß diejenige Erscheinung, die später zur allgemeinen Erscheinung wird, zunächst als Einzelerscheinung, als gesonderte Erscheinung entsteht Phänomen entsteht, als Ausnahme aus der Regel. Auf andere Weise kann real nichts entstehen. Anderenfalls würde die Geschichte eine äußerst mystisches Gepräge erhalten.
>
> So entsteht jede Vervollkommnung im Arbeitsprozeß, jede neue Methode in der Produktionstätigkeit des Menschen wird also, die sich allgemein durchsetzt und allgemein anerkannt wird, zunächst als eine gewisse Abweichung von den bisher angenommenen und legitimierten Regeln. Doch erst nachdem sie als *einzelne Ausnahme* aus der Regel in der Arbeit eines oder mehrerer Menschen entstanden ist, wird die neue Norm von allen anderen Menschen übernommen und verwandelt sich mit der Zeit in eine neue *allgemeine Norm*. Wäre nun diese neue Norm ursprünglich nicht gerade auf diese Weise entstanden, so wäre sie auch niemals zu einer realallgemeinen Norm geworden, sondern würde nur in der Phantasie, nur als guter Vorsatz bestehen. (IL'ENKOV, 1979, S. 80)

Nach dieser wichtigen Schlussfolgerung, weist IL'ENKOV darauf hin, dass ein wirklich entwickelter Begriff im Denken „unmittelbar die Auffassung der Dialektik von der Verwandlung des Einzelnen und Besonderen in das Allgemeine [umfasst]" (IL'ENKOV, 1979, S. 80-81). Erinnern wir uns hier an LEONT'EVs Argument über die Entwicklung von individuellen Handlungen zur Tätigkeit. LEONT'EV sprach von der „Widerspiegelung des Verhältnisses zwischen dem Motiv der gegebenen, konkreten Tätigkeit und dem Motiv einer umfassenderen Tätigkeit" (LEONT'EV, 1971, S. 190). Diese Art der „Widerspiegelung" ist tatsächlich das gleiche, was IL'ENKOV mit „entwickeltem Begriff" bezeichnet. Beides sind vorläufige Formulierungen der psychologischen und epistemologischen Substanz der Lerntätigkeit.

In Kapitel 3 werde ich die Analyse der Widersprüche als aufeinanderfolgende Formen der expansiven Entwicklung einer neuen Tätigkeit weiter untersuchen.

Über die kulturelle Evolution menschlichen Lernens

> „Lerntätigkeit" kann nicht erfunden oder einfach durch Zufall gefunden werden und anschließend in systematische theoretische Begriffe gekleidet werden.
>
> „Lerntätigkeit" stellt auch keine pädagogische Idee im eigentlichen Sinne dar, die man, bezogen auf die Geschichte des pädagogischen Denkens erklären kann, z.B. in Form der „Selbsttätigkeit" in der Pädagogik der Renaissance.
>
> „Lerntätigkeit" entwickelt sich auch nicht aus dem Lernen in der Schule auf evolutionäre oder unmittelbare Weise, z.B. als Ergebnis der wachsenden Komplexität der Organisation und der Institutionen, der Erziehung und der Schule.
>
> „Lerntätigkeit" stellt vielmehr einen fundamental neuen Typ des Lernens in der Schule dar, der sich fundamental von einer tausendjährigen Tradition des Lernens in der Schule unterscheidet. (FICHTNER, 1985, S. 47)

Der Begriff der Lerntätigkeit kann in anderen Worten nur durch eine historische Analyse der inneren Widersprüche der gegenwärtig herrschenden Formen des gesellschaftlich organisierten menschlichen Lernens konstruiert werden.

In den ursprünglichen Formen menschlichen Lernens erscheint das Lernen in erster Linie als nicht beabsichtigter und untrennbarer Aspekt der grundständigen Arbeitstätigkeit (ALT, 1975; WILHELMER, 1979). Aus der Perspektive der Tätigkeitstheorie besteht diese Form des inzidentellen Lernens aus nicht-bewussten Lernoperationen, die in die tägliche Teilhabe an gemeinsamer Arbeit eingebettet sind.

Das Entstehen der ersten bestimmten, spezialisierten Formen der Vermittlung von Wissen und Erfahrung bringt die ersten bewussten Lernhandlungen hervor. Man kann drei dieser frühen Formen der Vermittlung ausmachen.

Die erste befindet sich in dem obersten Unterdreieck „Produktion" innerhalb der Struktur von Abbildung 2.6. FICHTNER (1985, S. 49) nennt sie „die Vermittlung des Handwerks." Sie ist eingebettet in den unmittelbaren Kontext produktiver Arbeit und richtet sich auf die einzelne Person, den individuellen Lehrling. Die zweite Form einer frühzeitigen Vermittlung befindet sich in dem Unterdreieck „Distribution." Sie besteht im wesentlichen darin zu lernen, wie die Produktion und Distribution des Überschusses geteilt und kontrolliert wird; man könnte sie „die Lehre der Macht" nennen – es überrascht nicht, dass dies die am wenigsten bekannte der drei Formen von primitiver Vermittlung ist. Schließlich befindet sich die dritte Form einer frühzeitigen Vermittlung in dem Unterdreieck „Austausch". Initiationszeremonien sind ein typisches Beispiel für diese Form.

> Hier ist diese thematische Ausbildung von der „Ernsthaftigkeit" und von jeder anderen Verbindung zum alltäglichen Leben und zur Arbeit räumlich und zeitlich getrennt.... hier wird nichts hergestellt, hier findet man nur die Demonstration, wie man sich verhalten muss. Diese „Demonstration" kann auf ganz unterschiedliche Art und Weise erscheinen, sie richtet sich aber immer auf das Verhalten in seiner sozialen Dimension ... sie ist niemals auf die Einzelperson ausgerichtet, sondern immer auf die gesamte Gruppe. (FICHTNER, 1985, S. 49-50)

Diese drei frühen Formen der Vermittlung generieren solche spezifischen Lernhandlungen wie die „bewusste Imitation", das „bewusste Memorieren" und das Verfahren des „bewussten Versuchs und Irrtums". Das bedeutet natürlich nicht, dass solche „höheren" kognitiven Leistungen wie das Hypothesenbilden und -testen nicht existieren. Sie finden tatsächlich statt (vgl. LEAKEY & LEWIN, 1983, S. 102-105), aber nicht als Handlungen, die spezifisch auf das Lernen ausgerichtet sind. Sie erscheinen vielmehr als Handlungen, die auf die Lösung von Problemen der Produktion, Distribution und des Austausches selbst gerichtet sind – nicht als Handlungen, die Lernen anzielen, um diese Probleme zu lösen. Spezifische Lernhandlungen sind Handlungen, bei denen „das Subjekt den Gegenstand der Handlung bewusst als Gegenstand des Lernens wahrnimmt", wie ZINCHENKO dies formuliert hat. Lernhandlungen (selbst diejenigen der ersten Form der Vermittlung) weichen daher vom Gesichtspunkt der unmittelbaren Ziele der Arbeitstätigkeit ab. Aus genau diesem Grunde bleiben sie relativ einfach. Komplizierte, reflexive Handlungen können in außergewöhnlichen Situationen in der Arbeitstätigkeit notwendig werden. Es wäre aber unvernünftig, Anfänger mit Lernaufgaben solch außergewöhnlicher Art auszubilden.

Wenn dieser Punkt erreicht ist, muss die kulturelle Evolution menschlichen Lernens in differenzierterer Art und Weise analysiert werden. Die Bedingungen für das Entstehen des Lernens als unabhängigem Tätigkeitssystem lassen sich vielleicht auffinden, indem man die Herausbildung der Lernhandlungen innerhalb historisch früherer Typen gesellschaftlicher Tätigkeit nachzeichnet. In den vorhergehenden Abschnitten habe ich drei theoretische Entwicklungslinien skizziert, die zum Begriff der Tätigkeit führen. Im folgenden werde ich drei Tätigkeitstypen als Entwicklungslinien der Praxis betrachten, die zur Herausbildung der Lerntätigkeit geführt haben. Diese drei sind die Tätigkeit des Zur-Schule-Gehens, die Arbeitstätigkeit und die Tätigkeiten der Wissenschaft und Kunst. Schule ist die zentrale, gesellschaftlich organisierte Institution, die menschliches Lernen als ihr Ziel reklamiert. Schule halten oder das Zur-Schule-Gehen, wie ich es hier nennen werde, ist daher ein ganz klarer Kandidat, innerhalb dessen die Lerntätigkeit geboren worden ist.

Wie ich jedoch oben bereits hervorgehoben habe, findet Lernen ursprünglich als nicht-intendierter und untrennbarer Aspekt der grundständigen Arbeitstätigkeit statt. Lernen am Arbeitsplatz hat seine eigene Entwicklungslinie relativ unabhängig von schulischer Erziehung verfolgt. Der historische Übergang von der Handwerkslehre zur industriellen Lohnarbeit wird oft einseitig als allmähliche Eliminierung des Lernpotentials der Arbeit betrachtet. Neuere empirische Untersuchungen haben dies jedoch ernsthaft in Frage gestellt und lassen somit die Arbeitstätigkeit als einem weiteren Kandidaten erscheinen, der nähere Untersuchung verdient. Lernen ist beschrieben worden als Suche nach Wahrheit und SCHÖNheit. Wissenschaft und Kunst definieren sich selbst jedoch ebenfalls als Tätigkeiten, die sich der Suche nach diesen Werten verschrieben haben. Der Unterschied zwischen Wissenschaft/Kunst und Lernen wird im allgemeinen darin gesehen, dass die ersten Wahrheit und Schönheit produzieren, während letzteres sie reproduziert. Man sagt, dass im Idealfall das Lernen im wesentlichen den Verlauf der wissenschaftlichen/künstlerischen Produktion reproduziert. Dies beinhaltet, dass menschliches Lernen im besten Fall eine vereinfachte Reproduktion wissenschaftlicher Forschung und künstlerischer Schöpfung ist. Und dies gibt uns hinreichenden Anlass, Wissenschaft und Kunst als die dritten Kandidaten für die Geburt der Lerntätigkeit zu untersuchen.

Die erste Entwicklungslinie: Lernen innerhalb des Zur-Schule-Gehens

Die frühen Formen der Übermittlung kann man noch nicht als Schulen bezeichnen. Wir wissen, dass im Verlauf der letzten zweitausend Jahre Schule die zunehmend beherrschende Organisationsform menschlichen Lernens gewesen ist. Es erheben sich zwei Fragen. Erstens: Was machte Schule notwendig? Zweitens: Was ist die Beziehung zwischen Schule und Lerntätigkeit?

Um die Entstehung der Schule zu verstehen, müssen wir zunächst zu dem Unterschied zwischen primären und sekundären Instrumenten zurückkehren. So lange die sekundären Instrumente – diejenigen, die „in der Aufbewahrung und Übermittlung entwickelter Fähigkeiten oder Handlungsweisen gebraucht wurden" (WARTOFSKY) – *spezifische* Repräsentationen bleiben, kann ihre Übermittlung und Aneignung mit Hilfe diskreter Lernhandlungen der oben erwähnten Arten stattfinden. Die Situation ändert sich jedoch dramatisch, wenn ein wirklich allgemeines sekundäres Instrument auftaucht. Die geschriebene Sprache, genauer die auf dem phonetischen Alphabet basierende, ist ein solches allgemeines Instrument.

> Durch den Gebrauch eines phonetischen Alphabets wurde die Schrift radikal von jedem figurativen Symbolismus getrennt. Sie wurde zu einem Zeichensystem, das nicht länger Dinge, sondern Worte auf eine solche Art und Weise repräsentierte, dass die Worte gleichzeitig visuell präsent waren, in Abschnitte aufgeteilt werden konnten und wieder zusammengesetzt werden konnten. ... Die Buchstaben des phonetischen Alphabets sind nicht länger Symbole für Sachverhalte, Gegenstände einer natürlichen, sozialen oder göttlichen Ordnung, sondern sie sind Symbole für einen Prozess, nämlich Symbole für den Prozess der menschlichen Sprache.
>
> Es gibt also keinen Gegenstand, der ausgedrückt wird, sondern die Beziehung zu einem Gegenstand. Nun wird es möglich, alles niederzuschreiben, über das man sprechen kann. Das System erhält seine konstruktive Kraft im Prinzip durch diese einfache Möglichkeit der Kombination. (FICHTNER, 1985, S. 50)

Tatsächlich erscheinen die Schulen überall dort, wo die Menschen beginnen zu lesen und zu schreiben. Lesen und Schreiben sind gerade in ihrer Allgemeinheit so abstrakte oder indirekte Instrumente, dass sie nicht einfach durch die Teilhabe an der Arbeitstätigkeit gelernt werden können. Die Schrift scheint erfunden worden zu sein, um dabei zu helfen, fällige Lieferungen zu erfassen, Kredite, Vergütungen und Vorräte und zur Bestimmung der Quantitäten von Waren, zur Niederschrift von Kapazitäten, Volumina, Beträgen, Größen, Einkünften usw. (vgl. SCHMANDT-BESSERAT, 1978).

> Lesen und Schreiben wurden bald zu einer Verwaltungstätigkeit, die nicht länger spontan gelernt werden konnte. ... „Lese- und Schreibwerkstätten" entwickeln sich schon sehr früh zu Schulen für Schreiber und

> dann zu Schreibschulen, die dann nicht nur die Techniken des Lesens und Schreibens lehrten, sondern auch in einem gewissen Ausmaß ihre Inhalte. ... Eine voll entwickelte und perfektionierte Pädagogik und Schule entwickelt sich bemerkenswerter Weise gleichzeitig mit der geschriebenen Sprache und der Notwendigkeit ihrer Übermittlung. (FICHTNER, 1985, S. 49)

Es liegen hochinteressante Forschungsergebnisse über die psychologischen Konsequenzen der Literalität vor (z.B. COULMAS & EHLICH, 1982; HAVELOCK, 1976; OLSON, TORRANCE, & HILDYARD 1985; ONG, 1982; SCRIBNER & COLE, 1981).

Diese Forschung hat die beeindruckende Kraft der Schriftsprache erhellt. Im Unterschied zur oralen Kultur schließt die Schriftsprache eine bestimmte Tendenz zur Dekontextualisierung, zur Bestimmtheit und Explizitheit ein. Die Sprache gewinnt so eine autonome, selbständige Existenzform – sie wird Text. Die Aufbewahrung, der Transport und die Übermittlung von Wissen werden dadurch umfassend entwickelt. Die phonetische Schriftsprache öffnet auch die metalinguistische Funktion der Sprache. Durch seine Fixiertheit fördert der Text reflexive Bewusstheit und die Analyse der Sprache. Diese Eigenschaft ermöglicht wichtige Fortschritte in der Entwicklung des logischen Denkens.

Man könnte meinen, dass solch ein machtvolles Instrument Schulen zu Zentren der kritischen, produktiven und experimentellen Tätigkeit machen könnte - dass alle Türen der Vorstellungskraft und dem reflexiven Denken geöffnet würden. Dies ist aber nicht der Fall. Lernen blieb „reproduktiv und rezeptiv" (FICHTNER, 1985, S. 51).

> Weder die traditionellen Weisheiten, mit denen die Rhetoriker hausieren gingen, noch die theoretische Analyse der Philosophen konnte als nützlicher Beitrag zur Lösung aktueller Probleme angesehen werden ... außer dass sie Literalität und gewisse Gewohnheiten des Fleißes und geordneten Denkens garantierte, scheint die Erziehung diejenigen, die in ihren Genuss gekommen waren, in der Welt der Dinge eher behindert zu haben als hilfreich gewesen zu sein. Sie (die Pädagogen Athens, Y.E.) erkannten nicht, dass der Fortbestand ihrer Welt von der effektiven Ausübung einer Vielzahl von Fähigkeiten abhängig war; sie überbewerten die Kunst der Politiker und unterschätzten die wachsende Bedeutung administrativer, ökonomischer und technischer Leistungen. (BOLGAR, 1969, S. 48-49)

Aber dieser Missbrauch der Möglichkeiten des Textes war nicht auf die hellenistischen Schulen begrenzt. Er wurde nicht alleine durch die Bedingungen verursacht, die das Instrument der Schriftsprache „von außen" beeinflussten. Die anschließende Geschichte der Schule im Mittelalter belegt im Gegenteil den Doppelcharakter des Textes selbst.

> Die Konzentration der „Humaniora" auf Grammatik, Rhetorik und vor allem auf Dialektik, das heißt die Konzentration auf die allgemeinste Ebene der Sprache, erscheint sehr formal und wurde durch ein Konzept von Wissen unterstützt, für das alle Wirklichkeit Text ist. Ich betrachte dies als den Kern der Literalität des Mittelalters. Sie formt eine enge, figurative Einheit von formalen Symbolen, Inhalt und Analogien, die diese Symbole und die Objekte verbinden. In dieser figurativen Einheit besteht das Wissen im Prinzip aus statischen und unveränderlichen Analogien.
>
> Im Mittelalter ist die Identität von Wissen und Text zugleich die adäquate Form der Verbindlichkeit des Wissens selbst. Was tatsächlich in der Lehre geschah, speziell in der künstlerischen Ausbildung, scheint dieser statischen Konzeption zu entsprechen. Im europäischen Mittelalter besteht Wissen darin, Texte zu verstehen. Etwas zu wissen bedeutet zu lernen, was Autoritäten darüber geschrieben haben. Die Rezitierung von Texten ist das wichtigste Mittel der Kommunikation wissenschaftlichen Wissens.
>
> Dies zwingt dazu zu memorieren, was man gehört hat und fuhrt zu außerordentlichen Techniken der Wiedererinnerung, speziell dann, wenn es nicht erlaubt ist, Notizen zu machen. Lernen besteht im beständigen Memorieren gegebener Muster, einem Einstanzen einer außergewöhnlichen Universalität auf den einzelnen, individuellen Intellekt: Lernen ist „Imitation." Die Beständigkeit des Wissens entspricht der Nichtentwikkelbarkeit der lernenden Person. ... Das zentrale Prinzip der mittelalterlichen Lehre, die „Simultaneität" oder Gleichzeitigkeit, ist ein Ausdruck gerade dieser Nichtentwickelbarkeit sowohl von Subjekt wie Objekt des Lernens. (FICHTNER, 1985, S. 53-54)

Der geschriebene Text wird so zu einem zentralen Pfeiler einer statischen, hierarchischen Weltsicht, die irgendwie den kritischen Möglichkeiten der Schriftsprache, die oben aufgeführt wurden, sehr fremd ist.

> Das Paradox liegt in dem Tatbestand, dass die Leblosigkeit des Textes, seine Distanz von der lebendigen menschlichen Lebenswelt, seine starre visuelle Fixiertheit, seine Dauerhaftigkeit garantiert und sein Potential, in grenzenlosen lebendigen Kontexten durch eine potentiell unbegrenzte Anzahl von lebendigen Lesern wiedererweckt zu werden. (ONG, 1982, S. 81)

In ähnlicher Weise „tendiert die Schrift also zu einer Verengung der Bilder, zu einer rigorosen Linearisierung der Symbole. ... Sie bedeutet auch eine Verarmung an Mitteln zum Ausdruck irrationaler Momente" (LEROI-GURHAN, 1980, S. 264).

Man kann Gründe dafür angeben, dass die Entstehung der modernen Wissenschaft, der Druckerpresse und des Kapitalismus alles verändert hat. Nach FICHTNER bestand die wesentliche Revolution darin, die mittelalterlichen Zeichen „freizusetzen", in der Entkopplung der scheinbar absoluten Identität von Zeichen und Bezeichnetem, von Wissen und seinen Repräsentationsformen.

> In gewisser Weise haben Zeichen nun immer wieder neue Positionen, und dies geschieht durch aktive Kognitionen ... Zeichen werden zu einem Mittel der Entwicklung von Ideen und – was noch wichtiger ist – ein Mittel zur Formung von Ideen. Auf der anderen Seite kann die Wirklichkeit auf völlig neue Art und Weise als Empirismus konstruiert werden. ... Die vielfachen Formen der Standardisierung des Wissens ermöglichen und erleichtern seine Entwicklung. Tabellen, Pläne, Kurven, Karten, Diagramme und Modelle machen es in einem zuvor unbekannten Ausmaß möglich, Widersprüche zu finden, Beziehungen zu entdecken und aufzuzeichnen, aber auch Veränderungen und Ergänzungen anzubringen, um offene Punkte und Fehler zu klären. (FICHTNER, 1985, S. 55)

FICHTNER (1985, S. 54) geht davon aus, dass dies einen generellen Wandel in der Einstellung gegenüber dem Wissen beinhaltet. Wissen wird zu etwas, das man entwickeln kann, was „ein Konzept von Kognition als einem Prozess der Wissenskonstruktion" impliziert.

Solche Darstellungen wie die von FICHTNER erscheinen mir grundsätzlich richtig in Bezug auf die engeren „gelehrten Gemeinschaften" der Wissenschaft und Künste. Ich glaube aber, dass diese Berichte die Trägheit unterschätzen, die Texte insbesondere innerhalb der Erziehung der Massen besitzen. Dieser Punkt wird sehr schön von Elisabeth EISENSTEIN in ihrer Diskussion der Druckerpresse als Motor des Wandels illustriert.

> Die Verehrung der Bilder wurde ersetzt durch die Bibliolatrie, die Wortgläubigkeit unter den Massen der Gläubigen in protestantischen Ländern. Zugleich waren Gelehrte (sowohl protestantisch wie katholisch) oft weniger sicher als Gelehrte zuvor in Bezug auf die wörtliche Bedeutung der Heiligen Schrift. (EISENSTEIN, 1985, S. 21)

Wenn wir die grundlegenden Formen des organisierten *Lernens* und nicht in erster Linie die wissenschaftliche und künstlerische Tätigkeit betrachten, ergibt sich daher ein anderes Bild. „Wortgläubigkeit" ist in diesem Zusammenhang ein passender Begriff.

> Katechismen und Lehrbücher stellten die „Fakten" oder ihre Entsprechungen dar: memorierbare, einfache Aussagen, die ganz einfach und vollständig sagten, wie es sich in einem gegebenen Bereich verhielt. (ONG,

1982, S. 134)

Die Entstehung eines allgemeinen, obligatorischen Schulsystems im 19. Jahrhundert kündigte zweifellos einen größeren Wechsel in der Natur der Erziehung und des schulischen Lernens an. Zur-Schule-Gehen wurde eine Tätigkeit, die von jedem einzelnen neuen Mitglied der Gesellschaft verlangt wurde. Statt auf die Kirche und die Religion orientierte sich die Erziehung auf die *Wissenschaft*, die als Integrationskraft der Gesellschaft entstand, als die neue und höhere Form der Allgemeinheit. Das bedeutete, dass zum ersten Mal in der Geschichte alle Menschen zu lernen hatten, bestimmte willkürliche und disziplinierte Lernhandlungen auszuführen.

Ich behaupte jedoch, dass der allgemeine Übergang zur Modernität und zum öffentlichen Schulwesen noch kein qualitativer Durchbruch zur *Lerntätigkeit* gewesen ist.

Der scheinbar endlose Strom von Literatur über die Krise und Nutzlosigkeit des schulischen Lernens sollte in dieser Hinsicht als ein erster symptomatischer Hinweis verstanden werden.

Es wäre aber auch nicht richtig, die inhärenten Eigenschaften des Textes für die Qualität der Schule verantwortlich zu machen. SCRIBNER und COLE (1981) haben überzeugend nachgewiesen, dass die Literalität, die Beherrschung der Schriftsprache, auch ohne Schulbesuch angeeignet werden kann und dass Literalität allein nicht die gleichen kognitiven Konsequenzen nach sich zieht wie Literalität im Rahmen des Schulbesuchs. Bis jetzt habe ich nur versucht, auf die Doppelnatur des Textes als Instrument hinzuweisen. Die Aufgabe ist nun, dieses Instrument in den allgemeinen Kontext der Tätigkeit des Zur-Schule-Gehens zu bringen.

Nach SHARP, COLE, und LAVE (1979) lassen sich die kognitiven Auswirkungen von Unterricht in Aufgaben nachweisen, die die paradigmatischen Beziehungen zwischen Worten betonen und die die Bereitschaft verlangen, Probleme um ihrer selbst willen zu lösen, unabhängig von ihrer Beziehung zum Problemlösen außerhalb der Schule. Diese Schlussfolgerung wird durch neuere Untersuchungen unterstützt, die die Leistungen von Personen bei alltäglichen Problemaufgaben und in schulähnlichen Aufgaben mit einer analogen Struktur verglichen haben.

> Es zeigen sich Diskontinuitäten zwischen dem Problemlösen im Supermarkt und dem arithmetischen Problemlösen in der Schule. Aufgaben in

> der Schule scheinen in erster Linie dazu zu dienen, Prozeduren zu lernen und abzurufen, wobei bekannte Eingangsgrößen genutzt werden. Die Unterrichtsstunden sind voller Schwierigkeiten und Versagen für viele Schüler. Auf der anderen Seite findet man in Situationen außerhalb der Schule außergewöhnlich erfolgreiche arithmetische Tätigkeit. ... Die Wissenschaftler in dem *Adult Math Project* fanden heraus, dass alle Teilnehmer eine schlechte Meinung über ihre arithmetischen Fähigkeiten in Alltagssituationen hatten. Sie entschuldigten sich dafür, dass sie das nicht konnten, was sie „richtige Mathematik" nannten – die Mathematik, wie sie in der Schule gelehrt wird. Dies ist besonders interessant angesichts der außergewöhnlichen arithmetischen Effektivität in der Küche und im Supermarkt. (LAVE, 1985, S. 174)

Die wesentliche Besonderheit des Zur-Schule-Gehens als Tätigkeit von Schülern ist die seltsame Umkehrung von Gegenstand und Instrument. In der gesellschaftlichen Praxis erscheint der Text (einschließlich des Textes von arithmetischen Algorithmen) als ein allgemeines sekundäres Instrument. Im schulischen Unterricht nimmt der Text die Rolle des Gegenstandes an. Dieser Gegenstand wird von den Schülern auf bemerkenswerte Art gestaltet: Das Ergebnis ihrer Tätigkeit besteht vor allem in dem gleichen Text, der in mündlicher oder schriftlicher Form reproduziert und modifiziert wird (zusammengefasst, klassifiziert, organisiert, neu zusammengesetzt und angewendet auf strikt vorherbestimmte Weise, um gut strukturierte, „geschlossene" Probleme zu lösen). Wie GLADWIN (1985, S. 209) sagt, „Schule nimmt dem Problem seinen Sinn und ersetzt ihn durch Hierarchien der Abstraktion".

> Im großen und ganzen ist das allgemeine Schema dieser Erziehung das gleiche wie das des Mittelalters, wenn ein schriftkundiger Meister seine nützlichen Fertigkeiten an seine Lehrlinge übermittelte. Im allgemeinen kümmerte der Meister sich nicht um die Erscheinungsformen dieser Fertigkeiten, auch nicht darum, auf welcher Grundlage sie tatsächlich universell und anwendbar in allen Situationen sein könnten oder darum, Möglichkeiten für die Anwendung dieser Fertigkeiten in unerwarteten Situationen zu finden, die von denjenigen abwichen, in denen sie angeeignet worden waren. Was die Schüler betrifft, so empfingen sie von ihrem Lehrer die fertige Form der Auffassungen und Fertigkeiten, ohne sich selbst über die universalen Prämissen ihrer Entstehung und Herausbildung Rechenschaft abzulegen. Außerdem beherrschten sie diese Auffassungen mit Hilfe beständiger Übungen, indem sie sich an die bereits existierenden Modelle anpaßten. ...
>
> Solche Erziehung ist eine Form der praktischen Interaktion von Kindern und Erwachsenen, die darauf ausgerichtet ist, existierende nützliche Er-

> gebnisse vorhergehender menschlicher Tätigkeit zu beherrschen. Die Mittel, mit denen dieses Ergebnis erreicht wird, bleiben natürlich außerhalb des Bewusstseins sowohl der Lehrer wie der Schüler und außerhalb des realen Erziehungsprozesses. Dies sind aber zugleich die Mittel, um die Bedingungen ihres Ursprungs und ihrer weiteren Entwicklung zu verstehen. (DAVYDOV, 1982, S. 39)

Dies hat zwei wichtige Implikationen. Erstens, da die dominante Aufgabe darin besteht, den gegebenen Text zu reproduzieren und zu modifizieren, ist die Rolle des Textes in der gesellschaftlichen Praxis, in den Tätigkeitssystemen, in denen er geschaffen und gebraucht wird, notwendigerweise nur von peripherer Bedeutung. Der Text wird, mit anderen Worten, zu einer geschlossenen Welt, zu einem leblosen Gegenstand, der von seinem lebendigen Kontext abgeschnitten ist. Zweitens, da der Text nicht als Instrument benutzt wird, entsteht im Unterricht eine chronische „instrumentelle Armut". Die dominanten primären Instrumente sind Feder und Bleistift, Radiergummis und Hefte. Herrschende sekundäre Instrumente sind die formalen Studientechniken. Wenn Texte als lebendige Gegenstandssysteme behandelt würden (wie in der Literaturkritik und der historischen Forschung beispielsweise), würde die lächerliche Unangemessenheit dieser Instrumente schnell durchsichtig.

Im Kapitalismus sind diese Formen der Tätigkeit des Zur-Schule-Gehens weiter bestimmt durch den primären Widerspruch seiner gesellschaftlich-ökonomischen Formation, der Doppelnatur der Ware als Einheit von Wert und Gebrauchswert. Die konstitutiven Elemente dieser Tätigkeit erscheinen dem Schüler in zwei miteinander widerstreitenden Formen. Der Gegenstand „Text" hat daher eine zweifache Bedeutung. Zu allererst ist er ein lebloser Gegenstand, der reproduziert werden muss, um Zensuren oder andere Erfolgsmarken zu gewinnen, die kumulativ den zukünftigen Wert des Schülers selbst auf dem Arbeitsmarkt bestimmen werden. Auf der anderen Seite erscheint der Text tendenziell auch als ein lebendiges Instrument der Beherrschung der Beziehung zur Gesellschaft außerhalb der Schule. In dieser Hinsicht besitzt der Schultext potentiellen Gebrauchswert. Da der Gegenstand der Tätigkeit auch ihr wirkliches Motiv ist, wird die inhärente Doppelnatur des Motivs des Zur-Schule-Gehens nun sichtbar.

Die Struktur der Tätigkeit des Zur-Schule-Gehens im Kapitalismus kann mit Hilfe von Abbildung 2.8 dargestellt werden. Es sei angemerkt, dass, wenn ich hier und später über Kapitalismus spreche, ich nicht impliziere, dass analoge Widersprüche im Sozialismus verschwinden würden. Ich gehe aber davon aus, dass wir diese beiden gesellschaftlich-ökonomischen Formationen nicht unter einer Rubrik der „industrialisierten Gesellschaften" zusammenwerfen können. Die inneren Widersprüche der Tätigkeiten im Sozialismus erfordern eine eigene Analyse. In der Tätigkeit des Zur-Schule-Gehens werden gewisse Lernhandlungen systematisch kultiviert. Als Ganzes hat das Zur-Schule-Gehen jedoch wenig mit Lerntätigkeit zu tun. Die Schüler bleiben Subjekte von getrennten Lernhandlungen, und nicht eines gesamten Systems der Lerntätigkeit. Der wesentliche Unterschied lässt sich im Gegenstand auffinden. Ich bin davon überzeugt, dass der Gegenstand der Lerntätigkeit nicht auf Text reduziert werden kann. Eine solche Reduzierung führt normalerweise zu einer Minimalisierung der Produktivität des Lernens (Text als lebloser Gegenstand) und selbst im besten Falle zur Verengung der Produktivität auf Intellektualismus (ausschließliche Textproduktion).

Aber wer sagt denn, dass Lernen produktiv sein sollte oder könnte? Würde es nicht ausreichen, das Problem der Internalisierung zu lösen, wozu BEREITER uns drängt? Gibt es wirklich irgendwelche objektiven Gründe oder Kräfte, die die Behauptung unterstützen, dass ein neuer produktiver Typ menschlichen Lernens im Entstehen begriffen ist? Und wenn das so ist, was ist dann der Gegenstand dieser neuen Lerntätigkeit?

Der innere Widerspruch des Zur-Schule-Gehens, wie er in Abb. 2.8 dargestellt ist, produziert beständig auch abweichende Schülerhandlungen in Bezug auf den Gebrauchswertaspekt der Tätigkeit. Die Geschichte der Schule ist auch eine Geschichte der Erfindung von Tricks, mit denen das System überlistet werden kann, und von Protesten und Ausbrüchen. Auch wenn es diese Handlungen schon lange gibt, so haben sie sich doch nicht in einen neuen Typus der Tätigkeit weiterentwickelt – in die Lerntätigkeit. Der innere Widerspruch des Zur-Schule-Gehens wird zweifellos heute zunehmend verschärft, insofern die Schüler bereits im jungen Alter intensiv in den Markt als relativ unabhängige Verbraucher hineingezogen werden, sogar als Produzenten von Tauschwerten (als Computerhacker, als Sport- und Popstars usw.). Wenn die direkte Partizipation der Schüler an der gesellschaftlichen Produktion intensiviert wird, gerät das „Gewaltmonopol" der Schule in Gefahr. Es kann sehr wohl sein, dass das Zur-Schule-Gehen sich in dieser. Hinsicht einer Krise in einer qualitativ neuen Dimension nähert. Ob dies einen Durchbruch zur Lerntätigkeit in der Schule bedeutet, bleibt abzuwarten.

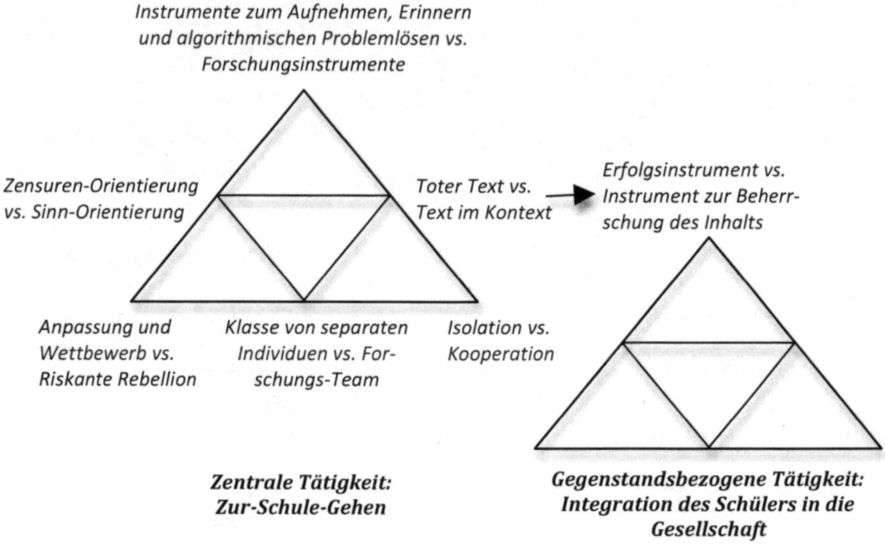

Abb. 2.8. Der primäre Widerspruch der Tätigkeit des Zur-Schule-Gehens

Die Widersprüche und Kräfte, die zur Lerntätigkeit führen, können offensichtlich nicht allein innerhalb des Zur-Schule-Gehens gefunden werden. Die Schule hat kein Monopol auf das organisierte menschliche Lernen. Die vorhergehende Analyse hat im Gegenteil gezeigt, dass das Lernen innerhalb der Schule mit bemerkenswerter Konstanz eine Reihe von mehr oder weniger unverbundenen, aber systematisch wiederholten, Lernhandlungen geblieben ist (vgl. für ein anschauliches historisches Beispiel der Beharrlichkeit der Rezitation HOETKER & AHLBRAND, 1969; für einen allgemeinen historischen Überblick CUBAN, 1984). Dies wird ergänzt durch gleichermaßen unverbundene „abweichende" und emanzipatorische Handlungen. Es erscheint immer noch verfrüht, dies als Anzeichen für einen tieferen qualitativen Wandel des Lernens in der Schule zu sehen.

Lernhandlungen erscheinen mit zunehmender Häufigkeit auch innerhalb anderer Tätigkeiten. Zwei dieser grundlegenden Tätigkeitstypen sind die *Arbeitstätigkeit* auf der einen Seite und die Tätigkeiten der *wissenschaftlichen Forschung* und der *künstlerischen Schöpfung* auf der anderen Seite.

Die zweite Entwicklungslinie: Lernen innerhalb der Arbeitstätigkeit

Während Schulen um das Instrument der Schriftsprache herum organisiert sind, geht das Lernen innerhalb der Arbeitspraxis auch weiter. Das Lernen beim Arbeiten wird gewöhnlich als dem Lernen in der Schule unterlegen betrachtet: Es erscheint eingeschränkter und, insofern es sich auf fixierte Routinen bezieht, sogar verkrüppelt. Diese Konzeption erlebt einen Aufschwung, insofern die Industrialisierung, die Mechanisierung und die Taylorisierung die traditionellen Handwerkskünste auslöschen.

> Nicht wie beim Instrument, das der Arbeiter als Organ mit seinem eignen Geschick und Tätigkeit beseelt, und dessen Handhabung daher von seiner Virtuosität abhängt. Sondern die Maschine, die für den Arbeiter Geschick und Kraft besitzt, ist selbst der Virtuose, der eine eigne Seele besitzt, in den in ihr wirkenden mechanischen Gesetzen und zu ihrer beständigen Selbstbewegung. ... Die Tätigkeit des Arbeiters, auf eine bloße Abstraktion der Tätigkeit beschränkt, ist nach allen Seiten hin bestimmt und geregelt durch die Bewegung der Maschinerie, nicht umgekehrt. Die Wissenschaft, die die unbelebten Glieder der Maschinerie zwingt, durch ihre Konstruktion zweckgemäß als Automat zu wirken, existiert nicht im Bewusstsein des Arbeiters, sondern wirkt durch die Maschine als fremde Macht auf ihn, als Macht der Maschine selbst. (MARX, o.J., S. 584)

In der Arbeitssoziologie werden Theorien der Entfremdung, der Dequalifizierung und Polarisierung der Arbeitskraft allmählich zum herrschenden Credo, das meisterlich in BRAVERMANS *Arbeit und Monopolkapital* (1974) dargestellt ist – mit dem vielsagenden Untertitel *Die Entwertung der Arbeit im 20. Jahrhundert.*

Theorien der Dequalifizierung und Polarisierung beruhen auf der stillschweigenden Annahme, dass die Qualifikation verschiedener Arbeitsformen mit Hilfe eines gemeinsamen universellen Maßstabs verglichen und quantitativ bestimmt werden können. Es ist daher immer die Frage nach der höheren oder niederen, nach der mehr oder weniger qualifizierten Arbeit. Sieht man näher hin, dann stellt sich heraus, dass das Kriterium, an dem gemessen wird (das oft als »Autonomie" oder „Aufgabenvielfalt" charakterisiert wird), dem Ideal des Handwerks entlehnt ist. Auf diesem Hintergrund findet man natürlich, dass in der modernen mechanisierten oder automatisierten Fabrik die Qualifikation der Arbeiter „niedriger" ist als im Handwerk. Anders gesagt, es ist wirklich sehr wenig von der ursprünglichen Qualität des Handwerks übriggeblieben. In diesem Sinne ist die Arbeit tatsächlich

„entwertet". Aber diese Argumentation beruht auf einer rückwärtsgewandten Perspektive. Die Qualifikationsvergleiche und Prognosen bleiben abstrakt und leer und empirisch sehr verwundbar. Sie besitzen ungefähr den gleichen theoretischen Status wie ein Vergleich, der besagt, dass die mittelalterlichen Leibeigenen „freier"/„weniger frei" waren als die Sklaven im antiken Rom. Die Möglichkeit, dass sich etwas *qualitativ* Neues innerhalb der neuen Formen der industriellen Arbeit entwickelt, was die verschwindenden Qualifikationen des Handwerks ersetzt, wird stillschweigend beiseite geschoben. Für diesen neuen Typ der Arbeit würde man wirklich einen qualitativ neuen Maßstab benötigen.

Dieser neue Maßstab findet sich in dem radikal zunehmenden gesellschaftlichen Charakter und der Produktivität der Arbeit. Aus der Sicht der Tätigkeitstheorie bedeutet das, dass es im industriellen Kapitalismus für den individuellen Arbeiter zunehmend schwieriger wird, die gesamte Arbeitstätigkeit, in welcher er selbst nur vergleichsweise kleine und untergeordnete Handlungen ausführt, zu verstehen und zu beherrschen. Das schiere Ausmaß wie auch die technologische, ökonomische und organisatorische Komplexität des Produktionsprozesses einer Fabrik oder Firma erscheint für ein Individuum absolut überwältigend. Die gesamte Maschinerie scheint von selbst zu laufen, dirigiert von wissenschaftlichem Management und Planung, das weit außerhalb der Reichweite des Arbeiters ist. Diese unmittelbare Erscheinung gibt Theorien der Dequalifizierung ausreichend Nahrung.

Merkwürdig ist, dass alle Theorien der Dequalifizierung und Polarisierung im Zeitraum der letzten fünf Jahre zusammengebrochen sind. Zehn Jahre nach BRAVERMANS Buch brachen Horst KERN und Michael SCHUMANN, die bis dahin führenden europäischen Vertreter der Polarisationstheorie, nach einer neuen Phase umfangreicher empirischer Datensammlungen mit ihrem früheren Standpunkt und publizierten ein Buch mit dem Titel *Das Ende der Arbeitsteilung?* (1984), und dies ist kein vereinzeltes Phänomen, es ist vielmehr ein Symbol für einen allgemeinen Gezeitenwechsel, der bereits einige Jahre früher begonnen hatte (vgl. WOOD, 1982; für eine Übersicht über die Literatur WOOD, 1987). Was hat diesen Wechsel verursacht?

> In dem Maße aber, wie die große Industrie sich entwickelt, wird die Schöpfung des wirklichen Reichtums abhängig, weniger von der Arbeitszeit und dem Quantum angewandter Arbeit, als von der Macht der Agen-

zien, die wahrend der Arbeitszeit in Bewegung gesetzt werden und die selbst wieder – deren powerfui effectiveness – in keinem Verhältnis steht zur unmittelbaren Arbeitszeit, die ihre Produktion kostet, sondern vielmehr abhängt vom allgemeinen Stand der Wissenschaft und dem Fortschritt der Technologie, oder der Anwendung dieser Wissenschaft auf die Produktion. ... Die Arbeit erscheint nicht so sehr als in den Produktionsprozess eingeschlossen, als sich der Mensch vielmehr als Wächter und Regulator zum Produktionsprozess selbst verhält. (Was von der Maschinerie, gilt ebenso von der Kombination der menschlichen Tätigkeiten und der Entwicklung des menschlichen Verkehrs.) Es ist nicht mehr der Arbeiter, der modifizierten Naturgegenstand als Mittelglied zwischen das Objekt und sich einschiebt; sondern den Naturprozess, den er in einen industriellen umwandelt, schiebt er als Mittel zwischen sich und die unorganische Natur, deren er sich bemeistert. Er tritt neben den Produktionsprozess, statt sein Hauptagent zu sein. In dieser Umwandlung ist es weder die unmittelbare Arbeit, die der Mensch selbst verrichtet, noch die Zeit, die er arbeitet, sondern die Aneignung seiner eignen allgemeinen Produktivkraft, sein Verständnis der Natur und die Beherrschung derselben durch sein Dasein als Gesellschaftskörper – in einem Wort die Entwicklung des gesellschaftlichen Individuums, die als der große Grundpfeiler der Produktion und des Reichtums erscheint. *Der Diebstahl an fremder Arbeitszeit, worauf der jetzige Reichtum beruht*, erscheint miserable Grundlage gegen diese neu entwickelte, durch die große Industrie selbst geschaffne. Sobald die Arbeit in unmittelbarer Form aufgehört hat, die große Quelle des Reichtums zu sein, hört und muss aufhören, die Arbeitszeit ein Maß zu sein und daher der Tauschweit [das Maß] des Gebrauchswerts. *Die Surplusarbeit der Masse* hat aufgehört, Bedingung für die Entwicklung des allgemeinen Reichtums zu sein, ebenso wie die *Nichtarbeit der Wenigen* für die Entwicklung der allgemeinen Mächte des menschlichen Kopfes. Damit bricht die auf dem Tauschwert ruhende Produktion zusammen. ... Das Kapital ist selbst der prozessierende Widerspruch [dadurch], dass es die Arbeitszeit auf ein Minimum zu reduzieren stört, während es andererseits die Arbeitszeit als einziges Maß und Quelle des Reichtums besitzt. ... Nach der einen Seite hin ruft es also alle Mächte der Wissenschaft und der Natur, wie der gesellschaftlichen Kombination und des gesellschaftlichen Verkehrs ins Leben, um die Schöpfung des Reichtums unabhängig (relativ) zu machen von der auf sie angewandten Arbeitszeit. Nach der andren Seite will es diese so geschaffnen riesigen Gesellschaftskräfte messen an der Arbeitszeit, und sie einbannen in die Grenzen, die erheischt sind, um den schon geschaffenen Wert als Wert zu erhalten. (MARX, o.J., S. 592-593)

Dieser Aspekt von MARX' visionärer Analyse wird von Theoretikern der Dequalifizierung gewöhnlich vernachlässigt. Gibt es dafür einen wirklichen Grund?

Betrachten wir einmal den Unfall im Atomkraftwerk *Three Mile Island* im Jahre 1979.

> Ein Atomreaktor ist als eine sehr komplizierte Vorrichtung zur Herstellung von kochendem Wasser beschrieben worden. Eines der Schlüsselprobleme besteht in der Kontrolle der außergewöhnlichen Hitze, die durch die Kernspaltung erzeugt wird. Ein Atomkraftwerk ist daher ein umfangreiches System von komplizierten Wasser- und Dampfleitungen, die die überschüssige Hitze ableiten sollen, die nicht dazu benötigt wird, die Dampfturbine anzutreiben und Elektrizität zu erzeugen.
>
> Der Unfall in *Three Mile Island* begann damit, dass zwei Wasserpumpen ausfielen, was dazu führte, dass die Wassertemperatur und der Druck innerhalb des Reaktors anstieg. Ein Sicherheitsmechanismus schaltete ganz korrekt den Reaktor ab, aber die überschüssige Hitze löste verschiedene andere Fehlfunktionen aus, was zu einer zunehmenden Bedrohung des gesamten Systems führte. Ein Überdruckventil, das sich automatisch geöffnet hatte, um überschüssigen Dampf entweichen zu lassen, blieb in der geöffneten Stellung, es klemmte. Innerhalb des Reaktorkerns beeinträchtigte der Dampf das primäre Kühlsystem, wodurch der heiße Kern teilweise ungekühlt war. So drohte die größte Katastrophe, die Kernschmelze.
>
> Diese ganzen Ereignisse fanden innerhalb der ersten paar Minuten des Unfalls statt. Es handelte sich um einen völlig unvorhergesehenen Notfall mit vielfältigen und schnell ablaufenden Störungen, die hohe Temperatur und niedrigen Druck mit sich brachten. Diese Situation entzog sich sowohl der Kontrolle des Computers wie der menschlichen Arbeiter im Kontrollraum des Reaktors. Mehr als hundert verschiedene rote Lichter leuchteten auf den Kontrollschirmen auf, jedes von ihnen bedeutete eine verschiedene Störung. In der Mitte des Vormittags hatte der Computer einen dreistündigen Überhang von Daten, die darauf warteten, ausgedruckt zu werden und die die Arbeiter dringend benötigten, um die Ursache der Störung zu bestimmen, das Ausmaß des Schadens und die Gegenmaßnahmen, die noch möglich waren. Es gab einen Zeitpunkt, an dem der Computer anfing, Fragezeichen auszudrucken. Arbeiter blätterten wie wild in den Handbüchern für den Notfall, aber diese besondere Notsituation war nicht vorausgesehen worden. Erst nach mehreren Stunden wurden den Arbeitern und Ingenieuren klar, was wirklich passiert war. (HIRSCHHORN, 1982, S. 42-43)

Eine auf der Hand liegende Schlussfolgerung aus diesem Unfall besteht darin, dass eine „ungenügende mechanische Ausbildung Arbeitskräfte produziert hatte, die nicht in der Lage waren, sich an die Anforderungen einer Notsituation anzupassen, die das System nicht vorhergesehen hatte" (HIRSCHHORN, 1982, S. 44).

> Arbeiter in kybernetischen Systemen können nicht als passive Maschinenwächter fungieren, die die angemessene Reaktion in Handbüchern nachschlagen. Dies bedeutet eine vollständig neue Definition der Arbeit in postindustriellen Situationen. Man kann Fertigkeiten nicht länger im Sinne einer bestimmten Menge von Handlungen definieren, sondern als die allgemeine Fähigkeit, zu verstehen, wie ein System funktioniert, und flexibel zu denken, um Probleme zu lösen.
>
> In *Three Mile Island* waren Arbeiter natürlich unflexibel in der Konzeptualisierung des Vorgehens, weil sie dazu ausgebildet worden waren, unflexibel zu sein. Trotz der neuen Technologien und der neuen Anforderungen an die Arbeitskräfte fuhren Leitungskräfte und Ingenieure in der traditionellen Industrie nur äußerst ungern die Arbeiter in Fragen der Systemplanung ein und sind nicht bereit, Arbeiter auszubilden, in Begriffen zu denken, die über eine begrenzte Liste von spezifizierten Antworten auf antizipierte Probleme bestehen. ...
>
> Wirkliche Unfälle Jedoch entstehen oft im Verlauf der Ereignisse, im Verlauf von untereinander abhängigen Störungen (wobei eine Störung die Wahrscheinlichkeit erhöht, dass eine weitere stattfinden wird) und in Interaktion mit den Arbeitern. (HIRSCHHORN, 1982, S. 45)

Worin besteht das allgemeine Gewicht eines Arguments, das sich auf einen solchen Extremfall bezieht? HIRSCHHORN (1982, S. 46) weist auf zwei herausragende Tatbestände hin. Erstens, „der Arbeitsprozess stellt heute zunehmend die Arbeitskräfte in den Kontrollraum statt an das Fließband". Zweitens, „genauso wie die Arbeitskräfte auf Notfälle reagieren müssen, müssen sie auch in der Lage sein, die Kontrollen zu kontrollieren, wenn eine neue Maschine oder neue Produkte eingeführt werden". Diese Art der Entwicklung bringt die inneren Widersprüche der Arbeit an die Oberfläche.

> Die Logik des postindustriellen Arbeitsplatzes bringt sowohl das Management wie auch die Arbeiter in eine paradoxe Position. Das herkömmliche Interesse des Management besteht darin, Arbeiter zu haben, die beschränkte Fähigkeiten und Ansprüche haben. Um aber die Maschinerie zu schützen, benötigt das Management eigentlich hochqualifizierte Arbeitskräfte, die dazu ausgebildet worden sind, unabhängig zu denken....
>
> Eine effektive Ausbildung macht möglicherweise Teams erforderlich: In einer Krise wie dem Störfall in *Three Mile Island* z.B., in der man unbedingt eine genaue Diagnose benötigt, muss Jeder Arbeiter sich wenigstens etwas mit den Aufgaben und Fertigkeiten der anderen Arbeiter auskennen. Anderenfalls bricht der diagnostische Prozess zusammen. ... Aber Arbeitsteams besitzen die Tendenz, Hierarchien einzuebnen und die traditionellen Vorstellungen des Management an Überwachung und Kontrolle zu bedrohen.
>
> Wie das Management so befinden sich auch Gewerkschafter in einer widersprüchlichen Position. Die Solidarität der Arbeiter fordert von den

> Gewerkschaften eine Betonung der Klassenunterschiede, die Arbeiter und Manager voneinander trennen, dabei spielen die Gewerkschaften aber den professionellen Charakter der Arbeit im Kontrollraum herunter. Gleichzeitig müssen die Gewerkschaften die Qualifikation und den Zuwachs an Kompetenz der Arbeiter schützen, um angesichts des technologischen Wandels Demoralisierung und Schwächung zu verhindern. (HIRSCHHORN, 1982, S. 46-47)

MARX hat daraufhingewiesen, dass die Arbeitszeit bei Bedingung der Automatisierung als „miserable Grundlage erscheint". Tatsächlich ist die Idee der Kosteneffektivität, des Herauspressens von mehr Leistung pro Stunde, eine miserable Grundlage, um Produktionsprozesse wie in *Three Mile Island* zu organisieren.

In der Nacht vom 2. September 1984 entwich aus einer Fabrik der *Union Carbide* in Bhopal in Indien eine Zyankaliverbindung, die Tausende von Menschen tötete oder erblinden ließ. Diese Katastrophe macht überdeutlich klar, warum die Einsparung von Arbeitszeit eine solch miserable Grundlade für die automatisierte Produktion darstellt.

> Als die Fabrik ihre Arbeit aufnahm ... wurden für das Bedienungspersonal nur Individuen mit Universitätsabschluss oder Prüfung an technischen Schulen angestellt - und dann einer „halbjährigen theoretischen Ausbildung unterzogen und anschließend im Rahmen ihrer Arbeit ausgebildet." Als das Unglück geschah, waren inzwischen Arbeitskräfte eingestellt worden, die keinen akademischen wissenschaftlichen Hintergrund besaßen - einige waren einfach von anderen Abteilungen der Fabrik oder anderen Fabriken übernommen worden - und niemand erhielt mehr die ursprüngliche strenge Ausbildung.
>
> Auch der Umfang des Personals war reduziert worden ... Ursprünglich bestand ein Team aus zwölf Operatoren, drei Aufsehern und zwei Personen, die den technischen Ablauf überwachten; während jeder Schicht war auch ein Oberaufseher für etwa die Hälfte der Arbeiten in der Fabrik verantwortlich. Im Dezember 1984 bestand das Team aus sechs Operatoren und einem Aufseher. Auf der Nachtschicht gab es keine Person, die die technischen Abläufe überwachte, und der diensthabende Oberaufseher war für die gesamte Fabrik verantwortlich. (KRIGMAN, 1985, S. 13)

Die Argumente von HIRSCHHORN erfahren durch die Forschungsergebnisse von Jens RASMUSSEN, einem der prominentesten Fehlerforscher, weitere Unterstützung.

> Es macht mir Sorge, dass die Erklärungen für größere industrielle Unfälle durch menschliche Fehler oft auf einer oberflächlichen Analyse beruhen, was zu ad hoc Veränderungen des Systems führt und fast immer zu der Empfehlung einer besseren Ausbildung zusammen mit „strikterer admi-

> nistrativer Kontrolle, dass die Instruktionen eingehalten werde." Unnötig zu sagen, dass wir berechtigten Grund zu der Annahme haben, dass dies das Problem nicht lösen wird – besonders wenn zur gleichen Zeit die Wahrscheinlichkeit, die für das Auftreten von möglichen Unfällen angenommen wird, beständig absinkt. (RASMUSSEN, 1980, S. 97-98)

RASMUSSEN stellt eine Auswertung von Daten über 200 Berichte von Störfällen in Atomkraftwerken. Die Fehlertypen, denen RASMUSSEN die größte Bedeutung zuschreibt, sind solche, in denen die latenten Ursachen nicht richtig erkannt und die Nebeneffekte bei der Wahl von Vorgehensweisen unzureichend beachtet werden.

Diese beiden Arten von Fehlern hängen mit großer Wahrscheinlichkeit mit der Schwierigkeit zusammen, die der menschliche Verstand hat, die Ausbreitung von Ereignissen in dem komplexen kausalen Netz eines technischen Systems nach zu verfolgen. Die konstruktive Vergegenwärtigung einer Vorgehensweise oder ihre Modifikation, um besonderen Umständen gerecht zu werden, verlangt die gleichzeitige Beachtung mehrerer potentieller kausaler Bedingungen und möglicher Nebeneffekte der intendierten Handlungen. Dies fällt der linearen natürlichen Sprache, wenn sie sich keiner Hilfsmittel bedienen kann, auf Grund der Beschränkungen des Kurzzeitgedächtnisses sehr schwer.

> In größeren Anlagen müssen wir auch seltenere Ereignisse in Betracht ziehen, auf die das Personal nicht durch Kurse vorbereitet werden kann. In solchen Fällen muss der Operator die geeigneten Verfahren durch eine Bewertung der Funktionen und durch kausales Denken generieren, das auf Wissen über die Eigenschaften des Systems beruht. (RASMUSSEN, 1980, S. 105-106)

RASMUSSENS Schlussfolgerung berührt den Kern des Widerspruchs.

> Dieses Argument besagt im wesentlichen, dass die Entwicklung großer, zentralisierter Anlagen nun einen Zustand erreicht hat, in dem die Entwicklung und die Inbetriebnahme vieler Systeme nicht länger als voneinander getrennte Aktivitäten betrachtet werden können, die man wirksam durch einen probeweisen Betrieb voneinander entkoppeln kann. Die effektive Rückmeldung von Betriebserfahrung besonders hinsichtlich der Zusammenarbeit von System und Belegschaft während des gesamten Fabriklebens sind wichtig für akzeptierbare Systementwürfe.... Um mit nichtgeplanten Situationen fertigzuwerden und um effektiv mit der vollautomatischen Instrumentierung und den Kontrollfunktionen zusammenzuarbeiten, benötigt die Betriebsbelegschaft in viel systematischerer Art und Weise Zugang zu der Informationsbasis, den Leistungskriterien und den Entscheidungsstrategien, die von den Entwicklern benutzt wur-

den. (RASMUSSEN, 1980, S. 112-113 vgl. auch RASMUSSEN, DUNCAN, & LEPLAT, 1987)

Ganz ähnliche Analysen sind neuerdings von Spezialisten in anderen Bereichen der industriellen Produktion vorgelegt worden, einschließlich der Herstellung kleiner Mengen gleichartiger Produkte mit NC-Maschinen (BRÖDNER, 1985) und flexible Herstellungssysteme (FMS) (KÖHLER, SCHULTZ-WILD, & LUTZ, 1983; TOIKKA, HYÖTYLÄINEN, & NORROSS, 1986). CHERNS (1980, S. 264) fasst die Argumentation zusammen, indem er auf den allgemeinen Wandel der Qualifikation „weg von der Entscheidung, wie man in dieser Situation handelt, hin zu der Entscheidung, was für eine Art Situation dies ist", hinweist; in anderen Worten, „wie in der modernen Medizin wird die Behandlung zur Routine, die Diagnose wird zum Schlüssel". Die primären inneren Widersprüche der modernen Arbeit, die sich in den Ecken der Struktur der Tätigkeit befinden und die von ihrem Doppelcharakter als Ware herrühren, können nun mit Hilfe des bekannten Diagramms dargestellt werden (Abb. 2.9).

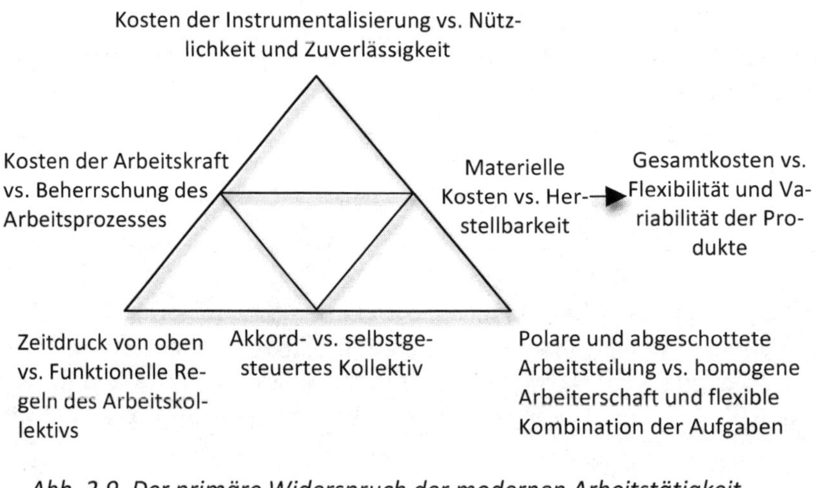

Abb. 2.9. Der primäre Widerspruch der modernen Arbeitstätigkeit

Die zwei Pole des Widerspruchs innerhalb jeder Ecke des Modells sehen zwei widerstreitende alternative Strategien sowohl für das Management wie für die Gewerkschaften vor. BRÖDNER (1985) hat diese beiden Strategien als die Strategie der „unbemannten Fabrik" und die Strategie der „qualifizierten Produktion" bezeichnet. Es sollte angemerkt werden, dass im Unterschied zu dem einseitigen Optimismus einiger Repräsentanten der Soziotechnischen Schule (vgl. CHERNS, 1980; DAVIS, 1980) wir es hier mit wirklichen Widersprüchen zu tun haben, das heißt mit Entwicklungen, in denen beide Seiten des Widerspruchs koexistieren, miteinander kämpfen und einander durchdringen.

Aus der Perspektive der Tätigkeitstheorie können wir sagen, dass auf der einen Seite die *gegenständliche Tätigkeit* (die in der Form von Anforderungen des Marktes erscheint) hohe Qualität, Flexibilität, Variabilität und kurze Lieferungszeiten von *Produkten* erfordert, was seinerseits komplexe, programmierbare *Instrumente* auf der Grundlage der Kybernetik erfordert. Es gibt jedoch einen scharfen Konflikt zwischen diesen Faktoren und dem Streben nach unmittelbarer Kosteneffektivität, die sich vor allem in der gegensätzlichen und zersplitterten *Arbeitsteilung* ausdrückt. Der industrielle Kapitalismus hat die Arbeitstätigkeit tatsächlich in zwei grundlegende Schichten von Handlungen aufgeteilt, diejenigen des Operierens und Ausführens und diejenigen der Entwicklung und des Management.

Die zunehmend gesellschaftliche Natur der Arbeitsprozesse, ihre innere Komplexität und Verbundenheit wie auch ihr massiver Umfang an Kapital und Kapazität machen es deutlich, dass wenigstens in Perioden akuter Störung oder intensiven Wandels niemand wirklich die Arbeitstätigkeit als Ganzes beherrscht, obwohl die Kontrolle und Planung des Ganzen sich formal in der Hand des Management befinden. Dies schafft sogenannte „Grauzonen" (PROJEKT AUTOMATION UND QUALIFIKATION, 1981), ein Vakuum oder „Niemandsland", in dem Initiativen und zielgerichtete Handlungen von praktisch jeder Ebene der betrieblichen Hierarchie unerwartete Auswirkungen haben können.

Was hat dies mit der Entstehung der Lerntätigkeit zu tun? Die Antwort ist ziemlich klar. Es gibt einen objektiven Druck, der sich in verschiedenen Formen manifestiert, *die Beherrschung der gesamten Arbeitstätigkeit* in die Hände der Menschen zu übergeben, die an dieser Tätigkeit teilhaben. Diesen Druck fühlt man an beiden Seiten des primären Widerspruchs. Sowohl die Strategie der „unbemannten Fabrik" wie die Strategie der „qualifizierten Produktion" erfordern auf entgegengesetzte Weise eine größere qualitative Veränderung und eine Expansion in der praktischen und kognitiven Steuerung der Arbeit. Die erste Strategie verspricht, praktisch den unzuverlässigen Kostenfaktor des menschlichen Operators auszuschließen. Die letztere baut auf die Flexibilität und den Erfindungsreichtum eben dieses menschlichen Operators.

Um die ganze Arbeitstätigkeit zu beherrschen, muss man von den Handlungen zur Tätigkeit fortschreiten, wie dies versuchsweise von LEONT'EV und IL'ENKOV beschrieben worden ist. Ich habe schon daraufhingewiesen, dass die expansive Form dieses Übergangs bedeutet, dass die Handlungen selbst objektiv verändert werden. Diese Veränderung macht es auch erforderlich, dass „die Beziehung zwischen dem Motiv einer gegebenen konkreten Tätigkeit zu dem Motiv einer umfassenderen Tätigkeit reflektiert wird" (LEONT'EV). Die Subjekte müssen sich in anderen Worten der widersprüchlichen Natur ihrer gegenwärtigen Arbeitstätigkeit bewusst werden und müssen sie auf eine zukünftige Form der Arbeitstätigkeit beziehen, „die eine umfassendere, allgemeinere Lebensform verwirklicht, die die gegebene, konkrete Tätigkeit einschließt" (was bedeutet, dass die gegebene Form der Arbeit nicht sofort eliminiert oder ersetzt werden kann). Dies ist eine große Aufgabe, die ohne „eine gewisse, spezielle Tätigkeit" eines neuen Typs, Lerntätigkeit, nicht verwirklicht werden kann.

Die bis hierher vorgetragenen Argumente könnten so verstanden werden, als ob sich die Keimformen der Lerntätigkeit innerhalb der Arbeitstätigkeit nur auf dem Boden entwickeln können, der durch fortgeschrittene Automation vorbereitet worden ist. Ich bestreite die Richtigkeit dieser Vorstellung, die unter Arbeitssoziologen eines „Post-Dequalifikations"-Ansatzes weit verbreitet ist. Die oben beschriebenen Widersprüche der Arbeitstätigkeit existieren im Prinzip bereits, seit der Kapitalismus herangereift ist. Die neuen Technologien haben diese Widersprüche verschärft und sichtbar gemacht. Wie aber Abbildung 2.9 zeigt, können Veränderungen in den Gegenständen, den Marktbedingungen und Produkten genauso wichtig für diese Verschärfungen sein. Es handelt sich um einen systemischen und ganzheitlichen Wandel, nicht um eine monokausale Veränderung.

> Firmen, die dieser Strategie (der unbemannten Fabrik) folgen, würden unter einer relativen Inflexibilität in Hinsicht sowohl auf die Veränderung der Losgrößen wie die Prozessinnovation leiden. Dies ergibt sich aus der Tatsache, dass jede Veränderung eines Kundenwunsches oder eines Ele-

> ments der Betriebsanlage erst einmal im Computersystem modelliert werden muss. Langfristig gesehen, läuft die Firma sogar das Risiko, ihr innovatives Potential zu verlieren, da im Laufe der Zeit das Wissen über die Produktion und die Kreativität verschwendet worden sind. Dies alles steht im Widerspruch zu den Erfordernissen des Marktes. (BRÖDNER, 1985, S. 2)

Dies bedeutet, dass der Druck und die Nachfrage nach Lerntätigkeit nicht notwendig auf die Arbeitstätigkeit im Rahmen von teuren Technologien beschränkt ist. Andere Arbeitstätigkeiten, die sich neuartigen Marktbedingungen und Produktanforderungen gegenüber sehen, können ebenfalls ähnliche Möglichkeiten des Umbruchs enthalten. Donald SCHÖN hat dies für die professionelle Arbeit beschrieben.

> In solchen Gebieten wie der Medizin, dem Management und dem Ingenieurwesen beispielsweise sprechen führende Experten von einer neuen Bewusstheit, einer Komplexität, die sich den Qualifikationen und Techniken der traditionellen Expertise widersetzt. In dem Maße, in dem Ärzte ihre Aufmerksamkeit von traditionellen Vorstellungen der medizinischen Praxis abgewendet und auf die missliche Lage des gesamten Gesundheitssystems gerichtet haben, haben sie das größere System als ein „verwirrtes Gewebe" sehen gelernt, dass das traditionelle medizinische Wissen und die Qualifikation nicht entwirren kann. Wie können Arzte ein ungeheuer komplexes Gesundheitssystem beeinflussen, das sie nicht verstehen und von dem sich nur ein sehr kleiner Bruchteil innerhalb ihres Einflussbereichs befindet? ... Situationen der Praxis sind nicht Probleme, die einfach gelöst werden können, sondern sind problematische Situationen, die durch Ungewissheit, Unordnung und Unbestimmtheit charakterisiert sind. (SCHÖN, 1983, S. 14-16)

Die dritte Entwicklungslinie: Lernen innerhalb von Wissenschaft und Kunst

Zwischen 1300 und 1600 findet man in der europäischen Kultur drei Arten von Intellektuellen: die Universitätsgelehrten, die Humanisten und die (Kunst-) Handwerker (Ingenieure, Künstler, Heilkundige, Nautiker u.a.). Die Universitätsgelehrten und Humanisten waren im logischen Denken ausgebildet, sie verachteten das Handwerk und das Experimentieren.

> Die beiden Bestandteile der wissenschaftlichen Methode waren daher durch eine soziale Barriere getrennt; die logische Ausbildung war für die Gelehrten der Oberklasse reserviert; das Experimentieren, das Interesse an kausalen Zusammenhängen und quantitative Methoden wurden mehr oder weniger den Handwerkern aus der Unterschicht überlassen. Die Wissenschaft wurde geboren, als gleichzeitig mit technologischen Fort-

> schritten die experimentelle Methode schließlich die sozialen Vorurteile gegen das Handwerk überwand und von Gelehrten übernommen wurde, die im Sinne der Rationalität erzogen waren. Dies passierte um 1600 (Gilbert, Galilei, Bacon). ... Der gesamte Prozess war in die Entwicklung des Frühkapitalismus eingebettet, der das kollektive Bewusstsein, das magische Denken und den Glauben an die Autorität zurückdrängte und das säkulare, kausale, rationale und quantitative Denken förderte. (ZILSEL, 1976, S. 49)

Was war eigentlich der Unterschied zwischen Wissenschaft und Handwerk?

> Solange wie bei der Arbeit die Naturkräfte als Auswirkungen und Eigenschaften gewisser natürlicher Gegenstände gebraucht werden, benötigte man keine wissenschaftliche Kenntnis, sondern Wissen über die Dinge und ihre Eigenschaften für die intellektuelle Seite der Arbeit. Im Gegensatz dazu braucht man wissenschaftliche Kenntnis, wenn es um die Naturkräfte *in ihrer allgemeinen Form* geht. (LEFÈVRE, 1978, S. 23; Kursiv von mir, Y.E.)

Dies drückt auch aus, dass der Gegenstand der Wissenschaft nicht in der äußeren Welt natürlicher und kultureller Gegenstände oder Ereignisse als eine Art von selbständigem, jungfräulichem Rohmaterial besteht. Ein solches jungfräuliches Material besteht nicht. WARTOFSKY (1979, S. 206) bemerkt dazu, dass die Natur nicht nur in den direkten praktischen Formen der Kultivierung verändert wird oder in Gebrauchsgegenstände geformt wird, „sie wird als Gegenstand oder als Handlungsbereich transformiert, so dass der Wald oder der Fluss selbst ein ‚Artefakt' in diesem Sinne wird". Schon indem sie ihn beobachten und beschreiben, bringen die Menschen einen Gegenstand in die Sphäre seiner kulturellen Konstruktion. Ohne diese Handlungen existiert er für sie nicht als Gegenstand.

> Wir machen niemals konkrete Geschehnisse als solche zum Gegenstand von Erklärungen, sondern erklären Geschehnisse, die in einer bestimmten Beschreibung betrachtet werden. Statt bloß raumzeitlich, versuchen wir Ereignisse als in einer bestimmten Form beschriebene zu erklären. (JENSEN, 1978, S. 27)

Der wahre Gegenstand der Wissenschaft ist das Allgemeine in Natur und Kultur – oder in der kulturell durchdrungenen Natur oder der von der Natur durchdrungenen Kultur. Wie MALINOWSKI (1944, S. 11) beobachtet hat, „finden wir zuallererst die Isolierung der wirklichen und relevanten Faktoren in einem gegebenen Prozess". Wissenschaftliche Tätigkeit beginnt mit der Isolierung des Allgemeinen, wenn auch „oft trotz der bewussten logischen Vorstellungen und Maxime, denen ihre Vertreter anhängen" (IL'ENKOV 1977, S.

361). Wir können mit Peter RUBEN (1978, S. 20) sagen, dass Wissenschaft „allgemeine Arbeit" ist. Sie ist dadurch charakterisiert, „dass sie die aus der Umwelt isolierten Gegenstände zu Modellen allgemeiner Bestimmungen macht."

Wissenschaft versucht, das Allgemeine in Modellen zu erfassen und zu fixieren. Modelle sind gleichzeitig sekundäre Instrumente und Ergebnisse der Wissenschaft. Die Wissenschaft lässt sich aber nicht ohne das empfindliche Verbindungsglied der Vermittlung und Übersetzung wissenschaftlicher Modelle in sekundäre Instrumente der Arbeit oder anderer produktiver Praktiken außerhalb der Wissenschaft verstehen – was MALINOWSKI (1944, S. 11) den notwendigen Bestandteil der „Kontrolle des akademischen Diskurses durch praktische Anwendung" nennt.

Der Gegenstand der Wissenschaft ist das Allgemeine, aber das Allgemeine ist nicht direkt zugänglich. Es muss durch eine komplizierte Reihe von Handlungen konstruiert werden, die mit der vorläufigen Isolation und Beschreibung eines „Feldes für Experiment und Beobachtung" (MALINOWSKI, 1944, S. 11) beginnt. Das Paradox der Wissenschaft besteht darin, dass es zugleich präsent und nicht präsent ist. Dieser schwer zu fassende, transitive Charakter des Gegenstands der Wissenschaft macht in der Tat auch das wahre Wesen dieser Tätigkeit aus. Es besteht in einer besonderen Form von *Indirektheit*. Der Gegenstand muss also in der Welt „eingefangen" werden, aber er wird nur zu einem Gegenstand, nachdem er in das Reflexionssystem der Wissenschaft überführt worden ist – und wieder zurück. Das Problem bei genuiner Forschung besteht darin, dass der Forscher erst weiß, wonach er gesucht hat, nachdem er es gefunden hat. Wenn er schon zu Beginn wissen würde, wonach er suchte, würde nichts Neues entdeckt werden. Dieser Aspekt des Unerwarteten kommt natürlich in jeder produktiven Arbeitstätigkeit ebenfalls vor – aber nur als ein Aspekt. In der Wissenschaft ist es die dominante motivierende Kraft.

Das Allgemeine ist vor allem schwer zu fassen, weil es relational ist.

> Das Allgemeine ist alles andere als eine beständige Wiederholung der Ähnlichkeit eines je einzelnen, für sich genommenen Gegenstandes, die durch eine gemeinsame Eigenschaft repräsentiert und durch ein Zeichen fixiert ist. Das Allgemeine ist vor allem die geordnete Verbindung zwischen zwei (oder mehr) besonderen, individuellen Momenten, die sie in Momente ein und derselben konkreten, realen Einheit verwandelt. ... Hier

> fungiert das Allgemeine als Gesetzmäßigkeit oder Prinzip der Verbindung dieser Einzelheiten in der Gestaltung eines bestimmten Ganzen oder einer Gesamtheit. (IL'ENKOV, 1977, S. 350)

Das Allgemeine wäre darüber hinaus nicht allgemein, wenn es isoliert und statisch bliebe. Das Allgemeine enthält die expansive Bewegung des „Werdens" vom Isolierten zum Miteinander-Verbundenen, von der einfachen Beziehung zum komplexen System.

> Das Allgemeine beinhaltet und verkörpert in sich den ganzen Reichtum an Besonderheiten, nicht als die „Idee", sondern als ganz reales, besonderes Phänomen, das tendenziell allgemein wird und „aus sich selbst" (auf Grund seiner inneren Widersprüche) andere ebenso reale Phänomene entwickelt und andere besondere Formen wirklicher Bewegung. (IL'ENKOV, 1977, S. 369)

Jakob BRONOWSKI drückt die gleiche Idee der Expansion der Wissenschaft in vertrauteren Worten aus.

> Eine Theorie konstatiert nicht nur einfach die Fakten: Sie zeigt auf, dass sie aus einer inneren Ordnung und geschickten Anordnung einiger weniger, tiefer, zentraler Begriffe folgen. Darin besteht die Natur einer wissenschaftlichen Theorie, die ich deshalb eine Schöpfung des menschlichen Geistes genannt habe. Eine gute Theorie wird natürlich praktische Konsequenzen besitzen und echte Ergebnisse vorhersagen, die über die Tatbestände hinausgehen, von denen sie ausgegangen ist. Aber diese erfolgreichen Vorhersagen machen die Theorie nicht wahr – sie zeigen nur, dass sie umfassender war als ihr Schöpfer angenommen hatte. (BRONOWSKI, 1978, S. 31)

In ähnlicher Weise weist LEFÈVRE (1978, S. 115) darauf hin, dass die moderne Naturwissenschaft sich in ihrer Entstehungsphase nur oberflächlich von der Praxis zu trennen schien. Tatsächlich war sie der Praxis voraus, antizipierte und pflasterte den Weg für „eine Entwicklungsstufe der Praxis, deren Realisierung in der materiellen Produktion noch weitere hundert Jahre der Entwicklung erforderlich machten."

Aber die Wissenschaft selbst ist industrialisiert worden und hat Warencharakter angenommen. Sie wird zunehmend in großen Forschungszentren mit komplizierter Arbeitsteilung organisiert. Forschung operiert mit teuren, komplexen primären Instrumenten, während die sekundären Instrumente (Modelle und Theorien) sich in Myriaden von unverbundenen Mikrotheorien aufzulösen scheinen. Die Gegenstände der Wissenschaft erscheinen in Form von voneinander getrennten „Problemen" oder „Aufgaben", die von außen kommen. Vor allem wird Wissenschaft tendenziell auf ihre unmittelbaren Produkte oder Ergebnisse reduziert, die Tauschwert auf dem „Wissenschaftsmarkt" besitzen und die im wesentlichen *bereits bekannt oder fixiert* sind (als „Kundenwünsche" oder Versprechungen der Forscher).

Diese Verwandlung in eine Ware erfahren auch die Praktiker oder Nutzer der wissenschaftlichen Ergebnisse.

> Sie starren auf die Entdeckungen von außen, und sie finden sie vielleicht seltsam oder wunderbar, aber dies ist ein passiver Eindruck; sie lassen sich nicht darauf ein und folgen und durchleben nicht die Schritte, durch die die neue Idee geschaffen wurde. Keine kreative Arbeit aber, weder in der Kunst noch in der Wissenschaft gibt es für uns wirklich, wenn wir nicht selbst dazu beigetragen haben, sie wieder zu erschaffen. (BRONOWSKI, 1978, S. 23)

Der Widerspruch, den diese Entwicklung enthält, drückt sich in der geringen Produktivität oder „Problemlösefähigkeit" der Wissenschaft aus, wenn die Aufgaben bestimmte Grenzen der Komplexität überschreiten. Verschiedene Versuche, Trost in „holistischen" Philosophien (BOHM, 1980) und der Kosmologie (TOULMIN, 1982) zu finden, zeugen von dem Unbehagen an diesem Zustand der Wissenschaft. Diese Versuche beschäftigen sich üblicherweise nicht mit dem Widerspruch, sondern entwerfen Bilder harmonischer Alternativen und Utopien.

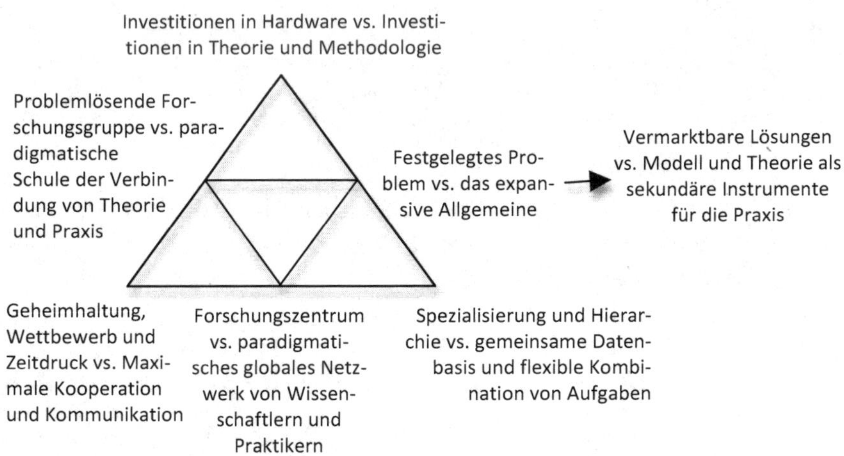

Abb. 2.10. Der primäre Widerspruch der wissenschaftlichen Tätigkeit

Das Wesen des Widerspruchs ist die Spannung zwischen der *fixierten, vergegenständlichten, vorbestimmten* Natur wissenschaftlicher Gegenstände als Tauschwerte auf der einen Seite und der *transitiven, expansiven, nicht vorhersagbaren* Natur ihres Gebrauchswert auf der anderen Seite. Dies kann mit Hilfe von Abb. 2.10 veranschaulicht werden.

Auch hier besteht die Frage nicht darin, innerhalb jeder Ecke des Modells die Alternative zu wählen, die einem am besten gefällt. Man muss beide nehmen. Der Widerspruch kann nicht durch moralische Entscheidungen weggewischt werden.

Es gibt eine ziemlich offensichtliche Verwandtschaft zwischen Wissenschaft und Kunst. Beide sind besonders indirekte Modi der schöpferischen experimentellen Praxis, die darauf ausgerichtet ist, „andere Welten" herzustellen.

> Über diese Rekonstruktion können wir als eine Klasse von Artefakten sprechen, denen es gelingen kann, eine relativ autonome „Welt" zu konstituieren, in welcher die Regeln, Konventionen und Ergebnisse nicht länger direkt praktisch erscheinen oder die wirklich einen Bereich des nichtpraktischen oder „freien" Spiels oder der Spieltätigkeit zu schaffen scheint. ... Die sogenannte „leidenschaftslose" oder ästhetische Wahrnehmung, oder die reine Kontemplation, werden dann zu einer Möglichkeit;
>
> aber nicht in dem Sinne, dass sie zu nichts zu gebrauchen ist. Vielmehr in dem Sinne, dass die ursprüngliche Rolle der Repräsentation sozusagen suspendiert oder eingeklammert ist. ... Die Konstruktion alternativer schöpferischer Wahrnehmungsweisen, die von der direkten Abbildung ablaufender Formen der Handlung befreit ist und in diesem Sinne relativ autonom ist, wird in die tatsächliche Praxis zurückgeführt als Repräsentation der Möglichkeiten, die über gegenwärtig existierende hinausgehen. (WARTOFSKY, 1979, S. 208-209)

Aber Kunst ist nicht Wissenschaft. Die künstlerische Tätigkeit hat ihren eigenen besonderen Gegenstand. Nach WARTOFSKY (1979, S. 357) „nimmt Kunst sich selbst als ihren Gegenstand".

> Die Kunst stellt den Prozess dar, wie sie selbst zum Leben gekommen ist und ... gibt ein Beispiel und vergegenständlicht die spezifisch menschliche Fähigkeit zur Schöpfung. In der Selbsterkenntnis dieser kreativen Fähigkeit erkennen menschliche Wesen sich selbst als menschlich, besonders in dem Sinne, dass sie sich als Schöpfer oder als Künstler verstehen. Daher ist es nicht das, was porträtiert wird oder abgebildet wird, was den humanisierenden Inhalt eines Kunstwerkes bildet, sondern vielmehr, dass man eben den Prozess seiner Genese zurückverfolgen kann, der aus dem Kunstwerk eine gegenständliche Repräsentation menschlicher Kreativität macht. Kunst gibt daher ein Beispiel der Tätigkeit der Kunst oder

> symbolisiert sie. Der Künstler wird so zu einem Modell für die Potenzen menschlicher Natur, für menschliche Kreativität. (WARTOFSKY, 1979, S. 357)

Kunst ist eine beständige indirekte Widerspiegelung des kreativen Kerns der produktiven Praxis. Sowohl Wissenschaft wie Kunst holen sich die Substanz ihrer Gegenstände aus der menschlichen produktiven Praxis (aus der „zentralen Tätigkeit" in Abbildung 2.7). Die Wissenschaft tritt in diese Substanz von der Seite des „Objekts" ein; die Kunst nähert sich der gleichen Substanz von der „Subjekt"-Ecke. Beide konstruieren ihre Gegenstände auf „distanzierte" oder „desinteressierte" Art, innerhalb der ihnen eigenen Systemstrukturen. Und für beide ist es eine Angelegenheit des Überlebens, den Gegenstand zurück in die produktive Praxis zu transferieren.

Man muss sich vergegenwärtigen, dass „es nicht das Produkt – das Kunstwerk, das fertige und tote Bild – ist, was die menschliche Natur widerspiegelt, sondern vielmehr der Prozess der künstlerischen Schöpfung selbst, und der Prozess der *Neuerschaffung* im Akt der ästhetischen Rezeption" (WARTOFSKY, 1979, S. 362). Diese prozesshafte Natur des Gegenstandes der Kunst ist nicht linear. VYGOTSKIJ hat daraufhingewiesen, dass sie durch qualitative Expansion und Transformation gekennzeichnet ist.

> Und in der Tat, wie trostlos wäre es um die Kunst im Leben bestellt, wenn sie nichts weiter zu tun hätte, als mit den Gefühlen eines Menschen viele anzustecken! Bedeutung und Rolle der Kunst wären dabei höchst unbedeutend, weil wir über das einzelne Gefühl, von seiner quantitativen Ausdehnung abgesehen, in ihr letztlich nicht hinauskämen. Das Wunder der Kunst erinnert dann an das trübselige Evangelienwunder, da tausend Menschen mit fünf oder sechs Broten und zwölf Fischen gespeist wurden, alle aßen und satt wurden, und die Gräten füllten zwölf Körbe. Hier liegt das Wunder allein in der Quantität: tausend gesättigte Esser, aber jeder hat nur Fisch und Brot, Brot und Fisch gegessen. Hat nicht dasselbe bei jedem von ihnen jeden Tag ohne jedes Wunder auf dem Tisch gestanden? ... Das Wunder der Kunst erinnert eher an ein anderes Wunder aus den Evangelien, an die Verwandlung von Wasser in Wein. Die wahre Natur der Kunst birgt immer etwas in sich, was das gewöhnliche Gefühl verwandelt oder überwindet; dieselbe Angst und derselbe Schmerz und dieselbe Erregung umschließen, wenn sie durch die Kunst hervorgerufen werden, noch etwas über das hinaus, was in ihnen enthalten ist. Dieses Etwas überwindet die Gefühle, klärt sie ab und verwandelt ihr Wasser in Wein.... Es ergibt sich somit, dass das Gefühl ursprünglich individuell ist; durch das Kunstwerk wird es gesellschaftlich oder verallgemeinert sich. (VYGOTSKIJ, 1976, S. 287)

Die Lernhandlungen, die die wissenschaftliche und künstlerische Tätigkeit enthalten, bestehen darin, die Vorstellung gebrauchen zu lernen, über das Gegebene hinauszugehen, und zwar nicht in der Privatheit des individuellen Geistes, sondern in öffentlichen, materiellen Vergegenständlichungen.

> Ein Physiker experimentiert mit materiellen Situationen, deren Eigenschaften er nicht vollständig versteht, und ein Dichter versucht, sich in menschlichen Situationen zurechtzufinden, die er nicht vollständig versteht. Beide lernen mit Hilfe des Experiments (BRONOWSKI, 1978, S. 22)

Die Kunst ist jedoch auch zu einer Ware geworden. WARTOFSKY gibt eine interessante Schilderung der Auswirkungen dieses Prozesses.

> Wenn die Tätigkeit ritualisiert oder automatisiert wird; wenn der Gegenstand nur von seiner Oberfläche gesehen wird – zum Beispiel als Beschreibung oder Porträt, als thematischer Inhalt oder rein als ästhetische Oberfläche ... oder nur als Form –, dann wird der menschliche Inhalt des Kunstwerkes transparent und redundant: man sieht hindurch, aber man erkennt ihn nicht. In diesem Fall könnte man von einem entfremdeten ästhetischen Bewusstsein sprechen, einem Fetischismus des Kunstwerkes, in welchem der Gegenstand als autonome und unabhängige Wirklichkeit angenommen wird (WARTOFSKY, 1979, S. 366-367)

Man kann leicht Ähnlichkeiten dieses Phänomens mit dem Phänomen feststellen, das die Industrialisierung der Wissenschaft mit sich gebracht hat. In beiden Fällen ist die Gegenreaktion sichtbar. Wie WARTOFSKY (1979, S. 368) bemerkt, „konzentrieren sich die neueren Kunstformen auf eine Rückkehr zu dem Prozess: aber in perverser Form". Was in der Wissenschaft die Form annimmt, nach einem Holismus zu suchen, kann man in der Kunst als Form der „institutionalisierten Verzweiflung" beobachten. Die Lernhandlungen des Experimentierens und der Erschaffung von imaginären Welten, die höchstentwickelten Techniken und Qualifikationen von Kunst und Wissenschaft, reichen nicht aus, um die *Tätigkeit von Kunst und Wissenschaft als Ganzes, in ihrer Widersprüchlichkeit als Ware zu erfassen*. Dafür ist „eine besondere Tätigkeit" der Reflexion erforderlich.

Die Struktur der Lerntätigkeit

Der bisher entwickelte Gedankengang kann in den folgenden Thesen zusammengefasst werden:

1. Menschliches Lernen beginnt in der Form von Lernhandlungen und Lernoperationen, die in andere Tätigkeiten eingebettet sind, phylogenetisch gesehen vor allem in der Arbeit.

2. Lerntätigkeit besitzt einen eigenständigen Gegenstand und eine eigenständige Systemstruktur. Ihre Voraussetzungen entwickeln sich gegenwärtig innerhalb existierender Tätigkeitsformen: dem Zur-Schule-Gehen, der Arbeit und der Wissenschaft und Kunst. Im Netzwerk der menschlichen Tätigkeiten vermittelt die Lerntätigkeit zwischen Wissenschaft und Kunst auf der einen Seite und Arbeit oder anderen zentralen produktiven Praktiken auf der anderen Seite (siehe Abbildung 2.11).

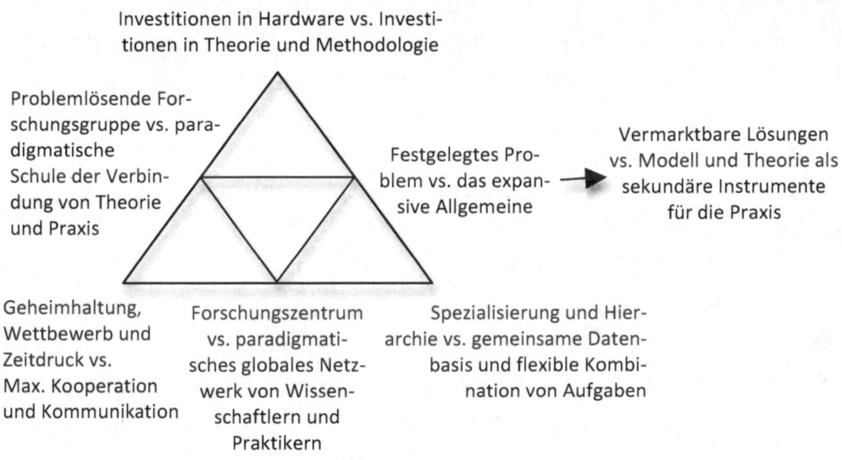

Abb. 2.11. Der Platz der Lerntätigkeit im Netzwerk menschlicher Tätigkeiten

3. Das Wesen der Lerntätigkeit besteht in der Produktion von objektiv neuen und gesellschaftlich neuen Tätigkeitsstrukturen (einschließlich neuer Gegenstände, Instrumente usw.) aus Handlungen, die die inneren Widersprüche der vorhergehenden Form der fraglichen Tätigkeit manifestieren. Lerntätigkeit besteht in der Beherrschung der Expansion von Handlungen zu einer neuen Tätigkeit. Während das traditionelle Zur-Schule-Gehen im wesentlichen eine Tätigkeit der Herstellung von Subjektivität und die traditionelle Wissenschaft wesentlich eine Tätigkeit der Herstellung von Instrumen-

ten, ist Lerntätigkeit eine Tätigkeit, die Tätigkeit herstellt. Was aber ist der spezifische Gegenstand der Lerntätigkeit? Wie sieht ihre Struktur aus?

Der Gegenstand der Lerntätigkeit ist die gesellschaftliche produktive Praxis, oder die soziale Lebenswelt, in ihrer ganzen Verschiedenartigkeit und Komplexität. Die produktive Praxis, oder die zentrale Tätigkeit, gibt es sowohl in ihrer augenblicklich herrschenden Form wie auch in historisch fortgeschritteneren und früheren, bereits überwundenen Formen. Lerntätigkeit macht die Interaktion dieser Formen, d.h. die historische Entwicklung von Tätigkeitssystemen, zu ihrem Gegenstand.

Dieser Gegenstand erscheint dem Subjekt zunächst in der Form diskreter Aufgaben, von Problemen und Handlungen. Michael COLE (1983, S. 51) weist darauf hin, dass die „Entdeckung der Ziele wesentlich für echte Tätigkeit ist". Lerntätigkeit (a) *analysiert* diese diskreten Elemente und verbindet sie mit ihrem systemischen Tätigkeitskontext, (b) *transformiert* sie in Widersprüche, die kreative Lösungen verlangen und (c) *verallgemeinert und weitet sie aus* in eine qualitativ neue Tätigkeitsstruktur innerhalb der gesellschaftlichen produktiven Praxis.

Nach V. V. DAVYDOV (1982, S. 39) besteht das Motiv der Lerntätigkeit in der *theoretischen Beziehung zur Wirklichkeit.* Die Teile (a), (b) und (c) münden also in eine theoretische Rekonstruktion des Gegenstandes. Das Konzept der theoretischen Beziehung zur Wirklichkeit wird in Kapitel 4 genauer ausgearbeitet. Mit Hilfe welcher Mittel findet diese theoretische Rekonstruktion statt? Die für die Lerntätigkeit wesentlichen Instrumente sind Modelle. Mit Hilfe von Modellen macht das Subjekt die wesentlichen Beziehungen des Objekts fest und vergegenständlicht sie. Die Konstruktion theoretischer Modelle beruht jedoch auf einem allgemeineren Instrument – einer Methodologie. Man kann Lerntätigkeit verstehen als die expansive Bewegung, die von Modellen zur Methodologie des Anfertigens von Modellen führt – und wieder zurück.

Theoretische Modelle und Methodologien sind Sachverhalte, die typischerweise von Wissenschaft und Kunst produziert werden. Diese Instrumente können jedoch nicht einfach von Wissenschaft und Kunst übernommen werden. Verschiedene Tätigkeitstypen unterscheiden sich voneinander in dem Ausmaß und der Intensität, in der sie ihre eigenen Instrumente produzieren. Wissenschaft und Kunst stellen Tätigkeiten dar, die deutlich auf die Produktion ihrer eigenen Instrumente ausgerichtet sind. Auch wenn Arbeitstätigkeiten ihre eigenen Instrumente verändern und herstellen, tun sie das doch weniger intensiv und sind mehr von Instrumenten abhängig, die von anderen Tätigkeiten hergestellt werden.

Die Lerntätigkeit nimmt einen Platz zwischen diesen beiden ein. Sie benutzt die Produkte von Wissenschaft und Kunst. Diese können aber nur in der Lerntätigkeit genutzt werden, nachdem sie zuvor auf neue Weise in Darstellungen gebracht worden sind, die ökonomischer, sozusagen stilisierter, sind als die ursprünglichen Produkte von Wissenschaft und Kunst. Und dies ist keine Frage bloßer Popularisierung oder Vereinfachung zum Zwecke der Illustration. Lerntätigkeit ähnelt qualitativ dem Spiel, „der Trennung von Mitteln und Wegen, um die Erforschung ihrer gegenseitigen Beziehung zu ermöglichen" (BRUNER, 1985, S. 603).

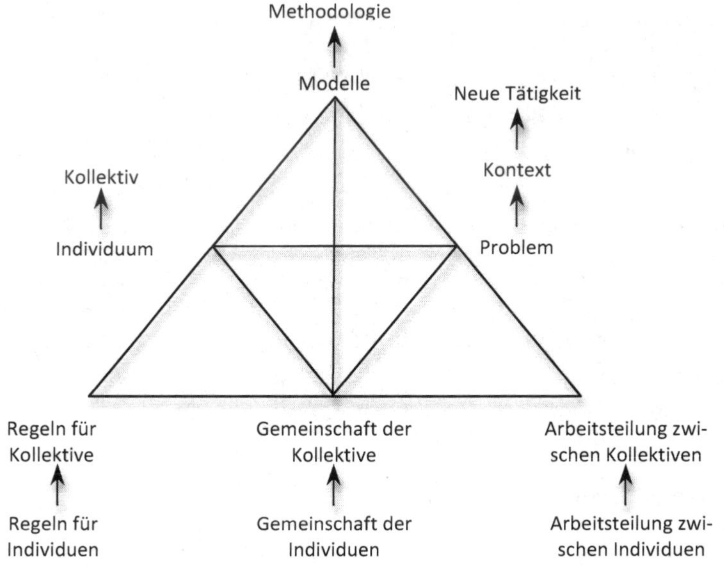

Abb. 2.12. Die Struktur der Lerntätigkeit

Lerntätigkeit ist aber mehr als dies. Sie besteht in der wirklichen Entwicklung von Instrumenten : „Verfeinerung" durch die Eliminierung von sekundären und zufälligen Merkmalen, die Variierung und Anreicherung, das Ausprobieren neuer Beziehungen und Trennungen. Indem die Produkte von Wissenschaft und Kunst in eine neue Art von Beziehung zur produktiven Praxis gebracht werden, führt die Lerntätigkeit selbst ein neues kreatives Moment in die Tätigkeit von Wissenschaft und Kunst ein. Lerntätigkeit lässt, in anderen Worten, ihre Instrumente niemals intakt. Sie besteht nicht einfach im Verbrauch von Instrumenten, die von außen an sie herantreten.

Die Struktur der Lerntätigkeit kann nun in Form eines Diagramms dargestellt werden (Abbildung 2.12). Diese Abbildung stellt die wesentliche Qualität der Lerntätigkeit dar, ihren transitiven und expansiven Charakter.

Was für eine Art von Subjekt erfordert und produziert die Lerntätigkeit? Dies ist eine Frage, die sehr viel mit der Qualität des Bewusstseins zu tun hat, das mit der Lerntätigkeit verbunden ist. Das Problem der Bewusstheit des Lernens wiederum wird gegenwärtig unter dem Stichwort „Metakognition" diskutiert.

Metakognition und das Subjekt der Lerntätigkeit

Nach FLAVELL (1976, S. 232) bezieht sich Metakognition auf „das Wissen über die eigenen kognitiven Prozesse und Produkte oder was mit ihnen in Verbindung steht, z. B. die Eigenschaften der Informationen oder Daten, die für das Lernen relevant sind". BROWN & DELOACHE (1978) haben eine Liste von grundlegenden metakognitiven Fähigkeiten vorgelegt. Diese beinhalten die Vorhersage der Konsequenzen einer Handlung oder eines Ereignisses, die Überprüfung der Resultate der eigenen Handlungen, die Überwachung des Ablaufs der eigenen Tätigkeit, die Prüfung des Realitätsbezuges und eine Vielzahl anderer Verhaltensweisen der Koordinierung und Kontrolle des bewussten Lernens und Problemlösens.

In einem anderen Aufsatz benennt BROWN (1978) als grundlegende metakognitiven Fähigkeiten: Prüfen, Planen, Fragenstellen, Selbstprüfen und Monitoring.

> Vielleicht wäre es möglich, das Kind dahin zu bringen, anzuhalten und nachzudenken, bevor es versucht, ein Problem zu lösen, sich selbst und anderen Fragen zu stellen, um herauszufinden, ob es das Problem erkennt, seine Lösungen in Bezug auf die Realität zu überprüfen, indem es nicht fragt, ob es „richtig" ist, sondern ob es „vernünftig" ist und seine Lernversuche zu überwachen, um herauszufinden, ob sie funktionieren oder die Anstrengung wert sind. (BROWN, 1978, S. 139)

BROWN, CAMPIONE, und DAY (1982) haben die Idee der Metakognition als Grundlage des „Lernens zu lernen" weiterentwickelt. Sie gehen von einem Vier-Faktoren-Modell der Lernsituation aus.

> Um Lernexperten zu werden, müssen Schüler einige der gleichen Einsichten in die Anforderungen der Lernsituation gewinnen wie der Psychologe. Sie müssen Erfahrungen mit ihren eigenen kognitiven Charakteristika haben, mit den Lernstrategien, die ihnen zur Verfügung stehen, den Anforderungen verschiedener Lernaufgaben und der inhärente Struktur des Materials. Sie müssen ihre Tätigkeiten den einander widersprechenden Anforderungen all dieser Kräfte anpassen, um flexible und effektive Lerner zu werden. (BROWN, CAMPIONE, & DAY, 1982, S. 16-17)

Die Autoren erkennen in anderen Worten an, dass die metakognitiven Fähigkeiten nicht in einem Vakuum existieren und funktionieren. Diese Anerkennung ist jedoch bloß formal. Gleich in welchem Kontext und bei welchem Inhalt bleiben die metakognitiven Fähigkeiten qualitativ gleich – die Frage besteht nur darin, sie in variierenden Situationen zu gebrauchen. Dies betrifft auch die Fähigkeit zum „Realitätsbezug" (Frage: „Ist das vernünftig?"), die von BROWN erwähnt wird. Was bedeutet es, dass etwas „vernünftig" ist? BROWN und ihre Kollegen (BROWN, CAMPIONE & DAY, 1982, S. 20) betonen den beliebigen Charakter der Aufgabenkriterien und Ziele des Lernens und die Notwendigkeit, „die Anstrengungen entsprechend anzupassen". Was aber, wenn das Ziel oder die Aufgabe, die dem Lerner gegeben wird, ihm nicht vernünftig erscheint? Diese Möglichkeit wird von den Autoren nicht diskutiert. Im Gegenteil: Da das Auswendiglernen von Texten z.B. in der Schule oft verlangt wird, muss es als „eine sinnvolle Tätigkeit" (BROWN, CAMPIONE, & DAY, 1982, S. 16) betrachtet werden. Was zunächst nach dem optimal selbsttätigen und selbstbewussten Lerner aussah, ist tatsächlich das maximal flexible Individuum, das die erfolgreichste Technik in der *Anpassung in jeder Situation* herausfindet, die ihm von den Autoritäten vorgesetzt wird.

Meine erste Kritik an BROWNs Ansatz richtet sich gegen den Gebrauch in der *Situation* als Einheit der Metakognition. Situationen werden durch Aufgaben definiert. Sie sind typischerweise Einheiten auf der Ebene der Handlung, die menschliches Verhalten als rational adaptive Wahl und kognitive Berechnung darstellen. Die Möglichkeit, dass der Lerner selbst *neue Situationen* scharfen könnte, wird stillschweigend ausgeschlossen.

Meine zweite Kritik bezieht sich auf die undialektische Konzeption der Lernsituationen und Aufgaben, die von BROWN und ihren Kollegen vorgelegt wird. Ihrer Meinung nach müssen die vier Faktoren (Merkmale des Lerners, Lernstrategien, Aufgabenkriterien und die Struktur des Materials) ausgewogen berücksichtigt werden. Die Möglichkeit wird nicht gesehen, dass die Aufgaben selbst inhärent widersprüchlich sein können. Betrachten wir das folgende Beispiel:

> Ich beobachtete, wie der Lehrer in einer Klasse das Schuljahr damit begann, dass er den Schülern erklärte, was man von ihnen erwartete, dass sie kreativ sein und sich beteiligen, kurz, dass sie engagiert sein sollten. Sie würden die Gelegenheit erhalten, intellektuell etwas zu riskieren, Fehler zu machen. ... Fünf Wochen später wurde die erste Arbeit geschrieben. Die Schüler erlebten, dass man sie eine beträchtliche Menge an Informationen fragte, die sie nur durch Memorieren hätten beherrschen können. ... Im Gegensatz zu den Eröffnungsaussagen des Lehrers bestand die versteckte Aufgabe nicht darin, einfallsreich oder kreativ zu sein, sondern darin, ein spezifisches, eng umschriebenes akademisches Spiel zu spielen. Die Konsequenzen für die Schüler waren unterschiedlich: Einige wurden zynisch und sagten: „In Ordnung, wenn man das akademische Spiel so spielen muss, wenn es das ist, was er wirklich will, dann werde ich den gleichen Fehler nicht noch einmal machen. Das nächste Mal werde ich die zentralen Punkte auswendig lernen. (SNYDER, 1973, S. 16-17)

An den Schülern, die SNYDER hier zitiert, zeigt sich das Erwachen einer Form von Metakognition im Sinne von BROWN – Metakognition in Bezug auf die erfolgreiche Anpassung an den Tauschwertaspekt des Lernens. Was aber ist mit dem bohrenden Gefühl, etwas zu vermissen, das über das Spiel des Erfolgs hinausgeht – das Gefühl, dass Wissen angeeignet und gebraucht werden sollte, um die Realität und die gesellschaftliche produktive Praxis zu beherrschen? Wenn ein Schüler protestiert und möglicherweise zu einem „Ruhestörer" wird, ist dann seine Metakognition schlecht entwickelt?

Die wesentliche Frage ist die folgende: *Was* soll metakognitiv kontrolliert und überwacht werden? Es wäre wahrscheinlich ziemlich einfach, ansehnliche Ergebnisse und Transfereffekte zu erhalten, wenn man Schülern solche metakognitiven Fähigkeiten beibringt wie: „Wie man den Lehrer täuscht", „Wie man gute Noten mit einem Minimum an Anstrengung erhält", „Wie man erfolgreich mogelt", usw. Die Logik dieser Fähigkeiten entspricht in der Substanz der herrschenden Tauschwertlogik des Unterrichts.

Aus diesen beiden kritischen Punkten folgt, dass ein wirklich hohes Niveau der metakognitiven Bewusstheit beim Lernen zwei Dinge erfordert: (a) die bewusste Analyse und Beherrschung nicht bloß diskreter Lernsituationen, sondern des kontinuierlichen Tätigkeitskontextes, in welchem die Situationen eingebettet sind (seien sie nun situiert innerhalb der Schule, der Arbeit, der Wissenschaft, der Kunst oder irgendeiner anderen Tätigkeit), (b) dass die Komponenten der Lernsituationen nicht bloß ausbalanciert werden, sondern dass durch die inhärenten Widersprüche der Lernaufgaben hindurchgesehen wird, d.h. durch ihre Doppelnatur als Einheit von Gebrauchswert und Tauschwert.

Dies sind die beiden wesentlichen Voraussetzungen für das Entstehen des Subjekts der Lerntätigkeit. Wie in Abbildung 2.12 dargestellt, ist dieses Subjekt ein transitives Wesen, das in der individuellen Subjektivität beginnt und sich in eine kollektive weiterentwickelt. Sie macht sich zuerst in der Form von störenden Fragen, Gegenargumenten, dem Versuch auszureißen und ähnlichem bemerkbar.

Das Entstehen der Lerntätigkeit in der Ontogenese

Leont'ev (1971, S. 331-334) diskutiert den Übergang von einer führenden Tätigkeit zu einer anderen in der Ontogenese. Er nimmt den Übergang vom Spiel zum Lernen als Beispiel. In seinem Beispiel kann ein Erstklässler dazu gebracht werden, seine Hausaufgaben zu machen. Der Schüler weiß sehr wohl, dass die Hausaufgaben gemacht werden müssen, es ist eine Pflicht, die er im Prinzip akzeptiert. Aber dieses „nur verstandene Motiv" ist nicht wirksam: „Tatsächlich wirksam ist ein zweites Motiv. Der Wunsch, mit den anderen Kindern zu spielen" (Leont'ev, 1981, S. 333).

Dem Kind wird nun gesagt, dass es erst nach draußen gehen darf, nachdem es seine Hausaufgaben gemacht hat. Das wirkt, und der Schüler macht seine Hausaufgaben.

> Es ist durchaus denkbar, dass es dabei auf einmal weinend den Federhalter aus der Hand legt. Fragen nun die Eltern: „Warum schreibst du denn nicht mehr?", dann beklagt sich der kleine Schüler: „Ach, es ist ja alles gleich. Ich bekomme doch nur eine „drei" oder vielleicht sogar eine „vier", weil ich unsauber geschrieben habe." Aus diesem Beispiel wird das neue, real wirksame Motiv erkennbar: Der Schüler erledigt seine Hausaufgaben, um eine gute Zensur zu erhalten. ... Das früher nur verstandene Motiv ist

> damit zu einem real wirksamen Motiv geworden, das das Kind zur Tätigkeit veranlaßt. Auf welche Weise vollzieht sich dieser Wandel der Motive? Diese Frage lässt sich leicht beantworten. Das Ergebnis einer Handlung wirkt zuweilen stärker als das Motiv, das real zum Handeln veranlaßte. Das Kind erledigte zunächst seine Aufgaben nur deshalb gewissenhaft, weil es an das bevorstehende Spiel dachte. Allmählich wird jedoch ein höheres Motiv – der Wunsch, gute Zensuren zu erhalten – immer wirksamer. Die Bedürfnisse des Kindes ändern sich, sie erheben sich auf eine höhere Stufe. (LEONT'EV, 1971, S. 333)

LEONT'EVs Darstellung kann als systematische Sequenz von vier Schritten dargestellt werden.

(1) Neben der für das Subjekt dominanten Tätigkeit (z.B. Spielen) gibt es ein kulturell geschätztes Motiv für eine höher entwickelte Tätigkeit (z.B. Lernen). Im Bewusstsein des Subjekts existiert das letzte als „nur verstandenes" Motiv.

(2) Die Repräsentanten der Kultur bringen mit irgendwelchen Mitteln (z.B. Belohnungen) das Subjekt dazu, einzelne Handlungen oder Bestandteile der höher entwickelten Tätigkeit innerhalb der motivationalen Rahmenbedingungen der früheren Tätigkeit auszuführen.

(3) Das „nur verstandene" Motiv der höher entwickelten Tätigkeit beginnt in dem Maße wirksam zu werden, wie die einzelnen Handlungen, die es repräsentiert, Ergebnisse zeitigen, die die Grenzen des Motivs der früheren Tätigkeit überschreiten. Dieser Übergang drückt sich in Störungen aus – z.B. werden die einzelnen Handlungen vorübergehend beendet, weil das Subjekt deutlich ihre unzureichende Qualität im Hinblick auf das entstehende höhere Motiv fühlt.

(4) Schließlich übernehmen das neue Motiv und die Tätigkeit die führende Rolle.

LEONT'EV sucht den Mechanismus der Entstehung neuer Tätigkeiten im Widerspruch *zwischen* dem Motiv der vorhergehenden Tätigkeit und dem Motiv der neuen, höheren Tätigkeit. Das Problem besteht in dem externen Charakter des Widerspruchs. Es scheint, als wäre der Samen für diesen Konflikt, das neue Motiv, von außen von Mitgliedern der Kultur in weiser Absicht hinein „transplantiert" worden. LEONT'EV gelingt es in seiner Darstellung nicht, den inneren Widerspruch *innerhalb* der vorhergehenden Tätigkeit zu durchdringen.

Dieses Problem lässt sich in der Beschreibung der neuen, höheren Tätigkeit in LEONT'EVs Beispiel darstellen. Das neue Motiv soll sein, „gute Zensuren zu erhalten". Dies würde dem Tauschwertaspekt des Motivs entsprechen, zur Schule zu gehen. Die gesamte innere Widersprüchlichkeit dieses Motivs wird hier beiseite gelassen.

Die Idee der inneren Widersprüche der existierenden dominanten Tätigkeit als einer dynamischen Quelle, bezogen auf den Übergang in die neue Tätigkeit, wurde von EL'KONIN (1977) formuliert. Er nahm zwei Phasen der Entwicklung jeder führenden Tätigkeit in der Ontogenese an. In der ersten Phase dominieren die sozial-emotionalen und motivationalen Aspekte der Tätigkeit (die Beziehungen zwischen dem Subjekt und den anderen). Allmählich nimmt die Beherrschung des operativ-technischen Aspekts (die Beziehungen zwischen dem Subjekt, den Instrumenten und den Objekten) zu und wird in der zweiten Phase dominant. Der Widerspruch entsteht, wenn die operativ-technischen Möglichkeiten, die sich das Subjekt aneignet, die Grenzen des Motivs der Tätigkeit überschreiten.

> Der Übergang von einer Periode zur nächsten ist gekennzeichnet durch eine Diskrepanz zwischen den operativen und technischen Fähigkeiten des Kindes und den Aufgaben und Motiven, die das Gewebe bilden, aus denen diese Fähigkeiten gewoben sind. (EL'KONIN, 1977, S. 560-561)

DAVYDOV, MARKOVÀ, und SHUMILIN (1980) haben dieses Prinzip auf die Entstehung der Lerntätigkeit in der Ontogenese im Grundschulalter angewendet. Sie gehen davon aus, dass das Spiel die Mittel und Operationen der Phantasietätigkeit und der symbolischen Transformation bereitstellt.

> Der entwickelten Phantasietätigkeit und der symbolischen Transformation beginnen allmählich umfassende und breite Inhalte zu fehlen, die dem Kind eine Möglichkeit bieten könnten, die verborgenen Möglichkeiten dieser Fähigkeiten zu nutzen. Das Spiel selbst aber kann solche Inhalte dem Kind nicht anbieten. (DAVYDOV, MARKOVÀ, & SHUMILIN, 1980, S. 11)

Das Problem dieser Formulierung besteht in ihrem ahistorischen Charakter. Die inneren Widersprüche von Tätigkeiten nehmen in einer gegebenen gesellschaftlichen Formation immer eine besondere Form an. In den oben zitierten Konzeptionen wird der innere Widerspruch des Spiels abstrakt und universell.

Wie könnte man den inneren Widerspruch der Spieltätigkeit beschreiben, der spezifisch für den Kapitalismus ist? Wenn der Gegenstand des Spiels in der Übung der Vorstellung besteht, dann muss der Widerspruch in der Doppelnatur eben dieses Gegenstandes bestehen. Es ist symptomatisch, dass die Worte „Spiel" und „Phantasie" einerseits Assoziationen wachrufen zu Nichtigkeit und Flüchtigkeit und auf der anderen Seite zur kreativen Konstruktion.

In ihrer Kritik von Theorie und Praxis des Rollenspiels argumentiert Frigga HAUG (1977), dass das Rollenspiel in der kapitalistischen Gesellschaft im Effekt auf reine Interaktion reduziert ist. Es besteht in der Sozialisation in flexiblem Rollentausch und intrinsischer Motivation *ohne Gegenstände und Instrumente*. Dieser abstrakte Aspekt des Rollenspiels wäre allein durch die Kontakte mit Gleichaltrigen und das Ablassen von Energie motiviert, das in Spielsituationen ermöglicht wird.

Die relative Armut der gegenständlichen und instrumentellen Aspekte des Spiels würde auch erklären, dass der innere Widerspruch der Spieltätigkeit oft latent und unartikuliert bleibt – er drückt sich hauptsächlich in Klagen aus wie „Mutter, ich weiß nicht, was ich spielen soll." Im Bereich der Phantasieproduktion wäre es eine Erklärung für das Überwiegen flacher stereotyper Reproduktionen der Modelle, die von den Massenmedien und der Unterhaltungsindustrie geliefert werden. Diese besondere *Unterentwicklung des inneren Widerspruchs des Spiels* würde auch das relativ schwache Bemühen um die ersten Formen der Lerntätigkeit erklären, das man bei Grundschulkindern findet. Jerome BRUNER nimmt an, dass der Mechanismus hinter dieser Verarmung der gegenständlich-instrumentellen Aspekte des Spiels in der allgemeinen Entfremdung des industrialisierten Menschen von den Inhalten der Arbeit besteht. Seiner Meinung nach „entfernen sich die jungen Menschen mehr und mehr vom Wesen der Anstrengung, die dazu nötig ist, eine Gesellschaft zu führen", weil „Beruf, Kompetenz, Fähigkeit, Gefühl für den Platz im System für die jungen Menschen immer schwieriger wirklich zu verstehen sind" (BRUNER, 1976, S. 55). Im Ergebnis wird die Möglichkeit zu spielen ausschließlich den jungen Menschen zugeordnet.

> Das „Kinderspiel" ist heutzutage ganz getrennt und losgelöst von der Gemeinschaft der Erwachsenen und wird von dieser Gemeinschaft genauso wenig verstanden wie die jungen Menschen die Ideale der Erwachsenengemeinschaft verstehen oder akzeptieren.
>
> Damit öffnet sich automatisch vielleicht zum ersten Mal in unserer kulturellen Tradition ein Platz für eine Zwischengeneration, die neue Formen

> des Verhaltens zu entwickeln vermag. Ich glaube, dass dieses Vermögen ganz genau aus der Tatsache entspringt, dass sie intensives Spielen anzubieten haben. (BRUNER, 1976, S. 59)

Die Vertreter der Theorie der Lerntätigkeit in der sowjetischen, kulturhistorischen Schule, besonders EL'KONIN und DAVYDOV, haben ihre theoretischen und experimentellen Untersuchungen auf Grundschulkinder konzentriert. Es wurde angenommen, dass die Lerntätigkeit direkt auf die Dominanz des Rollenspiels folgt, und zwar innerhalb der administrativen und physikalischen Rahmenbedingungen des Zur-Schule-Gehens (DAVYDOV, 1982, S. 37). Auf dem Hintergrund der von mir entwickelten Vorstellungen zur Lerntätigkeit bedeutet dies, dass der primäre Gegenstand der Lerntätigkeit in diesem Alter die Entwicklung der Lerntätigkeit *selbst* ist. Die primäre Aufgabe des Schülers besteht in anderen Worten darin, die voneinander getrennten, intern widersprüchlichen Lernhandlungen innerhalb der Tätigkeit des Zur-Schule-Gehens expansiv in ein neues System der Lerntätigkeit weiter zu entwickeln. Das Motiv dieser Tätigkeit besteht darin zu lernen, wie man sich Fähigkeiten und Wissen aneignet und Probleme löst, *indem man die Aufgaben expansiv in objektiv neuartige Tätigkeitssysteme weiter entwickelt*, was dazu führt, dass nicht bloß das Gegebene angeeignet oder gelöst wird, sondern dass neue Aufgaben und Probleme aus dem größeren Tätigkeitskontext geschaffen werden.

Die Lerntätigkeit kann aber nicht „im allgemeinen" entwickelt und angeeignet werden. Selbst wenn sie ihr eigener primärer Gegenstand ist, ist gleichzeitig eine gegenständliche Tätigkeit (oder mehrere) außerhalb ihrer selbst notwendig. In der Grundschule sind solche gegenständlichen Tätigkeiten das Lesen, das Schreiben und das Kommunizieren mit Sprache, Mathematik, Vorformen der Natur- und Sozialwissenschaften, der Musik usw. Können Schüler dieses Alters wirklich in diese sehr verschiedenen und komplexen gesellschaftlichen Tätigkeitssysteme eintreten und sie zu einer historisch neuen Entwicklungsstufe bringen? Wohl kaum. Was sie vielleicht tun können ist, das menschliche Lernen auf eine objektiv neue qualitative Stufe zu bringen – die Stufe der Lerntätigkeit.

Die Gegenstandssysteme von Sprache, Mathematik usw. fungieren daher hier als sekundäre, abgeleitete Gegenstände, als „Demonstrationsbeispiele" für die Methodologie der Lerntätigkeit. Um sie als solche zu akzeptieren, ist ein gut entwickeltes Instrumentarium des Spielens erforderlich, das es den Schülern möglich macht, durch diesen „Demonstrationscharakter" der schulischen Fächer hindurchzusehen und sie doch mit voller Kraft anzugehen. In BATESONS (1972, S. 185) kryptischer Terminologie: „Im Primärprozess werden Karte und Territorium gleichgesetzt; im Sekundärprozess können sie unterschieden werden. Im Spiel werden sie sowohl gleichgesetzt als auch unterschieden" (BATESON, 1981, S. 251).

Unter der Voraussetzung, dass der innere Widerspruch der Spieltätigkeit weiterentwickelt ist als gegenwärtig in den kapitalistischen Gesellschaften, stellt dies eine vernünftige Aufgabe dar. Tatsächlich gibt es einige Hinweise auf substantielle Unterschiede zwischen Spieltätigkeiten im Sozialismus und Kapitalismus (HELENIUS 1982). Es wäre jedoch nicht gerechtfertigt, die Möglichkeiten des Entstehens der Lerntätigkeit in der Ontogenese auf die Grundschuljahre zu beschränken. Zumindest im Kapitalismus scheinen *die inneren Widersprüche des Zur-Schule-Gehens, der Arbeit und der Wissenschaft und Kunst weiter vorangeschritten zu sein als die inneren Widersprüche des Spielens.* Dies ist nicht überraschend, insofern die intensive Vermarktung des Spielens relativ neuen Datums ist. In dem Maße, in dem das Spielen zu einer Ware wird, wird es paradoxerweise mit Instrumenten ausgerüstet, mit denen man in der Lage sein könnte, die abstrakten gesellschaftlichen Praktiken zu durchdringen und neue phantasievolle zu schaffen. Ich meine hier die sich entwickelnden anspruchsvollen Spielzeuge, die von Lego-Baukästen bis zu Kleincomputern reichen. Aber diese Entwicklung hat gerade erst begonnen. Abschließend nehme ich an, dass das Entstehen der Lerntätigkeit in der Ontogenese, wenigstens in heutigen kapitalistischen Gesellschaften, höchstwahrscheinlich in das Erwachsenenalter oder die Adoleszenz fällt, wenn das Subjekt sich mit historisch und individuell drängenden inneren Widersprüchen innerhalb seiner oder ihrer führenden Tätigkeit konfrontiert sieht – sei es in der Arbeit, dem Zur-Schule-Gehen, der Wissenschaft oder der Kunst.

Erste Zwischenbilanz

In diesem Kapitel ist der Begriff der Lerntätigkeit von der Entwicklung des allgemeinen Begriffs der Tätigkeit auf der einen Seite und von der kulturellen Evolution des Lernens innerhalb anderer, historisch früherer Tätigkeiten auf der anderen Seite abgeleitet worden.

Der Begriff der Lerntätigkeit, der hier vorgeschlagen wird, kann pointiert zusammengefasst werden als *Lernen durch Expansion*. Diese Formulierung ruft verschiedene Fragen hervor. Was genau ist die Beziehung der Lerntätigkeit zu anderen Formen des menschlichen Lernens, von denen man annimmt, dass sie untergeordneter sind? Welche Beziehung besteht zwischen der Lerntätigkeit und der Entwicklung? Und vor allem wie und in welchen Schritten geht die Lerntätigkeit in der Praxis vor sich? Ich werde zu diesen Fragen im nächsten Kapitel zurückkehren.

Die Zone der nächsten Entwicklung als grundlegende Kategorie expansiver Forschung

Zwei klassische Dilemmas der Entwicklungspsychologie

Innerhalb der modernen Entwicklungspsychologie halten sich zwei klassische Dilemmas. Das erste besteht in der problematischen Beziehung zwischen Lernen und Entwicklung, das zweite in der ebenfalls problematischen Beziehung zwischen individueller und gesellschaftlicher Entwicklung.

Das erste Dilemma kann vorläufig wie folgt formuliert werden.

> Unsere zentrale Frage lautet hier, ob Lernen identisch mit Entwicklung ist oder ob Entwicklung wenigstens so verstanden werden kann, dass sie aus irgendeiner Art von Akkumulation von Einheiten des Lernens besteht. (BALTES, REESE, & NESSELROADE, 1977, S. 208)

In den Arbeiten von Ann L. BROWN wird das Problem auf eine andere Weise formuliert. Für sie besteht Entwicklung im wesentlichen in dem Prozess des Übergangs vom Spezifischen und Kontextgebundenen zum Allgemeinen und Kontextfreien.

> Das Problem besteht im Prinzip darin, wie der Lerner von spezifischen Lernerfahrungen zur Formulierung einer allgemeinen Regel kommt, die auf viele Situationen angewendet werden kann. ... Wie gelingt es dem Lerner, Wissen flexibel zu gebrauchen? Wie werden isolierte Fähigkeiten miteinander verbunden, ausgeweitet und verallgemeinert? (BROWN, 1982, S. 107)

Das zweite Dilemma ist von RIEGEL polemisch wie folgt formuliert worden.

> Obwohl sie (die Entwicklungspsychologen; Y.E.) entwicklungsmäßige Unterschiede (und manchmal Veränderungen) untersuchen, haben sie mit wenigen Ausnahmen die Betrachtung der Geschichte ausgeschlossen. Junge und alte Menschen, die zu einem bestimmten historischen Zeitpunkt untersucht werden, unterscheiden sich z.B. stark im Hinblick auf die gesellschaftlich-historischen Bedingungen, unter denen sie aufgewachsen sind. Obwohl die Bedeutung der historischen Veränderungen während eines längeren Zeitraums z.B. in der Erziehung, der Gesundheitsfürsorge, der Ernährung, der Kommunikation usw. oft sehr viel dramatischer ist als alle Unterschiede in der Leistung zwischen alten und Jungen Menschen, wird dieser Faktor im allgemeinen in Untersuchungen zur Entwicklung nicht betrachtet. (RIEGEL, 1979, S. 21)

BRONFENBRENNER drückt das gleiche Argument eher poetisch aus.

> Es scheint so, als hätten die Wissenschaftler im Bereich Entwicklung über die Jahre mit Clio – der Muse der Geschichte – eine heimliche Affäre gehabt. ... Ich möchte vorschlagen, dass nach so vielen Jahren diese unerlaubte Liaison mit Clio nicht länger als haltbarer Zustand betrachtet werden kann; es ist an der Zeit, dass wir sie als legitime Partnerin bei unseren kreativen wissenschaftlichen Anstrengungen in die Arme nehmen. (BRONFENBRENNER, 1983, S. 176)

BRONFENBRENNER merkt an, dass Entwicklung so stattfindet wie in einem Zug, der sich bewegt. Man kann nach vorne und nach hinten durch die Waggons gehen, was aber wirklich zählt, ist, wohin der Zug sich bewegt (BRONFENBRENNER, 1983, S. 175). Die Zugmetapher verdeutlicht das zentrale Problem der Mehrzahl der gesellschaftlich und ökologisch orientierten Analysen der Entwicklung, einschließlich derjenigen von BRONFENBRENNER selbst (1979). Die Umwelten oder gesellschaftlichen Kontexte werden als historisch veränderlich verstanden, aber nicht als von den Menschen konstruiert und rekonstruiert, die in diesen Kontexten leben. Kontexte werden den Menschen auferlegt, und nicht von ihnen hergestellt. Niemand scheint den Zug zu fahren, ganz zu schweigen davon, wer ihn baut oder repariert. Innerhalb der Tradition von RIEGEL gibt es Versuche, diesen Zusammenhang auf den Kopf zu stellen und sich „Individuen als Produzenten ihrer eigenen Entwicklung" vorzustellen (LERNER & BUSCH-ROSSNAGEL, 1981). Diesmal werden individuelle Lebensentscheidungen als entscheidende Konstituenten der historisch sich verändernden gesellschaftlichen Kontexte interpretiert – ein Versuch, der nicht sehr viel überzeugender ist als derjenige der Ökologen. BUSS (1979, S. 330) bemerkt ganz richtig, dass es eine Menge lockeres Gerede innerhalb der Literatur zur Entwicklung der Lebensspanne über die Dialektik von Individuum und Gesellschaft als gegenseitige oder reziproke Determination gegeben hat – aber wenig konkrete Analysen, was dies wirklich bedeutet. Bedauerlicherweise fährt BUSS bloß mit diesem lockeren Gerede fort.

> Was die Dialektik von Individuum und Gesellschaft zu einer Dialektik macht, ist, dass ein gegebenes Niveau der Entwicklung auf der einen Seite der Beziehung abhängig ist von dem gleichen Niveau der Entwicklung der anderen Seite der Beziehung, während es gleichzeitig eine Bedingung für diese ist. (BUSS, 1979, S. 331)

Ein Blick auf neuere Diskussionen, die sich diesen klassischen Dilemmas zuwenden, zeigt eine charakteristische Lücke. Lösungen für diese beiden Dilemmas werden gesucht, indem entweder eine Seite des Dilemmas auf die andere reduziert und ihr untergeordnet wird, oder indem eine formale „reziproke" Beziehung zwischen den beiden Seiten des Dilemmas postuliert wird. In beiden Fällen findet sich kein vermittelnder „dritter Faktor", mit dessen Hilfe die Verbindung dieser beiden Seiten konkreter und lebendiger gemacht werden könnte.

In den folgenden Abschnitten wird der Begriff der Tätigkeit als ein solcher vermittelnder Faktor benutzt und weiterentwickelt. Auf der Grundlage dieses vermittelnden Werkzeuges wird die Analyse der beiden Dilemmas ein tieferes und konkreteres Problem ergeben, nämlich wie das Neue m der menschlichen Entwicklung entsteht.

Ebenen des Lernens

Im Jahre 1942 führte Gregory BATESON den Begriff des *Deutero-Lernens* als Bezeichnung für Prozesse des Lernen-Lernens ein. Nach BATESON besteht das Lernen darin, sich gewisse abstrakte Denkgewohnheiten anzueignen, wie „freier Wille, instrumentelles Denken, Dominanz, Passivität usw." (BATESON, 1981, S. 229). BATESON merkte ferner an: „Selbst innerhalb der Dauer des einzelnen Lernexperiments müssen wir annehmen, dass ein gewisses Deutero-Lernen auftreten wird" (BATESON, 1981, S. 230, Fußnote 3). Deutero-Lernen findet oft als implizite Aneignung unbewusster Wahrnehmungsgewohnheiten statt.

Im Jahre 1969 stellte BATESON dann eine ausgearbeitetere Version seiner Lerntheorie vor. Er arbeitete eine komplexe Hierarchie von Lernprozessen aus, die „auf eine hierarchische Klassifizierung der Irrtumstypen gestützt werden kann, die in den vielfältigen Lernprozessen korrigiert werden sollen" (BATESON, 1981, S. 371). Er fasste diese Hierarchie wie folgt zusammen.

> *Lernen null* ist durch die *spezifische Wirksamkeit der Reaktion* charakterisiert, die – zu Recht oder zu Unrecht – keiner Korrektur unterliegt.
>
> *Lernen I* ist *Veränderung in der spezifischen Wirksamkeit der Reaktion* durch Korrektur von Irrtümern der Auswahl innerhalb einer Menge von Alternativen.
>
> *Lernen II* ist *Veränderung im Prozess des Lernens I,* z.B. eine korrigierende Veränderung in der Menge von Alternativen, unter denen die Auswahl getroffen wird, oder es ist eine Veränderung in der Art und Weise, wie die Abfolge der Erfahrung interpunktiert wird.
>
> *Lernen III* ist *Veränderung im Prozess des Lernens II,* z.B. eine korrigierende Veränderung im System der Mängel von Alternativen, unter denen die

> Auswahl getroffen wird. (Wir werden später sehen, dass es manchmal pathogen ist, diese Leistungsstufe von einigen Menschen und einigen Säugetieren zu verlangen.)
>
> *Lernen IV* wäre *Veränderung im Lernen III*, kommt aber vermutlich bei keinem ausgewachsenen lebenden Organismus auf dieser Erde vor. Der Evolutionsprozess hat jedoch Organismen hervorgebracht, deren Ontogenese sie zum Lernen III bringt. Die Verbindung von Ontogenese und Phylogenese erreicht in der Tat Ebene IV. (BATESON, 1981, S. 379)

Nach BATESON umfasst Lernen I die Formen des Lernens, die von verschiedenen Versionen der Reiz-Reaktionstheorie behandelt werden: Gewöhnung, pawlowsche Konditionierung, operante Konditionierung, mechanisches Lernen, Löschung. „Beim Lernen I kann jede Wahrnehmungs- oder Verhalteneinheit Reiz, Reaktion oder Verstärkung sein, je nachdem, wie die gesamte Interaktionsfolge interpunktiert wird", bemerkt BATESON dazu (1981, S. 378). Auf der anderen Seite besteht Lernen II oder das Lernen des Lernens (Deutero-Lernen) darin, sich den Kontext oder die Struktur irgendeiner Form von Lernen l anzueignen. Beschreibungen des „Charakters" einer Person sind daher gewöhnlich Beschreibungen der Ergebnisse von Lernen II. „Es folgt, dass Lernen II, wie es in der Kindheit erworben wird, sich tendenziell im ganzen Leben durchhält" (BATESON, 1981, S. 389).

Die Ergebnisse von *Lernen II*, der Habitus oder der „Charakter" „bewahren das Individuum davor, die abstrakten, philosophischen, ästhetischen und ethischen Aspekte vieler Lebensabschnitte überprüfen zu müssen" (BATESON, 1981, S. 392). *Lernen III* besteht dagegen im wesentlichen in der bewussten Selbstveränderung:

„Das Lernen III wird aber diese ungeprüften Prämissen offen in Frage stellen und der Veränderung aussetzen" (BATESON, 1981, S. 392). *Lernen III* stellt ein seltenes Ereignis dar, das von den Widersprüchen von *Lernen II* hervorgebracht wird. Auf der Ebene von *Lernen III* lernt das Individuum, sein *Lernen II* zu kontrollieren, einzuschränken und ihm eine Richtung zu geben. Es wird sich seines Habitus und seiner Herausbildung bewusst. „Sicherlich muss es sich in euer größeren Flexibilität bei den Voraussetzungen niederschlagen, die durch den Prozess des Lernens II erworben wurden – nämlich in einer Freiheit von ihrer auferlegten Knechtschaft" (BATESON, 1981, S. 393).

Die Überzeugungskraft von BATESONs Argument wird nachdrücklich durch eine Anzahl von eloquenten Analysen des „heimlichen Lehrplans" beim Lernen in der Schule belegt (vgl. besonders LEVY, 1976) wie auch durch Arbeiten wie die von ARGYRIS und SCHÖN (1974; 1978), die sich mit „einphasigem" und „zweiphasigem Lernen" in Organisationen und bei Berufen beschäftigen. Das unbewusste Lernen des Lernens, bei dem man sich den Kontext dafür aneignet, „wie es gemacht wird", kann als alltäglicher Tatbestand leicht beobachtet werden. Das Lernen III erscheint dagegen als seltenes Ereignis.

BATESONS Konzeption kann jedoch darauf nicht reduziert werden. Sonst wäre er kein Klassiker, der reicher als seine Kopien und seine Nachfolger ist. Es gibt zwei bedeutendere Aspekte, die seine Analyse als herausragend erscheinen lassen. Erstens ist seine Hierarchie nicht auf der Grundlage von Beobachtung und Klassifikation entstanden, sondern auf einer evolutionären historischen Analyse. Zweitens gibt sich BATESON nicht damit zufrieden, die Situation als stabil hinzustellen. Statt moralischer Appelle, „die Situation zu ändern", untersucht er die inneren Widersprüche des Lernens II, die schließlich *Lernen III* hervorbringen.

BATESON und seine Kollegen haben 1956 eine allgemeine Beschreibung dieser inneren Widersprüche ausgearbeitet und sie Doublebind genannt. In Doublebindsituationen erhält das Individuum, das sich in einer intensiven Beziehung befindet, zwei Botschaften oder Befehle, die einander wechselseitig negieren – und das Individuum ist nicht in der Lage, diese Botschaften zu kommentieren, d.h. es kann keine metakommunikative Aussage machen.

> Wenn du sagst, dieser Stock sei real, werde ich dich damit schlagen. Wenn du sagst, dieser Stock sei nicht real, werde ich dich damit schlagen. Wenn du nichts sagst, werde ich dich damit schlagen. (BATESON, 1981, S. 278)

In einer gedankenreichen Diskussion der Interpretationen des Doublebinds erläutert Paul DELL den Begriff wie folgt.

> Der Doublebind wird nicht jemandem einfach gegeben. Er hat seinen Sitz in der Interaktion in der Zeit, durch die *„wichtige fundamentale Beziehungen in einem chronischen Sinne durch paradoxe Interaktion ungültig gemacht werden.* (DELL, 1980, S. 325; vgl. ebenfalls BERGER, 1978; SLUZKI & RANSOM, 1976)

Die Ergebnisse des *Lernens II*, die unbewussten Habits, führen das Individuum oft und notwendig in Doublebind-Situationen. In einem oberflächlich ähnlichen, aber strukturell verschiedenen sozialen Kontext erscheint eine einmal gelernte Verhaltensweise völlig unangemessen; oder es erscheinen zwei einander ausschließende Verhaltensweisen gleichzeitig angemessen.

BATESON berichtet von einem genialen Experiment mit einem Delphin. Das Tier war darauf trainiert worden, der Öffentlichkeit die „operante Konditionierung" zu demonstrieren. Zunächst wurde es für eine bestimmte Bewegung mit Futter verstärkt. Das nächste Mal brachte die vorherige Bewegung keine Verstärkung – wenn aber der Delphin eine andere Bewegung machte, erhielt er die gleiche Verstärkung wie das erste Mal. Diese Veränderung der Kontexte wurde über 14 Sitzungen fortgesetzt.

> Die Erfahrung, Unrecht zu haben, war für den Delphin so schlimm, dass es, um die Beziehung zwischen Delphin und Dresseur ... aufrechtzuerhalten, notwendig war, viele Verstärkungen zu geben, auf welche der Delphin kein Anrecht hatte. ... jede einzelne der ersten vierzehn Übungen (war) durch viele vergebliche Wiederholungen irgendeines Verhaltens charakterisiert ..., das in der unmittelbar vorausgegangenen Übung verstärkt worden war. Anscheinend zeigte das Tier nur „zufällig" eine andere Verhaltensweise. In der Pause zwischen der vierzehnten und fünfzehnten Sektion schien der Delphin sehr erregt zu sein, und als er zum fünfzehnten Mal auftrat, legte er eine hoch entwickelte Vorführung hin, in der acht auffällige Verhaltensweisen vorkamen, von denen vier völlig neu waren – etwas, was bei dieser Tierart noch nie beobachtet worden war. (BATESON, 1981, S. 360-361)

Der Fall des Delphins illustriert sehr schön das produktive – und pathogene – Potential der inneren Widersprüche, die in *Lernen II* enthalten sind. Er illustriert jedoch nicht den Durchbruch zum Lernen III. BATESON merkt dazu an: „Andere Säugetiere als der Mensch bringen es vermutlich bis zum Lernen II, sind aber nicht in der Lage, bis zum Lernen III zu gelangen" (BATESON, 1981, S. 396). Was also illustriert der Fall des Delphins in Bezug auf die Mechanismen des Lernens? Sicherlich nicht die unbewusste Form der Verhaltensweisen. Und ebenso sicher nicht Reorganisation der Charakteristik der Bewusstheit von *Lernen III*.

Um mit diesem Paradox zurechtzukommen, müssen wir BATESONs Theorie mit Hilfe des Konzepts der Tätigkeit neu interpretieren.

Lernen und Entwicklung

Menschliche Tätigkeit ist immer eine widersprüchliche Einheit von Produktion und Reproduktion, Erfindung und Bewahrung (vgl. MOSCOVICI, 1984, S. 60-62). Das herausragende Merkmal menschlicher Tätigkeit besteht in der kontinuierlichen *Erschaffung neuer Instrumente*, die ihrerseits die Struktur der Tätigkeit selbst verkomplizieren und qualitativ verändern. Es ist wichtig, dass menschliche Tätigkeit nicht auf das obere Dreieck in Abbildung 2.6 allein reduziert werden kann. Menschliche Tätigkeit ist nicht nur individuelle Produktion. Sie ist zugleich und untrennbar auch sozialer Austausch und gesellschaftliche Distribution. Menschliche Tätigkeit findet in anderen Worten immer innerhalb einer Gemeinschaft statt, die von einer gewissen Arbeitsteilung und von bestimmten Regeln beherrscht wird. In Kapitel 2 habe ich LEONT'EVS (1978) Hierarchie der drei Ebenen diskutiert: die Ebene der Gesamt*tätigkeit*, die Ebene der konstituierenden *Handlungen* und die Ebene der *Operationen*, mit deren Hilfe die Handlungen ausgeführt werden. Die entsprechenden regulativen Einheiten heißen *Motive, Ziele* und *Bedingungen*. Diese drei Ebenen sind nicht starr und fixiert. Tätigkeit muss vielmehr als „kontinuierlich stattfindende Transformation" zwischen den Ebenen verstanden werden (LEONT'EV, 1978, S. 67).

> Eine Tätigkeit kann das Motiv verlieren, von dem sie ins Leben gerufen wurde; dann wird sie zu einer Handlung, die vielleicht eine ganz andere Beziehung zur Welt, eine andere Tätigkeit verwirklicht. Umgekehrt kann eine Handlung selbständige stimulierende Kraft erlangen und zu einer besonderen Tätigkeit werden. Schließlich kann eine Handlung zu einem Verfahren der Erreichung eines Ziels, zu einer Operation transformiert werden, welche unterschiedliche Handlungen zu realisieren imstande ist. (LEONT'EV, 1979, S. 109)

HARRÉ, CLARKE und DECARLO (1985, S. 24-30) haben eine ähnliche Drei-Ebenen-Hierarchie der Kontrolle menschlicher Handlungen vorgelegt. Ihre Ebene 1 wird „Verhaltensroutinen" genannt, Ebene 2 ist „Bewusstheit" und Ebene 3 ist eine Doppelformation aus der „Tiefenstruktur des Geistes" und „sozialen Ordnungen." Die ansonsten überzeugende Analyse leidet jedoch unter der restriktiven Betonung der Autoren auf Sprache und „moralische Ordnungen" (das untere linke kleine Dreieck in Abbildung 2.6) und der entsprechenden Vernachlässigung der produktiven materiellen Aspekte der Tätigkeit.

Bei BATESONs Lernen l sind sowohl der Gegenstand/das Ergebnis und das Instrument phylogenetisch bestimmt. Das Lernen besteht in sich wiederholenden Korrekturen der Art und Weise, wie das Subjekt das Instrument auf das Objekt anwendet. Es existiert ein fixer richtiger Weg, der erreicht werden muss. Die Bewegung geht in erster Linie in eine Richtung und ist nicht bewusst: vom Gegenstand zum Subjekt, vom Subjekt zum Instrument, vom Instrument zum Gegenstand. Instrumente auf dieser Ebene können Werkzeuge oder primäre Artefakte (WARTOFSKY, 1979, S. 201-202; BUNN, 1983, S. 23) genannt werden.

Ein Werkzeug ist eine verallgemeinerte Vergegenständlichung von Operationen, die durch Wiederholung standardisiert worden sind. In ihr sind „gleichsam das gesellschaftlich erworbene Arbeitsverfahren und die gegenständlich geformten Arbeitsoperationen kristallisiert" (LEONT'EV, 1971, S. 173). Ein Werkzeug beinhaltet immer mehr mögliche Gebrauchsweisen als die ursprünglichen Operationen, die es zum Leben erweckt haben: Das Werkzeug ist die „erste bewusste und vernünftige Verallgemeinerung" (LEONT'EV, 1971, S. 172). Phylogenetisch gesehen besteht Lernen I in der extrem langsamen und allmählichen Besserung von Werkzeugen entsprechend der im wesentlichen nicht reflektierten Natur ihres Gebrauchs: „Der Stein wurde z.B. während seines Gebrauchs auf natürliche Art und Weise verändert" (LEONT'EV, 1971, S. 189). Lernen I ist im wesentlichen der Herausbildung nicht bewusster Operationen äquivalent, „indem man natürliche Gegenstände einfach den Bedingungen einer Arbeitshandlung „anpasste" (LEONT'EV, 1971, S. 289).

Lernen II ist tatsächlich untrennbar mit Lernen I verbunden. In seiner rudimentären oder reproduktiven Form besteht Lernen II darin, dass, indem gegebene Aufgaben wiederholt innerhalb des Lernen I gelöst werden, eine nicht bewusste Repräsentation oder ein Bild notwendig entwickelt wird, wie diese Aufgaben gelöst werden. Dies nimmt zunächst eine habituelle Form an, die im wesentlichen unbewusst und implizit ist. Aber auch solch ein reproduktiver Habitus oder ein Bild ist potentiell ein Instrument zweiter Ordnung, ein sekundäres Artefakt, „das zum Zwecke der Erhaltung und Übermittlung von Fähigkeiten bei der Produktion und dem Gebrauch von ‚primären' Artefakten geschaffen worden ist" (WARTOFSKY, 1979, S. 201).

> Solche Repräsentationen sind also reflexive Verkörperungen von Handlungsformen oder von Praxis, in dem Sinne, dass sie symbolische Externalisierungen oder Vergegenständlichungen solcher Handlungsweisen sind – ihre „Reflexionen" entsprechend einer bestimmten Konvention und daher als Abbilder solcher Handlungsformen verstanden – oder, wenn man so will, als ihre Bilder oder Modelle. ... Die Formen dieser Repräsentationen können in Form von Gesten bestehen, oder oral (linguistisch oder musikalisch) oder visuell sein, aber offensichtlich müssen sie so beschaffen sein, dass sie in einer oder mehreren Sinnesmodalitäten kommuniziert werden können, so dass sie, kurz gesagt, wahrgenommen werden können. (WARTOFSKY, 1979, S. 201)

WARTOFSKY spricht von „reflexiven Verkörperungen". BUNN trifft im wesentlichen die gleiche Unterscheidung zwischen Werkzeugen und Modellen (was der Unterscheidung zwischen primären und sekundären Artefakten entspricht) und argumentiert auf ähnliche Weise.

> Die erweiterte Anwendung eines exosomatischen Instruments auf die Welt impliziert, dass die Gesetze, die die Anwendungen eines Werkzeuges regulieren, im großen und ganzen so nützlich geworden sind, dass sie durch Synekdoche zu einem Ersatz für die Welt werden. Wenn ein Werkzeug in Bezug auf seinen intendierten Gebrauch „umgedreht" wird und betrachtet statt angewendet wird, dann wird die beliebige Verbindung zwischen einem Werkzeug und seiner Funktion so transformiert, dass es nicht länger ein Mittel zum Zweck ist. Indem sie als Reflexionen des Ziels selbst gesehen werden, ist es möglich, die Prinzipien, nach denen ein Werkzeug konstruiert ist, als Hieroglyphen, Omen, Signaturen, Symptome, Gesetze oder Modelle einer höheren Funktion zu konstruieren. (BUNN, 1981, S. 24)

Auf den ersten Blick erscheinen diese Auffassungen nicht kompatibel mit der unbewussten Natur der Aneignung von Orientierungen beim Lernen II. Wie kann etwas unbewusst und reflexiv zur gleichen Zeit sein? Das ist jedoch genau das, worin Lernen II besteht. Man versteht es am besten als eine Oszillation zwischen zwei Arten der Modellbildung, zwei Arten von Verallgemeinerungen. Diese beide Formen hat SELZ (1924) als „instrumentelle Aktualisierung" und „instrumentelle Abstraktion" identifiziert. BARTLETT, ein anderer Klassiker, benannte diese beiden Formen als „geschlossenes Systemdenken" und „abenteuerliches Denken".

> Denken als geistiger Prozess bewegt sich gerne sozusagen in geschlossenen Systemen. Denn dies verleiht ihm eine große deutliche Reichweite und befreit es insbesondere so vollständig wie möglich von aller letztendlichen Unsicherheit. ... Aber der Denker ist mehr als eine denkende Maschine. So entsteht hier ein unwahrscheinlicher Kampf zwischen jenen

> Kräften, die versuchen, alle Formen menschlichen Wissens auf die Form eines geschlossenen Systems zu reduzieren ... und jenen Kräften, die hinter dem menschlichen Streben nach Abenteuer stehen und die ständig gegen das geschlossene System revoltieren und versuchen, aus ihm auszubrechen. (BARTLETT, 1958, S. 96)

Eine aktuellere, sehr illustrative experimentelle Beschreibung dieser beiden Formen und ihrer oszillierenden Interaktion haben KARMILOFF-SMITH und INHELDER (1975) geliefert. Die wesentliche Vorbedingung für jede Form von Lernen II ist eine Problemsituation. Das Training des Delphins bewegte das Tier in den Bereich von Lernen II, weil es sich einer Aufgabe gegenübergestellt fand, bei der Unsicherheit über das korrekte Vorgehen vorherrschte. In ähnlicher Form haben KARMILOFF-SMITH und INHELDER junge Kinder mit einer relativ schwierigen Aufgabe konfrontiert, bei der Blöcke ins Gleichgewicht gebracht werden sollten. Wie im Fall des Delphins bestand der erste Lösungsversuch, den die Versuchspersonen unternahmen, darin, eine unmittelbare Lösung zu finden und sich auf das Ergebnis der eigenen Anstrengung zu konzentrieren – die „Handlungsreaktion", wie die Autoren sie bezeichnet haben. Die Kinder waren glücklich, wenn sie die Blöcke in ein Gleichgewicht gebracht hatten, und unglücklich, wenn es ihnen nicht gelang. Im Verlauf dieser ersten Strategie entstand jedoch noch eine andere Vorgehensweise.

> Selbst wenn die Kinder Erfolg dabei hatten, einen Gegenstand in einer Dimension auszubalancieren ..., fuhren sie oft fort, die anderen Dimensionen jedes Blocks zu explorieren. Es war, als ob ihre Aufmerksamkeit momentan von ihrem Ziel des Balancierens von etwas abgelenkt war, was ursprünglich ein Unterziel gewesen war, d.h. die Suche nach Mitteln. Man konnte sehen, wie die Kinder hin und her schwankten zwischen dem Versuch, das Ziel zu erreichen und dem Versuch, den Block zu „befragen." (KARMILOFF-SMITH & INHELDER, 1975, S. 201)

Die letztgenannte Herangehensweise wurde als „Theorie-Reaktion" bezeichnet. Bei diesem Vorgehen misst das Subjekt seinen Erfolg nicht am unmittelbaren Ergebnis (im Gleichgewicht oder nicht im Gleichgewicht), sondern viel mehr an der Verifizierung oder Falsifizierung seines hypothetischen Modells. Wenn das Subjekt die Hypothese formuliert hat, dass der Block in einer bestimmten Position sich nicht im Gleichgewicht befinden wird, wird es sich freuen, wenn sich der Block tatsächlich nicht im Gleichgewicht befindet. Das Subjekt hat in den Worten von BRUNER (1974, S. 218-238) den Bereich des „generischen Lernens" betreten, oder es hat damit begonnen, ein „Kodiersystem zu erfinden."

> An diesem Punkt werden wir Zeuge des Experimentierens um des Experimentierens willen; denn wenn man seine Aufmerksamkeit auf die Mittel konzentriert, impliziert das, Wissen ungefähr in dem Bereich zu suchen, der durch mögliche Handlungen auf ein Objekt bestimmt wird. (KARMILOFF-SMITH & INHELDER, 1975, S. 207-208)

Diese beiden Aspekte von Lernen II können aus Gründen der Einfachheit (a) reproduktiv und (b) produktiv genannt werden. Beim Lernen IIa ist der Gegenstand/das Ergebnis gegeben, und das Instrument wird durch Versuch und Irrtum gefunden, d.h. durch „blinde Suche" unter den bereits bekannten Mitteln durch Experimentieren gefunden – oder vielmehr erfunden. Das Erstgenannte führt zu empirischen Verallgemeinerungen, das Letztgenannte ist eine Voraussetzung für theoretische Verallgemeinerungen (DAVYDOV, 1977). Der letztgenannte, produktive Aspekt kann aus dem Lernen II nicht vollständig eliminiert werden, selbst wenn er bis zu dem Punkt untergeordnet werden kann, dass er unsichtbar wird.

Es ist interessant, dass der Delphin einen Lernprozess durchmachte, der im Wesentlichen demjenigen der Kinder in dem Experiment von KARMILOFF-SMITH und INHELDER ähnelt. Wie diese Autoren anmerken, muss das Subjekt, bevor eine bewusste Theoriekonstruktion stattfinden kann, allmählich seine vorherigen Verhaltensformen in einem Modell kristallisieren, auf dessen Hintergrund Negativbeispiele als Gegenbeispiele erkannt werden können. In einem spontanen Prozess bedarf es dabei oft einer großen Anzahl von Versuchen. Der Prozess des Erkennens manifestiert sich dabei in Pausen.

> Solange das Kind in erster Linie erfolgsorientiert ist, gibt es selten überhaupt Pausen in seinen Handlungssequenzen. In dem Maße, in dem die Aufmerksamkeit sich auf die Mittel verlagert, werden Pausen jedoch immer häufiger im Laufe der Sequenz. Nur wenn Ziele und Mittel gleichzeitig betrachtet werden, gehen Pausen der Handlung voran. (KARMILOFF-SMITH & INHELDER, 1975, S. 208)

Die klassische Behandlung der Bedeutung von Pausen beim Problemlösen ist KÖHLERS (1917) Untersuchung des Affen Sultan. Die Pausen sind ganz offensichtlich nah mit der Aufregung des Delphins zwischen dem 14. und 15. Versuch verwandt. Die Arbeiten von SCHÖN (1983) belegen sehr deutlich, dass Augenblicke des produktiven Experimentierens oder der „Reflexion in der Handlung" in der täglichen Arbeitspraxis von Berufstätigen in verschiedenen Gebieten erscheinen. Auch hier spielen Pausen oder zeitweilige Rückzüge aus der Interaktion eine entscheidende Rolle, wenn der Experte ein

„Rahmungsexperiment" durchführt, eine Reformulierung des Problems mit Hilfe einer Analogie, die auf der „generativen Metapher" aus früherer Erfahrung basiert (SCHÖN, 1983, S. 268-269). LOPES (1981) hat ähnliche Ergebnisse in seiner Untersuchung von Therapiesitzungen gefunden.

Beim Lernen I stellt sich der Gegenstand selbst als bloßer unmittelbarer Widerstand dar, der vom Lernenden nicht bewusst vom Subjekt und dem Instrument getrennt wird. Beim Lernen II wird der Gegenstand als Problem wahrgenommen, das spezifische Anstrengungen erforderlich macht. Das Subjekt ist dabei nicht länger ein nicht-bewusst handelndes, sondern ein Individuum, das sich beständig hinsichtlich des Erfolgs oder Misserfolgs seiner Problemlöseversuche selbst bewertet. In anderen Worten erlangt damit das Dreieck in Abbildung 2.6 eine hierarchisch höhere zweite Schicht. Diese zweite Schicht entspricht der Herausbildung und Ausführung von zielgerichteten Handlungen in LEONT'EVs Schema. Die Operationen, die auf dieser Grundlage von oben nach unten ausgebildet werden, werden automatisiert – aber nicht auf die gleiche Weise wie beim *Lernen I*. Diese Operationen sind im Prinzip der bewussten Bearbeitung zugänglich, wenn eine Abweichung von den normalen Bedingungen der Ausführung vorliegt.

> Sobald diese (die Arbeitsoperationen, Y.E.) jedoch komplizierter werden, entstehen andere Operationen: Geht das Ziel einer Handlung in eine andere Handlung als Bedingung ihres Vollzugs ein, dann wird die erste Handlung zur bewussten Operation umgewandelt. ... Die Bildung bewusster Operationen ist im Hinblick auf die Bewusstseinsstruktur ein neuer Schritt in der Entwicklung des Menschen. Neben dem im Bewusstsein „repräsentierten" Inhalt entsteht auch ein „kontrollierter" Inhalt, und beide Inhalte gehen ständig ineinander über. (LEONT'EV, 1971, S. 189)

Auf den ersten Blick erscheint Lernen IIb als echte Lerntätigkeit. Es bleibt jedoch typischerweise auf die einsichtige, experimentelle Lösung von *separaten, vorformulierten Problemen* beschränkt. In diesem Sinne ist Lernen IIb jedoch im wesentlichen diskontinuierlich und bleibt auf die Ebene der Handlungen beschränkt. Die Schaffung neuer Instrumente innerhalb des Lernens IIb ist potentiell expansiv – aber nur potentiell. Lernen IIb beinhaltet keineswegs automatisch, dass der Kontext des gegebenen Problems gebrochen und expandiert wird.

Lernen II stellt eine fundamentale Verallgemeinerung der Ergebnisse des Lernens dar. In diesem Sinne bedeutet Lernen II Entwicklung, der Übergang vom Spezifischen zum Allgemeinen (man erinnere sich an BROWNs Kriterium). Aber der Schritt in der Entwicklung von Lernen I zum Lernen II ist nicht auf Menschen beschränkt und ist in diesem Sinne auch nicht grundlegend für die typische Art menschlicher Entwicklung. Es stellt eine Ebene dar, die im Prinzip auch anderen höheren Säugetieren zugänglich ist. Bezogen auf die menschliche Phylogenese stellt es sich als Déjà-vu-Phänomen dar. „Einfach gesagt, ein Mensch kann sich entwickeln, aber wie kann er wirklich über sich hinausgehen?" (DELL, 1982, S. 34).

Die menschliche Form der Entwicklung, die sich in keiner anderen Art finden lässt, ist der Übergang zu Lernen III. Das wissen wir von BATESON. Worin besteht nun der spezifische Mechanismus von Lernen III?

BATESON gibt hier einige entscheidende Hinweise. Wir erinnern uns, dass Lernen III ein Produkt von Doublebind-Situationen ist. Das bekannteste Ergebnis beständiger Doublebinds ist die Schizophrenie. Sie ist eine tiefe Umstrukturierung des Bewusstseins eines Subjekts, die von Kontexten verursacht wird, in denen das Subjekt nicht in der Lage ist, auf metakommunikative Weise die widersprüchlichen Botschaften oder Befehle zu kommentieren, die es erhält. Aber was wäre, wenn das Subjekt diese Botschaften kommentieren könnte? „Wenn du sagst, dass dieser Stock wirklich ist, werde ich dich damit schlagen. Wenn du sagst, dass dieser Stock nicht wirklich ist,... ." BATESON meint, das Subjekt „könnte über sich greifen und dem Meister den Stock wegnehmen" (BATESON, 1981, S. 278). Es könnte sich in anderen Worten über die Rahmenbedingungen des Kontextes erheben und sie brechen oder sie in einen größeren Kontext stellen, in dem diese relativ und veränderbar werden.

> Die Frage ist brisant. Die einfache, stilisierte experimentelle Interaktionsabfolge im Laboratorium wird erzeugt durch und bestimmt zum Teil ein Netzwerk von Zufälligkeiten, das sich in hundert Richtungen erstreckt, die aus dem Laboratorium hinaus und in die Prozesse führen, die der psychologischen Forschung ihr Gepräge geben: Die Interaktion zwischen Psychologen, die Ökonomie der Forschungsgelder usw. usw. (BATESON, 1981, S. 394)

Beim Lernen II wird das Subjekt mit einem Problem konfrontiert, und es versucht, dieses Problem zu lösen. Beim Lernen III muss das Problem oder die Aufgabe selbst geschaffen werden.

> Probleme präsentieren sich dem Praktiker nicht als gegeben. Sie müssen

> aus dem Material der problematischen Situationen, die verwirrend, beunruhigend und unsicher sind, konstruiert werden. (SCHÖN, 1983, S. 40; vgl. auch SEIDEL, 1976)

Wenn das Problem gegeben ist, fragt das Subjekt: „Was ist überhaupt die Bedeutung, der Sinn dieses Problems? Warum sollte ich versuchen, es zu lösen? Wie ist es entstanden? Wer hat es formuliert, zu welchem Zweck und wem nützt es?" Wie BATESON notiert, wird diese Art des Verhaltens leicht als störend bezeichnet.

> Schon der Versuch, auf die *Ebene III* zu gelangen, kann gefährlich sein, und einige werden dabei scheitern. Diese werden von der Psychiatrie oft als psychotisch etikettiert, und viele von ihnen sehen sich darin gehindert, das Pronomen der ersten Person zu benutzen. (BATESON, 1981, S. 395)

Das Lernen III ist durch die Auflösung der Widersprüche der Ebene II motiviert.

> Die Auflösung der Gegensätze (offenbart) eine Welt, in der die persönliche Identität in all den Beziehungsprozessen einer umfassenden Ökologie oder Ästhetik der kosmischen Interaktion aufgeht. ... jede Einzelheit des Universums wird so gesehen, als ermögliche sie eine Sicht des Ganzen. (BATESON, 1981, S. 395)

Während beim Lernen II der Gegenstand als ein Problem betrachtet wird, das seine eigene objektive Dynamik außerhalb des Subjekts besitzt, wird beim Lernen III das Gegenstandssystem so wahrgenommen, dass es das Subjekt enthält. Darüber hinaus verändert sich die Qualität des Subjekts selbst radikal. Wie DELL (1982, S. 34) bemerkt, „sind alle multi-individuellen interaktiven Systeme eines wirklichen diskontinuierlichen Wandels fähig ... weil die *Kohärenz als interaktives System fundamental verschieden von der Kohärenz ist, die die individuellen lebendigen Mitglieder konstituiert, die das System konstituieren.*"

> Individualität ist ein Resultat oder eine Ansammlung aus Lernen II. In dem Maße, wie ein Mensch Lernen III erreicht und es lernt, im Rahmen der Kontexte von Kontexten wahrzunehmen und zu handeln, wird sein „Selbst" eine Art Irrelevanz annehmen. Der Begriff „Selbst" wird nicht mehr als ein zentrales Argument in der Interpunktion der Erfahrung fungieren. (BATESON 1981, 393)

RAEITHEL (1983) hat diesen fundamentalen Wechsel im Charakter des Subjekts im Anschluss an HEGEL als Fortschreiten von einer ursprünglichen Urzentrierung (Lernen I) zu einer Dezentrierung (Lernen II) und schließlich zu einer Rezentrierung (Lernen III) beschrieben. Das individuelle Selbst wird ersetzt – oder vielmehr qualitativ verändert – durch die Suche nach einem kollektiven Subjekt, das in der Lage ist, die Komplexität der „Kontexte von Kontexten" zu beherrschen, d.h. gesellschaftliche Praktiken mit einer hochentwickelten Arbeitsteilung wie auch technologische und symbolische Vermittlungen mit mehreren Ebenen.

Was sind Instrumente, die dem Lernen III angemessen sind? WARTOFSKY hat hier den Begriff der tertiären Artefakte vorgeschlagen.

> Wir können von einer Klasse von Artefakten sprechen, die eine relativ autonome „Welt" konstituieren können, in welcher die Regeln, Konventionen und Resultate nicht mehr direkt praktisch erscheinen, oder die wirklich einen Bereich der nicht -praktischen oder freien spielerischen Tätigkeit zu bilden scheinen. ... Das sogenannte „interessenlose" Schauen oder die ästhetische Wahrnehmung oder die reine Kontemplation werden dann möglich; aber nicht in dem Sinne, dass sie keinen Nutzen haben. Vielmehr in dem Sinne, dass die ursprüngliche Rolle der Repräsentation sozusagen aufgeschoben oder eingeklammert worden ist. ...
>
> Ich möchte solche Artefakte, die von ihrer direkten repräsentationalen Funktion abstrahieren, als tertiäre Artefakte bezeichnen und davon ausgehen, dass sie einen Bereich konstituieren, in welchem es eine freie Konstruktion in der Vorstellung von Regeln und Operationen gibt, die sich von denen unterscheiden, die für die gewöhnliche „Allerwelts"-Praxis ergriffen werden. ... das heißt, unsere Vorstellung entwickelt sich, wie in unseren Träumen auch, aus der gewöhnlichen Wahrnehmung, transzendiert oder verletzt aber die gewöhnlichen Rahmenbedingungen, so dass auch in der imaginativen Praxis die perzeptiven Formen von einer gegebenen historischen Form der Wahrnehmung abgeleitet und auf sie bezogen, aber nicht länger durch sie begrenzt sind. (WARTOFSKY, 1979, S. 208-209)

In einer Erörterung der Mittel wissenschaftlicher Tätigkeit hat JUDIN (1978, S. 323; vgl. auch OTTE, 1984) „theoretische Verallgemeinerungen" als Instrumente der tertiären Ebene vorgeschlagen. Sie dienen als Mittel der Konstruktion und des Gebrauchs von „modellierenden Vorstellungen", als Instrumente der sekundären Ebene. In Analogie dazu können wir davon ausgehen, dass WARTOFSKYs tertiäre Artefakte tatsächlich Methodologien oder Visionen oder Ausblicke auf die Welt darstellen, die als Leitlinien bei der Produktion und Anwendung von sekundären Artefakten, d.h. von Modellen, dienen.

Tabelle 2.1. Beschreibungen der hierarchischen Struktur der Tätigkeit

LEONT'EV (1978)	HARRÉ et al. (1985)	BATESON (1972)	RAEITHEL (1983)	WARTOFSKY (1979)	JUDIN (1978)
Tätigkeit / Motiv	Tiefenstruktur des Geistes / Soziale Ordnungen	Lernen III	Rezentrierung	Tertiäre Artefakte	Theoretische Verallgemeinerungen
Handlung/ Ziel	Bewusstheit	Lernen II	Dezentrierung	Sekundäre Artefakte	Modellierende Vorstellungen
Operation/ Bedingungen	Verhaltensroutinen	Lernen I	Urzentrierung	Primäre Artefakte	Prozeduren

Lernen III kann man nun charakterisieren als die Konstruktion und Anwendung von Ausblicken auf die Welt oder von Methodologien – oder wenn man so will, von Ideologien. Aber dies ist nicht nur eine Angelegenheit der imaginativen Produktion.

> Die Tätigkeit der Imagination ist daher eine Form der alternativen perzeptiven Praxis, die nur relativ unabhängig von der historisch-aktuellen oder dominanten gegenwärtigen Form der perzeptiven Praxis ist. Ich halte das, was die Imagination als „interne Repräsentation" ist, d.h. die Abbildung solcher Alternativen „im Geiste", für eine Ableitung von der tatsächlichen Herstellung imaginativer Artefakte. Das heißt, in ihrer Genese halte ich die imaginative Praxis für eine Praxis in der wirklichen Welt oder die wirkliche Herstellung von Repräsentationen; die Interiorisation dieser Repräsentationen als „mentale" Artefakte halte ich für einen abgeleiteten Prozess. (WARTOFSKY, 1979, S. 209)

Beim Lernen III erlangt das Subjekt Bewusstheit und gewinnt eine imaginative und daher potentiell auch praktische Kontrolle ganzer Tätigkeitssysteme, bezogen auf die Vergangenheit, die Gegenwart und die Zukunft. Individuelle Ausprägungen von Lernen III werden gemeinhin als „persönliche Krisen", „Ausbrüche", „Wendepunkte", „Momente der Offenbarung" bezeichnet.

Das Dreieck der Lerntätigkeit (Abb. 2.12) stellt sich nun als Hierarchie von drei Ebenen dar. Jede Ecke des Dreiecks würde so drei qualitativ verschiedene Ebenen besitzen: diejenige der gesamten Tätigkeit, die der Handlungen und die der Operationen. Anstelle des Versuchs einer derart komplexen graphischen Darstellung möchte ich in Tabelle 2.1 die verschiedenen Bestimmungen dieser drei Ebenen zusammenfassend darstellen.

Im folgenden (Tabelle 2.2) stelle ich meine eigene Charakterisierung der vier Ecken des Dreiecksmodells der Lerntätigkeit mit seinen drei Ebenen dar.

Tabelle 2.2. Struktur der Tätigkeit nach dem Dreiecksmodell

Subjekt	Instrumente	Gegenstand	Gemeinschaft	Regeln	Arbeitsteilung
Kollektives Subjekt	Methodologie, Ideologie	Wir-in-der-Welt	Gesellschaftliches Netz von Tätigkeiten	Gesellschaftliche (Staat, Gesetz, Religion)	Gesellschaftliche Arbeitsteilung
Individuelles Subjekt	Modelle	Problem, Aufgabe	Kollektive Organisation	Organisationale Regeln	Organisationale Arbeitsteilung
Nichtbewusst	Werkzeuge	Widerstand	Unmittelbare Primärgruppe	Interpersonale Regeln	Interpersonale Arbeitsteilung

Lernen I und Lernen II stellen in ihrer Interaktion und in ihren Widersprüchen das dar, was gemeinhin als Lernen verstanden wird. Lernen III wird dagegen oft als Entwicklung verstanden. Diese Art der Kategorisierung ist jedoch irreführend. Lernen I und Lernen II sind immer in einer veränderten Form in Lernen III eingebettet. Entwicklung kann nur als „Ergebnis" von Lernen stattfinden. Dies hatte Vygotskij ganz klar erkannt. Er unterschied zwischen zwei Formen des schulischen Lernens – dem schlechten und dem guten. Er formulierte es so: *„Nur der Unterricht ist gut, der der Entwicklung vorauseilt"* (VYGOTSKIJ, 1987a, S. 302). Diese Unterscheidung korrespondiert mit unserer Unterscheidung zwischen Lernen IIa und Lernen IIb.

> Unterricht ist also unter diesem Aspekt nicht Entwicklung, aber ein richtig gestalteter Unterricht zieht die geistige Entwicklung des Kindes nach sich, ruft eine ganze Reihe von Prozessen ins Leben, die ohne Unterricht völlig undenkbar wären. Unterricht ist also ein notwendiges, immanentes und allumfassendes Moment des Entwicklungsprozesses, in dem beim Kind nicht die naturgegebenen, sondern die historischen Merkmale des Menschen entwickelt werden. ... Am wesentlichsten in der hier aufgestellten Hypothese ist der Gedanke, dass die *Entwicklungsprozesse und die Un-*

> *terrichtsprozesse nicht zusammenfallen, dass die Entwicklungsprozesse den Unterrichtsprozessen folgen, wobei letztere die Zone der nächsten Entwicklung schaffen.*
>
> Ein zweites wesentliches Moment der Hypothese besteht in der Vorstellung, dass der Unterricht, obwohl er zwar unmittelbar mit dem Gang der kindlichen Entwicklung verbunden ist, niemals gleichmäßig und parallel zur Entwicklung verläuft. (VYGOTSKIJ, 1987a, S. 303-306)

Mit anderen Worten: Das produktive Experimentieren vom Typ IIb ist also eine notwendige Vorbedingung für eine fruchtbare Auflösung von Doublebinds. Das expansive, nicht pathologische Durchbrechen eines Doublebindkontextes erfordert gewisse kunstvolle Lernhandlungen, die typisch für das reflexive Bauen und Überprüfen von Modellen beim Lernen IIb sind, das analog zur Forschung gesehen werden kann. Dies bedeutet im schulischen Kontext, dass Schüler, die die Relevanz ihres schulischen Lernens in Frage stellen und die nach erweiterten Kontexten von Lebenstätigkeiten suchen, von der Aneignung und der Anwendung von Lernhandlungen des Typs IIb profitieren können. Dies ist jedoch nur ein Schritt auf dem Weg zur Lerntätigkeit oder zu Lernen III. In der Lerntätigkeit wird Entwicklung selbst der Gegenstand des Lernens.

Aber wie lässt sich Entwicklung erkennen und in welche Richtung verläuft sie? Der Vorschlag von BROWN bestand darin, Entwicklung als die Herausbildung von allgemeinen, kontextfreien Strukturen und Fähigkeiten zu sehen. Fast das gleiche wird über VYGOTSKIJs Konzeption gesagt. Nach WERTSCH besteht VYGOTSKIJs Prinzip der Entwicklung in der „Dekontextualisierung von mediativen Mitteln."

> Die Dekontextualisierung von mediativen Mitteln ist der Prozess, durch den die Bedeutungen von Zeichen immer weniger von dem spezifischen raumzeitlichen Kontext abhängen, in dem sie gebraucht werden. (WERTSCH, 1985c, S. 33)

Das Problem dieses Kriteriums von Entwicklung ist seine zutiefst ahistorische Natur. Die kognitiven Strukturen und Fähigkeiten kompetenter moderner westlicher Erwachsener sind nicht unspezifisch oder kontextfrei, sondern vielmehr spezifisch für einen gesellschaftlichen Kontext, der durch und durch vom abstrakten Band des Tauschwerts beherrscht wird (vgl. Kapitel 2). Die Strukturen und Fähigkeiten von kompetenten Erwachsenen einer industrialisierten, sozialistischen Gesellschaft sind in einer allgemeinen, ahistorischen Art und Weise ebenso wenig dekontextualisiert. Diese Strukturen haben zwar eine scheinbar universale Oberfläche, stammen jedoch von bestimmten besonderen gesellschaftlich-ökonomischen Beziehungen zwischen Menschen ab.

Das Kriterium für menschliche Entwicklung muss also in der historischen Entwicklung der menschlichen Gesellschaft gesucht und gefunden werden. Gibt es aber eine Richtung dieser Entwicklung?

In einer neueren Arbeit über die historische Entwicklung menschlicher Tätigkeit argumentieren KUCKHERMANN und WIGGER-KÖSTERS (1985), dass es eine solche Richtung gibt: eine zunehmende *Subjektivierung oder Subjektwerdung*. Sie drückt sich in der historischen Zunahme der Anzahl und Verbindungen menschlicher Tätigkeiten aus und in der ungeheuren Ausweitung des Gegenstandsfeldes der Tätigkeiten.

Ich ziehe es vor, davon zu sprechen, dass Tätigkeiten *zunehmend vergesellschaftet werden*. Zunehmende Vergesellschaftung besteht zunächst darin, dass Tätigkeitssysteme allmählich größer, umfangreicher und dichter in ihrer internen Kommunikation werden. Daraus folgt, dass Tätigkeitssysteme eine wachsende Anzahl von Menschen beeinflussen. Es bedeutet zweitens, dass verschiedene Tätigkeitssysteme und die Menschen in ihnen zunehmend voneinander abhängig, interdependent werden, wobei sie immer komplexere Netzwerke und Hierarchien der Interaktion ausbilden. Diese Interdependenz ist, drittens, nicht einfach nur eine formale Teilnahme. Tätigkeitssysteme werden zunehmend und vollständig von den grundlegenden sozio-ökonomischen Gesetzen und den entsprechenden Widersprüchen einer gegebenen Gesellschaft durchdrungen. Tätigkeiten werden immer weniger in einer relativen Ungestörtheit von gesellschaftlichen Turbulenzen gelassen, sozusagen als Überbleibsel früherer sozio-ökonomischer Formation.

Das oben Formulierte hat nichts zu tun mit einer linearen, mechanisch-deterministischen Konzeption von Geschichte. Wenn ich über Widersprüche spreche, meine ich, dass jede gesellschaftlich-ökonomische Formation ihre eigenen, qualitativ spezifischen Widersprüche besitzt, die einfache quantitative Vergleiche und finale Bilder einer idealen Gesellschaft sinnlos machen. Widersprüche beinhalten ebenso Zonen von relativer Unbestimmtheit im Verlaufe der Entwicklung.

Die Formulierungen liefern aber eine Basis, auf der differenziert über mehr oder weniger fortgeschrittene Formen, sogar über „höhere" und „niedere" Ebenen der Entwicklung gesprochen werden kann. Diese Begriffe werden hier nicht als Synonyme für „besser" und „schlechter" oder für „wünschenswert" und „nicht einwandfrei" verwendet.

Individuelle und gesellschaftliche Entwicklung

Ich habe eine Seite der widersprüchlichen Einheit von Lernen und Entwicklung behandelt. Die andere Seite ist vielleicht etwas ungewöhnlich. Lernen ist nicht nur eine notwendige Vorbedingung für Entwicklung – Entwicklung ist auch ein notwendiger und immer gegenwärtiger Bestandteil von Lernen. Diese Auffassung ähnelt der traditionellen Vorstellung, Entwicklung als die Summe von Lernerfahrungen zu definieren. Aber diese Ähnlichkeit ist nur oberflächlich.

Lernen III als Ergebnis und Form typisch menschlicher Entwicklung ist fundamental kollektiver Natur. Das kollektive Lernen III ist vielleicht nicht so dramatisch wie seine individuellen Ausprägungen. Aber die wirkliche Produktion und Anwendung von Ansichten der Welt, die Umstrukturierung komplexer Tätigkeitssysteme ist nicht allein in individueller und dramatischer Form denkbar. In Perioden von außergewöhnlichen Umwälzungen, wie Revolutionen, scheinen das Kollektiv und das Individum, das Grundlegende und das Plötzliche, die Handlungen und die Tätigkeit zu verschmelzen, sogar bis zu dem Punkt, an dem das Individuum die führende Rolle zu ergreifen scheint. Dies sind aber vorübergehende Erscheinungen. Die Substanz menschlicher Entwicklung bildet das kollektive Lernen III, das schrittweise im Verlauf, aber grundlegend in seinen wesentlichen Auswirkungen ist.

Beim Lernen II, beim Problemlösen, gibt es immer – ob bewusst oder nicht, geplant oder ungeplant – die Phase der Anwendung und Verwirklichung des angeeigneten Instruments (sei es ein habituelles Vorgehen oder ein Modell) auf Bedingungen des täglichen Lebens, in der gesellschaftlichen Praxis. Diese Phase wird jedoch selten zum Gegenstand der Forschung zum Lernen gemacht.

> Wenn wir die Bedingungen untersuchen wollen, unter denen generisches Lernen stattfindet, dann muss die Form des Großteils gegenwärtiger

> Lernforschung drastisch geändert werden. Das gegenwärtige Vorgehen besteht darin, die Geschwindigkeit in der Aneignung beim Lernen von Neuem zu untersuchen und, wenn möglich, die Bedingungen zu untersuchen, die Vergessen bewirken. Wenn wir unsere Versuchssubjekte diesen Weg entlang geführt haben, entlassen wir sie oder, wenn es tierische Subjekte sind, „entsorgen" wir sie. Eine Ausnahme bildet hier natürlich der Kliniker; aber selbst seine Forschung zum Lernen und zur Kognition ist von der Art der Bedingungsvariation. Wir sind so daran gewöhnt, von labyrintherfahrenen Ratten und testerfahrenen menschlichen Wesen zu sprechen, aber ganz in dem Sinne einer lästigen Schwierigkeit. ... Wenn wir wirklich die Bedingungen für generisches Lernen untersuchen wollen ..., dann müssen wir uns mit unseren Lebewesen weit länger beschäftigen und sie originelle Aufgaben größerer Verschiedenartigkeit lehren, als wir das jetzt tun. (BRUNER, 1974, S. 233)

Wenn wir Lernen II über die Laborphasen hinaus verfolgen, wie sie von BRUNER beschrieben worden sind, bis in die Tätigkeit des Subjekts außerhalb des Labors, dann werden wir herausfinden, dass das neu angeeignete Instrument niemals genauso bleibt wie in den Phasen der ursprünglichen individuellen Aneignung und Internalisierung. Bei der Integration in den größeren Kontext der sozialen Lebenstätigkeit des Subjektes selbst wird es sich verändern, Überraschungen produzieren und neue Qualitäten. Es wird in einer Praxis konkretisiert und generalisiert, die notwendig reicher als die ursprünglich angeeignete Abstraktion ist.

> Indem die Tätigkeit direkt mit der gegenständlichen Wirklichkeit in Berührung kommt und sich ihr unterordnet, wird sie modifiziert, bereichert und kristallisiert sich in dieser ihrer Bereicherung im Produkt. Die realisierte Tätigkeit ist reicher, wahrer als das sie vorwegnehmende Bewusstsein. Dabei bleiben dem Bewusstsein des Subjekts die Beiträge verborgen, die durch seine Tätigkeit hineingebracht werden; hieraus ergibt sich auch, dass das Bewusstsein als Grundlage der Tätigkeit erscheinen kann. (LEONT'EV, 1979, S. 125-126)

Dieser stillschweigende Übergang aus der Sphäre der anfänglichen Internalisierung in die Sphäre der oftmals verzögerten Externalisierung und Vergegenständlichung ist tatsächlich der Übergang von Lernen II zu Lernen III – von individuellen Handlungen zu der öffentlichen oder kollektiven Form der Tätigkeit.

> Die Zwecke der Handlungen sind gewollt, aber die Resultate, die wirklich aus den Handlungen folgen, sind nicht gewollt, oder soweit sie dem gewollten Zweck zunächst doch zu entsprechen scheinen, haben sie schließlich ganz andere als die gewollten Folgen. Die geschichtlichen Ereignisse erscheinen so im ganzen und großen ebenfalls als von der Zufälligkeit be-

> herrscht. Wo aber auf der Oberfläche der Zufall sein Spiel treibt, da wird stets das innere verborgene Gesetze beherrscht, und es kommt nur darauf an, diese Gesetze zu entdecken. (ENGELS, 1972, S. 297)

Das Individuum trägt zur gesellschaftlichen Entwicklung und damit indirekt zu seiner eigenen individuellen Entwicklung bei. Dies unterscheidet sich von der explosiven Form von Lernen III, wie sie von BATESON beschrieben worden ist. Offensichtlich existieren beide Formen – die explosive und die implizite oder allmähliche. Das Problem der letzteren besteht darin, dass sie in der Form von unerkannten Innovationen stattfindet, wie gesagt „hinter dem Rücken" des Subjekts. Das Subjekt bleibt nur ein potentielles Subjekt der Tätigkeit und der Entwicklung, das tatsächlich von der kollektiven Herrschaft durch die zunehmende Arbeitsteilung abgeschnitten ist. Ein gutes Beispiel für diesen letztgenannten, allmählichen und impliziten Aspekt von Lernen III stellt die Entwicklung der Sprache dar. Wenn das Individuum neue Modelle des Sprachgebrauchs lernt, wissen es und seine Lehrer, dass diese Modelle gesellschaftlich nicht neu sind, dass sie nur für dieses besondere Individuum neu sind. Wenn das Individuum diese Modelle aber in seiner Lebenstätigkeit benutzt, produziert es tatsächlich gesellschaftlich neue Variationen dieser Modelle, wenn auch meistens unbewusst. Wie USHAKOVA (1977, S. 533) anmerkt, „findet die Erfindung von Worten, die die Merkmale einer Analogie besitzt, als Ergebnis der ‚Kollision' von zwei verallgemeinerten lexikalen Strukturen statt." Der Beitrag des Individuums verliert schnell seine individuelle Identität und vermehrt sich in der umfangreichen Masse ähnlicher Beiträge im sozialen Austausch innerhalb der Gemeinschaften. Langfristig leistet es einen Beitrag zur Herausbildung neuer, dominierender Formen des Sprachgebrauchs, Formen, in die das Individuum explosionsartig hineinwachsen kann oder auch nicht. Diese Modelle formen gelegentlich seine ganze Sicht auf die Welt und die Methodologie, sich mit der Welt auseinanderzusetzen, auch wenn dies oft sehr langsam und unbemerkt stattfindet.

In diesem zugegebenermaßen indirekten und sogar etwas düsteren Sinne enthält Lernen II immer Lernen III. Gar nicht so düster ist, dass diese Sichtweise eine neue Herangehensweise an die Forschung im Bereich Entwicklung und Lernen nahelegt. Statt zu fragen, wie das individuelle Subjekt sich zu dem entwickelt hat, was es ist, könnte die Entwicklungspsychologie damit beginnen zu fragen, wie die Gegenstände und Strukturen der Lebenswelt (die selbst als Tätigkeitssysteme verstanden werden) von menschlichen Wesen geschaffen worden sind und geschaffen werden, wie andauernd etwas objektiv Neues entwickelt wird. Der Forscher würde auf diese Art mit BRONFENBRENNERS „Zug" beginnen, aber mit einem Zug, der beständig von den Leuten konstruiert und rekonstruiert wird, die mit ihm reisen. Auf der anderen Seite bedeutet diese Art von Konstruktivismus nicht, „Individuen als Produzenten ihrer eigenen Entwicklung" zu betrachten. Die Individuen werden vielmehr als Koproduzenten der gesellschaftlichen und kulturellen Entwicklung angesehen und nur indirekt als Produzenten ihrer eigenen Entwicklung. Daraus folgt, dass jemand, der das Lernen untersucht, sich vielleicht nicht damit zufrieden gibt, das aufzunehmen, was innerhalb der Periode der anfänglichen Aneignung von neuem Wissen oder von Fähigkeiten gelernt wird. Er würde sich vielleicht vielmehr auf die praktische Anwendung als integralen Bestandteil des Lernprozesses konzentrieren und die Veränderungen der angeeigneten Inhalte dabei verfolgen, wie sie in die Lebenstätigkeiten des Lernenden integriert werden, d. h. wirklich sozialisiert und verallgemeinert werden.

Oben habe ich zwei alternative Formen von Lernen III vom Gesichtspunkt des Individuums präsentiert: Entwicklung als persönliche Krise und Explosion und Entwicklung als verborgene, unsichtbare Mitwirkung. Beides sind sehr alte Formen des Lernens, vielleicht so alt wie die Menschheit selbst. Wie passt dies zu dem Schluss von Kapitel 2, dass die Lerntätigkeit oder das Lernen durch Expansion eine sich entwickelnde, historisch neue und höhere Form des menschlichen Lernens ist?

Die Lösung ist, dass Lernen III, oder Lerntätigkeit, oder Lernen durch Expansion, sowohl neu wie alt ist. Die beiden alten Formen, die wir oben betrachtet haben (persönliche Krisen und unsichtbare Mitwirkungen), sind vorläufige und unreife Formen. In ihnen enthüllt das BATESONsche Konzept von Lernen III noch nicht sein volles Potential. Beide zeigen noch nicht die interessantesten Seiten von Lernen III – seine neue, im Entstehen begriffene Form.

Betrachten wir als Beispiel die *Children's Campaign for Nuclear Disarmement* (Kampagne Kinder für nukleare Abrüstung), die von Maria SCHUMANN (15

Jahre), Becky DENNISON (12 Jahre), Nessa RABIN (13 Jahre), Hannah RABIN (16 Jahre), Susie DENNISON (16 Jahre), Solveig SCHUMANN (17 Jahre) und Max SCHUMANN (17 Jahre) in den Vereinigten Staaten im Juli 1981 initiiert wurde. Die Bewegung nahm ihren Ausgangspunkt von der Idee, persönliche Briefe an Präsident REAGAN zu schreiben, in denen nukleare Abrüstung verlangt wurde.

> Durch Mund-zu-Mund Propaganda, durch Briefe – in denen die Idee der Briefkampagne beschrieben wurde – an Schulen und Altersgenossen, von denen sie die Adressen besaßen, erhielten die sieben Freunde 2.832 Briefe an Präsident Reagan von Kindern aus dem ganzen Land bis zum Oktober 1981. Bis Juni 1982 kamen weitere 5.404 Briefe dazu. Am 17. Oktober 1981 und am 19. Oktober 1982 wurden die Briefe laut von einer Delegation von Kindern vor dem Weißen Haus verlesen, nachdem ein Treffen mit Präsident Reagan an beiden Tagen nicht zustande gekommen war. (GRÜNEWALD, 1985, S. 14)

In einem Interview unterstrich Hannah RABIN die Bedeutung von Jugendlichen- und Kindergruppen, die unabhängig von Erwachsenen arbeiten.

> Wir brauchen irgendwie die Unterstützung der Erwachsenen. Wir brauchen die Erwachsenen, damit sie uns Geld geben, weil wir Kinder kein Geld haben, wir brauchen Erwachsene, die uns fahren und zu essen geben, wenn wir Versammlungen und solche Sachen haben, es ist aber sehr wichtig, dass die Kinder und Jugendlichen ihre eigenen Gruppen haben, dass sie direkt zueinander sprechen. Wenn Erwachsene dabei sind, dann gibt es zu viele Konflikte zwischen Erwachsenen und Kindern und Jugendlichen. Und die Erwachsenen haben auch ihre eigene Bewegung. (GRÜNEWALD, 1985, S. 15)

Die Arbeit des Planungskomitees und die Briefkampagne endete im Jahre 1982. Heute wird die Arbeit von einer Reihe von lokalen Gruppen fortgeführt, die verschiedene Tätigkeitsformen entwickelt haben. Die Kampagne hat sich bis nach Westdeutschland und einigen anderen europäischen Ländern ausgedehnt. Susie DENNISON schreibt:

> Bei der Arbeit für die Briefkampagne sind wir mit vielen Jugendlichen in Kontakt gekommen, und es gibt ungefähr 30 Untergruppen im ganzen Land. Wir haben viele Schulen besucht und hatten Workshops mit Jugendlichen, auf denen wir mit ihnen über den Rüstungswettlauf sprechen, die Gefahr eines nuklearen Krieges, unsere Angst, dass wir alle zerstört werden und was wir tun können, um nukleare Abrüstung Wirklichkeit werden zu lassen. (GRÜNEWALD, 1985, S. 16)

Die Kinder, die die Kampagne begonnen haben, haben weder eine explosive persönliche Krise erlebt, noch waren ihre Mitwirkungen unsichtbar, implizit und nicht bewusst. Ihre eingeschränkten Handlungen wurden zu einer objektiv neuen Form gesellschaftlicher Tätigkeit. Die gesellschaftliche Entwicklung, die dem Kreis der sieben Kinder den Impuls gegeben hatte, hatte zweifellos wichtige Auswirkungen auf die individuelle Entwicklung dieser Kinder. Nach LEONT'EV (1979, S. 207) besteht die erste Grundlage der Persönlichkeitsentwicklung in dem „Reichtum an Beziehungen" des Individuums zur Welt – dies hatte sich für die Initiatoren der Kampagne vervielfacht. Die zweite Grundlage besteht in dem Ausmaß, in dem Tätigkeiten und ihre Motive hierarchisiert sind. In dieser Hinsicht ist eine hochentwickelte Persönlichkeit durch zentrale, dominante Motive bestimmt, die zu bewussten „Lebenszielen" geworden sind. Dies bedeutet, dass „das führende Leitmotiv, auf das wahrhaft Menschliche gerichtet wird und den Menschen nicht isoliert, sondern sein Leben mit dem Leben der Menschen, mit ihrem Wohl verbindet" (LEONT'EV, 1979, S. 209-210). Etwas Ähnliches können wir in dem Interview von Hannah RABIN entdecken.

> Es gibt Erwachsene, die sagen, dass wir das nicht tun sollten, was wir tun, weil es sich um eine Angelegenheit von Erwachsenen handelt. Dem können wir wirklich nicht zustimmen. Wir glauben, dass es sich um unsere Zukunft handelt, die dabei ist, zerstört zu werden, und dass wir wirklich die Verantwortung dafür übernehmen müssen, weil die Erwachsenen allein nicht stark genug sind, um mit dem Wettrüsten fertig zu werden. Ich glaube, dass wir jede einzelne Person in der Welt brauchen, um schließlich diese Bedrohung zu beenden. (GRÜNEWALD, 1985, S. 18)

Man vergleiche dieses Beispiel mit den Auswirkungen des schulischen Lernens oder mit den Auswirkungen der üblichen Kampagnen gegen das Rauchen, gegen Verkehrsunfälle usw. In diesen Fällen sind die anfänglichen Aufwendungen an Energie, gemessen in Stunden, Arbeitskraft oder Geld, ganz erheblich. Die Auswirkungen auf die Entwicklung in der gesellschaftlichen Praxis sind jedoch mager, manchmal gar nicht nachzuweisen.

Dies legt es nahe, dass es zwei Grundformen der Entwicklung gibt – Entwicklung nun verstanden als *Übergänge zwischen den verschiedenen Ebenen des Lernens*, wie z.B. die Bewegung von den Operationen zu den Handlungen und dann zur Tätigkeit. Diese beiden Formen sind vergleichbar mit den Konsequenzen, die es hat, einen Stein ins Wasser zu werfen. Normalerweise produziert der Stein eine Reihe von kreisförmigen Wellen, wobei die innersten Wellen am höchsten sind und zum Rand hin allmählich kleiner werden, bis sie ganz aufhören. In der Entwicklung der Menschen gibt es nicht nur diese Form der Bewegung, sondern auch eine andere entgegengesetzte Form, bei der die Wellen größer werden, wenn sie sich aus dem Zentrum herausbewegen, dann sich zurück auf die ursprüngliche Quelle der Bewegung wenden und sie überformen und schließlich eine neue Struktur oder Stabilität schaffen, die der ursprünglichen übergeordnet ist.

Diese, auch von Ilya PRIGOGINE (1985, S. 7) in einem allgemeineren Kontext benutzte Metapher zwingt uns dazu, uns dem zentralen Punkt des Problems zuzuwenden. Wie wird das objektiv, gesellschaftlich Neue in der menschlichen Entwicklung hervorgebracht?

Wie das Neue hervorgebracht wird

PRIGOGINE definiert das Wesen der im Augenblick entstehenden neuen wissenschaftlichen Rationalität wie folgt.

> Die klassische Wissenschaft ist an die Negation der Zeit im Namen der Ewigkeit geknüpft. Ist verbunden mit dem Begriff der Zeit als Verfall. Aber die Geschichte unserer Welt kann nicht nur in der Abfolge historischer Katastrophen bestehen ..., wenn es den Verfall gegeben hat, dann muss es auch einmal einige Momente des Schaffens gegeben haben. Interessanterweise scheint diese einfache Wahrheit zuerst von Künstlern wahrgenommen worden zu sein, ... gegenwärtig befindet sich die Physik auf der Suche nach einem dritten Begriff von Zeit als reduzierbar weder auf Wiederholung noch auf Verfall. (PRIGOGINE, 1985, S. 3)

In einem beeindruckenden Aufsatz über die Beziehung zwischen Organismus und Umwelt hat der Biologe LEWONTIN diese Auffassung näher charakterisiert.

> Wir können die Evolution nicht als die „Lösung" von vorherbestimmten „Umweltproblemen" durch eine bestimmte Art betrachten, weil es die Lebenstätigkeiten der Arten selbst sind, die gleichzeitig sowohl die Probleme wie die Lösungen bestimmen. ... So ist auch unser Zentralnervensystem nicht an irgendwelche absoluten Gesetze der Natur angepasst, sondern an Gesetze der Natur, die innerhalb eines Rahmens operieren, der durch unsere eigene sinnliche Tätigkeit geschaffen wird. ... Innerhalb ihrer individuellen Lebenszeit und in dem Verlaufe ihrer Evolution als Art *passen* Organismen sich an Umwelten nicht *an*, sie *konstruieren sie*. Sie sind nicht einfach Objekte der Naturgesetze, die sich ändern, um sich dem Unvermeidlichen zu beugen, sondern sind aktive Subjekte, die die Natur entsprechend ihrer Gesetze transformieren. (LEWONTIN, 1982, S. 162-163; kursiv im Original)

In der Entwicklungspsychologie finden wir gelegentlich Diskussionen und Verwirrungen um die Frage: Wie entwickelt sich das Neue aus dem Alten? Die bisher vorgestellte Analyse macht deutlich, dass dies eine irreführende Formulierung der Frage ist. Das Neue wird nicht aus dem Alten entwickelt, sondern aus der *lebendigen Bewegung*, die vom Alten wegführt.

> Wenn du nicht weißt, wonach du suchst, was suchst du dann, und wenn du weißt, was du suchst, wozu suchst du dann? Für ein mit Psyche ausgestattetes Wesen ist gerade so eine in sich widersprüchliche Suche kennzeichnend.
>
> Die eigentliche Quelle für die Entwicklung der Psyche der Tiere und der Menschen ist gerade dieser ihr zugrunde liegende Widerspruch. ... Etwas suchen, was noch nicht da ist, was aber möglich ist ... dies ist das grundlegende und zentrale Moment der Lebenstätigkeit eines jeden empfindenden und denkenden Lebewesens – eines Subjekts. ... Das Paradox der Suche besteht nach dieser Auffassung darin, dass es das Mögliche und das Wirkliche in sich vereinigt. (DAVYDOV & ZINCHENKO, 1982, S. 129)

In Übereinstimmung mit BERNSTEIN definieren DAVYDOV und ZINCHENKO die lebendige Bewegung als die genetisch primäre Einheit der Analyse der mentalen Realität. Der kulturelle Prototyp der lebendigen Bewegung ist die Arbeit. Das Paradox der Suche ist eingebettet in die allerersten Formen menschlicher Arbeitstätigkeit.

> Die Bewegung ist das notwendige Bindeglied zwischen Vorwegnahme und Gedächtnis. Die Diskrepanz zwischen ihnen wird mittels der Gegenwart, mittels des aktiven Handelns in ihr bewältigt. (DAVYDOV & ZINCHENKO, 1982, S. 134)

Kehren wir jetzt zu dem Beispiel der *Kampagne Kinder für nukleare Abrüstung* zurück und zu den postulierten zwei Formen der Entwicklung. Es scheint, dass die lebendige Bewegung, die diese Kampagne zeigt, ein ganz bestimmtes Merkmal enthält. Das Paradox der Suche ist in diesem Fall den Suchenden selbst bewusst geworden, es hat die Qualität einer echten Doublebind Situation erreicht, und es ist durch kollektive, bewusste Handlung in der Gegenwart gelöst worden. Die Form der Entwicklung, mit der wir es hier zu tun haben – die expansive Generierung neuer Tätigkeitsstrukturen – erfordert in anderen Worten vor allem eine *instinktive oder bewusste Beherrschung von Doublebinds*. Ein Doublebind kann nun verstanden werden als ein *soziales, gesellschaftlich wesentliches Dilemma, welches nicht durch voneinander getrennte individuelle Handlungen allein gelöst werden kann – in dem aber gemeinsame kooperative Handlungen eine historische neue Form der Tätigkeit hervorbringen können.*

Die Beherrschung von Doublebinds besteht vor allem in der historischen Analyse oder der historischen Intuition der inneren Widersprüche des Tätigkeitssystems, dem das Subjekt angehört. Wir kommen hier auf die Instrumente zurück. Um in einem Dilemma erfindungsreich zu sein, bedarf es der Erfindung eines neuen Instruments für die Lösung des Dilemmas. Das verlangt Experimente, das Ausleihen oder Anwenden bereits existierender Artefakte (wie etwa der Brief im Falle der Kampagne der Kinder) für neue Zwecke.

> Der Experimentator kann nicht über den Punkt hinausgehen, für den Methoden und Instrumentarien zur Verfügung stehen. Er kann sie manchmal erfinden; öfter allerdings entlehnt er sie einer Quelle, die sehr wohl außerhalb seines unmittelbaren Interesses liegen kann. ...
>
> Eines der wichtigsten Merkmale dieser Wendepunkte in der experimentellen Entwicklung besteht darin, dass sie sehr oft Methoden und Instrumentarien in das Forschungsfeld einführen, die dort neu sind, aber in einem anderen Forschungsbereich bereits entwickelt sind. Wenn aber der Experimentator, der so verfährt, wirklich bedeutend für seine Wissenschaft ist, dann tut er immer mehr als bloß dieses. Er muss die neuen Methoden und Instrumente für die Benutzung in seinem eigenen Feld adaptieren, und er muss zeigen, dass sich mit ihrer Hilfe eine zwingende Antwort auf einige gegenwärtige Probleme erreichen lässt, und dass sie zur gleichen Zeit für eine Reihe weiterer Probleme dienlich sind. (BARTLETT, 1958, S. 133-135)

BARTLETTs Analyse des wissenschaftlichen Experimentierens kann man sehr gut auf andere gesellschaftliche Aktivitäten übertragen. Das Problem bei Dilemmas im Sinne von KOHLBERG besteht darin, dass es kein Tätigkeitsfeld und kein Feld von Artefakten gibt, in welche das Dilemma eingebettet sein könnte. Daher kann man zunächst einmal mit nichts experimentieren, nichts ausprobieren.

Die Instrumente unterscheiden auch den Fall des Delphins von dem Fall der Kampagne der Kinder. Auch wenn der Delphin ein intensives Dilemma erlebte und es löste, indem er wirklich neues Verhalten produzierte, so hat er doch an keiner Stelle neue Instrumente im eigentlichen Sinne des Wortes produziert. Er hat keine Gegenstände oder Modelle hergestellt, über die sich kommunizieren ließe, die innerhalb seiner eigenen Art aufbewahrt und weitergegeben worden wären. Diese Prozesse wären nur in einer Art von Symbiose mit Menschen möglich gewesen. Die Handlungen des Delphins konnten nicht selbst ein neues Tätigkeitssystem in der „Gesellschaft" der Delphine hervorbringen. Sie blieben darauf beschränkt, individuelle Leistungen zu sein, wenn nicht Menschen sich dazu entschließen würden, sie auf andere Individuen dieser Art zu übertragen.

Bratus und Lishin (1983) haben eine aufschlussreiche Diskussion vorgestellt, die direkt für das Problem der Doublebinds relevant ist. Auf der Grundlage von Leont'evs (1979) theoretischer Arbeit und ihrer eigenen klinischen Experimente beschreiben sie die psychologischen Phasen des Entstehens einer neuen Tätigkeit mit dem folgenden Diagramm (vgl. Abb. 2.13).

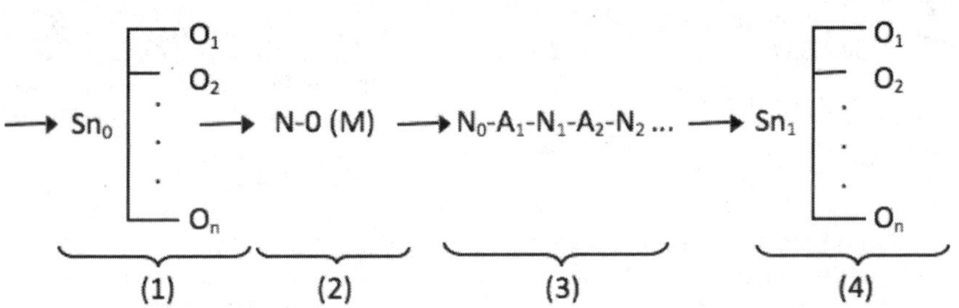

Abb. 2.13. Das Entstehen der Tätigkeit nach Bratus und Lishin (1983, S. 44)

In dem Diagramm bezeichnet das Symbol N ein „Bedürfnis", das Symbol A bezieht sich auf „Tätigkeit", das Symbol 0 bezieht sich auf „Objekt" und das Symbol M bezieht sich auf „Motiv". Jedes neue erweiterte Bedürfnis wird in einer Tätigkeit hergestellt, die ihrerseits auf der Grundlage eines vorherigen Bedürfnisses entsteht, das, nachdem es seinen Gegenstand gefunden hat, in ein Motiv transformiert worden ist. Aber der außergewöhnliche Punkt in diesen sich wiederholenden Zyklen ist etwas, das mit S_n symbolisiert ist. Dieses Symbol bezieht sich auf den Begriff der „Notlage".

> An zwei Punkten kann die Tätigkeitssequenz zusammenbrechen: entweder an dem Punkt N-A, wenn ein Bedürfnis nicht mit Hilfe der vorhandenen Mittel der Tätigkeiten befriedigt werden kann; oder an dem Punkt A-N, wenn umgekehrt die existierenden operativen und technischen Mittel keinen existierenden Bedürfnissen korrespondieren. In jedem Fall kann ein spezieller Zustand der Unbestimmtheit entstehen, indem die Wünsche sozusagen ihren Gegenstand verlieren, und man kann sagen, dass eine Person etwas (manchmal sehr leidenschaftlich) wünscht, das sie selbst

> nicht weiß und nicht klar beschreiben kann. Diesen besonderen Zustand des Unbestimmten, zeitweilig gegenstandslosen Wünschens kann man eine Notlage nennen. (BRATUS & LISHIN, 1983, S. 43)

Diese Beschreibung erinnert uns unmittelbar an die Charakterisierung des Paradoxes der Suche durch DAVYDOV und ZINCHENKO. Wesentlich an der Notlage ist, dass das Subjekt sich mit widerstreitenden Alternativen konfrontiert sieht und dass es nicht in der Lage ist, die Richtung seiner Bestrebungen zu bestimmen. Die neue Tätigkeit entwickelt sich durch drei Zonen hindurch: (l) die Zone der Notlage, (2) die Zone der Motivbildung und (3) die Zone der Transformation der Bedürfnisse und der Tätigkeit (BRATUS & LISHIN, 1983, S. 44).

> Eine Notlage kann jedoch nicht lange andauernd. Früher oder später findet eine Entdeckung, ein Zusammentreffen oder eine aktive Probehandlung mit irgendeinem Gegenstand statt; dieser Gegenstand passt zu der besonderen Notlage, der sie in einen qualitativ anderen Rang erhebt, den Rang eines vergegenständlichten Bedürfnisses, d.h. eines Bedürfnisses, das seinen Gegenstand oder sein Motiv gefunden hat. Durch das entdeckte Motiv stimuliert das Bedürfnis dann die Tätigkeit, in deren Verlauf das Bedürfnis reproduziert und ... etwas modifiziert in einen neuen Tätigkeitskreislauf eingespeist wird, der verschieden von dem vorherigen ist, usw., d.h. eine Folge von Transformationen entsteht. (BRATUS & LISHIN, 1983, S. 43-44)

Zwei wichtige kritische Anmerkungen sind hier notwendig. Erstens sind die Objekte für die Notlage niemals beliebig oder zufällig. Unter der anscheinend zufälligen Oberfläche von unverbundenen „Alternativen" oder „Optionen" liegen die historisch bestimmten inhärenten Widersprüche jeden Objekts einer gegebenen gesellschaftlich-ökonomischen Formation. Im Kapitalismus ist die Doppelnatur der Waren der inhärente Widerspruch, der sich in jedem Objekt ausdrückt, der gleichzeitig abstrakt und konkret, Tauschwert und Gebrauchswert ist. Die Notlage ist daher begründet in der Verwirrung des Subjekts angesichts dieser sich gegenseitig ausschließenden und voneinander wechselseitig abhängigen Seiten des gleichen Gegenstandes.

Die andere kritische Bemerkung bezieht sich auf die „Automatik" in der Entstehung neuer Tätigkeiten, wie sie von BRATUS und LISHIN formuliert wird. Die Autoren behaupten, dass eine Notlage „nicht lange dauern kann" und dass sie dann durch einen neuen Zyklus von Transformationen ersetzt werden wird. Zunächst einmal gibt es gute Gründe für die Annahme, dass eine Notlage oft tatsächlich lange andauern kann und verschiedene Formen der

Deprivation, der Passivität und der Flucht produzieren kann, ganz zu schweigen von „Ersatztätigkeiten" wie den Alkoholismus, den die Autoren selbst ausführlich studiert haben. Noch wichtiger ist die Art, in der die Notlage angeblich aufgelöst wird. Für BRATUS und LISHIN scheint es ein sehr einfacher und leichter Prozess zu sein: „Früher oder später findet ein Zusammentreffen, eine Entdeckung oder eine aktive Probehandlung mit irgendeinem Gegenstand statt". Es gibt eine Reihe von Hinweisen darauf, dass meistens diese „Früher-oder-später"-Entscheidungen tatsächlich nicht die Entwicklung neuer Tätigkeiten beinhalten, sondern die „Wiederentdeckung" alter, regressiver Tätigkeitsformen. Das Leben bewegt sich dann in Kreisen, nicht in einer aufsteigenden Spirale. Auch in dieser Form findet offensichtlich unsichtbar Entwicklung statt. Aber das ist nicht das, nach dem wir suchen.

Eine Notlage beinhaltet keinen Automatismus. Sie kann durch Regression „gelöst" werden, oder sie kann durch Expansion gelöst werden. Um die Struktur dieses letztgenannten Prozesses zu beschreiben, wenden wir uns jetzt der Ausarbeitung der Kategorie der Zone der nächsten Entwicklung zu.

Die Zone der nächsten Entwicklung

VYGOTSKIJs berühmte Definition der Zone der nächsten Entwicklung liest sich wie folgt:

> Es ist die Distanz zwischen dem Niveau der aktuellen Entwicklung, wie es durch unabhängiges Problemlösen gegeben ist, und dem Niveau der möglichen Entwicklung, wie es gegeben ist durch ein Problemlösen unter Anleitung von Erwachsenen oder in Zusammenarbeit mit Gleichaltrigen. (VYGOTSKIJ, 1978, S. 86)

Nach VYGOTSKIJ definiert die Zone der nächsten Entwicklung jene Funktionen, die „morgen heranreifen werden, die aber gegenwärtig noch in einem embryonischen Zustand sich befinden", d.h. den Knospen der Entwicklung (VYGOTSKIJ, 1978, S. 86). VYGOTSKIJ behauptet, dass Primaten und andere Tiere keine Zone der nächsten Entwicklung haben können. Menschliche Kinder können im Unterschied „sehr wohl über die Grenzen ihrer eigenen Fähigkeiten hinausgehen", „sie können in der kollektiven Tätigkeit viel mehr tun" (VYGOTSKIJ, 1978, S. 88).

VYGOTSKIJ sah den Unterricht als das Hauptmittel an, die Zone der nächsten Entwicklung auszunutzen.

> Nur *der* Unterricht im Kindesalter ist gut, der der Entwicklung vorauseilt und sie nach sich zieht ... er stützt sich aber nicht so sehr auf die reifen, als auf die reifenden Funktionen. ... Die Pädagogik soll sich nicht auf die kindliche Entwicklung von gestern, sondern auf die von morgen orientieren. (VYGOTSKIJ, 2002, S. 331-332)

VYGOTSKIJ bezieht sich auf MONTESSORIs Idee der „sensitiven Phasen" als den optimalen Ausgangspunkten für den Unterricht.

> Es ist ihr z.B. gelungen nachzuweisen, dass sich bei einem sehr frühen Schreibunterricht bei 4½ - bis 5-jährigen Kindern eine so fruchtbare, reiche und spontane Nutzung der Schriftsprache beobachten lässt wie niemals in späteren Altersstufen, was sie zu dem Schluss veranlasste, dass gerade in dieser Altersstufe der optimale Zeitraum für den Schreibunterricht, seine sensitiven Periode, konzentriert sei. Montessori nannte die vielfältigen und an eine Eruption erinnernden Äußerungen kindlichen Schreibens in diesem Alter explosives Schreiben. ... Unterricht kann sich gerade deshalb in den Entwicklungslauf einmischen und seine entscheidende Wirkung ausüben, weil diese Funktionen zum Beginn des Schulalters noch nicht ausgereift sind ... (VYGOTSKIJ, 2002, S. 334-336)

Der Begriff der Zone der nächsten Entwicklung hat in den letzten Jahren vor allem in den Vereinigten Staaten eine ziemliche Wiederauferstehung erlebt. Eine gemeinsame Interpretation und Anwendung dieses Begriffs besteht darin, ihn als Grundlage für verschiedene Versionen der „dynamischen Messung der Intelligenz" zu gebrauchen (vgl. BROWN & FRENCH, 1979; DAY, 1983).

Eine andere verbreitete Interpretation nimmt die Zone der nächsten Entwicklung als Begründung dafür, soziale Situationen oder Umgebungen zu schaffen, in denen den Kindern unterrichtliche Hilfestellungen gegeben werden, so dass die Kinder in die Lage versetzt werden, sich neue Fähigkeiten auf neue Art und Weise anzueignen, durch gemeinsames Problemlösen und durch Interaktion. Die Idee des „Gerüsts" (vgl. WOOD, BRUNER, & ROSS, 1976; WOOD, 1980) ist ein Ergebnis dieser Linie der Interpretation, wie auch CAZDENs (1981) Arbeit über das Sprachlernen bei Kindern und verschiedene Beiträge in dem wichtigen Band, der von ROGOFF und WERTSCH (1984) herausgegeben worden ist.

Nicht eine dieser üblichen Interpretationen wird VYGOTSKIJs Konzeption vollständig gerecht. Im Falle der Interpretation im Sinne der dynamischen Leistungsmessung merkt man leicht, dass VYGOTSKIJ „über allgemeinere Fragen spricht" (DAY, 1983, S. 164). Aber auch die Auffassung des „Gerüsts" ist zu eng. Peg GRIFFIN und Michael COLE weisen auf zwei ernste Schwachstellen dieser Interpretation hin. Erstens bezieht sich das „Bauen von Gerüsten" (oder die Schaffung von „Formaten", vgl. BRUNER, 1985) auf die Aneignung diskreter Fähigkeiten und Handlungen und nicht auf die Entwicklung länger dauernder umfassenderer Tätigkeiten. Es handelt sich dabei „im großen und ganzen um eine räumliche Metapher, in welcher der zeitliche Aspekt der Konstruktion des Ganzen einen nicht weiter analysierten Restaspekt des Lebensprozesses darstellt" (GRIFFIN & COLE, 1984, S. 48). Zweitens beschränkt sich die Idee des „Gerüstebauens" auf die Aneignung des Gegebenen.

> Die Gerüstmetapher lässt die Frage nach der Kreativität des Kindes offen. Wenn die Unterstützung des Erwachsenen in umgekehrter Beziehung zur Kompetenz des Kindes steht, dann ist dies ausdrücklich ideologisch gemeint – die Entwicklung von Kindern wird beschrieben mit Hilfe der Kenntnisse, die Erwachsene erreicht haben. Jede Version der Zone der nächsten Entwicklung, die auf die nächsten Schritte orientiert, kann eine ähnliche Position zum Ausdruck bringen, und dazu gehören auch Arbeiten, die wir selbst angefertigt haben. (GRIFFIN & COLE, 1984, S. 47)

Dieses selbstkritische Zitat ist außerordentlich wichtig. GRIFFIN und COLE versuchen, eine erweiterte Konzeption der Zone der nächsten Entwicklung zu skizzieren. In Übereinstimmung mit den Ansätzen von LEONT'EV (1971) und EL'KONIN (1977) verstehen sie die kindliche Entwicklung als eine Reihe von Übergängen von einer ontogenetisch führenden oder dominanten Tätigkeit zu einer anderen: vom Spielen zum formalen Lernen, vom formalen Lernen zur Tätigkeit mit Gleichaltrigen, von der Tätigkeit mit Gleichaltrigen zur Arbeit. Darüber hinaus sind sie nicht der Meinung, dass es eine feste universelle Ordnung automatisch ablaufender Übergänge gibt. Im Gegenteil „es ist möglich, zu zeigen, dass sich führende Tätigkeiten zugleich mit Entwicklungssequenzen innerhalb einer einzigen Situation ändern" (GRIFFIN & COLE, 1984, S. 60). Die Spieltätigkeit ist z.B. oft ein Vermittlungsmechanismus, der Kindern dabei hilft, neue Tätigkeiten zu entwickeln (GRIFFIN & COLE, 1984, S. 62).

> Der Kenntnisstand der Erwachsenen liefert keine Zielvorgabe für die Entwicklung der Kinder. Die soziale Organisation und die führenden Tätigkeiten sorgen für eine Lücke, innerhalb derer das Kind eine neuartige und kreative Analyse entwickeln kann. ... Eine Zone der nächsten Entwicklung ist ein Dialog zwischen dem Kind und seiner Zukunft; es ist nicht der Dialog zwischen dem Kind und der Vergangenheit der Erwach-

> senen. (GRIFFIN & COLE ,1984, S. 62)

So inspirierend diese Schlussfolgerung ist, so kann man doch den Eindruck nicht vermeiden, dass die Autoren selbst, ganz zu schweigen von anderen Forschern, gerade erst damit beginnen, ihre Implikationen zu verstehen. Dies drückt sich in der Inkonsistenz aus, die sich zwischen der obigen Schlussfolgerung und COLEs Formulierungen in anderen Publikationen finden lässt. Ein Artikel in einem Band, der von WERTSCH (1985a) herausgegeben worden ist, verdeutlicht diesen Punkt. COLE spricht dort von der Zone der nächsten Entwicklung ausschließlich als „Aneignung von Kultur" und niemals im Sinne ihrer Herstellung oder ihrer Kreation. Er fasst den Artikel mit dem folgenden Satz zusammen:

> Die Aneignung kulturell angemessenen Verhaltens ist ein Prozess der Interaktion zwischen Kindern und Erwachsenen, in welchem die Erwachsenen das Verhalten der Kinder leiten, was ein wesentliches Element der Begriffsaneignung/der Enkulturation/der Erziehung ist. (COLE, 1985, S. 158)

In dem gleichen Band geht Sylvia SCRIBNER noch weiter.

> Das Kind assimiliert Zeichensysteme und entwickelt höhere Funktionen durch Prozesse der Internalisierung. In der Geschichte sind Erwachsene die Erfinder und Entwickler von Zeichensystemen, wie auch ihre Nutzer. Assimilative und kreative Prozesse sind nicht das gleiche. (SCRIBNER, 1985, S. 130)

SCRIBNER rechtfertigt ihren Standpunkt mit dem Bezug auf VYGOTSKIJs Diskussion über die Entwicklung des Gedächtnisses. Es ist allerdings unverständlich, wie sich das auf die Frage der Fähigkeiten von Kindern beziehen soll, neue kulturelle Mittel und Formen zu schaffen. Relevanter sind hier vielleicht die Ergebnisse von DAVYDOV und PODDYAKOV (DAVYDOV, 1977; PODDYAKOV, 1981), die zeigen, dass sogar Vorschulkinder echte theoretische Verallgemeinerungen bilden können, die allerdings noch nicht in verbaler Form erscheinen, sondern andere gegenstandsgebundene und enaktive wie auch graphische Ausdrucksformen finden.

Tatsächlich hat auch VYGOTSKIJ sehr wenig über kreative Prozesse gesagt (abgesehen von seiner frühen Arbeit über die Psychologie der Kunst). VYGOTSKIJs Konzept der Zone der nächsten Entwicklung muss selbst entwickelt werden. Die kulturhistorische Schule, die VYGOTSKIJ gegründet hat, hat sich bis in die Gegenwart auf die Aneignung, die Assimilation und die Internalisierung von Werkzeugen und Zeichensystemen der Kultur konzentriert. Wie diese Werkzeuge und Zeichensysteme geschaffen werden, ist im großen und ganzen als ein Problem für die Zukunft behandelt worden. Eine wichtige Ausnahme stellt die theoretische Arbeit von W. S. BIBLER dar. Er interpretiert das kreative Potential in VYGOTSKIJs Konzept der Internalisierung wie folgt.

> Der Prozess des Eintauchens sozialer Beziehungen in das Bewusstsein ... ist ein Prozess der Transformation ausgedehnter und relativ unabhängiger „kultureller Modelle", fertiger kultureller Phänomene in die Kultur des *Denkens* eine dynamische Kultur, die verschmolzen und kondensiert ist in der individuellen Person. Eine im Bereich des Objektiven entwickelte Kultur gewinnt eine subjektive Bestimmtheit im inneren Sprechen, d.h. eine Bestimmtheit, in der sie sich als zukunftsorientierte Form von Kreativität manifestiert, als neue, noch nicht existente, bloß potentiell mögliche Modelle der Kultur. Die Beziehung ist gerade umgekehrt: man darf das innere Sprechen nicht so sehr als „Phänomen der Internalisierung" verstehen, als die Absicht, das Denken zu externalisieren, sondern als Embryo einer neuen, noch nicht objektiv bestimmten Kultur, der in den äußeren, sozialen Aspekten der Kultur noch nicht zur Entfaltung gekommen ist, ein Embryo, der sich im Begriff konzentriert. Die sozialen Beziehungen fließen nicht nur einfach in das innere Sprechen ein: sie werden im inneren Sprechen radikal *transformiert*; sie erlangen einen neuen (noch nicht verwirklichten) Sinn, eine neue Orientierung auf die äußere Tätigkeit, auf ihre objektive Vergegenständlichung. ... Dann aber ... kann das innere Sprechen (und seine elementare Form des Mono-Dialogs) dargestellt werden als der Dialog derjenigen kulturhistorischen Modelle des Denkens (der Tätigkeit), die sich in den verschiedenen Stimmen meines eigenen „Ich" internalisiert finden, wobei die Auseinandersetzung zwischen diesen wie eine Art Postulierung funktioniert, der Schaffung neuer kultureller Phänomene (Wissen, Ideen, Kunstwerke). (BIBLER, 1984, S. 52-53)

Der individuelle „Mechanismus" der Transformation der Internalisierung in die Externalisierung kann möglicherweise in der Form ablaufen, die von BIBLER skizziert worden ist. Aber die Beziehung zwischen individueller und gesellschaftlicher Entwicklung bleibt das fundamentale Problem innerhalb des Begriffs der Zone der nächsten Entwicklung. GRIFFIN und COLE (1984, S. 48-49) unterstreichen, dass die Zone der nächsten Entwicklung „Modelle der Zukunft, Modelle der Vergangenheit und Tätigkeiten beinhaltet, die die Widersprüche zwischen ihnen auflösen". Aber diese zeitliche Perspektive scheint hier nur in einem individuellen Sinne verstanden zu werden: Das Individuum bewegt sich im Laufe seiner Entwicklung von einer Tätigkeit zur anderen. Es wird nicht diskutiert, ob und wie die *Tätigkeiten selbst als gesellschaftliche systemische Formationen sich entwickeln und beständig verändern.*

Alte und neue, regressive und expansive Formen der selben Tätigkeit existieren gleichzeitig in der Gesellschaft. Kinder können Spiele in reproduktiver und repetitiver Form spielen, sie können aber auch neue Formen und Strukturen der Spiele erfinden und konstruieren, neue Werkzeuge und Modelle der Spieltätigkeit. Ihr Spielen scheint zunehmend konsumtiv und vorfabriziert zu werden, der Tauschwertaspekt scheint das Spielen mehr und mehr zu dominieren, da die Spiele und das Spielzeug ein bedeutender Wirtschaftsfaktor geworden sind. Ist es aber so simpel und einlinig? Was sind die inneren Widersprüche und die historischen Perspektiven der Spieltätigkeit unserer Kinder? Manchmal sind Eltern erstaunt, wenn sie finden, dass ihre Kinder etwas spielen, das nicht in ein existierendes Schema passt: Etwas Neues ist sozusagen „von unten" entstanden. Manchmal werden diese Erfindungen von unten zu Durchbrüchen, die zu signifikanten Veränderungen der Struktur der Spieltätigkeit führen.

Menschliche Entwicklung besteht in der wirklichen Produktion von neuen gesellschaftlichen Tätigkeitssystemen. Es ist nicht einfach nur die Aneignung von individuellen neuen Tätigkeiten plus einer möglichen individuellen Kreation von „originellen Verhaltensweisen" (man denke an den Delphin). Ich habe oben drei Formen der Entwicklung unterschieden: die *individuell-explosive*, die *unsichtbar-allmähliche* und die *kollektiv-expansive*. Die dritte Form erfordert intuitive oder bewusste Beherrschung – die Subjektwerdung des Subjekts. Der Begriff der Zone der nächsten Entwicklung als *Instrument der Subjektwerdung* ist im Kontext dieser dritten Form der Entwicklung relevant. Genauer gesagt, die individuell-explosive und unsichtbar-allmähliche Form der Entwicklung kann in einem gesellschaftlich bedeutungsvollen Ausmaß nur indirekt durch die kollektiv-expansive Form beeinflusst und gelenkt werden.

Eine vorläufige Reformulierung der Zone der nächsten Entwicklung ist Jetzt möglich. Es ist der Abstand zwischen den gegenwärtigen alltäglichen Handlungen der Individuen und der historisch neuen Form der gesellschaftlichen Tätigkeit, die kollektiv hervorgebracht werden kann, und zwar als Lösung der Doublebinds, die potentiell in die Alltagshandlungen eingebettet sind.

Klaus HOLZKAMP hat, anscheinend ohne VYGOTSKIJS Konzeptualisierung zu kennen, eine in gewisser Hinsicht ähnliche Idee menschlicher Entwicklung vorgelegt. Eingebettet in jede individuell erfahrene existentielle Bedrohung und Einschränkung im Kapitalismus gibt es eine „doppelte Möglichkeit" der „*Überschreitung der Grenzen der individuellen Subjektivität* durch unmittelbare Kooperation in Richtung auf die Durchsetzung *allgemeiner Interessen der gemeinsamen Selbstbestimmung gegen herrschende Partialinteressen*" (HOLZKAMP, 1983, S. 373). HOLZKAMP spricht hier vom Prinzip der „doppelten Möglichkeit". Er konkretisiert diese Idee weiter mit den Begriffen des „Möglichkeitsraums" und der „Möglichkeitsverallgemeinerung". Das Erstgenannte bezieht sich auf das „Verhältnis zwischen allgemeinen gesellschaftlichen Handlungsmöglichkeiten und meiner besonderen Weise ihrer Realisierung, Einschränkung, Mystifikation" (HOLZKAMP, 1983, S. 548). Das Letztgenannte bedeutet, dass das Individuum seine individuellen Möglichkeiten zu handeln in Beziehung zu anderen Individuen innerhalb des gleichen „typischen Möglichkeitsraumes" und mit den gesellschaftlichen Möglichkeiten (vgl. HOLZKAMP, 1983, S. 549) erfasst und realisiert.

Wir brauchen eine genauere, wenn auch nur vorläufige, Analyse der Schritte, die auf der Reise durch die Zone der nächsten Entwicklung genommen werden. Man denke etwa an die drei Subzonen, die BRATUS und LISHIN vorgeschlagen haben: die Zone der Notlage, die Zone der Motivbildung und die Zone der Transformation der Bedürfnisse und der Tätigkeit. Im Lichte der vorhergehenden Diskussion erscheinen diese drei Schritte ungenügend. Was vor allem fehlt, ist die *Transformation der Notlage in ein Doublebind*, in einen Widerspruch, der eindeutig *qualitativ neue Instrumente* zu seiner Lösung verlangt. Um diese notwendigen Schritte konkreter zu machen, möchte ich mich jetzt einem Beispiel für die Zone der nächsten Entwicklung aus der Literatur zuwenden.

Huckleberry Finns Abenteuer als Reise durch die Zone der nächsten Entwicklung

Das Beispiel, um das es hier geht, ist Mark TWAINS *Huckleberry Finns Abenteuer*. Die dominante Tätigkeit von Huckleberry Finn ist zu Beginn das Vagabundieren. Es ist eine soziale Form des Vagabundierens, das die Verbindung mit dem abenteuerlustigen Mittelklasse-Jungen Tom Sawyer auf der einen Seite, und den armen, heruntergekommenen Menschen, wie dem schwarzen Sklaven Jim, auf der anderen Seite sucht. Dieses soziale Vagabundieren findet innerhalb einer Kultur der Sklaverei statt. Huck ist die Möglichkeit angeboten worden, sich an das sichere Familienleben der Mittelklasse anzupassen – aber er verwirft diese Möglichkeit nach einer gewissen Zeit. Der primäre Widerspruch, der in jeder Komponente seiner Tätigkeit zutage tritt, ist der zwischen der privaten Freiheit des individuellen Vagabunden und der öffentlichen Unfreiheit, die in der unmittelbaren kulturellen Umgebung des Vagabunden vorherrscht. Letztere ist auch für Huck Finn bedrohlich entweder in der Form der sanften Zähmung durch die Mittelklasse oder der gewaltsamen Unterdrückung durch die Autoritäten.

Abb. 2.14. Der primäre Widerspruch der Lebenstätigkeit Huckleberry Finns

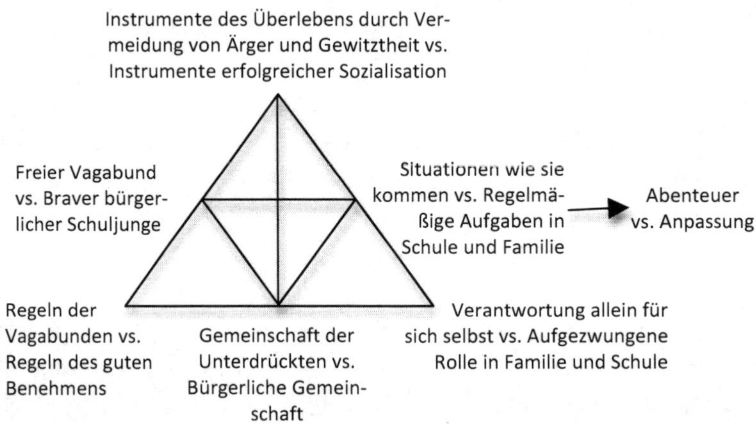

In seiner ursprünglichen Form kann man Huck Finns Lebenstätigkeit mit Hilfe des Diagramms in Abb. 2.14 darstellen.

Die Geschichte beginnt damit, dass Huck von seinem Vater drangsaliert und bedroht wird. Huck entkommt, indem er seinen eigenen Tod inszeniert. Er lässt sich auf einer Insel im Mississippi nieder. Hier trifft er dann den entlaufenen Sklaven Jim, seinen alten Freund. Im Namen der Freundschaft verspricht Huck, niemandem etwas über Jim zu erzählen. Die beiden leben eine ganze Weile auf der Insel. Dann beginnen die Dinge sich zu bewegen.

Am nächsten Morgen meinte ich, es würde allmählich langweilig und triste und ich hätte gern irgendeine Abwechslung. Ich sagte, ich wollte über den Fluß fahren und sehn, was drüben vor sich ging. Jim war damit einverstanden; aber er sagte, ich sollte im Dunkeln gehn und scharf aufpassen. (TWAIN, 1985, S. 54)

Dies ist ein Signal für eine Notlage. Es scheint eine große Anzahl von Wahlmöglichkeiten zu geben.

Huck findet heraus, dass intensiv nach Jim gefahndet wird. Sie entfliehen daraufhin auf einem Floß den großen Fluss hinunter, sie lassen sich bei Nacht treiben und verstecken sich während des Tages. Dies ist aber noch keine „intensive Handlung", um das Dilemma zu lösen. Es ist vielmehr eine Reaktion, die durch die Umstände aufgezwungen wird und die noch relativ ziellos ist. Dies bleibt so, bis sie sich Gebieten nähern, in denen die Sklaverei abgeschafft worden ist. Jetzt erkennt Huck zum ersten Mal, dass seine Tätigkeit des Vagabundierens einen qualitativ neuen Gegenstand hat: Es geht nicht mehr nur noch um ihn selbst, es geht um ihn und Jim zusammen. In einer Einführung zu dem Buch hat T. S. ELIOT darauf hingewiesen, dass „Huck tatsächlich unvollständig ohne Jim sein würde" (ELIOT, 1950, S. 11).

Dieser neue Bestandteil repräsentiert eine neue Form der Tätigkeit – er stört die alte Tätigkeit und verschärft ihren latenten inneren Widerspruch. Die Geschichte tritt so in die Phase des sekundären Widerspruchs zwischen der neuen Komponente und den alten Bestandteilen der Tätigkeit ein. Der neue Bestandteil eines kollektiven Subjekts steht in einem scharfen Konflikt zu dem alten sekundären Instrument, dem des Vermeidungsmodells, „mische dich nicht in die Angelegenheiten anderer Leute!" Es ist Hucks kompromisslose Ehrlichkeit, die diesen sekundären Widerspruch auf die Ebene eines echten Doublebind bringt.

Jim sagte, es mache ihn ganz zittrig und fiebrig, der Freiheit so nahe zu sein. Na, ich kann nur sagen, mich machte es nicht minder zittrig und fiebrig, zuzuhören, denn mir wurde plötzlich klar, dass er ja schon so gut wie frei war – und wer hatte schuld daran? Ich. Ich bekam Gewissensbisse und konnte sie auf keine Weise loswerden. Sie setzten mir so zu, dass

Das ist eine wunderbare Beschreibung des *Doublebind.* Der Widerspruch nimmt solange an Intensität zu, bis er unerträglich wird. Huck versucht verzweifelt, die Situation zu *analysieren* und eine akzeptable Lösung zu finden.

ich keine Ruhe mehr hatte; ich konnte nicht mehr still auf einem Fleck sitzen. Bisher war es mir noch nie so richtig zum Bewusstsein gekommen, was ich eigentlich tat. Aber jetzt wusste ich's, und es ließ mich nicht los und peinigte mich immer mehr. (TWAIN, 1985, S. 130-131)

Ich kam mir so gemein und erbärmlich vor, dass ich sehnlichst wünschte, ich wäre tot. Ich lief unruhig das Floß auf und ab und machte mich vor mir selber herunter, und Jim zappelte immer hinter mir her. Wir konnten beide nicht ruhig an einem Fleck bleiben. Jedes Mal, wenn er herumtanzte und rief: „Da sein Kairo!", durchfuhr's es mich wie ein Schuß, und ich meinte, wenn's wirklich Kairo wäre, müßt' ich sterben vor Gewissenspein. (TWAIN, 1985, S. 132)

Mein Gewissen setzte mir immer heftiger zu, bis ich ihm schließlich erwiderte: „Laß mich in Ruhe – es ist ja noch nicht zu spät – ich will an Land rudern, sobald sich ein Licht zeigt, und es sagen." Auf der Stelle war mir wieder wohl und federleicht zumute. Alle meine Sorgen waren wie weggeblasen. Ich begann scharf nach einem Licht auszuspähen und im Inneren vor mich hin zu singen. Schließlich zeigte sich eins. (TWAIN, 1985, S. 133)

Nun beginnt Huck wirklich ans Ufer zu rudern. Als er losfährt, sagt Jim zu ihm:

„Ganz bald werde ich schrein vor Freude, und ich werde sagen, es sein alles wegen Huck; ich sein freie Mann, und ich könnten nie frei sein, wenn nix wären Huck; er haben es getan. Jim wollen das nie vergessen. Huck; du sein die beste Freund, was Jim im Leben haben; und du sein einzigste Freund, was alte Jim jetzt haben". Hitzig hatte ich mich aufgemacht, ihn zu verraten; aber als er das sagte war's um meinen gu-

Hier tritt Huck in die Phase des *Zögerns und der Pause* ein. Dann beginnt die *intensive Handlung, um das Dilemma zu lösen*. Innerhalb kürzester Zeit findet Huck das *erste neue Instrument* (die Lüge über die kranke Familie), die ihn zu einem *ten Mut geschehen. Langsam fuhr ich davon, wusste nicht recht, ob ich froh sein sollte über meinen Aufbruch oder nicht. Als ich an die fünfzig Meter weg war, rief Jim noch: „Da gehn du, alte treue Huck; die einzigste weiße Mann, was jemals halten sein Versprechen zu alte Jim."*

Ach, mir war so elend zumute. Aber ich sagte mir: Ich muß es tun – es bleibt mir nichts anderes übrig. Gerade da kam ein Kahn daher, zwei Männer darin mit Flinten; sie hielten an, und ich hielt auch an. Der eine sagte: „Was ist das da drüben?"

„Ein Stück Floß", sagte ich.

„Gehörst du da drauf?"

„Ja, Sir."

„Sonst noch jemand drauf"

„Nur einer, Sir."

„Na, da sind nämlich am Abend fünf Nigger durchgebrannt, drüben oberhalb der Krümmung. Ist dein Mann weiß oder schwarz?" Ich antwortete nicht gleich. Ich versuchte es, aber die Worte blieben mir im Halse stecken. Ein oder zwei Sekunden lang versuchte ich, mich aufzuraffen und mit der Wahrheit herauszurücken, aber ich war doch nichts Manns genug – hatte nicht mehr Mut wie ein Hase. Ich merkte, wie ich weich wurde; und so gab ich's denn auf und stieß hervor: „Er ist weiß". „Na, ich denk, wir fahrn selbst hin und überzeugen uns". „Das wär schön", sagte ich. „Denn es ist Pap, der drauf ist, und vielleicht können sie mir helfen, das Floß ans Ufer zu bringen, wo das Licht ist. Er ist nämlich krank – und Mam und Mary-Ann auch." „Zum Teufel, Junge, wir haben's eilig. Aber ich glaub, wir müssen's schon tun. Komm – nimm dein Ruder und vorwärts."

Ich nahm mein Ruder, und sie legten sich in die Riemen. Nach ein oder zwei Schlägen sagte ich:

neuen Gegenstand und Motiv führt: die gemeinsame Freiheit.

Die Lüge als das erste neue Instrument ist ein spezifisches Werkzeug, ein Sprungbrett (wie die Briefe in der Kinder-Kampagne), aber noch kein allgemeines Modell von breiter Anwendbarkeit.

„Pap wird Ihnen bestimmt schrecklich dankbar sein. Alle reißen nämlich aus, wenn ich sie bitte, mir das Floß an Land ziehen zu helfen, und ich kann es doch nicht allein."

„Na, das ist höllisch gemein. Seltsam übrigens. Sag mal, Junge, was fehlt denn deinem Vater!"

„Er hat einen – die – ach, es ist weiter nichts Schlimmes."

Sie hörten auf zu rudern. Es war jetzt nicht mehr weit bis zum Floß. Der eine sagte: „Junge, das lügst du. Was ist los mit deinem Vater? Jetzt aber raus mit der Sprache, es soll dein Schaden nicht sein."

„Ich will ja, auf Ehre, ich will – aber bitte, verlassen Sie uns nicht. Es sind die – die – ach, liebe Herren, wenn Sie bloß voraus rudern wollen, und ich werfe Ihnen die Leine zu, dann brauchen Sie ja gar nicht in die Nähe des Floßes zu kommen – bitte, tun Sie es doch."

„Kehr um, John, zurück!" sagte der erste. Sie wendeten. „Weg da. Junge – nach Backbord! Verdammt, ich glaub, der Wind hat's schon zu uns rübergetrieben. Dein Pap hat die Pocken, Junge, und du weißt es ganz genau. Warum bist du nicht gleich mit der Wahrheit rausgerückt und hast's uns gesagt? Willst du's denn überallhin verschleppen!" „Ach" sagte ich schluchzend, „bis jetzt hab ich's jedem gesagt, und dann sind sie einfach weggegangen und haben uns im Stich gelassen". (TWAIN, 1985, S. 133-135)

Im Anschluss an diese intensive Episode formuliert Huck in einem inneren Dialog – SCHÖN (1983) nennt dies „Konversation mit der Situation" – das neue allgemeine Modell zur Entwicklung einer neuen Tätigkeit.

Sie fuhren davon, und ich ging an Bord des Floßes und kam mir schlecht und erbärmlich vor, weil ich sehr wohl wusste, dass ich unrecht getan hatte, und ich sah, dass es gar keinen

Hucks neues allgemeines Instrument ist so etwas wie eine pragmatische Moralphilosophie. Es beschützt

Zweck hatte, wenn ich mir Mühe gab, das Rechte zu tun; einer, der nicht auf den rechten Weg gewiesen wird, solange er klein ist, hat die Gelegenheit verpasst – wenn er dann in die Klemme gerät, hat er nichts, was ihm das Rückgrat stärkt und ihn bei der Stange hält, und so unterliegt er. Dann überlegte ich eine Minute und sagte zu mir selber: Aber denk doch, wenn du recht getan und Jim verraten hättest, wär's dir dann wohler als jetzt? Nein, sagte ich, mir wär hundeelend zumute – genauso wie jetzt. Also, sagte ich, was hat es dann für einen Zweck, sich erst Mühe zu geben, das Rechte zu tun, wenn recht tun bloß beschwerlich, unrecht tun aber ganz mühelos und der Lohn bei beiden der gleiche ist? Da saß ich fest. Ich wusste keine Antwort darauf. Also beschloß ich, mir nicht weiter den Kopf zu zerbrechen, sondern künftig immer das zu tun, was grade am bequemsten war. (Twain, 1985, S. 136 -137)

ihn vor den Attacken des „schlechten Gewissens," das den alten gesellschaftlichen Normen der Sklaverei entstammt. Dieses Modell repräsentiert und antizipiert die neue Tätigkeit, die sich Huck *bietet*, nämlich die bürgerlich-liberale Lebensform (wir wollen es einmal die *gegebene* neue Tätigkeit nennen). Aber dieses Modell enthält bereits den Samen eines neuen inneren Widerspruchs: den zwischen dem bürgerlichen Liberalismus und der radikalen moralischen Anarchie.

Der Rest des Buches beschäftigt sich mit der *praktischen Anwendung* des Modells der neuen Tätigkeit. Es findet in verkleinerter Form *eine Transformation der Handlungen in eine kollektive Tätigkeit* statt, unter zeitweiliger Begleitung eines Paars gewöhnlicher Schurken (die das alte Vagabundieren wie in der Sklaverei darstellen) und schließlich auch von Tom Sawyer (der den gegebenen bürgerlichliberalen Pragmatismus darstellt).

Diese praktische Anwendung und Verallgemeinerung geschieht nicht reibungslos geradlinig. Die neuen befreienden Handlungen, zu denen es beim Fluss abwärts Treiben kommt, sind im allgemeinen der alten Form der vagabundierenden Tätigkeit untergeordnet. Die Umstände und die beiden Schurken stören wiederholt die Befreiungshandlungen: Die Vereinigung von Huck und Jim wird aufgebrochen, Huck muss individuell handeln und Jim ist isoliert oder wird gefangen. Dieser Kampf zwischen der alten und der gegebenen neuen Tätigkeit wird dann zugunsten letzterer aufgelöst, als Tom Sawyer schließlich die Szene betritt (und Twain zwingt in genialer Weise Huck, so zu tun, als sei er Tom, womit er den Übergang zu der gegebenen neuen Tätigkeit personifiziert).

Aber der Kampf zwischen der alten und der gegebenen neuen Tätigkeit ist nicht die wesentlichste Spannung in der Anwendungs- und Verallgemeinerungsphase. Der wichtigere (und weniger offensichtliche) Aspekt besteht darin, dass *etwas vollständig Neues* neben diesen beiden gesellschaftlich bereits bekannten Tätigkeitsformen entsteht. In bestimmten problematischen, ambivalenten Situationen produzieren Hucks Handlungen Ergebnisse, die qualitativ über die Grenzen sowohl der alten wie auch der gegebenen neuen Tätigkeit hinausgehen. Diese Handlungen nehmen die äußere Form von schweren Störungen an, fast von Katastrophen. Zwei solche Situationen lassen sich identifizieren.

In der ersten wird Huck zufällig von Jim getrennt und lebt eine Zeit mit der aristokratischen Familie der Grangerfords. Die Familie hat einen Streit mit einer anderen aristokratischen Familie. Eines Tages bittet Sophia, eine Tochter der Grangerfords, Huck, ihre Bibel aus der Kirche zu holen. Huck hat das Gefühl, dass das nicht legitim ist, *hilft dem Mädchen aber doch*. Diese Handlung besitzt weder für die alte Tätigkeit des Vagabundierens noch für die gegebene neue Tätigkeit des bürgerlichen Pragmatismus einen Wert. Die Bibel enthält einen Zettel, der die Flucht von zwei Geliebten auslöst, von Sophia und dem Sohn der rivalisierenden Familie. Ein Massaker folgt, aber die Liebenden können sich retten.

In der zweiten Situation stehlen die beiden Schurken, indem sie Huck als ihren Diener benutzen, das gesamte Vermögen der frisch verwaisten Wilks-Mädchen. Huck folgt den Schurken und findet heraus, wo sie das Geld verstecken. Er nimmt es an sich und versteckt es wieder. Dann *riskiert er seinen Hals, indem er eines der Mädchen darüber informiert*, was geschehen ist. Sowohl die Schurken wie auch Huck werden gefangen, entkommen nur knapp dem öffentlichen Ausprügeln – aber die Mädchen erhalten ihr Geld zurück. Wieder ist Hucks Handlung keine logische Konsequenz weder in der alten noch der gegebenen neuen Tätigkeit. Im Gegenteil, sie gefährdet beide.

In diesen beiden Situationen (wie in der ursprünglichen Doublebind-Situation auf dem Fluss) entwickelt Huck Handlungen, die die Geburt einer dritten Tätigkeit anzeigen, einer emergenten Formation, die ich *geschaffene neue* Tätigkeit nennen werde. Diese Handlungen erinnern uns an die „befreiten oder losgelassenen Handlungen", die V.P. ZINCHENKO in Kapitel 2 erwähnt hat, und an den Verlust des „Selbst" beim Lernen III, wie es BATESON zu Beginn dieses Kapitels dargestellt hat. BATESON (1978, S. 63-64) gibt eine erweiterte Darstellung von nicht-pathologischen Doublebinds, indem er Handlungen von Bergsteigern und Musikern als Beispiel benutzt, Handlungen, die „nicht auf eine simple Art und Weise bekräftigt oder belohnt werden". SHOTTER (1982, S. 47) weist daraufhin, dass solche Handlungen eine Transformation des Subjekts beinhalten, „von einem Wesen, das zunächst eine Handlung in Gedanken planen muss, bevor es sie in der Praxis ausführen kann, in jemanden, der weiß, was man tun muss, während man es tut."

Wenn man ein Spiel spielt, ist es nicht ungewöhnlich, solche Erfahrungen zu haben, wenn auch nur kurzfristig; sie werden einfach zu etwas, das zum Spiel gehört, und die Erfahrung wird beschrieben als „wie man sich im Spiel verliert" oder dass man „verrückt spielt". In einem solchen Zustand sind die Spieler ganz sicher nicht im eigentlichen Sinne ohne Bewusstsein, aber sie müssen nicht versuchen, etwas zu tun, was man von ihnen verlangt, sie scheinen es ganz einfach zu wissen, indem sie es tun. (SHOTTER, 1982, S. 48)

Diese Handlungen entsprechen dem Gesichtspunkt einer radikalen moralischen Anarchie, die in Hucks neues allgemeines Modell eingebettet ist. Diese radikale moralische Anarchie macht Huck zu einer Persönlichkeit, deren Dimensionen völlig verschieden von denen Tom Sawyers sind. Für Tom ist die Befreiung von Jim ein sicheres Abenteuer in der Vorstellung –Tom weiß, dass Jim tatsächlich die Freiheit bereits erhalten hat, erzählt dies aber Huck und Jim nicht. Für Huck ist das ein todernster moralischer und existentieller Kampf. Kurz bevor Tom auftritt, wird Jim gefangen und Huck sieht sich wieder mit dem Doublebind konfrontiert.

> Ich überlegte eine Minute, fast mit angehaltenem Atem, und dann sagte ich zu mir selber: „Gut, dann komm' ich eben in die Hölle" – und zerriß ihn. Es waren schreckliche Gedanken und schreckliche Worte, aber sie waren nun mal gesprochen. Und ich ließ sie gesagt sein und dachte nicht mehr daran, mich zu bessern. Ich verbannte die ganze Geschichte aus meinem Kopf und beschloß, ruhig weiter zu sündigen, da es nun mal in meiner Natur lag und ich auch so erzogen worden war, während das andere meiner Natur entgegen war. Und gleich als erstes wollte ich daran gehen, Jim von neuem aus der Sklaverei zu stehlen; und wenn ich noch was Schlimmeres aushecken könnte, so wollte ich auch das tun; denn

> wenn ich schon einmal dabei war, und zwar endgültig, würde ich die Sache auch gleich gründlich betreiben. (TWAIN, 1985, S. 305)

Es ist genau diese Qualität, dieses Hinausgehen über die gegebenen Alternativen, das *Huckleberry Finn* zu einem großartigen Klassiker macht.

> Und der Stil des Buches, der der Stil von Huck ist, macht das zu einer viel überzeugenderen Verurteilung der Sklaverei als die sensationslüsterne Propaganda von Onkel Toms Hütte. Huck ist passiv und nicht passiv, anscheinend immer das Opfer der Ereignisse; und doch ist er, indem er die Welt akzeptiert und das, was sie ihm und anderen antut, mächtiger als seine Welt, weil er sich ihrer bewusster als irgendeine andere Person in ihr ist. (ELIOT, 1950, S. 10)

Es ist fast so, als ob Mark TWAIN eine Idee von der Zone der nächsten Entwicklung gehabt hätte, wenn er das Buch mit Hucks Worten beschließt.

> Aber ich glaube, ich muss doch noch ins Indianer-Territorium durchbrennen; denn Tante Sally will mich adoptieren und gesittet machen, und das halt ich nicht aus. Ich hab das schon einmal durchgemacht. (TWAIN, 1985, S. 414)

Theoretische Ergebnisse

Was lässt sich aus der Analyse dieses Falles lernen? *Erstens*, die Entstehung von LEONT'EVS (1971) „nur verstandenem Motiv" ist ein relativ später Schritt in der Lerntätigkeit. Es stellt eine Phase dar, in der der Widerspruch bereits extern, zwischen zwei Tätigkeiten und Motiven existiert, dem Alten und dem gegebenen Neuen. Eine aufgezwungene, verfrühte Einführung dieses „nur verstandenen Motivs" im Lehr/Lernprozess kann tatsächlich die Entfaltung der Anfangsphase der Lerntätigkeit verdecken – vielleicht auch verhindern –, d.h. das Auftreten des primären Widerspruchs (Notlage) und des sekundären Widerspruchs (die Lösung des Doublebind).

Zweitens gibt es zwei Aspekte in der neuen Tätigkeit, die durch die Lerntätigkeit produziert werden, nämlich den *gegebenen neuen Aspekt* und den *geschaffenen neuen Aspekt.* Der gegebene neue Aspekt ist der, der durch die am weitesten fortgeschrittenen Grenzlinien der Kultur angeboten wird (wie beim pragmatischen bürgerlichen Liberalismus in Huck Finns Fall). Der geschaffene neue Aspekt ist derjenige, der entsteht, *wenn die neuen Handlungen reichere Ergebnisse produzieren als erwartet* und so die Rahmenbedingungen der gegebenen neuen Tätigkeit ausweiten, transformieren oder sogar sprengen, wobei sie das gegebene Neue in etwas Umfassenderes und

Unkontrollierbares verwandeln. Die neue realisierte Tätigkeit entspricht daher qualitativ niemals ganz dem, was die Repräsentanten der Vorhut geplant hatten. Dies bedeutet auch, dass die unscheinbaren Begriffe von „Anwendung und Verallgemeinerung" den echten Charakter von Schöpfung und Überraschung besitzen.

Unter der Perspektive von Lehr/Lernprozessen bedeutet meine Definition der Zone der nächsten Entwicklung, dass Lehren und Lernen sich nur dann in diese Zone bewegen, wenn sie darauf zielen, historisch neue Formen der Tätigkeit zu entwickeln, und nicht einfach die Lernenden bloß die gesellschaftlich existierenden oder herrschenden Formen als etwas individuell Neues aneignen lassen. Historisch neue Formen der Tätigkeit zu entwickeln, impliziert eine Praxis von Lehr/Lernprozessen, die den Lernern in ihren Lebenstätigkeiten außerhalb des Klassenzimmers folgt. Es impliziert auch die Notwendigkeit einer wirklich expansiven Lerntätigkeit innerhalb und zwischen den Lernenden. Die pädagogische Aufgabe ist daher zweifach: *Lerntätigkeit* zu entwickeln und historisch neue Formen in der *zentralen Tätigkeit* zu entwickeln – z.B. der Arbeit (natürlich ist die Lerntätigkeit selbst das zentrale Ziel während der frühen Schuljahre).

Huck Finn reiste durch die Zone der nächsten Entwicklung, *ohne* bewusst das Vehikel der expansiven Lerntätigkeit zu konstruieren und zu benutzen. Die sequentielle Struktur der Reise bleibt jedoch grundsätzlich ähnlich, wenn das neue Vehikel eingeführt wird. Wie aber könnte ein Lehr/Lernprozess etwas auch nur annähernd Ähnliches hervorbringen wie Huck Finns Reise?

Lehr/Lernprozesse operieren mit Aufgaben. Die Aufgabe des Lehrenden und die vom Lernenden aufgenommene Aufgabe sind selten das gleiche. Wenn das nicht mit einbezogen wird, werden die Lernenden „schlecht benotet, wenn sie doch zunächst einmal gar nicht die Aufgabe behandeln" (NEWMAN, GRIFFIN, & COLE, 1984, S. 190). Wenn dies geschieht, „dann hilft die Tätigkeit in der Schule mir nicht, mich in der Welt zu orientieren, sie wird stattdessen ein Teil der Welt, in der ich mich orientieren muss" (HALLDÉN, 1982, S. 138).

> Eine „Gesamtaufgabe" wird so insbesondere eine solche Aufgabe, die im Zusammenhang der Tätigkeit betrachtet wird oder der übergeordneten Ziele, die sie motivieren. Immer wenn eine Aufgabe gegeben ist, ist es eine

> Gesamtaufgabe. In einigen Situationen jedoch, wie dem Experiment, dem Klassenzimmer, oder immer dann, wenn eine hierarchische Arbeitsteilung vorliegt, kann es vorkommen, dass die übergeordneten Ziele nicht der individuellen Kontrolle des Handelnden unterliegen ... in der üblichen Praxis des Experiments, bei der es nötig ist, so weit wie möglich die Kontrolle über die Ziele zu gewinnen, die das Subjekt zu erreichen trachtet, werden die Versuchspersonen niemals dazu aufgefordert, ihre eigenen Ziele zu formulieren und werden so immer nur mit einem Teil des Problems konfrontiert – dem Lösungsteil. (NEWMAN, GRIFFIN, & COLE, 1984, S. 191-192)

Die „Gesamtaufgabe" der oben genannten Autoren ist im wesentlichen identisch mit dem „offenen Problem" von SEIDEL (1976). Das offene Problem schließt seine eigene Generierung und Rechtfertigung ein. Das geschlossene Problem enthält nur den operativen Lösungsteil. Die Forschung zum Problemlösen innerhalb der kognitiven Psychologie hat sich in erster Linie mit dem Letztgenannten beschäftigt (vgl. CHAIKLIN, 1985 als Ausnahme).

Zu Beginn dieses Kapitels sind Probleme, Aufgaben und Ziele als zum Lernen II zugehörig bestimmt worden, der Ebene der individuellen Handlung. Gegebene Probleme und Aufgaben in Frage zu stellen und zu sprengen, wie auch neue Aufgaben abgeleitet von dem „Kontext des Kontextes", d.h. von der gesamten Tätigkeit, zu generieren und zu formulieren – das sind Prozesse, die auf einen Übergang von Lernen II zu Lernen III hinweisen.

> Um das Interesse zu wecken, darf man also nicht das Ziel zeigen und dann versuchen, die Handlung in Richtung auf dieses Ziel motiviert zu rechtfertigen, sondern man muss umgekehrt das Motiv schaffen und *dann* die Möglichkeit aufdecken, das Ziel (gewöhnlich das ganze System der Zwischen- und „Neben"-Ziele) in einem gegenständlichen Inhalt zu ermitteln. (LEONT'EV, 1979, S. 277)
>
> Natürlich ist auch bei der Aneignung des Unterrichtsstoffes (sowohl bei der Aneignung jeglichen Wissens überhaupt als auch bei der Beherrschung der Wissenschaft) entscheidend, welchen Platz die Erkenntnis im Leben eines Menschen einnimmt, ob sie für ihn tatsächlich ein Teil seines Lebens ist oder nur eine äußere, von außen aufgezwungene Bedingung. ... Will man sich den Stoff nicht formal aneignen, darf man auch beim Lernen den Unterricht nicht „absitzen", sondern muss ihn durchleben. Der Unterricht muss für die Schüler *Lebensbedeutsamkeit* erhalten. (LEONT'EV, 1982, S. 281)
>
> Es muss folglich um die Aufgabe der Erziehung von Lernmotiven im Zusammenhang mit der Entwicklung des Inhalts der wirklichen Lebensbeziehungen des Kindes gehen. (LEONT'EV, 1979, S. 282)

Diese Anforderung unterscheidet sich deutlich von der Idee PIAGETs, dass Lernen in natürlichen Handlungszusammenhängen stattfindet. Wir haben es hier mit gesellschaftlich-historischen Tätigkeiten als den eigentlichen Formen der „tatsächlichen vitalen Beziehungen" zu tun. HALLDÉN (1982, 139) weist daraufhin, dass in den Klassen, die er beobachtet hat, trotz vielfältiger „assimilierender Handlungen" von praktisch explorativer Natur die Lehrprozesse nicht zu einer „Erweiterung des Bezugssystems" der Schüler geführt haben. Diese Handlungen blieben unverbunden mit den Lebenstätigkeiten der Schüler. Oder wie HALLDÉN (1982, 132) es formuliert, „es ist für die Schüler praktisch unmöglich, mit einer gegebenen Frage zu arbeiten, weil dies auf einen Konflikt mit ihrer gesamten Lebenssituation hinausläuft".

Das Lernen von Huck Finn geschah auf der Grundlage einer Lebenstätigkeit, aber nicht in dem naiven Sinne von „erweitern" oder „kombinieren". Das für die Entwicklung bedeutsame Lernen, das „gute Lernen" im Sinne von VYGOTSKIJ, erwuchs aus den inneren Widersprüchen der alten Lebenstätigkeit.

Im Falle von Huck Finn entstand das Doublebind zufällig als die inneren Widersprüche des gesellschaftlichen Lebens das Individuum in unverhüllter, unmaskierter Form berührt haben. Aber so etwas ist kein Lehr/Lernprozess. Kann der Lehrer mit Absicht einen Doublebind in Gang setzen?

Das ist ganz offensichtlich möglich, wenn wir bei dem konkrethistorischen, analytisch zugänglichen Charakter von Doublebinds bleiben. Die Voraussetzung besteht darin, dass der Lehrer *vom Inneren* der zu entwickelnden Tätigkeit aus arbeitet. Das bedeutet, dass der Lehrer als Ausgangspunkt die Doppelnatur und die inneren Widersprüche der führenden Tätigkeit der Schüler nimmt. Er arbeitet die Zone der nächsten Entwicklung dieser Tätigkeit aus, zunächst analytisch und historisch, dann als Hypothese und schließlich in der Form von praktischen Aufgaben. Der Lehrer handelt dabei als *advocatus diaboli*, der die Lernenden mit den Widersprüchen ihrer eigenen Lebenstätigkeit in unverhüllter Form konfrontiert.

Das impliziert, dass die geeignete Einheit von entwicklungsmäßig bedeutsamem expansivem Unterricht nicht in einer diskreten Aufgabe besteht, sondern in dem ganzen Zyklus der Generierung der Tätigkeit, der Lerntätigkeit) die der Phasenstruktur der Zone der nächsten Entwicklung entspricht.

DAVYDOV (1982, S. 42) bestimmt die folgenden Lernhandlungen, aus denen sich die Lerntätigkeit zusammensetzt.

1. die *Transformation* der Situation, um die allgemeine Beziehung des betrachteten Systems herauszufinden;
2. die *Modellierung* der in Frage stehenden Beziehung in materieller, graphischer und symbolischer Form;
3. die *Transformation* des Modells der Beziehung, um ihre Eigenschaften in der ursprünglichen Form zu untersuchen;
4. die *Deduktion und Konstruktion* einer Reihe von besonderen konkreten praktischen Problemen, die eine allgemeine Lösungsmethode gemeinsam haben;
5. die *Kontrolle* der vorherigen Operationen;
6. die *Evaluation* der Beherrschung der allgemeinen Methode.

Die Ähnlichkeiten zwischen diesen Lernhandlungen und den Phasen der Zone der nächsten Entwicklung, die oben im Zusammenhang mit Huck Finns Fall beschrieben worden sind, sind ziemlich offensichtlich. Diese Phasenstruktur der Zone der nächsten Entwicklung lässt sich nun als allgemeiner Zyklus der Expansion darstellen (vgl. Abb. 2.15).

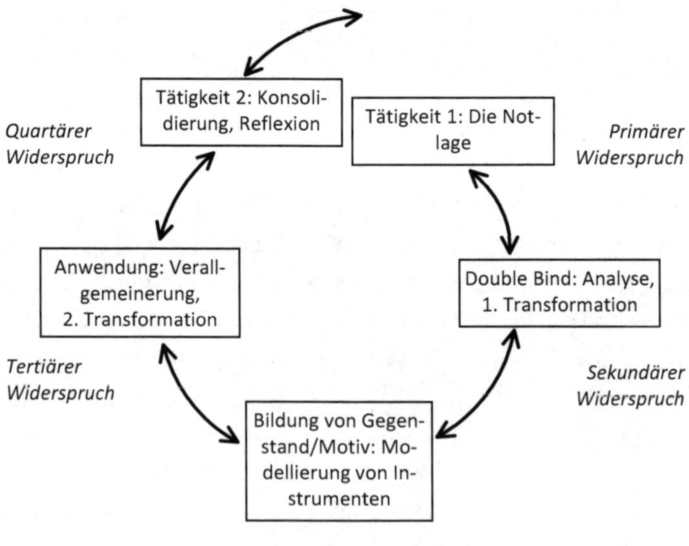

Abb. 2.15. Die Phasenstruktur der Zone der nächsten Entwicklung

In diesem Zyklus bezieht sich die 1. Transformation auf die erste Lernhandlung von DAVYDOV, d.h. auf die Transformation des ursprünglichen Doublebind mit Hilfe von Gedankenexperimenten, einem inneren Dialog, oder etwas Ähnlichem. Diese Phase hat jedoch eine komplexe Substruktur: die Entstehung eines neuen konfligierenden Elements innerhalb der Struktur der alten Tätigkeit, der Verschärfung dieses Widerspruchs zu einem Doublebind, die reflexive Analyse und das Probieren („intensive Handlung").

Die Phase der Gegenstand/Motivkonstruktion scheint damit zu beginnen, dass ein erstes neues spezifisches Instrument gefunden wird, das als „Sprungbrett" (KEDROV, 1972; vgl. Kapitel 4) fungiert, um die Rahmenbedingungen des Doublebind zu brechen und um ein neues allgemeines Modell der künftigen Tätigkeit zu konstruieren. Die Konstruktion von Gegenstand/Motiv ist nicht zu trennen von der Modellierung. Der Gegenstand wird konstruiert, indem er modelliert wird – und das Modell wird zu einem allgemeinen Instrument, um mit dem Gegenstand umzugehen. Es handelt sich um ein Modell der *gegebenen neuen* Tätigkeit, das aber einen latenten inneren Widerspruch enthält, der zum Entstehen von Handlungen führen wird, die die geschaffene neue Tätigkeit antizipieren. Diese Phase enthält auch DAVYDOVs dritte Lernhandlung, in welcher das Modell transformiert wird, um seine Eigenschaften in „reiner Form" zu untersuchen.

Die Phase der Anwendung und Verallgemeinerung besteht in der Transformation von Handlungen in Tätigkeit (2. Transformation, im Sinne von BRATUS und LISHIN). Das Subjekt beginnt damit, gewisse Handlungen auszuführen, die dem Modell der gegebenen neuen Tätigkeit entsprechen. Diese Handlungen sind zu Beginn mehr oder weniger der resistenten Form und dem Motiv der alten Tätigkeit untergeordnet. Die neuen Handlungen werden gestört, indem sie von der alten Tätigkeit zerbrochen werden. Es gibt aber auch eine andere, weniger offensichtliche und signifikantere Form der Störung, die durch die Vorläufer der geschaffenen neuen Tätigkeit veranlasst werden. Transformation 2 ist daher der Ort, an dem das gesellschaftlich Neue geboren wird – aus den Ergebnissen, die der Unterrichtende vorher nicht gesehen hat.

Die Phase der Tätigkeit 2 bezieht sich auf die Konsolidierung der neuen Tätigkeitsform, es ist eine *widersprüchliche Einheit der gegebenen neuen und der geschaffenen neuen Tätigkeit.* Diese Phase ist im wesentlichen reflexiv, sich ihrer selbst bewusst und enthält die beiden letzten DAVYDOVschen Lernhandlungen.

Die Konsolidierung der neuen Tätigkeit (Tätigkeit 2) kann in drei grobe Phasen unterteilt werden. Zunächst erscheint die Tätigkeit als systematische Anwendung, Ausweitung und Verallgemeinerung der neu geschaffenen Instrumente (z.B. der Briefe im Fall der Kinderkampagne). Diese Unterphase ist offensiv und wiederholt sich aber oft irgendwie. In gewisser Weise wird die Grundidee der neuen Tätigkeit in fast erschöpfender Art und Weise reproduziert und multipliziert – im Wesentlichen innerhalb der Grenzen des obersten „Produktions"-unterdreiecks der Struktur der Tätigkeit (Abb. 2.6).

Die zweite Unterphase kann sich in der Form von abnehmender Intensität und zunehmender Dezentrierung bemerkbar machen – man erinnere sich an die kreisförmigen Wellen, die der ins Wasser geworfene Stein hervorruft. Diese Unterphase besteht im Wesentlichen in der Variation und der Schaffung weiterer neuer Instrumente. Die neue Tätigkeit konsolidiert sich durch Diversifizierung, indem sie damit beginnt, neue Mittel zu produzieren – die sich oft für die Initiatoren als überraschend und sogar fremd erweisen. Die neue Tätigkeit muss sicherlich mit den resistenten Strukturen der alten koexistieren und sich auseinandersetzen. Das Überleben der neuen Tätigkeit hängt davon ab, ob es ihr gelingt, ihre eigene soziale „Infrastruktur" zu schaffen: Regeln, Gemeinschaft, Arbeitsteilung – was zu den Dreiecken des Austauschs und der Distribution führt (der untere Teil von Abb. 2.6). Wenn die neue Tätigkeit nur innerhalb des Unterdreiecks der Produktion verbleibt, wird sie bald keine energetischen oder materiellen Ressourcen mehr besitzen. Um zu überleben, muss die neue Tätigkeit, in anderen Worten, eine *Lebenstätigkeit* für die Subjekte werden und ein echtes *gesellschaftliches* Tätigkeitssystem für die Nachbartätigkeiten.

In der dritten Unterphase der Konsolidierung ist das neue Tätigkeitssystem nicht länger neu. Der Schwerpunkt liegt nun auf den externen Beziehungen der Tätigkeit. Paradoxerweise impliziert dies auch, dass das Tätigkeitssystem damit beginnt, sich zu verteidigen und einzukapseln. Aber die neue Tätigkeit ist kein geschlossenes System. Sie muss unter anderem Ergebnisse für ihre gegenständliche Tätigkeit produzieren und Mittel implementieren, die von den Instrumente produzierenden Tätigkeiten hergestellt worden sind. Sie muss kurz gesagt mit einem Netzwerk von Tätigkeiten koexistieren und interagieren (man erinnere sich an die Abb. 2.7 und 2.11).

Wie ich in Kapitel 2 ausgeführt habe, sind diese Transformationen durch quartäre Widersprüche charakterisiert: Die neue zentrale Tätigkeit muss sich mit der Dynamik ihrer Nachbartätigkeiten auseinandersetzen und an diese anpassen. Im Verlaufe dieser nach außen gerichteten Interaktion wird der latente primäre innere Widerspruch der neuen Tätigkeit in eine neuen Notlage transformiert. Die Interaktion dieser neuen Tätigkeit mit ihren Nachbartätigkeiten (wie die Interaktion mit Hucks Vagabundismus und Jims Sklaverei) führt früher oder später ein qualitativ neues, störendes Element in das System der neuen zentralen Tätigkeit ein – was dann zu einem neuen Doublebind führen kann. In diesem Sinne impliziert der Pfeil, der von Tätigkeit 2 ausgeht, den kontinuierlichen Charakter dieses Zyklus.

Wenn wir den gesamten Zyklus als die *grundlegende Einheit des expansiven Lernens*, und daraus folgend des entwicklungsorientierten Unterrichts, definieren, heißt das, dass wir uns mit Lernzyklen von beträchtlicher Dauer beschäftigen. Die intensive Herausbildung eines historisch neuen Tätigkeitssystems innerhalb einer begrenzten Gemeinschaft oder eines Kollektivs (z. B. am Arbeitsplatz, in der Schule, der Familie, der Gewerkschaft) ist normaler Weise eine Sache von Monaten oder Jahren. Während einer solchen Entstehungsphase zeigen sich iterative Übergänge vorwärts und rückwärts zwischen den Phasen der Entwicklung.

Huckleberry Finns Zone der nächsten Entwicklung kann nun in Kurzform in seiner systematischen Abfolge dargestellt werden (Tabelle 3.3).

An dieser Stelle kann man auch auf gewisse Unzulänglichkeiten des Beispiels von Huck Finn hinweisen. Zunächst ist Huck Finn ein Einzelgänger und bleibt dies auch. Sein Beispiel weist nur auf die Probleme und Möglichkeiten der kollektiven Dimension in der Zone der nächsten Entwicklung hin. Zweitens spielt zielgerichteter Unterricht in Huck Finns Fall keine Rolle – eine Tatsache, die in gewisser Hinsicht die Spekulationen über die Relevanz des Unterrichts beeinträchtigen. Drittens berührt TWAIN die Phase der Tätigkeit 2 (Konsolidierung und Reflexivität) praktisch nicht.

Tabelle 2.3. Die sequentielle Struktur von Huckleberry Finns Zone der nächsten Entwicklung

WIDERSPRUCH	PHASE	THEMA IN *HUCKLEBERRY FINN*
Primär innerhalb der Bestandteile der alten Tätigkeit	Notlage	Soziales Vagabundieren: Individuelle private Freiheit vs. kulturelle Norm der Unfreiheit in der Öffentlichkeit
Sekundär zwischen den Bestandteilen der alten Tätigkeit	Doublebind	Entstehung eines neuen Subjekts (Huck und Jim) vs. altes Instrument (Vermeidungsmodell: „Misch Dich nicht in anderer Leute Angelegenheiten")
	Herausbildung von Gegenstand/ Motiv	Sprungbrett: Lüge Neuer Gegenstand: gemeinsame Freiheit Neues allgemeines Modell: „Ich tue, was sich gerade als nützlich erweist" (bürgerlicher Pragmatismus vs. radikaler moralischer Anarchismus als innerer Widerspruch dieses neuen Modells der Tätigkeit)
Tertiär zwischen der alten und der gegebenen neuen Tätigkeit/Motiv (zwischen dem bloß verstandenen und dem tatsächlichen Motiv)	Anwendung, Verallgemeinerung; einzelne Handlungen der gegebenen neuen Tätigkeit	Vagabundieren-in-Sklaverei (dargestellt durch die beiden Betrüger) vs. bürgerlich-liberaler Pragmatismus (dargestellt durch Tom Sawyer). Die bürgerlichliberalen Handlungen werden durch die alte Tätigkeitsform gestört aber auch durch Vorläuferhandlungen der geschaffenen neuen Tätigkeit (da sie mehr hervorbringen als erwartet)
Quartär zwischen der neuen Tätigkeit und ihren Nachbartätigkeiten	Tätigkeit 2: Reflexion, Konsolidierung	

Im nächsten Abschnitt werde ich die Analyse der Zone der nächsten Entwicklung ausweiten. Das Material, auf das sich die Analyse bezieht, ist wieder ein Roman, nämlich *Die sieben Brüder* von Aleksis KIVI, dem herausragenden Klassiker der finnischen Literatur.

Die Erweiterung der Analyse der Zone der nächsten Entwicklung: der Fall der Sieben Brüder

Aleksis KIVI veröffentlichte *Die sieben Brüder* im Jahre 1870. Geschrieben in der Landessprache, war es für die finnische Literatur ein wirklicher Durchbruch. Sein unkonventioneller Realismus traf auf eine vernichtende Kritik durch die führenden Vertreter der Literaturkritik. Der Autor wurde zu seinen Lebenszeiten nie eine Berühmtheit.

Die sieben Brüder beginnt mit einer Beschreibung der materiellen und sozialen Umstände.

> Im Süden der Landschaft Häme, unweit des Dorfes Toukola, liegt auf dem Nordhang eines Hügels der Jukola-Hof. In seinem nächsten Umkreis ist die Gemarkung steinig; aber weiter unterhalb beginnen die Felder, auf denen vor dem Verfall des Hofes stahlharte Ähren wogten. Hinter den Feldern beginnt Wiesenland, von Klee gesäumt und einem sich in vielen Windungen dahin schlängelnden Bach durchzogen, und reich war dessen Ertrag an saftigem Heu, bevor es später zur Dorfweide wurde. Auch große Wälder, Moor und Ödemark gehörten zum Hofe, zum Teil schon seit den Tagen der großen Flurbereinigung in alten Zeiten; denn der Jukola-Bauer von damals, mehr um das Wohl der ihm folgenden Geschlechter als um sein eigenes besorgt, hatte Land genommen, das von einem Waldbrand verheert worden war, und deshalb ein siebenmal größeres Gebiet als andere bekommen. Die Spuren des Feuers waren schon lange verschwunden, statt dessen wuchs hier jetzt ein prächtiger Wald heran. – Und hier war das Zuhaus der sieben Brüder, von deren Lebensschicksal ich erzählen will.
>
> Die Namen der Brüder vom ältesten bis zum jüngsten sind: Juhani, Tuomas, Aapo, Simeoni, Timo, Lauri und Eero. Von ihnen sind Tuomas und Aapo ein Zwillingspaar und ebenso Timo und Lauri. Juhani, der älteste der Brüder, zählt 25 Jahre, während Eero, der jüngste, kaum 18 Sonnenkreise erlebt hat. Ihrem Wuchs nach sind sie stämmig und breitschulterig, von mittlerer Größe, bis auf Eero, der noch recht klein ist. ...
>
> Ihrem Vater, der ein eifriger Jäger war, ereilte der Tod in seinem besten Alter ganz unvermutet, als er mit einem grimmwütigen Bären kämpfte. Man fand damals beide, den König der Wälder wie den Mann, Seite an Seite tot auf der blutigen Wahlstatt. Schlimm war der Mann zugerichtet, doch auch dem Untier waren Hals und Flanke von seinem Messer aufgeschlitzt und die Brust von einer heißen Kugel durchbohrt. So endete der Mann seine Tage, der in seinem Leben mehr als fünfzig Bären zur Strecke gebracht hatte. – Über diese Jagden aber hatte er die Arbeit auf dem Hof vernachlässigt, der ohne rechte Leitung allmählich verfallen war. Auch seine Söhne taugten nicht recht zum Pflügen und Säen; denn von ihrem Vater her hatten sie die heiße Leidenschaft im Blute, dem Wild des Wal-

> des nachzustellen. Sie legten Fallen aus, bauten Fanggruben und richteten Auer- und Birkhahnschlingen zum Verderb für Vögel und Hasen. Damit verbrachten sie die Tage ihrer Kindheit, bis sie anfingen, das Schießeisen zu hantieren, und es wagten, den Bären in der Ödemark gegenüberzutreten.
>
> Wohl versuchte ihre Mutter Zucht und Vermahnung, sie zu fleißiger Arbeit anzuhalten; aber ihr Eigensinn war ein arges Hindernis für solche Bemühungen.(Kivi, 1950, S. 5-7)

Der primäre Widerspruch in der existierenden dominanten Tätigkeit der Brüder besteht zwischen Natur und Kultur, zwischen der freien Jagd und dem domestizierten Landbau, zwischen dem Leben in den Wäldern und dem Leben unter Menschen (vgl. Abb. 2.16).

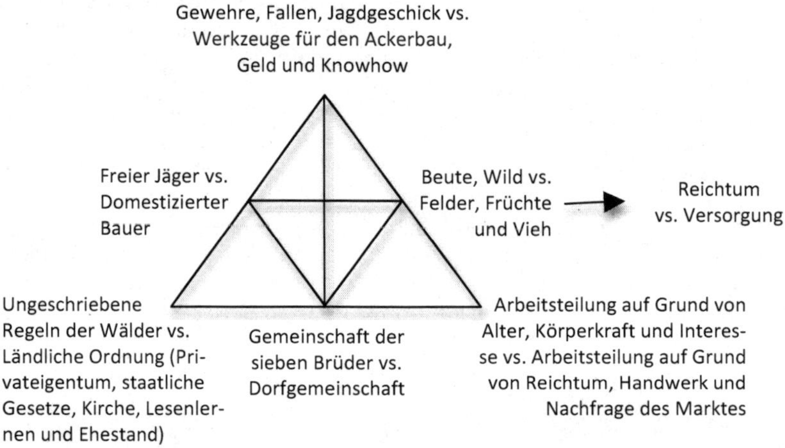

Abb. 2.16. Der primäre Widerspruch in der Lebenstätigkeit der Sieben Brüder

Die Notlage drückt sich in einer Reihe von latenten Bedrohungen und Konfliktsituationen aus. Die Mutter der Jungen stirbt und lässt die Brüder mit der Aufgabe zurück, den Hof am vollständigen Ruin vorbei zu manövrieren. Der Probst des Kirchspiels verlangte von ihnen, Lesen zu lernen, was auch eine gesetzliche Vorbedingung für die Heirat war. Die Konversation zwischen den Jungen dokumentiert ihre Ausarbeitung der Notlage.

> Aapo: Und ich sage euch, dieses wilde Leben geht nicht mehr an. Das endet noch mit Unglück und Verderben. Brüder, andere Sitten und Bräuche, wenn uns der Sinn nach Glück und Eintracht steht!

Juhani:	Recht hast du, das ist nicht zu leugnen.
Simeoni:	Gott erbarme sich! Was für ein hemmungsloses, verwildertes Leben habt ihr geführt bis zum heutigen Tag!
Timo:	Leben ist halt Leben und jede Welt für sich in dieser Welt. Soll es schmecken, dann kostet es auch was, ach ja!
Juhani:	Zu toll, oder besser gesagt, zu liederlich haben wir gelebt, das ist schon wahr. Aber wir müssen daran denken: „Jugend ohne Tugend, graues Haar weise war."
Aapo:	Aber es ist an der Zeit, vernünftig zu werden, an der Zeit, die Lüste und Begierden unter das Joch des Verstandes zu beugen und vor allem das zu tun, was Nutzen schafft, und nicht nur, was besser schmeckt. Zunächst einmal müssen wir alles dran setzen, dass der Hof wieder zu Ordnung und Ehren kommt. ...
Juhani:	Was meinst du. Lauri, du immer Schweigsamer?
Lauri:	Was ich meine? Laßt uns in den Wald ziehen, und zum Henker mit dem ganzen Rummel dieser Welt.
Juhani:	Was?
Aapo:	Der Kerl spinnt wieder einmal.
Juhani:	In den Wald ziehen! So eine Torheit!
Aapo:	Laß ihn nur reden. – Ich hab es mir so gedacht: ...
Lauri:	Aber anders wäre es noch viel vernünftiger. Laßt uns in den Schoß der Wälder ziehen und dieses armselige Jukola verkaufen oder an den Gerber am Grenzgatter verpachten. ... Laßt uns so machen, wie ich sage, und mit unseren Pferden, Hunden und Büchsen an den Fuß des steilen Impivaara ziehen. Dort bauen wir uns dann an einem freundlichen, sonnigen Hang eine hübsche kleine Rauchkate, jagen das Wild des Waldes und leben in Frieden, fern von der Unrast der Welt und ihren heimtückischen Menschen. – So habe ich es mir jahrelang, bei Tag und bei Nacht, vorgestellt.
Juhani:	Hat dir der Leibhaftige den Kopf verfinstert, Junge?...
Eero:	Na, das war auch ein Vorschlag: Salz und Brot Lebewohl zu sagen und Blut zu saugen, wie die Mücken, und Fleisch zu kauen, wie die Zauberer in Lappland. Sollten wir dann auch in den Schlünden des Impivaara Füchse und Wölfe essen, wie die haarigen Bergschrate?
Lauri:	Für Fuchs- und Wolfsfelle bekommen wir Geld, und für das Geld Salz und Brot.
Eero:	Aus den Pelzen machen wir uns Kleider, aber das Fleisch, das blutige Fleisch sei unsere einzige Nahrung. Waldaffen und Paviane brauchen kein Salz und kein Brot.
Lauri:	Das ist meine Ansicht, und so werde ich es einmal halten.
Timo:	Laßt uns die Sache doch von Grund auf überlegen! Warum

sollten wir nicht auch im Wald Salz und Brot haben können? Warum nicht? Aber Eero ist ein Schelm, „immer ein Stein auf dem Wege, immer ein Stubben im Gehege." Wer kann einem Waldbewohner verbieten, dann und wann auch in die Dorfmark zu kommen, nur hin und wieder, je nach Bedarf? Oder schlägst du mir dann mit einem Holzscheit den Schädel ein, Eero?

Eero: Ach nein, Bruderherz; du bekommst sogar Salz, wenn du Beeren bringst. Zieht los, Jungens, zieht los, ich will euch nicht im Wege sein, ganz im Gegenteil; ich werd' euch kutschieren, euch richtig im Wolfstrab von hier auf den Weg bringen. (Kivi, 1950, S. 16-22)

Das Zögern und die Ungewissheit, die typisch für eine Notlage sind, nehmen hier die Form einer Debatte innerhalb der Gruppe an. Der innere Widerspruch der Tätigkeit ist in Eero personifiziert. Er ist der jüngste und schlaueste der Brüder, der immer alles in Zweifel zieht und sich lustig macht. Zunächst macht er sich über Lauris Idee lustig. Etwas später dann macht er sich erneut über die Autorität und Frömmigkeit von Juhani und Simeoni lustig. Dafür wollen diese Eero mit Schlägen bestrafen.

Simeoni: Schlag, aber mit Vernunft und nicht zu stark.
Juhani: Ich weiß schon selber.
Lauri: Keinen einzigen Schlag, sage ich euch!
Tuomas: Laßt den Jungen in Frieden!
Juhani: Er muss den Hintern versohlt bekommen.
Lauri: Und ich sage dir, du rührst ihn nicht mit einem Finger an!
Tuomas: Laßt den Jungen los, auf der Stelle!
Timo: Wir müssen ihm verzeihen, dem kleinen Eero, jedenfalls noch dies eine Mal.
Simeoni: Verzeihen, verzeihen, bis Disteln und Unkraut den Weizen verderben.
Lauri: Du rührst ihn nicht an!
Aapo: Wir wollen ihm verzeihen, und auf diese Weise versuchen wir, glühende Kohlen auf sein Haupt zu sammeln.
Juhani: Scher dich weg und dank deinem Schöpfer! (Kivi, 1950, S. 33-34)

Die Brüder beschließen schließlich, sich dem Lesenlernen zu unterziehen. Der Unterricht wird von dem Kantor durchgeführt.

Sehr langsame Fortschritte machte die Gelehrsamkeit der Brüder, die von der fürchterlichen Strenge ihres Lehrers keineswegs gefördert wurde, sondern die ihnen vielmehr die Lust und Liebe zur Sache nahm. Juhani

> und Timo kannten immer noch nicht mehr als den Buchstaben A. Die Kenntnis der anderen umfasste jedoch einige Buchstaben mehr. Eine rühmliche Ausnahme von allen machte ihr Bruder Eero, der das Alphabet schon bewältigt hatte und sich jetzt fleißig im Buchstabieren übte. (Kivi 1950, 65)

Heute hatte der Kantor die Jungen nicht vor dem Abend essen lassen, er „versuchte nämlich, ihren Lerneifer mit Hungerpein anzuspornen" (Kivi, 1950, S. 66). Als es ihnen endlich erlaubt wird, weigert sich Juhani unter Protest.

Aapo:	Über diese Härte würde unser Alter sich nur ins Fäustchen lachen.
Juhani:	Laß ihn lachen, ich esse nicht. Sieh einer an, Eero kann schon buchstabieren. – Ich esse nicht.
Tuomas:	Hier esse ich auch nicht – aber oben auf der Heide von Sonnimäki! Bald sitze ich dort oben im Heidekraut.
Juhani:	Richtig, jawohl, dort oben sitzen wir bald.
Eero:	Ich bin mit dabei, Jungens!
Aapo:	Was sind nun das wieder für Dummheiten!
Juhani:	Raus aus dem Gefängnis!
Aapo:	Halt, Jungens, Verstand!
Juhani:	Halt, Jungens, die Sonnimäki-Heide!
Eero:	Just das, und der Verstand sagt halt! (KIVI, 1950, S. 67)

Die Jungen zerschlagen das Fenster und fliehen in die Wälder. Man merke, dass Eero gut lernt, aber aktiv die Idee der Flucht unterstützt. Diese Episode ist die erste Präambel zum Doublebind. Ein neues Element, das die gegebene neue Tätigkeit und das bloß verstandene Motiv (das ländliche Leben) repräsentiert, ist in die Struktur der herrschenden Tätigkeit (das Jagdleben) eingetreten. Dieses neue Element erscheint in der Form neuer Regeln: Lesenlernen ist als Regel des zivilisierten ländlichen Lebens erforderlich (sicherlich nicht als Instrument). Dieser sekundäre Widerspruch wird jedoch nicht herausgearbeitet und verschärft. Er wird vielmehr regressiv gelöst. Die Jungen vermieten ihr Haus und bauen eine neue Hütte in den tiefen Wäldern von Impivaara.

Aber der ungelöste sekundäre Widerspruch hört nicht auf, die Brüder zu jagen.

Aapo:	Unsere Lebensbahn hat heute eine schroffe Wendung gemacht.
Juhani:	Deshalb auch ist mein Herz so unruhig, sehr unruhig.
Simeoni:	Unser Herz ist verdüstert. Wer bin ich? Der verlorene Sohn ...

Juhani: Hm ... ein verirrtes Schaf in der Wüste.
Simeoni: Nun haben wir unsere Nachbarn und christlichen Nächsten verlassen.
Tuomas: Hier liegen wir und hier bleiben wir, solange es Fleisch im Walde gibt.
Aapo: Alles wird uns gelingen, wenn wir nur immer unseren Verstand gebrauchen.
Simeoni: Draußen im Walde schreit der Uhu, und der Ruf des Uhus verheißt nie etwas Gutes. Er kündet Feuer, blutige Schlägereien und Mord an, sagen die Alten.
Tuomas: Im Walde gehört das Schreien des Uhus zu den Alltäglichkeiten und hat nichts zu bedeuten.
Eero: Aber das hier ist ein Dorf, der torfgedeckte Impivaara-Hof. (Kivi, 1950, S. 154)

Der Widerspruch verschärft sich, als die Brüder während eines Jagdausflugs von den vierzig wütenden Ochsen des benachbarten Herrensitzes von Viertola gejagt werden. Die Jungen fliehen auf die Spitze eines großen Felsens im Wald. Aber sie sind vier Tage lang von den Ochsen umstellt. Schreien und Rufen hilft nicht. Schließlich beschließen die Brüder, die Ochsen mit ihren Gewehren zu erschießen. Wieder sind die Jungen mit den Regeln der ländlichen Zivilisation konfrontiert. Wie kann man Viertola den Schaden wieder gutmachen? Die Situation kommt nahe an ein Doublebind heran. Juhani schlägt in der Verzweiflung vor, dass die Brüder damit beginnen, Teer zu kochen und ihn für Geld zu verkaufen. Aapo weist daraufhin, dass Teer nicht genug Geld bringen wird.

Juhani: Was sagst du da, Junge! Mit dem hitzigen Viertola-Herrn einen Vergleich schließen? Womit sollen wir seine Ochsen bezahlen?
Aapo: Dazu reichen Teer und Pech oder Wild aus dem Walde, das schon ganz bedenklich abnimmt, nicht aus. Aber sieh an, wie der eine Einfall den anderen nach sich zieht. Wenn du von den Teerstubben sprichst, muss ich an die unendlichen Wälder von Jukola denken, an die Hügel mit dem dichten Birkenbestand, an die Kieferngehölze und die Tannenwälder. Sieben Männer können in einigen wenigen Tagen einige zehn Morgen Schwendeland abholzen. Die schwenden und besäen wir und halten Ernte, wenn es soweit ist. Das Korn bringen wir als Bezahlung für die Ochsen nach Viertola; aber wir behalten einen Teil für unseren eigenen Bedarf zurück.... Und wenn die Ernte der ersten Schwende nicht ausreicht, den Preis der Ochsen zu erlegen, schwenden wir ein zweites oder gar ein drittes Mal. Bis das Korn auf unserer Schwende wogt, müssen wir halt

noch bei der Wirtin des Waldes zu Gast sein ... Auf diese Art und Weise müssen wir zwei Jahre lang leben; aber wenn eine gute Ernte reif geworden ist, bauen wir Schober und dreschen, dass es nur so kracht. So würden wir wie auf einem richtigen Hof arbeiten. Doch wenn wir uns dazu entschließen, muss einer oder müssen zweie von uns schleunigst zum Viertola-Herrn und mit dem sprechen, und ich möchte glauben, dass der sich so bei kleinem beruhigt und sich entschließt, die Ernte von unserer Schwende anzunehmen; denn im Grunde genommen, sagt man, ist er ja doch ein ganz biederer Mann.

Tuomas: Über diesen Rat lohnt sich, nachzudenken.

Juhani: Das lohnt sich wahrhaftig. (Kivi, 1950, S. 316-317)

Man merke, wie die Idee mit dem Teer, die der alten Tätigkeit der Jungen im Wald ganz nahe ist, hier als Sprungbrett funktioniert, vergleichbar mit der Lüge von Huckleberry Finn. „Wie der eine Einfall den anderen nach sich zieht", sagt Aapo. Das neue allgemeine Modell ist in Aapos Vorschlag eingebettet, „wie auf einem richtigen Hof zu arbeiten". Intensive Handlungen folgen.

Und dann fingen die Brüder an, die Bäume zu fällen. Die Äxte klangen, der Wald hallte wider, und eine der Kiefern fiel krachend über die andere. Vornweg marschierte allezeit Eero und hieb mit seiner Hippe die geschmeidigen, zähen Jungkiefern nieder. So fiel der prächtige Wald im Umkreis von etlichen Morgen, und die Luft war erfüllt von dem frischen Duft der Nadeln und harzigen Späne. Da lag die Impivaara-Schwende nun an dem besonnten Abhang, von so riesigen Ausmaßen, wie man kaum je zuvor eine gesehen hatte, und diese Arbeit war im Laufe von fünf Septembertagen getan. (Kivi, 1950, S. 318)

Die Schulden sind bezahlt, aber die neue Tätigkeit ist noch nicht beständig. Die Jungen fallen zurück in die alten Formen des Lebens im Walde, denen sie nun das Destillieren und Trinken von Branntwein hinzufügen. Einer der Brüder, Simeoni, verirrt sich im Wald. Die anderen suchen verzweifelt nach ihm und finden ihn schließlich in schlechter Verfassung. Simeoni erzählt ihnen, dass er Luzifer selbst im Wald gesehen hat.

Juhani: Traurig ist es, ojoj!

Timo: Weine nicht Juhani!

Juhani: Könnte ich nur, ich würde blutige Tränen weinen. Wir haben wie die Hundsfötter gelebt, Branntwein getrunken wie die Türken und Mohammedaner. Aber jetzt soll das anders werden, ein neues Leben soll hier anheben, sonst kommt des Himmels schrecklicher Zorn über uns wie ein Berg, der uns in die Hölle hinunterdrückt. Ja, ja, diese Jungens sind mit Wundern und Weissagungen gewarnt worden, und der leibhaftige Gottseibeiuns wird mit uns abfahren, wenn wir auf diese Zeichen nicht achten.

Lauri: Schlimm genug müssen wir auf das Ärgste gefasst sein, denn auch ich habe euch etwas zu erzählen. Hört zu: Als ihr auf der Halde beim Bögeln wart, ging ich im Walde umher und suchte Holz für den Hausbedarf, und da hatte ich, als ich auf der Heide einschlief, einen seltsamen Traum. Ich sah gewissermaßen aus dem Wipfel einer hohen Kiefer mit an, wie ihr hier auf der Schwende neben blutig-frischen Ochsenhäuten wie die Verrückten beim Bögeln wart, und ratet mal, mit wem? Mit unserem eigenen, strengen Probst. Und wißt ihr, liebe Brüder, wie es weiterging? Zum Schluss merkte der Probst, daß die Scheibe gar keine gewöhnliche Scheibe, sondern ein ABC-Buch mit rotem Deckel war. Da ergrimmte er höchlich und schwang sein Schwert und rief mit lauter Stimme: „Hi-ha! Hi-ha!" Und gleich kam ein schreckliches Unwetter, dass euch wie Spreu als Spielball der Winde in die Luft entführte. – So träumte mir, und dieser Traum hat etwas zu bedeuten.

Juhani: Bestimmt hat er etwas zu bedeuten, sagt er uns hier irgendwelche Art Teufelspolka voraus, daran ist nicht zu zweifeln. Wir sind von zwei Seiten gewarnt worden, und wenn wir jetzt nicht in uns gehen, regnet es bald Feuer, Pech und Kieselsteine über unsere Köpfe, wie vormals über Sodom und Gomorra.

Aapo: Aber wir brauchen uns nicht allzu bange machen zu lassen.

Tuomas: Ich will nicht sagen, dass ich mit Sicherheit weiß, wie alles zusammenhängt; aber alles das, was Simeoni gesehen hat, ist vielleicht nur in seinem verkaterten Schädel entstanden. (Kivi, 1950, S. 345-346)

Die Brüder beschließen, den Destillierapparat zu zerstören. Dann machen sie sich auf den Weg zur Kirche, um zu beten. Auf dem Wege dorthin treffen sie auf das entscheidende Hindernis, das ihren Doublebind bis zum äußersten verschlimmern wird. Die alten Rivalen der Brüder, die jungen Männer aus dem Dorf Toukola, fangen an, sich über die Brüder lustig zu machen, die in ihrer Isolation den Montag für einen Sonntag gehalten haben. Ein Kampf bricht aus und viele Männer werden verwundet. Nach dem Kampf grübeln die Brüder verzweifelt über die drohende Bestrafung nach.

Simeoni: Brüder, Brüder, sagt doch nur ein Wort! Was sollen wir tun, um den Klauen der Obrigkeit zu entkommen?

Aapo: Uns ist kein Ausweg mehr geblieben, der uns rettet, nicht auf dieser Welt.

Juhani: Wir sitzen in der Klemme, wir sitzen in der Klemme. Alles ist aus und vorbei, alles Glück und alle Hoffnung.

Tuomas: Der Teufel holt uns ohne Erbarmen. Laßt uns deshalb die Augen zumachen und hinnehmen, was wir verdient haben. Wir haben den Diener der Obrigkeit in der Ausübung seines Amtes gestört, und das ist eine schlimme Sache. Vielleicht haben wir ein paar Leute zu Krüppeln geschlagen, und das ist noch viel ärger. Ja, wer weiß, vielleicht haben wir irgendeinem das Lebenslicht ausgeblasen, und dann ist alles, wie es sein soll. Gut aufgehoben können wir Wasser und Brot umsonst haben.

Simeoni: Wir armen Jungens!

Timo: Arme Jukola-Jungens, alle sieben! Was fangen wir an?

Lauri: Ich weiß schon, was ich mache.

Juhani: Ich auch. Das Messer an die Kehle, alle Mann hoch!

Timo: Nein, zum Kuckuck nochmal!

Juhani: Mein Messer her, mein blankschneidiges Messer. Ich werde Blut zapfen, daß es nur so spritzt!

Aapo: Juhani!

Juhani: Möge das Blut von sieben Männern zu einer einzigen Lache zusammenrinnen, und dann wollen wir uns in dem roten Meer ertränken, wie einst ein ganzes Volk im Alten Testament. Wo ist mein Messer mit dem Maserholzschaft, das alles, alles schlichtet?

Aapo: Nimm doch Vernunft an!

Juhani: Weg mit dir, und weg mit diesem verdammten Leben! Das Messer her!

Simeoni: Wir müssen ihn davon abbringen!

Aapo: Kommt hierher, Brüder!

Juhani: Aus dem Wege!

Tuomas: Ruhig, Junge!

Juhani: Laß mich los, Tuomas, mein Bruder!

Tuomas: Jetzt bleibst du fein still sitzen!

Juhani: Was hat jetzt, da alles verloren ist, noch alles Feine zu bedeuten! Hast du vielleicht Lust, vierzig Paar Rutenstreiche mit frisch geschnittenen Weiden zu bekommen?

Tuomas: Nein.

Juhani: Na, was gedenkst du dann zu tun?

Tuomas: Ich hänge mich auf, aber erst dann.

Juhani: Laßt uns lieber gleich tun, was doch auf jeden Fall getan werden muss.

Tuomas: Das ließe sich überlegen.

Juhani: Haha! Alles ist vergebens.

Tuomas: Vielleicht doch eben noch nicht.

Juhani: Die Kronshandschuhe warten auf uns.

Simeoni: Weg aus Finnland nach Ingermanland und Kühe hüten!

Timo: Oder Hauswart in Petersburg werden?

Aapo: Schlechte Ratschläge.

Eero: Zur See, die Meere kreuzen, wie einstmals unser stattlicher Oheim! Haben wir erst einmal Finnlands Küsten hinter uns, dann drohen uns auch nicht mehr die Klauen der Obrigkeit. Und dann versuchen wir, zu den Engländern zu kommen, in ihren Schiffsmasten ist der Mann noch was wert.

Aapo: Der Rat verdient, erwogen zu werden.

Tuomas: Schon möglich, aber wir dürfen nicht vergessen: Noch bevor wir an Finnlands Küste gelangt sind, haben wir wahrscheinlich schon die Verlobungsringe der Obrigkeit ums Handgelenk.

Timo: Ja, und kommen wir auch mit heiler Haut aus Finnland weg, dann wissen wir immer noch nicht, wie wir nach England kommen sollen. Bis dahin sind es ja doch Millionen und aber tausend Millionen von Meilen!

Aapo: Aber hört zu. Schlagen wir uns doch auf die Seite der Wölfe selber, dann brauchen wir ihre Zähne nicht mehr zu fürchten. Nehmen wir Kriegsdienste an und lassen uns für ein paar Jahre anwerben! Ein verzweifelter Ausweg, aber vielleicht einer, der uns am besten aus der Klemme hilft. Ja, wir machen, daß wir zu dem berühmten Bataillon von Heinoa kommen, das jeden Sommer auf der Parola-Heide marschiert und exerziert. Dieser Paragraph wäre doch zu überlegen, und vergeßt nicht, daß die Krone immer auf seiten ihrer Söldner steht.

Juhani: Ich glaube beinah, lieber Bruder, du hast das rechte Mittel gefunden. (Kivi, 1950, S. 359-361)

Und dies beschließen die Brüder zu tun. Man achte jedoch auf den Inhalt von Eeros Vorschlag. Er versucht, Natur und Zivilisation, Freiheit und soziale Anpassung auf eine einmalige Art und Weise zu vereinen: zunächst auf die See (Freiheit, Natur) und dann zu den Engländern (Gesellschaftlichkeit, Zivilisation). Der geschaffene, neue Aspekt in dieser Lösung ist ihre intellektuell expansive Natur: „Laßt uns gehen und uns die Welt ansehen", scheint Eeros wirkliche Botschaft zu sein. Dies entspricht weder der alten noch der neuen Tätigkeit; es geht über beide hinaus. Aber diese Lösung ist noch unreif – sie flieht vor dem Widerspruch, statt ihn zu lösen.

Das würde die angenommene Lösung ebenfalls tun. Aus diesem Grunde wird sie nie realisiert. Die Brüder machen sich auf zu den Hütten von Heinoa. Auf der Straße treffen sie jedoch bald den Amtmann. Sie sind kurz davor wegzulaufen, halten dann aber mit dem sicheren Gefühl an, dass der Amtmann allein nicht in der Lage wäre, sie festzunehmen. Es stellt sich heraus, dass in dem Kampf niemand getötet worden ist und dass gegen die Brüder keine Anklagen erhoben worden sind. Sogar der Probst hat aufgehört, die Brüder zu verfolgen, da er ihren Fall als hoffnungslos betrachtet. Die Brüder weigern sich, dem Amtmann zu glauben in der Annahme, dass es sich um einen Trick handelt, sie ruhig zu halten, bevor mehr Polizei erscheint, um sie festzunehmen. Die Brüder verstecken sich in den Wäldern für drei Tage und beobachten dabei die Hütte. Dann wird Aapo ins Dorf geschickt, um zu bestätigen, dass sie in Sicherheit sind. Als den Brüdern die Wahrheit schließlich klar wird, nehmen sie mit aller Kraft die gegebene neue Tätigkeit des zivilisierten Landlebens auf.

Tuomas: Und jetzt müssen wir einfach lesen lernen! Das ABC-Buch in die Faust und die Buchstaben in den Schädel, und wenn's uns auch mit dem Holzhammer eingebleut werden müßte!

Aapo: Wenn wir diese Mahnung befolgen, beschert sie uns neues Glück! Laßt uns nun einmütig mit dieser wichtigen Aufgabe anfangen und nicht müde werden, bevor wir unser Ziel erreicht haben! ...

Juhani: Geduld bringt Rosen, jawohl, wenn wir nur erst anfangen und uns durchbeißen. Aber die Sache verdient es, scharf und von der Wurzel her durchdacht zu werden.

Aapo: Versuchen wir's, die Frage ist wichtig. Seht, wenn wir nicht lesen können, ist sogar ein rechtmäßig angetrautes Weib eine verbotene Frucht für uns.

Timo: Was sagst du? Liegt die Sache so? Zehntausend Teufel! Dann lohnt ein Versuch, wenn man auf diese Art und Weise zu einer guten Frau kommen kann, falls man auf solche Grillen verfallen sollte. Und wer weiß, was einem alles einfallen kann! Nur Gott allein. ...

Juhani: ... Aber woher nehmen wir einen gutmütigen und nachsichtigen Lehrer?

Aapo: Auch daran habe ich gedacht. Jetzt kommt die Reihe an dich, Eero. Ja, ja, du hast einen guten Kopf, es lässt sich nicht bestreiten, aber dank Gott für diese Gabe, und zieh für ein paar Wochen mit dem Brotranzen auf dem Rücken und der Fibel in der Faust von uns weg. Geh beim Jagdvogt in die Lehre, dem großen Wolfsjäger vor dem Herrn. Das ist ein kundiger Mann, und ich weiß, dass er dich in die Lehre nehmen wird ... und wenn du bei ihm das Wichtigste von der Lesekunst gelernt hast, kommst du zu uns zurück und lehrst uns.

Juhani: So, so, Eero soll uns unterweisen? Hmmm, Eero? Na schön, aber werde nicht hochfahrend, das sage ich dir.

Eero: Nichts davon. Ein Lehrer muss seinen Schülern mit gutem Beispiel vorangehen und an den großen Tag der Rechenschaft denken, da er sagen muss: „Hier bin ich, oh Herr, mit denen, die du mir anvertraut hast!"

Juhani: Stichelst du schon wieder? Aber die Sache liegt so: Du lehrst mich, weil ich es so will. Und du hältst das Maul und bist stumm wie ein Barsch, wenn ich es so will, und ich lasse dich lehren, wann ich es will. So hängt die Sache zusammen. Wir werden dich schon im Zaume halten, sei überzeugt davon. Aber die Sache ließe sich ja versuchen. ...

Aapo: Eero, was meinst du selber?

Eero: Ich will mir die Sache überlegen. (KIVI, 1950, S. 376-379)

Diesem Plan folgte man. Eeros Lehrversuche und das Lernen der Brüder selbst waren nicht moderner als die ersten Versuche im Hause des Kantors. Aber diese Lernhandlungen auf niedrigem Niveau gewinnen durch ihren Bezug zur Gesamttätigkeit eine neue Qualität. Es geht nicht länger darum, zur Schule zu gehen. Dieses Mal besteht der Kontext darin, eine neue zentrale Tätigkeit mit Hilfe bestimmter, wenn auch mechanischer Lernhandlungen zu erobern. Der gesamte lange Prozess der Reise durch die Zone der nächsten Entwicklung ist nicht durch bewusste Beherrschung charakterisiert gewesen oder durch expansive Lerntätigkeit. An diesem entscheidenden Umbruchpunkt Jedoch (der Anwendung und Verallgemeinerung des neuen Modells) werden die Brüder zu Subjekten ihrer spezifischen Lernhandlungen.

Da saß nun Eero als Lehrer und hatte seine Brüder als Schüler; und im Chor sagten sie die Buchstaben her, die ihr jüngster Bruder ihnen vorgesprochen hatte; sie riefen sie so laut, daß die ganze geräumige Kate schallte. Beschwerlich und voller Pein war diese Arbeit für sie, voller Pein namentlich am Anfang. Fürchterlich wurde dabei gestöhnt und geschwitzt. Am meisten von allen strengte Juhani seine Willenskraft an. Seine Kinnbacken zitterten in frommem Eifer, und der schläfrige Timo, der an seiner Seite saß und ab und zu einnickte, bekam so manchen wütenden Puff in die Seite, wenn dem armen Tropf wieder einmal der Kopf zur Tischplatte hinuntersank. – Es ärgerte die Schüler auch, daß Eero sein Lehramt nicht immer mit schlichtem Ernst ausübte, sondern häufig treffende Spötteleien über seine Lippen kommen ließ. Die Brüder hatten ihn schon so manches Mal gewarnt, aber er konnte nun mal nicht von seiner Gewohnheit lassen. Einmal, an einem Wintertag, als draußen grimmige Kälte herrschte und im Süden, tief über dem Horizont, eine beinahe glanzlose Sonne stand, saßen die Brüder in ihrer Kate und waren, mit dem Abc in der Hand, voller Eifer beim Lernen. Weithin in die Umgegend hörte man, wie sie eintönig und andachtsvoll buchstabierten, sie wiederholten das ganze Abc nun zum zweiten Mal.

Eero: A.

Die anderen: A.

Eero: B.

Die anderen: B.

Eero: A ist also der erste Buchstabe unseres Alphabets und O der letzte. „A und O, der Anfang und das Ende, der Erste und der Letzte", so steht irgendwo in der Bibel. Aber habt ihr jemals den Letzten als den Ersten gehört oder gesehen? Das O anstelle des A? Freilich, lustig ist das, wenn der Kleine, der früher immer das letzte Küken war, mit einemmal der größte Hahn auf dem Hofe wird, zu dem die anderen mit Hochachtung wie zu einer Art Vater emporschauen, mag das auch mit ein bißchen scheelen Augen geschehen. Aber warum spreche ich eigentlich von Dingen, mit denen wir uns eben nicht zu befassen brauchen! Also ... lesen wir weiter.

Juhani: Hab ich dich recht verstanden? Ich fürchte, ja. Aber unterrichte uns weiter, sonst hol dich der Teufel.

Eero: So lies hübsch weiter: C ...

Die anderen: C.

Eero: D.

Die anderen: D.

Eero: E,F,G.

Juhani: Halt, halt, wartet! Ich Armer hab* mich verhaspelt. Nehmen wir das noch einmal von vorne.

Eero: A.

Die anderen: A.

Eero: ABC die Katze lief im Schnee – kannst du sagen, wie es weiter heißt, Juhani?

Juhani: Ich will darüber nachdenken. Kommt mal mit hinaus, ihr anderen, wir haben etwas Wichtiges zu besprechen.

So sprach er und ging auf den Hof hinaus, und die anderen folgten ihm nach; Eero aber blieb unruhig in der Stube zurück und fing an zu überlegen, was dieses Hinausgehen bedeuten könnte. Die Brüder aber berieten draußen auf dem Hof, wie sie Eeros boshaften Sticheleien am besten bekommen könnten, wenn er mit dem Abc-Buch in der Hand nicht nur sie, sondern auch Gott und sein heiliges Wort verhöhnte. Ihr Urteil lautete, dass er eine tüchtige Tracht Prügel verdient habe. Nun kehrten sie in die Stube zurück; und eine frische Birkenrute in der Hand Bruder Juhanis ließ Eero bis ins Herz hinein erschrecken. Tuomas und Simeoni packten das Bürschchen mit ihren kräftigen Fäusten beim Kragen, und ihr Bestes verrichtete Juhanis Rute. Eero schrie, zappelte und wehrte sich, und als sie ihn schließlich losließen, sah er sie mit zornfunkelnden, mordlustigen Blicken an.

Juhani: So, jetzt nimm das Buch wieder zur Hand und unterrichte uns hübsch weiter, du Krabat. Und denk an diese Lektion zurück, wenn deine elende Zunge wieder einmal die Lust anwandeln sollte, uns mit Spöttereien zu traktieren. Ach so, aj, aj, hat es ordentlich gezogen? Jawohl, jetzt ist dir's genauso ergangen, wie ich dir schon vor vielen Jahren vorausgesagt habe. Des Spötters Dank – die Prügelbank! Das hast du lernen müssen. Nimm das Buch, sage ich dir, und lehr uns redlich und anständig, du Krabat! (Kivi 1950, 384-387)

Dieser Vorfall gibt ein Beispiel dafür, wie die gegebenen neuen Handlungen gestört werden, wenn sich das geschaffene Neue den Weg ins Freie verschafft. Eeros Handlungen entsprechen weder der alten Tätigkeit (dem isolierten Jagdleben) noch der gegebenen neuen Tätigkeit (dem zivilisierten Landleben). Und es bringt ihm auch sicher keine Belohnung ein, ganz im Gegenteil.

Es gibt auch andere Arten von Störungen. Frost zerstört die Feldfrüchte der Brüder, und ein harter Winter bedroht sie mit Hunger. Eine Katastrophe wird dadurch verhindert, dass die Brüder noch einmal erfolgreich bei der Bärenjagd sind. Für eine gewisse Zeit herrscht wieder die alte Tätigkeit. Aber diese Störung ist regressiv oder nostalgisch und von der zuvor beschriebenen fundamental verschieden.

Was ist nun das Wesen der geschaffenen neuen Tätigkeit, die sich in Eeros Handlungen ausdrückt? Worin besteht der innere Widerspruch, der diesem neuen Modell des Landlebens zugrunde liegt?

Eeros oben zitierter Scherz trifft ins Herz dieser Angelegenheit: „Freilich, lustig ist das, der Kleine, der früher immer das letzte Küken war, mit einem Mal der größte Hahn auf dem Hofe wird, zu dem die anderen mit Hochachtung wie zu einem Vater emporschauen, mag das auch mit ein bißchen scheelen Augen geschehen". Die Botschaft ist deutlich: Die stabilen Hierarchien auf der Grundlage von Reichtum, Alter und physischer Kraft werden auf den Kopf gestellt. Die letzten werden die ersten. Die Kleinsten und Jüngsten übernehmen die Macht, die plötzlich auf Wissen, Gewitztheit und Intellekt sich gründet.

Diese Perspektive ist real und objektiv, sie ist nicht einfach nur eine subjektive Laune Eeros. Es war genau die Stabilität und Einheit der lutherischen Ordnung auf dem Land, die verlangte, dass man lesen konnte. Diese Fähigkeit stellte jedoch ein zweischneidiges Schwert dar. Sie konnte von einer Regel zu einem Instrument gemacht werden. Genau dies antizipieren Eeros Handlungen: Eine geschaffene neue Tätigkeit, bei der Lesen und Intellekt als Instrumente der Macht benutzt werden, wobei eine im wesentlichen dynamische und flexible soziale und ökonomische Ordnung angenommen wird – eben diese, die sich in den Formen des industriellen Kapitalismus ausdrücken sollte. Im letzten Kapitel des Buches skizziert Kivi die zukünftigen Schicksale der einzelnen Brüder, wobei Eero der letzte von ihnen ist.

> An Sonn- und Feiertagen aber studierte er seine Zeitung oder verfasste selber Nachrichten über Ereignisse oder gemeinnützige Fragen in der Gemeinde für eben diese Zeitung. Gerne nahm die solche Beiträge von ihm auf, denn was er schrieb, hatte Hand und Fuß, die Darstellung war treffend und klar, ja, mitunter glänzend. Mit diesen Beschäftigungen weitete sich Eeros Blick für Welt und Leben. Sein Vaterland war für ihn nicht mehr ein unbestimmter Teil einer unbestimmten Welt, von dem er weder Ort noch Art kannte. Nein, er wusste, wo dieses Land lag, dieser geliebte Erdenwinkel, in dem das Volk der Finnen wohnt und schafft und kämpft, und in dessen Schoß die Gebeine unserer Väter ruhen. Er kannte seine Grenzen, seine Meere, seine geheimnisvoll lächelnden Seen und seine föhrenbestandenen Hügelrücken, die sich wie Lattengatter darüber hinziehen. Das ganze Bild unseres Heimatlandes, sein gütevolles Mutterantlitz hatte sich für alle Zeiten in seines Herzens Tiefe eingegraben. Und aus alledem erwuchs ihm das Verlangen und Bestreben, für das Glück und Wohl unseres Landes zu wirken. Dank seinen eifrigen und unermüdlichen Bemühungen wurde im Kirchspiel eine Art Volksschule gebaut, es war mit die erste in ganz Finnland, und darüber hinaus kam noch manche andere nützliche Einrichtung durch ihn zustande. Bei allem, was er tat, war er außerdem noch darauf bedacht, die Erziehung seines ältesten Sohnes im Auge zu behalten, den er zu einem Mann des Wissens und der Erfahrung machen wollte. (Kivi 1950, 499-500)

Aleksis Kivi war selbst eine Art Eero für die finnische Nation, aber mit einem weniger glücklichen und harmonischen Ende. Sein Buch verstörte die gegebene neue Lebensweise, die stabile Hierarchie der Autorität. Die herrschende Literaturkritik zermalmte *Sieben Brüder* und klagte es wegen seines primitiven Naturalismus an. Kivi lebte beständig in finanziellen Nöten. Sein Geisteszustand verwirrte sich, und er starb 1872 in Vergessenheit.

Tabelle 2.4 Die sequentielle Struktur der Zone der nächsten Entwicklung der Sieben Brüder

WIDERSPRUCH	PHASE	THEMA IN *DIE SIEBEN BRÜDER*
Primär innerhalb der Bestandteile der alten Tätigkeit	Notlage	Jägerleben in den Wäldern: Freiheit in der Natur vs. soziale Interaktion mit anderen Menschen
Sekundär zwischen den Bestandteilen der alten Tätigkeit	Doublebind	Eindringen neuer Regeln (Literalität, ökonomische Verantwortung, physische Einengung) vs. alte Instrumente (Isolation, Zuflucht zu direkter physischer Aktion
	Herausbildung von Gegenstand/ Motiv	(a) Die Idee der Kultivierung von Land als Lösung für den Kaufpreis der Bullen (Sprungbrett: Teer herstellen) (b) Mit dem Lesenlernen und dem Ackerbau beginnen als Reaktion auf das Nachlassen der Spannung nach dem Kampf (Sprungbrett: Eine Frau heiraten) Neuer Gegenstand: Land, stabiler Wohlstand Neues allgemeines Modell: zivilisiertes Leben (stabile ländliche Hierarchie vs. dynamische Bewegung durch Lesen und Intellekt als innerer Widerspruch dieses neuen Modells der Tätigkeit)
Tertiär zwischen der alten und der gegebenen neuen Tätigkeit/Motiv (zwischen dem bloß verstandenen und dem tatsächlichen Motiv)	Anwendung, Verallgemeinerung; einzelne Handlungen der gegebenen neuen Tätigkeit	Jagd (durch Frost und Hunger notwendig geworden) vs. Ackerbau und Lesen. Die neuen Handlungen des Lesens werden durch Eeros Vorläuferhandlungen der geschaffenen neuen Tätigkeit gestört
Quartär zwischen der neuen Tätigkeit und ihren Nachbartätigkeiten	Tätigkeit 2: Reflexion, Konsolidierung	Ländliches Leben der Brüder, einschließlich Eeros Wirken für Aufklärung in der Gemeinde

Wie im Falle von Huck stellt der Fall der Brüder eine Entwicklungssequenz dar, die der Lerntätigkeit strukturell ähnlich ist, aber unbewusst abläuft, ohne selbst Lerntätigkeit zu sein. Ein Vergleich zwischen den Reisen von *Huckleberry Finn* und den *Sieben Brüdern* zeigt einen interessanten Unterschied. Im Falle von Huck Finn bestand die Doublebind-Situation in einem einmaligen Konflikt, der sich in ein bestimmtes Extrem zuspitzte und dann expansiv mit Hilfe von Hucks persönlicher Ehrlichkeit und Stärke gelöst wurde. Im Falle der *Sieben Brüder* erscheint der Doublebind viermal, jedes Mal in verschlimmerter Form.

Der Leseunterricht im Hause des Küsters bringt die erste vorläufige Form des Doublebind. Das zweite Auftauchen des Doublebind entwickelt sich aus dem Vorfall mit den Ochsen. Das dritte Mal taucht es auf nach der Periode des Trinkens, als die Jungen Simeoni im Wald finden und von den Visionen von Simeoni und Lauri hören. Sehr bald danach erfolgt das vierte und entscheidende Auftreten, als die Jungen über die Konsequenzen ihrer Auseinandersetzung mit den Männern von Tukola nachdenken. Die Lösung wird nicht als blitzartige Enthüllung gefunden, die sich in einer außergewöhnlichen Handlung einer Notsituation ausdrückt.

Die Lösung reift vielmehr schrittweise heran, und das Nachlassen der Spannung verlangt mehr beruhigende und entspannende als extreme Anstrengungen.

Dies ist möglicherweise ein ganz realer Typ des Doublebind. BATESON (1978, S. 63-64) scheint auf etwas Ähnliches hinzuweisen, wenn er von Doublebinds als „Sich-Mühe-Geben" spricht als „rekursive und reflexive Ketten von Phänomenen". Bei dem einen Typ von Doublebind ist eine einzelne unerwartete Handlung entscheidend für die expansive Lösung. Bei dem anderen Typ wird die Lösung durch eine Reihe von mehr oder weniger unvollständigen und unbefriedigenden Versuchen erreicht, die schließlich zu dem Endpunkt führen, an dem die Flucht vor der regressiven Handlung als das entscheidende Element erscheinen kann, nachdem die Lösung als etwas Selbstverständliches und Einfaches erscheint.

Die zweite Zwischenbilanz

Im vorhergehenden Kapitel wurde Lerntätigkeit als „Lernen durch Expansion" bestimmt. In diesem Kapitel wurde Lerntätigkeit als eine Reise durch die Zone der nächsten Entwicklung bestimmt, und es wurde ein sequentielles Modell dieser Reise ausgearbeitet. Im Verlauf dieser Reise wurden Elemente einer objektiv und gesellschaftlich neuen Tätigkeitsform gleichzeitig mit qualitativen Veränderungen des Subjekts der Tätigkeit produziert.

Das Modell, das in diesem Kapitel entwickelt worden ist, wie auch die konkreten literarischen Beispiele, geben vielleicht das Bild eines im wesentlichen spontanen Prozesses an, der größtenteils unabhängig von Eingriffen und unterrichtlichen Bemühungen von außen ist. Die literarischen Beispiele stehen tatsächlich für spontane Vorläufer der Lerntätigkeit. Ihre sequentielle Struktur ist prinzipiell derjenigen der Lerntätigkeit ähnlich, ihnen fehlt aber die spezifische Instrumentalität letzterer.

Im nächsten Kapitel werde ich mich dieser spezifischen Instrumentalität zuwenden, die die komplexe psychologische Formation des theoretischen Denkens oder der theoretischen Beziehung zur Wirklichkeit darstellt.

Die Instrumente der Expansion

Das bisher entwickelte Argument

In den vorangegangenen Kapiteln habe ich den Gegenstand meiner Untersuchungen als Expansion bestimmt, die von der Ebene von im wesentlichen individuellen Handlungen zu der Ebene einer neuartigen kollektiven Tätigkeit fortschreitet. Solche Übergänge haben gewöhnlich stattgefunden, als ob sie über die Köpfe der beteiligten Individuen und Gruppen hinweg geschehen, in Form von historischen Tragödien und Marionettentheatern verschiedener Größenordnungen.

Ich habe behauptet, dass eine neue Form des „Lernens durch Expansion" in der gegenwärtigen Phase der menschlichen Geschichte im Entstehen begriffen ist. Dies beinhaltet, dass die oben erwähnten Übergänge potentiell zu Gegenständen der bewussten oder intuitiven Beherrschung werden.

Bewusste zielgerichtete Prozesse befinden sich auf der Ebene von Handlungen oder von sekundären Instrumenten. Auf dieser Ebene ist das Denken beheimatet. Denken wird typischerweise beschrieben als eine Reihe von relativ diskreten Handlungen des „Lückenfüllens" oder Problemlösens. Das Entstehen der gedanklich gesteuerten Lerntätigkeit oder des „Lernens durch Expansion" beinhaltet, dass das Denken sich zu einer Tätigkeit hin entwickelt und dass Lernen und Denken zu einem einheitlichen Prozess auf dieser Ebene verschmelzen.

Das Problem besteht darin, die spezifischen Instrumente dieser neuen Form des expansiven Lernens und Denkens zu identifizieren. Zu diesem Zweck werde ich zunächst kritisch gewisse herrschende Formen der Theoriebildung über das Denken untersuchen.

Die erste Dichotomie: „primitives" gegenüber „höherentwickeltem" Denken

In seinem Buch *Die Grundlagen primitiven Denkens* hat G. R. HALLPIKE (1984) die Merkmale des „primitiven" und „höherentwickelten" Denkens wie folgt definiert (siehe Tabelle 2.5).

HALLPIKE benutzt die kognitiven Stufen von PIAGET als seinen analytischen Rahmen. Seiner Meinung nach sind die Bewohner von „primitiven" Gesellschaften in erster Linie durch präoperationales Denken charakterisiert, sie erreichen nicht die Ebene des konkreten operationalen Denkens, das typisch für Kinder von sieben Jahren und älter ist, die in „höherentwickelten" Gesellschaften leben.

Tabelle 2.5. Eigenschaften „primitiven" und „höherentwickelten" Denkens nach HALLPIKE (1979)

Kognitiver Bereich	**Kognitiver Typ**	
	„primitives" Denken	**„höherentwickeltes" Denken**
Symbolik	bildbezogen, gefühlsbetont	linguistisch
Klassifikation	assoziativ	taxonomisch
Zählen und Messen	konkret, absolut	abstrakt, relativ
Raum	wahrnehmungsbezogen	begriffsbezogen
Zeit	qualitativ, inkommensurabel	quantitativ, kommensurabel
Sichtweisen der Person	Verschmelzung von Psychischem und Physischem; für Privates fehlen Begriffe	Dualität von Geist und Körper; Unterscheidung von Privat und Öffentlich
Kausalität	essentialistisch	unpersönlich, probabilistisch

Für HALLPIKE ist das Leben in „primitiven" Gesellschaften kognitiv weniger anspruchsvoll als das Leben in „höherentwickelten" Gesellschaften. Eine Ursache der höheren kognitiven Anforderungen in „höherentwickelten" Gesellschaften ist die Gegenwart von mechanischen Vorrichtungen und komplexen technischen Geräten. Die Substituierbarkeit der Arbeit, unpersönliche produktive Beziehungen und die Rationalisierung der Tätigkeit sind die Merkmale der Zivilisation, wie sie von HALLPIKE gefeiert werden. Wie ATLAS (1986, S. 335) in einer Besprechung bemerkt, wiederholt HALLPIKEs Buch altbekannte Ideen über „die primitive" Mentalität. Die Neuheit besteht darin, dass er PIAGET mit dieser Tradition verkuppelt.

Die Form des Theoretisierens, wie sie von HALLPIKE demonstriert wird, ist tief in unserer psychologischen Gedankenführung verwurzelt. Sie kommt in vielen gegenwärtig geführten Diskussionen über die Psychologie des menschlichen Denkens zum Ausdruck, einschließlich der Versuche, die die entgegen gesetzten Ziele von HALLPIKE haben. Diese allgemeine Form des Theoretisierens besteht im durchgängigen Gebrauch von Dichotomien als erklärenden Konstruieren.

In seiner Pionierstudie der kulturellen Grundlegung der Kognition hat A. R. LURIJA (1986) zwischen zwei allgemeinen Formen des Denkens unterschieden: das eine konkret, situativ und „graphisch-funktional", das andere abstrakt, kategorial und logisch. Das Protokoll der Versuchsperson Rachmat, das als Antwort auf eine Klassifikationsaufgabe entstand, ist ein berühmtes Beispiel für den ersten Typ.

Vp Rachmat., 39 Jahre, Bauer, Analphabet, lebt weit entfernt von der Stadt, kommt selten nach Fergana, war noch nicht in anderen Städten

Hammer – Säge – Holzscheit – Spaten. Alle sind ähnlich. Ich denke, dass sie alle gebraucht werden. Sehen Sie, um zu sägen, ist eine Säge nötig, und zum Zerkleinern braucht man einen Spaten... Alle sind nötig! ...	Prinzip des Nutzens jedes Gegenstandes auf Grund seiner Beteiligung an einer gemeinsamen praktischen Situation
Welche von diesen Gegenständen kann man mit einem Wort bezeichnen?	
Wie soll das gehen? Wenn man alle drei mit dem einen Wort "Hammer" bezeichnet, dann wird das nicht richtig sein!	Übergang zu einer verallgemeinernden Bezeichnung wird abgelehnt.
Einer hat aber drei Gegenstände ausgewählt, die sich ähnlich sind: Hammer – Säge – Spaten.	
Säge, Hammer und Spaten sind füreinander sehr nötig! ... Und das Holzscheit ist hier auch nötig!	Ausweichen auf eine praktische Situation
Warum wählt er diese drei aus und nahm das Holzscheit nicht dazu?	
Wahrscheinlich hat er viel Holz! Wenn wir kein Holz haben, können wir überhaupt nichts machen.	Erklärung in den Grenzen der praktischen Situation

Gut, aber Hammer, Säge und Spaten sind doch Werkzeuge.

Ja, aber wenn wir Werkzeuge haben, dann brauchen wir Holz, ohne das wir nichts bauen können

Sogar bei der Aufdeckung des Prinzips der Bezeichnung der Kategorie mit einem allgemeinen Wort wird die Einstellung auf die praktische Situation nicht überwunden. (LURIJA 1986, 81-82)

LURIJAS Versuchspersonen mit Schulbildung verhielten sich anders. Für sie war die Aufgabe der Isolierung eines speziellen Merkmals als Grundlage der Kategorisierung anscheinend „selbstverständlich und natürlich" (LURIJA, 1986, S. 104) dar. Diese Versuchspersonen mit Schulbildung repräsentieren eine historische Phase, die tatsächlich völlig verschieden von derjenigen ist, die Rachmat repräsentiert. Rachmat war ein Mann eines vorindustriellen und vorliteralen Zeitalters. Die Versuchspersonen mit Schulbildung waren Männer und Frauen aus dem Zeitalter des aufstrebenden Sozialismus und der Industrialisierung.

LURIJAS Schlussfolgerungen laufen darauf hinaus, dass konkretes situatives Denken etwas niedriger oder weniger entwickelt ist als abstraktes kategoriales Denken. Dies hat COLE und GRIFFIN (1980, S. 352) zu der Anmerkung veranlasst, dass die qualitativen Veränderungen in der Kognition, die LURIJA demonstrieren wollte, ihn zu Vergleichen geführt haben, „die bedauerlicherweise quantitativ in ihren Implikationen waren".

Das Problem besteht darin: Kann man Entwicklung als einen linearen Prozess verstehen, bei dem bestimmte wertvolle Bestandteile (wie etwa die „Abstraktheit" des Denkens) allmählich oder abrupt zunehmen, während andere einschränkende Bestandteile (wie etwa die „Konkretheit" des Denkens) abnehmen? Die Antwort, die COLE und GRIFFIN geben, ist negativ. Obwohl sie zugeben müssen, dass Technologien sich vom Einfachen zum Komplexen und Mächtigeren entwickelt haben, weisen sie darauf hin, dass in solchen Bereichen wie der Politik oder dem Familienleben solche linearen evolutionären Schemata unangemessen sind (COLE & GRIFFIN, 1980, S. 362). Die berechtigte Opposition gegen lineare Schemata fuhrt leicht zur Negation jeder Form von Logik oder Gesetzmäßigkeit in der Geschichte. Das Ergebnis kann dann so etwas wie ein pluralistischer ahistorischer Konstruktivismus im Sinne von Nelson GOODMANS (1978) „Welterzeugung" sein. Die Idee, dass alles aus dem Gegebenen konstruiert werden kann und dass keine konstruierte Welt in sich wahrer als irgendeine andere ist, ist erfrischend und geistig befreiend. Sie erscheint aber schwach angesichts der überwältigenden Bewegungen der gesellschaftlichen Realität. Und sie hilft uns sehr wenig bei unseren Versuchen zu verstehen, wie sich unsere Gesellschaften entwickelt haben.

LURIJAS Schwäche ist also nicht die gleiche wie diejenige von HALLPIKE, der eine Dichotomie von im Wesentlichen ahistorischen Begriffen präsentiert. LURIJAS Dichotomie stellt einen Versuch dar, historisch die Transformation des Denkens zu verstehen. Genau das macht LURIJAS Untersuchungen zu einem wegbereitenden Klassiker. LURIJAS Schwierigkeiten liegen auf einer anderen Ebene. Es ist die Frage danach, worin denn die Logik der Geschichte besteht – *wenn sie nicht linear ist.*

Die zweite Dichotomie: Erfahrung gegenüber Analyse

HALLPIKES Dichotomie sieht das konkrete Denken „primitiver" Gesellschaften als etwas wesentlich Niedrigeres als das abstrakte Denken von „fortschrittlichen" Gesellschaften. Einige neuere Untersuchungen nehmen hier einen unterschiedlichen Standpunkt ein, wobei tatsächlich die vernachlässigten Tugenden verschiedener Formen des konkreten, stillschweigenden und nichtanalytischen Denkens positiv gewürdigt werden (wobei jedoch nicht notwendigerweise diese Formen mit den sogenannten „primitiven" Gesellschaften in Beziehung gebracht werden).

In ihrem Buch *Künstliche Intelligenz – Von den Grenzen der Denkmaschine und dem Wert der Intuition* (1987) diskutieren Hubert und Stuart DREYFUS das Wesen und die Eignung von Expertise im Zeitalter des Computers. Ihr Argument ist, dass wir menschliche Expertise nicht als Verhalten erklären können, dass auf explizierbaren Prinzipien und Regeln beruht. Ein echter Experte trifft Entscheidungen auf einer intuitiven Grundlage. Der psychologische Mechanismus hinter der Intuition besteht in *erfahrungsgeleitetem ganzheitlichem Erkennen von Ähnlichkeit,* das ein tiefes situatives Verständnis und flüssiges, schnelles Verhalten produziert. Im Verlaufe der Erfahrung speichern wir in unserem Gedächtnis eine große Anzahl von typischen Situationen, die keine Namen tragen und vollständig auf verbale Beschreibungen verzichten: „In allen diesen Fällen scheint die Erfahrung ungleich wichtiger als irgendeine Form von verbaler Beschreibung" (DREYFUS & DREYFUS, 1987, S. 46).

> Meist arbeiten Experten auf ihrem Fachgebiet zwar unreflektiert und ohne Distanz, wenn es die Zeit ihnen jedoch erlaubt und die Ergebnisse ihrer Arbeit besonders wichtig sind, werden auch Experten abwägen und überlegen. Solche Überlegungen erfordern jedoch – wie wir gleich zeigen werden – kein Problem-Losen, bestehen vielmehr im kritischen Betrachten der eigenen Intuitionen. (DREYFUS & DREYFUS, 1987, S. 56)

Die Autoren beschreiben den Prozess der Entwicklung des Experten als fünf Stufen der Fähigkeitsentwicklung (vgl. Tabelle 2.6).

Tabelle 2.6. Fünf Stufen der Aneignung einer Fähigkeit nach DREYFUS und DREYFUS (1987, S.80)

Stufe	Komponenten	Perspektive
1. Neuling	Kontext-frei	Keine
2. Fortgeschrittener Anfänger	Kontext-frei und situativ	Keine
3. Kompetenz	Kontext-frei und situativ	Gewählt
4. Gewandtheit	Kontext-frei und situativ	Erfahren
5. Experte	Kontext-frei und situativ	Erfahren

Der Prozess der Entwicklung einer Fähigkeit ist als eine lineare Sequenz vom Analytischen zum Intuitiven dargestellt. Vom regelgeleiteten „Wissen dass" zum erfahrungsgeleiteten „Wissen wie". Es ist im wesentlichen ein Prozess der Internalisierung.

„Das Können des Experten ist so sehr Teil seiner Person geworden, dass er sich dessen nicht bewusster sein muss als seines Körpers " (DREYFUS & DREYFUS, 1987, S. 54). Der Prozess ist nicht nur linear. Für die Autoren scheint er auch automatisch und selbstverständlich in jedem Fall die Entwicklung zum Experten zu sein. Erfahrung ist der goldene Schlüssel zu den aufeinanderfolgenden Schritten auf diesem Weg.

Diese Annahme kann nicht erklären, warum es so vielen Menschen niemals gelingt, flüssige, intuitive Experten trotz Jahren und Jahren an Erfahrung zu werden. Irgendwie scheinen die Autoren ganz die Rigidität zu vergessen, die mit einer starken Routinisierung verbunden ist.

Dem Lobgesang der Gebrüder DREYFUS können die Ergebnisse gegenübergestellt werden, die über die Jahre durch die Forschung über das Lernen aus der Erfahrung in probabilistischen Situationen zusammengekommen sind (vgl. BREHMER, 1980; KAHNEMANN, SLOVIC, & TVERSKY, 1982).

BREHMER (1980, S. 224-227) stellt die Schwachpunkte psychologischer Forschung heraus, die angeblich beweist, wie Menschen aus der Erfahrung lernen. Die in dieser Form von Forschung verwendeten Aufgaben, wie etwa Paarvergleiche und Klassifikationsaufgaben, benutzen typischerweise Materialien, bei denen die Wahrheit feststeht. Bei den Wortlisten von Paarvergleichen *weiß die Versuchsperson sofort, was sie lernen soll.* Ähnlich sind bei den Klassifikationsaufgaben die üblichen Bestandteile der Reize, wie Farbe und Form, bereits gut ausgebildete Begriffe und der Experimentator kann sich sicher sein, dass die Versuchspersonen bereits Hypothesen haben, die für die Aufgaben relevant sind. Der Garant der Validität der Lösung bei diesen Aufgaben entspringt also nicht der Erfahrung. Er geht auf den Experimentator und seine Wahl der Materialien zurück.

> Das Paradigma kann also sehr gut die Situation im Unterricht abbilden, bei der der Lehrer für den Schüler entscheidet, was die Wahrheit in einem gegebenen Fall sein soll, es modelliert aber sicher nicht die Situation, in der eine Person aus der Erfahrung lernt. (BREHMER, 1980, S. 285)

Die Situation ist anders, wenn sich Versuchspersonen komplexen Wahrscheinlichkeitsaufgaben gegenübersehen, wie etwa bei der diagnostischen Entscheidungsfindung. Die Wahrheit ist hier nicht offensichtlich. Niemand sagt dem Praktiker, was es zu lernen gibt, oder nicht einmal, ob es etwas für ihn zu lernen gibt. Die Tatsache, dass die ausgewählte Behandlung zu Besserungen führt, bedeutet nicht, dass die Entscheidung richtig war, denn (a) die Besserung kann andere Ursachen gehabt haben, (b) andere Formen der Behandlung könnten gleiche oder wirksamere Verbesserungen nach sich ziehen und (c) die ausgewählte Behandlung kann möglicherweise andere unerwünschte Wirkungen haben, die jedoch schwierig, wenn nicht unmöglich mit vollständiger Sicherheit auf ihre Ursachen zurückverfolgt werden können. Selbst wenn die ausgewählte Behandlung erfolgreich ist, kann die Erklärung, warum sie erfolgreich ist, sehr verschieden von der Erklärung des

Praktikers sein. Der Praktiker, der aus der Erfahrung lernt, lernt jedoch hauptsächlich aus den Ergebnissen seiner Handlungen, weil er, wie DREYFUS und DREYFUS (1987, S. 54) betonen, „in der Vergangenheit ähnliche Situationen erlebt hat, an die er sich nun erinnert. Diese Erinnerungen lösen ähnliche Pläne aus wie die, die schon damals funktionierten, und Erwartungen von Ereignissen, wie sie ebenfalls vorher in vergleichbarer Form eintraten".

> Wenn wir aus Ergebnissen lernen, dann ist es tatsächlich fast unmöglich zu entdecken, dass man wirklich nichts weiß. Dies ist besonders dann zutreffend, wenn die Begriffe sehr komplex sind in dem Sinne, dass jeder vorliegende Fall viele Dimensionen beinhaltet. In diesem Fall gibt es zu viele Erklärungsmöglichkeiten, warum ein gewisses Ergebnis zutage getreten ist, und zu viele Möglichkeiten, ein Versagen wegzuerklären, wenn einem das richtige Ergebnis nicht vorher gesagt worden ist. Weil das so ist, ist uns die Notwendigkeit einer Veränderung möglicherweise gar nicht offensichtlich, und wir können vielleicht auch gar nicht lernen, dass unsere Regel ungültig ist, nicht nur für die besonderen Fälle, sondern auch für den allgemeinen Fall. (BREHMER, 1980, S. 228-229)

Die bloße Erfahrung, selbst bei Wahrscheinlichkeitsaufgaben, scheint nur das nicht-probabilistische Denken der Versuchspersonen zu stärken. Die Versuchspersonen nehmen lieber an, dass es eine deterministische, kausale Regel hinter jeder Aufgabe gibt. Wenn die von ihnen angenommene deterministische Regel versagt, tendieren sie zu der Annahme, dass es überhaupt keine Regel gibt, statt dann ernsthaft die Möglichkeit in Betracht zu ziehen, dass die Regel möglicherweise einen probabilistischen Wahrscheinlichkeitscharakter besitzt.

> Diese Ergebnisse bestätigen daher frühere Ergebnisse über die Schlussfolgerungen in klinischen Situationen, insofern sie zeigen, dass Menschen selbst dann nicht aus der Erfahrung die optimalen Strategien lernen, wenn man ihnen umfangreiche Gelegenheiten zur Übung gibt. Der Grund, warum die Versuchspersonen sich bei diesen Aufgaben nicht verbessern, scheint darin zu bestehen, dass ihnen die notwendigen grundlegenden Schemata nicht zur Verfügung stehen, die ihnen dabei helfen, die Informationen, die die Erfahrung liefert, zu verstehen und zu nutzen. Statt die angemessenen statistischen Schemata zu benutzen, benutzen die Versuchspersonen unangemessene kausale oder deterministische Schemata. ... Das Charakteristikum der Wahrscheinlichkeit ist natürlich nicht bereits sichtbar, sondern es muss auf der Grundlage von Schlussfolgerungen gefunden werden. ... Für eine Person mit dem festen Glauben an den deterministischen Charakter der Welt gibt es in ihrer Erfahrung nichts, dass sie dazu zwingen könnte zu entdecken, dass die Aufgabe probabilistischer Natur ist, und ihre Auffassung von Determinismus aufzugeben. ... Kurz ge-

> sagt, die probabilistische Sichtweise muss zunächst erfunden werden, bevor sie entdeckt werden kann. (BREHMER, 1980, S. 233-235)

Das Problem des Lernens aus Erfahrung ist tatsächlich ein klassisches Problem der Induktion. Nach der klassischen Theorie der Induktion gelangen wir zu Verallgemeinerungen auf der Grundlage der Erfahrung der Ähnlichkeit vieler Dinge. DREYFUS und DREYFUS (1987, S. 45) scheinen die klassische Situation zu beschreiben: „Er macht in konkreten Situationen praktische Erfahrungen beim Umgang mit bedeutungsvollen Elementen, die weder er noch sein Lehrer in objektiv fassbaren, kontextfreien Begriffen definieren können. Dadurch beginnt der nun fortgeschrittene Anfänger solche bedeutungsvollen Elemente zu erkennen, wo immer sie ihm begegnen - und zwar indem er zwischen ihnen und früheren Beispielen Ähnlichkeiten wahrnimmt". Und dieses geschieht „dank der wahrgenommenen Ähnlichkeit mit vorangegangenen Beispielen".

Diese Form der empirischen Verallgemeinerung scheint ganz gut zu funktionieren, wenn es um einfache Reize und gut etablierte Konventionen geht. Wenn aber die Fälle, die wir beobachten, komplex und neuartig sind, woher wissen wir dann, dass Dinge einander wirklich ähnlich sind und dass sie Fälle der gleichen allgemeinen Klasse darstellen? Dafür müssten wir zunächst einmal wissen, was die relevanten Merkmale sind. Wir müssen definieren, was wir lernen sollen, bevor wir es lernen. Die reine Induktion stellt sich als Trugschluss heraus, wie Nelson GOODMAN das vor Jahren demonstriert hat. „Zu sagen, dass gültige Vorhersagen solche sind, die auf vergangenen Regelmäßigkeiten basieren, ohne dass man in der Lage ist zu sagen, welche Regelmäßigkeiten, ist daher ziemlich sinnlos. Regelmäßigkeiten sind dort, wo man sie findet, und man kann sie überall finden" (GOODMAN, 1983, S. 82).

Was wir gewöhnlich als reine Erfahrung bezeichnen, besteht tatsächlich aus den Sinnesdaten, die durch unsere kulturell geprägten, aber nicht notwendig modernen Schemata und mentalen Modelle selektiv interpretiert werden. Die Wahrscheinlichkeitsrechnung wurde im 17. Jahrhundert entwickelt, vielleicht weil „nur zu diesem Zeitpunkt die Auffassung von Kausalität ein solches Niveau erreicht hatte, dass es möglich war, in einem angemessenen Kontrast dazu die Unordnung zu bewerten" (BREHMER, 1980, S. 235). Bei individuellen Praktikern lebt das alte kulturelle Modell der linearen Kausalität mit bemerkenswerter Hartnäckigkeit fort. Dies illustriert auch die konservative Fehleinschätzung der Erfahrung. Wenn man sich an den bedingungslosen Glauben an die Macht der Erfahrung bei den Gebrüder DREYFUS erinnert, dann ist BREHMERS Schlussfolgerung (1980, S. 224) nicht ungerechtfertigt, dass wir dazu gelangt sind, „eine perverse Auffassung von der Natur der Erfahrung" zu besitzen.

Die Dichotomie der Gebrüder DREYFUS besteht in der erfahrungsgeleiteten intuitiven Expertise gegenüber regelgeleiteter analytischer Expertise. Wenn wir BREHMERS Kritik der Erfahrung benutzen, erhalten wir eine weitere Dichotomie: Erfahrung als unregelmäßiges Wachstum holistischer Intuition gegenüber Erfahrung als Stärkung von rigiden und fehlerhaften Routinen. Die Dichotomie ist also längst noch nicht aufgelöst.

Die dritte Dichotomie: Narratives gegenüber paradigmatischem Denken

Eine letzte Version der Dichotomie verlangt unsere Aufmerksamkeit. Es ist die Unterteilung zwischen wissenschaftlichem und künstlerischem, zwischen paradigmatischem und narrativem Denken, das neuerdings von Jerome BRUNER (1986) wiederbelebt worden ist.

Nach BRUNER (1986, S. 12) versucht das paradigmatische oder logisch-wissenschaftliche Denken, das Ideal eines formalen mathematischen Systems der Beschreibung und Erklärung zu erfüllen. Es benutzt die Kategorisierung oder Konzeptualisierung und die Operationen, durch die Kategorien etabliert, Beispiele für sie gefunden werden, die idealisiert und miteinander verbunden werden, um ein System zu formen. Propositionen werden von Aussagen in besonderen Kontexten abgeleitet. Das logisch wissenschaftliche Denken hat es mit allgemeinen Ursachen zu tun und mit ihrer Begründung. Es gebraucht Prozeduren, um verifizierbare Beziehungen sicherzustellen und ihre empirische Wahrheit zu testen. Seine Sprache wird durch die Anforderung der Konsistenz reguliert und dadurch, dass Widersprüche ausgeschlossen sind.

Die narrative Form des Denkens hat die entgegen gesetzten Merkmale.

> Die einfallsreiche Anwendung des narrativen Stils führt statt dessen zu guten Geschichten, ergreifenden Dramen, glaubwürdigen (wenn auch nicht notwendig „wahren") historischen Berichten. Er beschäftigt sich mit den menschlichen oder menschenähnlichen Intentionen und Handlungen.

> ... Er strebt danach, zeitlose Wunder in das Besondere der Erfahrung einzufügen und die Erfahrung in Zeit und Ort bestimmen. ... Das Paradigmatische versucht dagegen, das Besondere durch eine immer höhere Suche nach Abstraktion zu transzendieren und erklärt letzten Endes jede Erklärung, die sich auf das Besondere bezieht, für ungültig. (BRUNER, 1986, S. 13)

BRUNERS Buch ist die Fortsetzung einer herausragenden Serie von im wesentlichen analogen Dichotomien: Naturwissenschaft gegenüber Sozialwissenschaft; nomothetisch gegenüber ideographisch; Begriffe gegenüber Bildern; Positivismus gegenüber Phänomenologie. Die gleiche grundlegende Unterscheidung ist in der Psychologie bereits von WUNDT favorisiert worden.

Viele aktuelle Versuche, sich mit diesen Dichotomien auseinanderzusetzen, haben sich zum Ziel genommen, die beiden Seiten ins Gleichgewicht zu bringen. In seinem berühmten Buch über „Vorstellung und wissenschaftliches Denken" kam Arthur I. MILLER (1984, S. 312) zu dem Schluss: „Wenn Wissenschaftler eine Theorie aufstellen, dann benutzen sie auch eine bestimmte Form von bildlicher Vorstellung". Herbert SIMON (1983, S. 28) stellte fest, dass es keinen Widerspruch zwischen dem intuitiven Modell und dem behavioralen Modell des Denkens gibt, da „jedes ernsthafte Denken sich auf beide Formen bezieht, sowohl auf die Prozesse, die wie eine Suche ablaufen, wie auch auf die plötzliche Erkenntnis von bekannten Mustern". In seiner Theorie der Phantasie hat ROSET (1984) die beiden Seiten als verschiedene Phasen der intuitiven Produktion und der analytischen Kontrolle dargestellt oder als „Anaxiomatisierung" und „Hyperaxiomatisierung". BRUNER (1986, S. 10) schließt sich dem Kredo an: „Tiefe erreicht man, wenn man etwas von zwei Punkten gleichzeitig aus betrachtet."

Diese Kombinationen geben uns Konstruktionen des Typus „sowohl als auch" anstelle eines bloßen „entweder oder". Aber die abstrakte dichotome Struktur verbleibt sozusagen im Herzen der Auseinandersetzung.

Über die Dichotomien hinaus: DEWEY, WERTHEIMER und BARTLETT

Das Problem der Dichotomien besteht darin, dass sie Bewegung als mechanischen Gegensatz, Summation oder Oszillierung zwischen zwei fixen Polen betrachten und so wirksam die Dimension der konkreten historischen Entwicklung ausschließen.

„Entweder oder" und „sowohl als auch" sind abgeschlossene und zeitlose Strukturen. In ihnen gibt es keinen Platz für etwas qualitativ neu Entstehendes, das zunächst als untergeordnete Vermittlung zwischen den beiden Polen entsteht und dann in einen determinierenden Faktor transformiert wird, der möglicherweise den Charakter der gesamten strukturellen Konfiguration verändern wird. Es gibt keinen Raum für Drittheit.

In den klassischen Abhandlungen über die Psychologie des Denkens findet man jedoch aufregende Beispiele für Versuche, diese dichotome Struktur zu überwinden. Mein erstes Beispiel ist John DEWEYS (1910) *Wie wir denken*. In diesem Buch beschäftigt sich DEWEY mit dem Problem der Erfahrung. Er kritisiert zunächst unseren Glauben an die Erfahrung auf eine ganz ähnliche Art und Weise, wie dies BREHMER siebzig Jahre später getan hat.

> Aber selbst die zuverlässigsten Annahmen dieses Typs versagen, wenn sie mit dem Neuen konfrontiert werden. Da sie auf vergangenen Gleichförmigkeiten beruhen, sind sie nutzlos, wenn weitergehende Erfahrung in irgendeinem bemerkenswerten Umfang von dem alten Inzidentellen und dem gewöhnten Vorhergehenden abweicht. ... Geistige Trägheit, Faulheit, Konservativität, die nicht zu begründen ist, sind wahrscheinlich seine Begleiter. Sein allgemeiner Effekt auf dic geistige Einstellung ist wesentlich ernster als die speziellen falschen Schlußfolgerungen, auf die er sich versteift hat. Wo immer die Hauptabhängigkeit bei Schlußfolgerungen in Schlüssen begründet ist, die in der Vergangenheit beobachtet worden sind, wird ein Nichtzutreffen mit der gewohnten Ordnung gerne übersehen, während Fälle von erfolgreicher Bestätigung übertrieben werden. Da der Geist natürlich ein Prinzip der Kontinuität verlangt, irgendein Verbindungsglied zwischen auseinanderliegenden Fakten und Ursachen, werden zu diesem Zweck beliebige Kräfte erfunden. (DEWEY, 1910, S. 148)

DEWEY ist aber damit nicht zufrieden. Er bemerkt, dass Menschen auch tatsächlich flexible und erfindungsreiche Experten werden können. Diese Art der Entwicklung beruht auf dem Experimentieren und dem Überprüfen von Hypothesen. Das kann jedoch seinerseits nicht erklärt werden als etwas, das von oben kommt, das mechanisch von der Erfahrung getrennt werden kann. Erfahrung gewinnt daher eine tiefere Doppelbedeutung.

> Kurz gesagt kann man den Begriff Erfahrung interpretieren einerseits in bezug auf die empirische oder die experimentelle Geisteshaltung. Erfahrung ist keine rigide und geschlossene Angelegenheit; sie ist lebendig und daher wächst sie. Wenn sie von der Vergangenheit beherrscht wird, von Gebräuchen und Routinen, stellt sie sich oft dem Vernünftigen, dem Gedankenreichen entgegen. Erfahrung schließt aber die Reflexion ein, die uns von den beschränkenden Einflüssen der Sinne, des Appetits und der

> Tradition befreit. Erfahrung kann doch alles willkommen heißen und assimilieren, was die exaktesten und durchdringendsten Gedanken entdecken. Tatsächlich kann man die Angelegenheit der Erziehung definieren als eben die Emanzipation und Vermehrung der Erfahrung. (DEWEY, 1910, S. 156)

Die äußerliche Gegenüberstellung von Erfahrung und Analyse ist so in einen internen Widerspruch innerhalb der Erfahrung selbst transformiert worden. Es fehlt die vermittelnde Drittheit jedoch immer noch. Um einen Ausweg zu finden, müssen wir einen kritischen Blick auf die Logik werfen, die implizit beiden Komponenten der Erfahrung zugeschrieben wird, sowohl dem intuitiven wie dem analytischen Denken. Max WERTHEIMERS produktives Denken (1964) ist eine klassische Arbeit, die uns eine Kritik liefert.

> Da sind verschiedene Gegenstände. (Die Art, in der sie von einander abgesondert sind, und warum gerade so, – wie ein Gegenstand sich in Absetzung gegen andere Gegenstände konstituiert, ist eine Frage, die in der traditionellen Logik vernachlässigt, ohne wirkliche Untersuchung für selbstverständlich gehalten wurde). Ich vergleiche sie. In ihren Eigenschaften oder ihren Teilen finde ich Ähnlichkeiten und Unterschiede. Ich abstrahiere von den Unterschieden und konzentriere mich auf die gemeinsamen Eigenschaften oder Teile an den Gegenständen; so bekomme ich einen allgemeinen Begriff. Der Inhalt ist gegeben durch diese gemeinsamen Teile. Der Umfang ist die Mannigfaltigkeit der Gegenstände, die von dem Klassenbegriff umfaßt werden.
>
> Wenn wir das gemeinsame Element m und die anderen Elemente x nennen, ist ein exakter Ausdruck für die Klasse (oder für irgendeinen Gegenstand, der unter dem Klassenbegriff verstanden wird)
>
> m + x.
>
> Zwischen dem m und dem x steht ein „und". Das m ist das, was an dem Inhalt der Gegenstände gemeinsam ist; das x ist das, was außer dem m da ist und am Inhalt der einzelnen Gegenstände verschieden sein kann. Das erfaßte Datum m ist unabhängig davon, ob es links oder rechts steht, und das muß offenbar so sein, damit der Begriff in Folgerungen, Syllogismen usw. exakt gebraucht werden kann. Da ist nicht darauf Bezug genommen, was sonst außerdem in dem Begriff irgend enthalten sein könnte, keine Rücksicht auf die Rolle, die m in diesem Gegenstand spielt, kein Bezug auf seine Bedeutung als Teil zwischen anderen Teilen derselben Wesenheit, kein Bezug auf die Struktur dieser Wesenheit. Diese Abstraktion ist subtraktiv; sie isoliert einfach das m. Für das m ist es gleichgültig, was das x ist...
>
> In der historischen Entwicklung haben sich in gewissen Fällen Schwierigkeiten erhoben hinsichtlich der Angemessenheit des Verfahrens ... Das Problem war, ob nicht leicht solch ein Verfahren, obwohl exakt, Gegenstände, die ihrer Natur völlig verschieden sind, zusammenbringt und auf

> der anderen Seite Gegenstände, die tatsächlich zusammengehören, scharf voneinander trennt. Der Logiker sucht Hilfe in dem Ausdruck „wesentlich". Man hat diesen Punkt immer sehr betont, aber, obwohl für den Hausverstand die Bedeutung von „wesentlich" oft klar genug ist, war und ist sie in der Logik äußerst umstritten. Es hat mehr dazu gedient, das Problem zu benennen, als es zu lösen. Es ist infolgedessen in neueren Entwicklungen der Logik wieder abgelehnt, wieder ausgeschieden worden. (WERTHEIMER, 1964, S. 240-241)

Ein anderes bedeutungsvolles Merkmal der traditionellen Logik besteht darin, dass sie darauf insistiert, dass die Gegenstände des Diskurses – Begriffe, Propositionen, usw. – bei Wiederholungen streng identisch sein müssen. In wirklichen Denkprozessen bleiben die Gegenstände jedoch nicht identisch. Im Gegenteil, es ist genau ihre Veränderung, die erforderlich ist. Ihre funktionalen und strukturellen Bedeutungen verändern sich, und die Blindheit gegenüber einer solchen Veränderung hemmt die produktiven Prozesse. Die formale Logik ist nicht in der Lage, Entwicklung zu erfassen, weil sie die „starke Gerichtetheit lebendiger Denkvorgänge, sofern sie eine gegebene Situation verbessern" (WERTHEIMER, 1964, S. 249) außer acht lässt.

Diese fundamentale Einsicht ist in kognitiven und anthropologischen Studien zur Klassifikation lange Zeit vernachlässigt worden. Eine neuere Untersuchung der begrifflichen Organisation von Schmieden, die ihren Beruf ausüben, zeigt an, dass sich hier der Schwerpunkt möglicherweise ändert. „Zu hoch effizienten Mitteln des Schmiedens führt eine Flexibilität der Klassifikation. Es gibt nicht eine einzelne grundlegende Struktur, an die wir uns wenden können, wenn wir den Schlüssel zur Praxis des Schmiedens suchen. Schmieden, wie jedes andere Verhalten, ist durch Produktivität gekennzeichnet." (DOUGHERTY & KELLER, 1985, S. 170-171; vgl. auch GATEWOOD, 1985 für ähnliche Untersuchungen und GHISELIN, 1987 für überzeugende begriffliche Übungen in dem gleichen Sinne)

WERTHEIMER (1964, S. 12) kommt zu dem Schluss, dass „im Vergleich mit tatsächlichen, sinnvollen, vorwärtsdringenden Erkenntnisprozessen die Fragestellung sowohl wie die üblichen Beispiele der traditionellen Logik oft dürftig, fade, unlebendig (wirken)". Wenn man versucht, die Prozesse des produktiven Denkens mit Hilfe der formalen Logik zu beschreiben, erhält man vielleicht eine Reihe von richtigen Operationen, aber der Sinn des Prozesses, das, was lebendig und kreativ in ihm ist, geht verloren.

Ein Faktor hinter dem Beharren auf formal-logischen Konzeptionen des Denkens ist ihre Beziehung zu gewissen tief sitzenden Arten wirklicher Denkprozesse. Das herausragende Beispiel hierfür ist unsere Gewohnheit, nur schrittweise vorzugehen, auf eine Weise der Bildung von „Und-Summen". Nach WERTHEIMER (1964, S. 103) kann das möglicherweise auf die Tatsache zurückgeführt werden, „daß wir nicht zwei Sätze zu gleicher Zeit aussprechen, nicht zwei Behauptungen gleichzeitig niederschreiben können, daß wir bei Berichten immer nur ein Ding nach dem anderen sagen können". Das konkret historische Werkzeug der Schriftsprache tritt also mit anderen Worten als strukturelle Determinante des Denkens auf. WERTHEIMER verfolgt diese Linie der Analyse leider nicht weiter. Es bleibt ein vielversprechender Hinweis, ein Nebengleis ohne Konsequenzen.

Für WERTHEIMER gibt es tatsächlich etwas wirklich Wesentliches hinter der endlosen Vielfalt von äußeren Eigenschaften der Objekte. Dieses Wesentliche schließt die folgenden Aspekte ein:

> die Ganzheit oder ganzheitliche Qualität des Gegenstandes oder der Situation im Unterschied zu einer einfachen Auflistung ihrer Teile;
>
> die klare, vollständige und konsistente Struktur des Gegenstandes im Unterschied zu einer unvollständigen oder unentwickelten Struktur;
>
> die innere Bezogenheit der Teile zum Ganzen im Unterschied zu ihrer Trennung oder Vereinzelung;
>
> das Zentrum, der Kern oder die Wurzel des Ganzen im Unterschied zu einer Struktur ohne Zentrum.

Das Wesentliche ist so die „gute Gestalt", und produktives Denken besteht im Übergang von der schlechten zu der guten Gestalt. WERTHEIMER fasst seine Idee in der folgenden Beschreibung zusammen:

> Denken besteht
>
> aus dem Bemerken und Ins-Auge-Fassen struktureller Züge und struktureller Forderungen: dem Vorgehen im Einklang mit, und geleitet von, diesen Forderungen; wobei man die Situation in Richtung struktureller Verbesserung verändert, was einschließt:
>
> daß Lücken, verworrene Stellen, Störungen, Oberflächlichkeiten gesehen und strukturell behandelt werden;
>
> daß nach inneren strukturellen Beziehungen – Passen oder Nichtpassen – an solchen Störungen, an der gegebenen Situation als ganzer und an ihren verschiedenen Teilen gesucht wird;
>
> daß strukturelle Operationen, wie Gruppierung und Sonderung, Zentrierung usw. stattfinden;

> daß die Operationen selbst gemäß ihrer strukturellen Stelle, Rolle und dynamischen Bedeutung gesehen und behandelt werden, einschließlich der Erfassung der Änderungen, die das mit sich bringt;
>
> aus dem Bemerken struktureller Transponierbarkeit, struktureller Hierarchie und aus der Scheidung strukturell äußerlicher von wesentlichen Zügen – ein besonderer Fall der Gruppierung;
>
> aus dem Blick auf die strukturelle, nicht die stückhafte Wahrheit. (WERTHEIMER, 1964, S. 221)

Für einen modernen kognitiven Wissenschaftler sind solche Charakterisierungen schrecklich, wenn nicht sogar völlig sinnlos. Es ist schwierig, operationale Entsprechungen oder Indizes für WERTHEIMERS Begriffe zu finden, ganz zu schweigen von solchen, die messbar sind. Für WERTHEIMER würde diese Art der Reaktion dagegen ein Beleg für die Richtigkeit seines Arguments sein, insofern es ein weiteres Beispiel für die herrschende Form des stückwerkhaften, und-summativen Denkens darstellt.

Es ist aber nicht gerechtfertigt, WERTHEIMERS Arbeit mit Hinweis auf fehlende Konkretheit abzutun. WERTHEIMER stellt eine sehr überzeugende Reihe von konkreten Beispielen vor, die von den berühmten Parallelogrammen bis zu den einmaligen Berichten über Einsteins Weg der Entdeckung der Relativitätstheorie reichen. In diesen Beispielen demonstriert er, wie das produktive Denken vorangeht. Aber er demonstriert nicht, *wie primäre und sekundäre Instrumente diese Form des Denkens unterstützen und weiter fördern* könnten. Offensichtlich aus diesem Grund ist die Gestalttheorie von den zahlreichen Varianten des Behaviorismus überrannt worden. SKINNER hat der Welt konkrete Werkzeuge angeboten, mit denen man etwas Praktisches anstellen konnte. WERTHEIMER hat das nicht getan.

Diese Kritik könnte als krudes Nützlichkeitsdenken interpretiert werden. Es geht hierbei aber um mehr. Die Frage der Instrumente ist vor allem eine theoretische Schwäche in WERTHEIMERS Arbeit. Wie bereits vorher bemerkt, berührt er nur gelegentlich die Rolle der kulturellen Instrumente – nämlich der Schriftsprache – als Determinanten für die Entwicklung des Denkens. Er hat nicht nach einer expansiven Perspektive mit Hilfe einer historischen Analyse der sich entwickelnden neuen Instrumentalität des Denkens gesucht. Seine Konzeption stellt sich dar als unhistorische, ewige Lösung. Produktives Denken auf der Suche nach der „guten Gestalt" war für ihn ein moralischer Imperativ, etwas, das von innen heraus kommt und das bereits tief in die menschliche Natur hineingepflanzt ist: „Vom Menschen her gesehen, steckt dahinter das Verlangen, die Begierde, den springenden Punkt, den strukturellen Kern, die Wurzel der Situation in den Blick zu bekommen (der Sache auf den Grund zu kommen)" (WERTHEIMER, 1964, S. 221). Zumindest implizit wird also das Entstehen des produktiven Denkens durch die individuelle Anstrengung des Willens verwirklicht.

Und doch gibt es trotz dieser kritischen Schwäche etwas Prophetisches in WERTHEIMERS Vision des Denkens als Expansion.

> In solchen Denkvorgängen ist die Lösung einer zufällig gestellten Aufgabe, „Problem gelöst, Aufgabe erledigt", nicht das Ende. Der Weg zur Lösung, seine grundlegenden Eigentümlichkeiten, das Problem samt seiner Lösung werden wirksam als Teile eines weiten und sich erweiternden Bereiches. Hier ist die Aufgabe des Denkens nicht einfach, ein gestelltes Problem zu lösen, sondern zu entdecken, Ausblicke zu eröffnen, in tiefere Probleme einzudringen. Bei großen Entdeckungen ist es oft das Wichtigste, daß eine bestimmte Frage gefunden wird. ... Oft dauert ein solcher Vorgang lange Zeit; es ist ein Drama mit Rückschlägen und Kämpfen. Es gibt schöne Fälle, in denen der Prozeß unwiderstehlich weiterschreitet, durch Monate, durch Jahre, ohne je den Blick auf den tieferen Sachverhalt zu verlieren, ohne je sich in geringfügige Einzelheiten, auf Umwege und Nebenpfade zu verlaufen. (WERTHEIMER, 1964, S. 142-143)

WERTHEIMER gibt uns also einen prophetischen Ausblick, aber keine Werkzeuge. Um einige Vorstellungen von letzterem zu bekommen, werde ich einen dritten Klassiker, nämlich Sir Frederic BARTLETT und sein Buch *Denken* (1958) zu Rate ziehen.

Nach BARTLETT (1958, S. 182) besteht induktive Generalisierung eigentlich „nur aus der Akzeptanz bereits geformter gesellschaftlicher Konventionen". Diese Verallgemeinerungen „haben wenig mit dem Transfer der Praxis oder der Ausbildung zu tun, ausgenommen, daß sie ihn erschweren" (BARTLETT, 1958, S. 184).

Es gibt jedoch auch einen explorativen oder experimentellen Typ der Verallgemeinerung, der zu wirklich neuen Entdeckungen und Begriffen fuhren kann. Aber auch hierbei geht es nicht darum, Sinnesdaten von kulturellen Konventionen zu „reinigen". Im Gegenteil.

> Wie „rein" auch immer seine Ziele sein mögen, er muß in der Lage sein, eine Technik auszuüben und eine Technologie zu handhaben. Der bei weitem wichtigste Aspekt des Bedürfnisses des Experimentators, die Methode zu beherrschen und den Apparat zu handhaben, besteht in der

> Mehrheit der Fälle darin ..., daß die Methode und die Instrumente in sein Arbeitsgebiet von außen hereingebracht werden. (BARTLETT, 1958, S. 133)

Warum sind Werkzeuge und Instrumente beim experimentellen Denken so wichtig? Ein erfolgreiches Experimentieren erfordert vom Experimentator, dass er weiß, wo er nach neuen entscheidenden Ergebnissen suchen muss. Dieser Schritt wird dadurch ermöglicht, dass die Apparatur, Methoden, Hinweise oder gesicherte Ergebnisse aus einem Feld übernommen werden, das sich von dem unterscheidet, in dem sie angewendet werden. Sie funktionieren dann als „Linsen", die eine neue Perspektive möglich machen (BARTLETT, 1958, S. 134). BARTLETTs Einsicht ist neuerlich von TWENEY, DOHERTY und MYNATT wieder bestätigt worden:

> Wissenschaftler bringen ganz bewusst einen Vorrat von Wissen mit, wenn sie sich mit einer Aufgabe beschäftigen, wie auch ein hochentwickeltes Instrumentarium intellektueller Werkzeuge. Dies kann in umfangreichen Notizen, in sorgfältig organisierten Aufzeichnungen von Daten, Akten und Büchereien als „externem Gedächtnis" bestehen. Sie benutzen Tafeln, die Mathematik, sogar die formale Logik. Latour und Woolgar (1979) haben ausgeführt, daß fast die gesamte Verhaltenstätigkeit in einem größeren Laboratorium in der Manipulation von Symbolen bestand und daß nur ein winziger Bruchteil im direkten Kontakt mit den untersuchten Phänomenen bestand. Die kognitiven Psychologen haben typischerweise den „vorwissenschaftlichen Menschen" untersucht. Die typische Versuchsperson in einem psychologischen Labor besitzt nur Zugang zu den vorgelegten Reizen und fast niemals zu Gedächtnishilfen und anderen Heuristiken. Die Absicht war, grundlegende kognitive Prozesse zu untersuchen, unberührt von kulturellen Artefakten oder Hilfen. Eine kognitive Psychologie der Wissenschaft muss sich statt dessen auf mittelbenutzende Kognitionen orientieren, auf die Psychologie der Wissenschaftler, denen alle Werkzeuge ihres Gewerbes zur Verfügung stehen. (1981, S. 411-412)

Diese Aussage erfasst jedoch nicht das Wesen von BARTLETTs Idee. Für BARTLETT implizierte die besondere Instrumentalität des explorativen Denkens auch seine besondere *Sozialität.* Die Sozialität des experimentellen Denkens besteht nicht in einer unmittelbaren, Mensch-zu-Mensch Qualität (auch wenn es das sicher auch einschließen kann). Die Notwendigkeit, *Instrumente aus benachbarten Gebieten zu übernehmen*, bedeutet, dass das experimentelle Denken „grundsätzlich kooperativ, sozial ist und ohne den Reiz des Kontakts von außen nicht weit kommt" (BARTLETT, 1958, S. 123).

Es geht hier um eine spezifisch erweiterte Form der Sozialität. Sie weist auf die expansive, zyklische Natur des experimentellen Denkens hin. Wenn eine experimentelle Wissenschaft reif für einen deutlichen Fortschritt ist, dann heißt das nach BARTLETT, dass Routinedenken in größerem Ausmaß dem Leerlauf nahegekommen ist, indem es einen beschränkten Bereich von Techniken ausgebeutet hat, um mehr und mehr kleine und spezialisierte Details zu finden.

> Zur gleichen Zeit jedoch gibt es in irgendeinem anderen Bereich der Wissenschaft vielleicht in irgendeinem bis dahin unverbundenen Teil dieses gleichen Bereichs andere Techniken, die ihre eigenen Problemstellungen generieren, die ihre eigenen Lücken aufmachen. Ein origineller Geist, der niemals vollständig in einem durch Konventionen abgegrenzten Interessenbereich sich aufhält, ergreift nun die Möglichkeit, dass es unvermutete Übereinstimmungen gibt, nimmt das Risiko auf sich, ob dies so ist oder nicht, und gibt dem alten Gegenstand eine neue Perspektive. (1958, S. 136)

Diese Passage bringt uns zurück zu Abbildung 3.2. Die Phase der repetitiven Produktion von immer spezialisierteren Details geht der Phase einer neuen Notlage voraus, oder dem primären Widerspruch. Die Phase, in der ein neues Instrument ergriffen und aus einem angrenzenden Feld übernommen wird, entspricht dem Entstehen des sekundären Widerspruchs, indem ein fremdes Element in eine vorherrschende Tätigkeitsstruktur eingeführt wird.

In Kapitel 3 habe ich die Metapher einer Reise benutzt, um die Zone der nächsten Entwicklung zu charakterisieren. BARTLETT beschreibt den Verlauf des experimentellen Denkens auf ziemlich ähnliche Weise.

> Der experimentelle Denker ist in der Position eines Menschen, der alle Werkzeuge benutzen muss, die ihm zugänglich sind, um etwas einer Struktur hinzuzufügen, die noch nicht vollständig ist und die er selbst sicher nicht vervollständigen wird. Weil das Material, das er benutzt, eigentümliche Eigenschaften besitzt, von denen er viele gar nicht kennen kann, bevor er sie gebraucht, und von denen einige aller Wahrscheinlichkeit nach tatsächlich erst im Verlaufe ihrer Anwendung entstehen, ist er eher in der Position eines Forschers als in der eines Zuschauers. (1958, S. 137)

Man achte auf den Ausdruck „die er selbst sicher nicht vervollständigen wird". BARTLETT weist hier auf die soziale Dimension der Expansion hin. Der qualitativ neue wissenschaftliche Begriff – oder die qualitativ neue Form der wissenschaftlichen Tätigkeit – wird ein kollektives Gebilde sein, das über die individuellen Handlungen hinausgeht, die es hervorgebracht haben.

Am Ende des Buches diskutiert BARTLETT das künstlerische Denken. Er bemerkt, dass, wenn ein Künstler mitten in seiner Arbeit steckt, „es ihm sehr oft so erscheint, daß etwas außerhalb von ihm selbst von ihm Besitz ergriffen hat und nun alles beeinflusst, was geschieht" (BARTLETT, 1958, S. 192). Diese Erfahrung ist Wissenschaftlern auch nicht fremd. Das Phänomen ist auf die Antizipation des im Wesentlichen kollektiven und gesellschaftlichen tertiären Charakters zurückzuführen, der in ein entstehendes Kunstwerk oder ein wissenschaftliches Werk eingebettet ist (man erinnere sich an ZINCHENKOs „Befreite Handlungen" und BATESONs Verlust des „Ich").

Die Doppelnatur dieser Expansion wird in einem Kunstwerk deutlich insofern, als „es ist zugleich überzeugend und befriedigend, und doch ruft es Fragen hervor und verstört" (BARTLETT. 1958, S. 196). Es erfordert in anderen Worten gleichzeitig die Akzeptanz einer Konvention – *das gegebene Neue* – und das Hinausgehen über sie, „welchem Standard das auch immer genügen mag" (BARTLETT, 1958, S. 193) – *das geschaffene Neue.*

Die Komplementarität der Instrumente

Wann ist ein Artefakt ein Instrument? Im Bereich der primären Artefakte sprechen wir von Konsumtionsmitteln, Rohmaterial für die Produktion und Produktionsmitteln. Es gibt Konsumtionsmittel, die schneller, und solche, die langsamer erneuert werden. Ein Laib Brot gehört zum ersteren, ein Fernsehapparat zum letzteren. Ein Stück Holz und eine Tüte Mehl sind Rohmaterialien für die Produktion. Ein Hammer wird gewöhnlich als Beispiel für ein Produktionsmittel angesehen.

Man zögert, scharfe Unterscheidungen zwischen den oben erwähnten Gegenständen zu treffen. Die Unterschiede zwischen diesen Typen von Artefakten sind relativ, und das gleiche Artefakt kann verschiedene Bedeutungen entsprechend den Kontexten haben. Für einen Fernsehkritiker ist der Fernsehapparat ein Produktionsmittel. Für einen Sammler alter Werkzeuge kann der Hammer ein Konsumtionsmittel sein.

Im Bereich der sekundären Artefakte können versuchsweise ähnliche Typen unterschieden werden.

Erstens, der beständig sich verändernde Informationsfluss, der aus speziellen Meinungen, Neuigkeiten, Beschreibungen, aus Werbung usw. besteht, kann als schnell erneuertes Konsumtionsmittel auf der sekundären Ebene beschrieben werden.

Zweitens, die relativ stabilen und allgemeinen Repräsentationen, mit denen wir unsere tägliche Information filtern und modulieren, können als langsam erneuerbare Konsumtionsmittel auf dem sekundären Niveau beschrieben werden.

Drittens, beide oben erwähnten Typen können in Rohmaterial für die Produktion verwandelt werden, sie können in etwas Neues umgeschmolzen und transformiert werden.

Viertens, Zeichensysteme wie Gesten, gesprochene und geschriebene Sprache, mathematische und musikalische Notationen können als typische, immer zur Verfügung stehende Produktionsmittel auf der sekundären Ebene beschrieben werden.

Die Beziehungen zwischen den Typen von Artefakten sind nicht „undsummativ", sondern echt komplementär (vgl. OTTE 1980, 1984). Sie setzen sich gegenseitig voraus und bekämpfen einander. Im Laufe der Entwicklung werden die verschiedenen Typen tatsächlich ineinander transformiert.

Das expansive Denken verlangt, dass relativ stabile *Gegenstände* der Konsumtion und Produktion in *Produktionsmittel* transformiert werden. Die Zyklen der Expansion oder die Zonen der nächsten Entwicklung aktivieren die „Komplementarität von repräsentationalen und instrumentellen Aspekten" (OTTE, 1980, S. 64) solcher begrifflicher Gegenstände. *Der repräsentationale Begriff muss als statische und unkritisch akzeptierte Einheit in einen instrumentellen Begriff transformiert werden, muss kritisch reflektiert, umgeschmolzen und angewandt werden, zurück in Richtung auf einen neuen repräsentationalen Rahmen.*

Kognitive Theorien der Begriffe – noch einmal an den Grenzen des Kognitivismus

Die Standardauffassung versteht ein Konzept als ein verbales Etikett, das eine Anzahl von verschiedenen Zuständen umfasst, von denen angenommen wird, dass sie miteinander verbunden sind. Der Bereich muss Kohärenz oder Familienähnlichkeit besitzen. Begriffe werden dadurch gebildet, dass besondere Objekte miteinander verglichen und ihre gemeinsamen Merkmale gefunden werden. Begriffe sind so Erinnerungshilfen von identischen Merkmalen in wahrgenommenen Objekten. Sie sind Mittel, Objekte zu bündeln, die in der Erfahrung verstreut sind. Der notwendige und hinreichende Prozess für die Generierung von Begriffen ist die Klassifikation (SIGEL, 1983, S. 242-245).

Diese Standardauffassung ist in der Psychologie der Pädagogik erstaunlich lebendig geblieben. Die herrschende kognitive Psychologie hat erst kürzlich diese Auffassung in Frage gestellt.

Dies geschah zunächst durch einen Impuls aus der Richtung von PIAGET. Katherine NELSON ist eine bekanntere Repräsentantin dieser Richtung. Ihrer Meinung nach „bestehen die *anfänglichen* Repräsentationen des Kindes in Form von Skripten für bekannte Ereignisse, die sich auf soziale Interaktion und Kommunikation beziehen" (NELSON, 1983, S. 135). Ein Skript ist ein strukturiertes Ganzes, eine verallgemeinerte Repräsentation einer Tätigkeitssequenz, die mehr als einmal stattgefunden hat. Die grundlegende und anfängliche Form der begrifflichen Repräsentation ist daher die Repräsentation von Ereignissen. Begriffe von besonderen Gegenständen werden erst später ausgebildet. In anderen Worten: Paradigmatische Kategorien werden von syntagmatischen Repräsentationen abgeleitet. Schließlich formieren sich kontextfreie Kategorien.

> Man merke an, dass in keiner der Operationen, die bis hierher dargestellt worden sind, so etwas wie eine Analyse in Form der *Ähnlichkeit* der Gegenstandstypen, unabhängig von ihren funktionalen Beziehungen, eine Rolle spielt. Die Analyse kommt stattdessen zu dem Schluss, dass das Kind in einem sehr langen Zeitraum mit einer begrifflichen Repräsentation operiert, die Gegenstandskategorien in Form ihrer Beziehungen und nicht in Form ihrer internen Qualitäten definiert. ... Das Auftauchen von Ähnlichkeitsbeziehungen ist vermutlich eine fortgeschrittenere kognitive Operation, die erst dann stattfindet, wenn sich die grundlegenden Kategorien herausgebildet haben. (NELSON, 1983, S. 141)

NELSONs Kritik der Standardauffassung richtet sich darauf, dass die Abstraktion und Verallgemeinerung von Ahnlichkeitsmerkmalen angeblich am Anfang steht. Für NELSON wird diese Form der Begriffsbildung erst später dominant.

NELSONs Auffassung lässt jedoch den alten Glauben an die Induktion intakt. Nach ihrer Auffassung eignen Kinder sich ihre Skripten durch die gleiche Art von Induktion an, die die Standardauffassung der Aneignung von Ähnlichkeitsmerkmalen beschreibt – mit dem Unterschied, dass die Einheit holistischer ist, nämlich das Skript eines sozialen Ereignisses. In anderen Worten: NELSONS KRITIK akzeptiert die grundlegende Logik der Standardauffassung.

Dieser Punkt ist kürzlich von Ivana MARKOVÀ deutlich ausgedrückt worden:

> Wir können also schlussfolgern, dass, obwohl „Skripte" und „Pläne" und vielleicht noch andere Begriffe „Kontext" und „Erfahrung" in das Verständnis der Sprache und der Ereignisse einführen, sich trotzdem der begriffliche Rahmen nicht verändert. Man könnte sagen, dass die Theorie der „Skripte" und „Pläne" ein Beispiel für den Versuch ist, den Zusammenbruch des cartesischen Paradigmas zu verhindern. ... Skripte und Pläne existieren nur, weil eine Person zuvor in einer besonderen Situation gewesen ist und einfach die gespeicherten Repräsentationen in Übereinstimmung mit ihrer neuen Erfahrung bringt. Menschen können mit neuen Situationen fertig werden, weil sie sie im Sinne vorhergehender Erfahrung verstehen können, weil sie die Informationsstücke reorganisieren können, die sie bereits in ihren internen Repräsentationen besitzen. Tatsächlich findet keine Entwicklung statt: Die scheinbare Entwicklung von Plänen und Skripten ist in Wirklichkeit nur eine Umgruppierung der statischen und bereits vorliegenden Elemente der Information. (1982, S. 59)

Eben diese Logik ist teilweise in zwei Arbeiten zum Problem des begrifflichen Denkens in Frage gestellt worden (CAREY, 1985; MURPHY & MEDIN, 1985).

Es ist keine Überraschung, dass die Autoren der beiden Beiträge ihren philosophischen Ausgangspunkt in Nelson GOODMANS Kritik der Induktion haben. Sie weisen darauf hin, dass irgendwelche Gegenstände unter beliebigen Aspekten als ähnlich oder unähnlich empfunden werden können, indem man das Kriterium dafür verändert, was als die relevante Eigenschaft gilt. Es gibt immer eine unendliche Anzahl von Merkmalen, in Bezug auf die zwei Gegenstände verglichen werden können. Es gibt keinen ontologisch gegebenen, theorie-neutralen Schiedsrichter der Projektion. Es gibt also auch keine reine Induktion. Abstraktion und Begriffsbildung sind immer theoriegeladen.

Und dementsprechend müssen Begriffe danach identifiziert werden, welche Rolle sie in Theorien spielen (CAREY 1985, 198). Repräsentationen von Begriffen stellt man sich am besten als theoretisches Wissen oder zumindest als eingebettet in Wissen einer Theorie über die Welt vor (MURPHY & MEDIN, 1985, S. 298).

Was ist also eine Theorie? Und wie entstehen überhaupt Theorien?

CAREY (1985, S. 201) weist daraufhin, dass die Erklärung im Zentrum der Theorien steht. Erklärungsmechanismen unterscheiden Theorien von anderen Formen begrifflicher Strukturen, wie z.B. Skripts. Das berühmte Restaurant-Skript des kognitiven Psychologen sagt uns, was passiert und in welcher Reihenfolge, wenn wir in ein Restaurant gehen. Es erklärt aber z.B. nicht, warum wir für unser Essen bezahlen.

MURPHY und MEDIN sehen ebenfalls Erklärungsbeziehungen und kausale Verbindungen – „zugrundeliegende Prinzipien", wie sie es bezeichnen, – als das Wesen der Theorien an. Sie merken an, dass „man auch eine Theorie haben kann, die (bis zu einem bestimmten Grad) Gegenstände miteinander verbinden könnte, die anscheinend sehr wenige Merkmale gemeinsam haben" (MURPHY & MEDIN, 1985, S. 298). Sie stimmen jedoch mit CAREY darin nicht überein, dass sie auch Skripts als Theorien akzeptieren. Denn „Skripts können eine implizite Theorie der Beziehungen enthalten, welche Ereignisse in der Welt einschließen" (MURPHY & MEDIN, 1985, S. 290). Tatsächlich enthält ja sogar das Restaurant-Skript eine Art von Erklärung im Sinne von CAREYs „Warum"-Frage: Wir bezahlen, weil man das von uns erwartet oder verlangt.

In anderen Worten: Die Anwesenheit einer Erklärung scheint kein hinreichendes Kriterium für eine Theorie zu sein. Richtiger ist, dass wir wahrscheinlich niemals ein klares und hinreichendes Kriterium finden werden, wenn wir dem Ansatz von CAREY, MURPHY und MEDIN folgen. Diese Autoren versuchen, eine Theorie zu definieren, indem sie Wissen und mentale Repräsentationen als selbständige Bestandteile oder Dinge betrachten, die innerhalb des Kopfes des Individuums gespeichert sind. Sie sind der kognitivistischen oder cartesischen Täuschung auf den Leim gegangen, wie auch schon Nelson GOODMAN. Die Theorie wird als eine Entität verstanden, die das Individuum „besitzt". Wenn eine Theorie entsteht oder angeeignet wird, kann sie gespeichert werden, und sie beginnt als Filter oder Linse zu funktionieren, die die induktiven Projektionen des Individuums einschränkt. Ein solcher Konstruktivismus ist ein rein mentaler Konstruktivismus, das Erschaffen der Welt allein im Kopf.

Diese kognitivistische Konzeption ist nicht in der Lage, etwas Interessantes darüber zu sagen, wie Theorien tatsächlich überhaupt entstehen. CAREY

(1985, S. 200) nimmt Zuflucht zu einem moderaten Konzept von Angeborenheit: „Ich nehme an, dass der ‚ursprüngliche Zustand' menschlicher Kinder dadurch beschrieben werden kann, dass man sagt, dass sie von Geburt an mit zwei theoretischen Systemen ausgestattet sind: einer naiven Physik und einer naiven Psychologie". MURPHY und MEDIN (1985, S. 311) sind noch vager: „Es ist sicher möglich, dass die Prototheorien von Kindern über die Funktionen, Beziehungen und die Bedeutungen von Gegenständen bereits ganz früh ihre Wirkung zeigen" aber „wann genau sie das tun, ist eine empirische Frage".

In diesem Zusammenhang ist NELSONS Auffassung, dass Skripts von Ereignissen die ursprüngliche Form der begrifflichen Repräsentation darstellen, eine sehr viel fortgeschrittenere als die Konzeptionen von CAREY, MURPHY und MEDIN. Sie vermeidet die Sackgasse der Angeborenheit, indem sie eine einfache, aber machtvolle Idee zugrunde legt: Am Anfang war die Tat.

An einem Punkt in ihrem Beitrag gehen MURPHY und MEDIN jedoch über die Grenzen des Kognitivismus hinaus. Sie greifen die anthropologischen Untersuchungen von BULMER (1967) auf, die ergeben hatten, dass die Karam von Neuguinea einen Kasuar nicht für einen Vogel halten. BULMER argumentiert, dass dies nicht nur daran liegt, dass der Kasuar nicht fliegt, sondern auch an der besonderen Rolle als Tier des Waldes, womit es Teil der Gegenüberstellung von Wald und Kultivierung im Denken der Karam wird. Diese Gegenüberstellung ist darüber hinaus mit grundlegenden Fragen der Verwandtschaftsrollen und -rechte verbunden. MURPHY und MEDIN (1985, S. 305) bemerken zu Recht, dass „die Theorien der Karam über das Im-Wald-Leben und die Kultivierung offensichtlich Klassifikationen hervorbringen, die von den biologischen Theorien unserer Kultur verschieden sind."

Diese Schlussfolgerung impliziert, dass eine Theorie nicht länger als unabhängige Entität innerhalb des individuellen Geistes, sondern vielmehr als ein soziales Tätigkeitssystem selbst betrachtet werden muss. Bei dieser Sichtweise können Theorien und Begriffe nur als repräsentationale, sekundäre Aspekte der sinnlichen, materiellen Tätigkeitssysteme verstanden werden. Das hat nichts zu tun mit der mechanischen Idee von Theorien als irgendwie direkten Kopien materieller Gegenstände. Aber Theorien leben und entwickeln sich nur als integraler Bestandteil von Tätigkeiten. Theorien können von Tätigkeiten getrennt sein – sie können z.B. vergessen und in obskuren Büchern versteckt sein –, aber im Unterschied zu POPPERS Ansicht bedeutet dies, dass sie tatsächlich tot oder gefroren, wenigstens aber zeitweilig ohne Leben und Entwicklungsmöglichkeit sind.

VYGOTSKIJ und das Problem der Begriffe

In VYGOTSKIJS spätem Werk *Denken und Sprechen* war das Problem der Begriffe zentral. VYGOTSKIJ lehnte die traditionelle induktivistische Auffassung der Begriffe ab. Er wies daraufhin, dass die traditionelle Auffassung zur Begriffsbildung Ähnlichkeiten mit GALTONS zusammengesetzten „Familienporträts" hat. Diese entstehen, indem man Bilder von verschiedenen Familienmitgliedern auf die gleiche Platte bannt, so dass die Züge, die verschiedenen Menschen gemein sind, deutlich hervorstechen, während die unterschiedlichen, individuellen Züge durch die Überlagerungen verschwimmen. Für die traditionelle Auffassung besteht der Begriff in der Totalität der gemeinsamen Züge.

> Man kann sich den wirklichen Verlauf der Begriffsentwicklung nicht falscher vorstellen als mit diesem logisierten Bild.
>
> Wie Psychologen schon seit langem festgestellt haben und unsere Experimente klar und deutlich gezeigt haben, verläuft die Begriffsbildung beim Jugendlichen nie auf dem logischen Weg, wie ihn das traditionelle Schema zeichnet. (VYGOTSKIJ, 2002, S. 243-244)

VYGOTSKIJ zitiert VOGELS und BÜHLERS Ergebnisse, nach denen Kinder nicht mit bloßen Besonderheiten beginnen, sondern allgemeine Begriffe von Anfang an benutzen. Das Kind eignet sich das Wort „Blume" früher an als die Namen der verschiedenen besonderen Blumen. Oder wenn es sich zunächst den Namen einer besonderen Blume z.B. „Rose" aneignet, benutzt es dieses Wort nicht nur für Rosen, sondern für alle Blumen (VYGOTSKIJ, 2002, S. 245).

VYGOTSKIJ gelangt zu dem Schluss, dass die Begriffsbildung in einer Bewegung in zwei Richtungen innerhalb einer Pyramide von Begriffen besteht: vom Besonderen zum Allgemeinen und gleichzeitig vom Allgemeinen zum Besonderen. Diese fundamentale Idee wird in einer Analyse der Beziehungen von alltäglichen und wissenschaftlichen Begriffen weiter ausgearbeitet.

> Vom Standpunkt der dialektischen Logik sind Begriffe, wie sie sich in unserer Alltagssprache finden, keine Begriffe im eigentlichen Sinne des Wortes. Es sind eher allgemeine Vorstellungen von den Dingen. (VY-

GOTSKIJ, 2002, S. 231)

Diese wichtige Aussage beinhaltet, dass wir eine Logik entwickeln und anwenden müssen, die qualitativ von der traditionellen, formalen Logik unterschieden ist, wenn wir die Natur der echten wissenschaftlichen Begriffe erfahren wollen. Diese Anforderung wurde jedoch niemals in VYGOTSKIJs eigener Analyse erfüllt. Tatsächlich bemerkt er später in seinem Buch: „Man kann sagen, die logische Seite dieser Frage sei mit ausreichender Vollständigkeit ausgearbeitet und erforscht", während die genetischen und psychologischen Aspekte offen bleiben (VYGOTSKIJ, 2002, S. 355). VYGOTSKIJ hat daher keine alternative Logik der echten Begriffe ausgearbeitet.

Nach VYGOTSKIJ arbeiten die wissenschaftlichen Begriffe ihren Weg absteigend vom Allgemeinen zum Besonderen. Alltagsbegriffe entwickeln sich in die entgegen gesetzte Richtung. Wo sich die beiden treffen, durchdringen sie einander und verändern sich wechselseitig.

Es gibt drei Merkmale, die wissenschaftliche Begriffe auszeichnen. Erstens, wissenschaftliche Begriffe sind immer in einem Begriffssystem eingeschlossen. Zweitens, wissenschaftliche Begriffe erfordern, dass der Lernende sich ihrer bewusst ist, ihre Herausbildung beginnt mit dem Wort, mit der Definition, und der Lernende muss mit den Begriffen selbst arbeiten. Drittens, wissenschaftliche Begriffe werden daher nicht spontan angeeignet, sondern durch Unterricht.

V. V. DAVYDOV weist auf die Schwächen dieser Definition hin. Vor allem können empirische Begriffe auch ein System besitzen, das die Form von ausführlichen klassifikatorischen Abhängigkeiten der Form „Gattung–Art" annehmen kann. Darüber hinaus werden solche deskriptiven Begriffe oder „allgemeine Auffassungen" systematisch im schulischen Unterricht vermittelt. Tatsächlich dominieren sie den Unterrichtsinhalt in der Grundschule. Die Bewegung in zwei Richtungen innerhalb einer Begriffspyramide ist auch bei rein empirischen oder deskriptiven Begriffsstrukturen möglich.

> Die Aneignung, die mit der „allgemeinen" verbalen Definition beginnt, ist in keiner Hinsicht charakteristisch für die wissenschaftliche Natur eines Begriffs; auch beliebige Alltagsbegriffe, empirische allgemeine Auffassungen können auf diese Weise im Unterricht vermittelt werden. (DAVYDOV, 1977, S. 162-163)

VYGOTSKIJ konnte in anderen Worten das Problem des spezifischen Inhalts wissenschaftlicher Begriffe nicht lösen. Seine Definitionen bleiben formal – ein wenig so, wie die von CAREY, MURPHY und MEDIN mehr als fünfzig Jahre später vorgeschlagenen. Sicher hatte VYGOTSKIJ Recht, wenn er schrieb, dass wissenschaftliche Begriffe Systeme darstellen – was aber ist die spezifische Qualität ihrer Systeme? In ähnlicher Weise haben CAREY, MURPHY und MEDIN Recht, wenn sie behaupten, dass Theorien Erklärungsmechanismen oder Prinzipien enthalten – was aber unterscheidet einen theoretischen Erklärungsmechanismus von einem empirischen?

Dialektische Logik und Begriffe

Innerhalb der kulturhistorischen Schule hat V. V. DAVYDOV als erster Psychologe die Grenzen der traditionellen formalen Logik beim Problem der Begriffsbildung durchbrochen. Die Bedeutung dieses Schrittes ist nicht überall erkannt worden, und DAVYDOVs fundamentale Arbeit ist noch immer nicht ins Englische übersetzt, obwohl sie bereits 1972 erschienen ist.[4] Die weitreichenden Implikationen von DAVYDOVs Arbeit für den Unterricht sind oft auf einen aggressiven Widerstand und auf Fehlinterpretationen gestoßen, sowohl in seiner eigenen Kultur wie im Westen.

DAVYDOVs Leistung wurde durch gewisse Fortschritte in der Philosophie und Epistemologie des dialektischen Materialismus möglich gemacht. Die beiden Arbeiten, die den stärksten Einfluss auf DAVYDOV hatten, scheinen E. V. IL'ENKOVS *Dialektik des Abstrakten und Konkreten in MARX'* Kapital und der Band *Analyse des sich entwickelnden Begriffs* von ARSEN'EV, BIBLER und KEDROV (1967) zu sein. Als philosophische Arbeiten sind beide Bücher außergewöhnlich, insofern sie auf einer detaillierten Analyse von wichtigen Entwicklungen in der Geschichte der Wissenschaft beruhen. Das erste Werk untersucht die Herausbildung des Wertbegriffes in MARX Forschungen in der politischen Ökonomie, und das letztere analysiert die Entwicklung zentraler Begriffe in der Mechanik und der Chemie. Der Ausgangspunkt in IL'ENKOVS

[4] In der Zwischenzeit ist eine englische Übersetzung im Jahre 1990 erschienen: V. V. Davydov, *Types of Generalization in Instruction: Logical and Psychological Problems in the Structuring of School Curricula.* Reston, VA: National Council of Teachers of Mathematics. (Anm. des Übersetzers)

Arbeit ist eine neue Definition der Bedeutung von „konkret" und „abstrakt". Im Unterschied zu der allgemeinen Auffassung sieht die Dialektik „konkret" nicht als etwas sinnlich Erfassbares und „abstrakt" als etwas begrifflich oder geistig Konstruiertes. „Konkret" stellt vielmehr die ganzheitliche Qualität eines systemischen Zusammenhangs dar.

> Hat das Bewußtsein ein einzelnes Ding als solches aufgefaßt, ohne dabei den ganzen *konkreten Zusammenhang* zu erkennen, innerhalb dessen dieses Ding real existiert, so hat unser Bewußtsein dies äußerst abstrakt getan, obwohl es das einzelne Ding sinnlich-anschaulich, sinnlich-konkret in der ganzen Fülle seines sinnlich wahrnehmbaren Bildes aufgefaßt hat.
>
> Und im Gegenteil, wenn das Bewußtsein ein Ding in seinem *Zusammenhang* mit allen anderen einzelnen Dingen, Fakten und Erscheinungen derselben Art aufgenommen, wenn es das einzelne durch seinen allgemeinen wechselseitigen Zusammenhang aufgenommen hat, so hat es dieses Ding zum ersten Mal konkret aufgenommen, selbst wenn die Vorstellung von diesem Ding nicht durch unmittelbares Betrachten, Befühlen und Riechen, sondern durch das gesprochene Wort anderer Individuen erworben worden ist, folglich keine unmittelbar sinnlich wahrnehmbare Gestalt annimmt. (IL'ENKOV, 1979, S. 84)

Allgemeine Auffassungen sind formale Abstraktionen, da sie beliebige Merkmale von Gegenständen von ihrem Zusammenhang trennen. Echte Begriffe sind konkrete Abstraktionen, da sie die systemische und miteinander verbundene Natur der Begriffe reflektieren und rekonstruieren. Diese systemische Natur ist nicht von der Art der statischen Klassifikation, „sondern sie ist genetisch und dynamisch". IL'ENKOV benutzt MARX' Begriff des Proletariats, um das zu illustrieren.

> Als Marx und Engels den Begriff Proletariat als revolutionärste Klasse der bürgerlichen Gesellschaft, als Totengräber des Kapitalismus erarbeiteten, konnte man diesen Begriff grundsätzlich nicht als abstrakt-allgemeines Merkmal für jeden einzelnen Proletarier und jede besondere Schicht des Proletariats erhalten. Eine solche formale Abstraktion, die man in der Mitte des 19. Jh. auf Wunsch durch Vergleich aller einzelnen Vertreter des Proletariats erhalten konnte, also durch die Art der Abstraktion, die von der nichtdialektischen Logik empfohlen wird, hätte das Proletariat als am stärksten unterdrückte, von Not und Elend niedergehaltene passiv leidende Klasse gekennzeichnet, die bestenfalls zu einer verzweifelten Hungerrebellion fähig war.
>
> Dieser „Begriff" des Proletariats findet sich in zahlreichen Untersuchungen jener Zeit, in den philanthropischen Schriften der Zeitgenossen von Marx und Engels und in den Abhandlungen der utopischen Sozialisten. Das Empirisch-Allgemeine an dieser Abstraktion war ganz genau erfaßt

> und reflektiert worden. Doch der *theoretische* Ausdruck dieser Empirie, das Verständnis dessen, was das Proletariat als Klasse „an sich", seiner inneren Natur nach darstellt, die durch einen Begriff ausgedrückt werden konnte, und was das Proletariat noch nicht „für sich" war, ... , das haben erst Marx und Engels zutage gefördert. ...
>
> Der Begriff des Proletariats war im Gegensatz zur empirischen allgemeinen Vorstellung vom Proletariat hier nicht eine formale Abstraktion, sondern der theoretische Ausdruck der objektiven Bedingungen für seine Entwicklung und enthielt das Verständnis seiner objektiven Rolle, und dies in ihrer Entwicklungstendenz. ...
>
> Die Wahrheit dieses Begriffs wurde bekanntlich durch den realen Prozeß der Verwandlung des Proletariats aus einer Klasse „an sich" in eine Klasse „für sich" bewiesen. Das Proletariat entwickelte sich in vollem Sinne des Wortes in Richtung auf die Übereinstimmung „mit seinem eigenen Begriff."(Il'enkov, 1979, S. 127-128)

In anderen Worten, die systemische Natur des echten Begriffs ist im wesentlichen zeitbezogen, historisch und entwicklungsbezogen. Der Begriff drückt den Ursprung und die Entwicklungstendenz der Totalität aus, die es rekonstruiert.

> Eine Erscheinung *begreifen* bedeutet, ihre *Entstehungsweise* klären, die „Regel", nach der sie notwendigerweise entsteht, wobei diese Notwendigkeit in der konkreten Gesamtheit der Bedingungen liegt, bedeutet, die Bedingungen für die Entstehung der Erscheinung selber untersuchen. Eben das ist die allgemeine Formel für die Bildung des *Begriffs für das Begreifen*. (IL'ENKOV, 1979, S. 175)

Darüber hinaus reflektiert der Begriff „eine Realität, die als durchaus besondere Erscheinung – ‚besondere' in einer Reihe anderer ‚besonderer' Erscheinungen – zugleich ein wirklich allgemeines, konkret-allgemeines Element darstellt, eine ‚Zelle' aller anderen besonderen Erscheinungen" (IL'ENKOV, 1979, S. 76). Die Aufgabe, einen echten Begriff zu bilden, besteht daher darin, die Keimzelle der Entwicklung zu finden, die anfängliche genetische Abstraktion der untersuchten Totalität, und sie in ihrer vollen konkreten Vielfalt zu entwickeln. Hier liegt der Kern der „anderen Logik", für die VYGOTSKIJ plädierte, die er aber nicht formulieren konnte. „Die logische Entwicklung der Kategorien, ... muß mit der historischen Entwicklung des Gegenstands zusammenfallen" (IL'ENKOV, 1979, S. 214). In anderen Worten: Wir sprechen nicht über eine ewige und inhaltsneutrale Logik, sondern über die Entwicklungslogik des Gegenstandes selbst. Diese Logik ist nirgendwo in der Form von fertigen Formeln gespeichert, die auf den Gegenstand nur noch angewendet werden müssen. Im Gegenteil, „das bedeutet ... nicht von der Geschichte überhaupt zu sprechen, sondern jedesmal von der konkreten Geschichte eines konkreten Gegenstands" (IL'ENKOV, 1979, S. 213).

In der dialektischen Logik besteht das Konkrete aus einem vernetzten systemischen Ganzen. Aber die Vernetzungen sind nicht von beliebiger Natur. Den Vernetzungen liegen interne Widersprüche zugrunde.

> Die Konkretheit ist überhaupt die *Identität von Gegensätzen*, während das Abstrakt-Allgemeine nach dem Prinzip der nackten Identität, der Identität ohne Gegensätze, erhalten wird. (IL'ENKOV, 1979, S. 268)

Widersprüche werden in dem Augenblick zentral, wenn wir Bewegungen, Entwicklungen und Veränderungen begrifflich zu fassen versuchen.

> Jede Äußerung, die den eigentlichen Moment, den eigentlichen Akt des Übergangs zum Ausdruck bringt (und nicht das *Ergebnis* dieses Übergangs allein), schließt unweigerlich einen offen oder verhüllt ausgedrückten Widerspruch ein und dabei einen Widerspruch „zu ein und derselben Zeit" (nämlich zur Zeit des Übergangs, im Moment des Übergangs) und „in ein und demselben Verhältnis" (nämlich im eigentlichen Verhältnis des Übergangs der Gegensätze ineinander). (IL'ENKOV, 1979, S. 248-249)

Der Kampf und die wechselseitige Abhängigkeit von gegensätzlichen Kräften oder Elementen ist die Triebkraft für die Entwicklung innerhalb gegenständlicher Systeme. Einen echten Begriff zu schaffen heißt, diesen inneren Widerspruch des Gegenstandssystems zu erfassen und zu fixieren und die anschließenden Ausprägungen der Entwicklung des Systems von diesem anfänglichen Widerspruch her abzuleiten.

> Die dialektisch-materialistische Methode zur Lösung des Widerspruchs in den theoretischen Definitionen besteht also in der Ermittlung des Prozesses, mit dem die Bewegung der Realität selber diesen Widerspruch in einer neuen Ausdrucksform löst. Sucht man das von der objektiven Seiten her darzustellen, so läuft die Sache darauf hinaus, durch eine Analyse neuer empirischer Materialien den Prozeß der Hervorbringung der Realität zu verfolgen, innerhalb deren der vorher ermittelte Widerspruch seine relative Lösung in einer neuen objektiven Form seine Verwirklichung findet. (IL'ENKOV, 1979, S. 260)

Für ARSEN'EV, BIBLER und KEDROV ist ein echter, wissenschaflich-theoretischer Begriff immer der einfache, anfängliche Keim einer ganzen komplexen Theorie. Die Charakteristik eines echten Begriffs ist seine expansive „Potenz durch Konkretisierung, seine Tendenz sich in eine Theorie zu verwandeln" (ARSEN'EV, BIBLER, & KEDROV, 1967, S. 15). Er entwickelt tendenziell, aus sich selbst heraus eine Vielfalt von anschließenden Entwicklungsaspekten und begrifflichen Folgerungen. Diese Ansicht ist derjenigen von CAREY, MURPHY und MEDIN gerade entgegen gesetzt, die Begriffe als Ergebnisse von vorgängigen Theorien betrachten.

Wenn aber der Begriff die ursprüngliche Form einer Theorie ist, wie ist der Begriff dann überhaupt entstanden? ARSEN'EV, BIBLER und KEDROV lehnen in dieser Hinsicht NELSONs induktivistische Sichtweise ab, wonach die ursprünglichen Skripte als geistige Erinnerungen an oft wiederholte bekannte Ereignisse entstehen. ARSEN'EV, BIBLER und KEDROV gehen davon aus, dass die Begriffe zu Beginn aus dem Zusammenspiel zweier psychologischer Prozesse entstehen, die konstitutiv für jede praktische produktive Tätigkeit sind: (1) Die beständige Konstruktion eines antizipierten zukünftigen Gegenstands (Ergebnisses) der Tätigkeit durch aktives, materielles und mentales *Experimentieren* und (2) die ebenfalls kontinuierliche, sinnliche oder gedankliche Erfahrung und *Beobachtung* des Gegenstands, „wie er ist". In anderen Worten: Begriffe sind zu Beginn nicht einfache Produktionen von Ereignissen, wie sie erfahren worden sind. Schon von Anfang an besitzen sie die Tendenz, etwas Nicht-Beobachtetes und Nicht-Erfahrenes zu schaffen.

ARSEN'EV, BIBLER und KEDROV schreiben diese Potenz nicht allein Begriffen zu, die innerhalb der historisch-entwickelten Tätigkeit mit Namen Wissenschaft entwickelt und gebraucht werden. „Von unserem Standpunkt aus ist jedes Denken und jeder Begriff in seiner Potentialität, das heißt in seinem Wesen, wissenschaftlich-theoretisch" (ARSEN'EV, BIBLER & KEDROV, 1967, S. 14). Sogenannte Alltagsbegriffe haben daher im Prinzip die gleiche expansive Qualität wie die bewusst bearbeiteten Begriffe der Wissenschaft. IL'ENKOV formuliert einen ähnlichen Punkt.

> Es ist selbstverständlich, daß die allgemeinen Gesetze des Denkens sowohl im wissenschaftlichen als auch im sogenannten gewöhnlichen, alltäglichen Denken dieselben bleiben. Doch lassen sich diese allgemeinen Gesetze aus dem gleichen Grunde im wissenschaftlichen Denken leichter erkennen, aus dem die allgemeinen Entwicklungsgesetze der kapitalistischen Gesellschaftsordnung sich in der Mitte des 19. Jh. leichter anhand einer Analyse des englischen als durch eine Analyse des russischen oder italienischen Kapitalismus ermitteln ließen. (IL'ENKOV, 1979, S. 97)

DAVYDOV und das Problem der Begriffe

DAVYDOV charakterisiert den theoretischen Begriff wie folgt.

> Ein solcher Begriff fungiert als völlig definiertes und konkretes Verfahren *der Verknüpfung* von Allgemeinem und Einzelnem, als *Verfahren des Ableitens* von besonderen und einzelnen Erscheinungen aus ihrer allgemeinen Grundlage. Dadurch fungiert die *Entwicklung* eines Gegenstandes als Inhalt des theoretischen Begriffs.
>
> Der Begriff ist das Verfahren zur Realisierung einer inhaltlichen Verallgemeinerung, ist das Verfahren des Übergangs vom Wesen zu den Erscheinungen. Er fixiert die Bedingungen und die Mittel eines solchen Übergangs, einer solchen Ableitung des Besonderen aus dem Allgemeinen. (DAVYDOV, 1977, S. 305)

Tatsächliche Begriffsbildung und begriffliches Denken steigen zunächst von den wahrnehmungsmäßig konkreten Phänomenen zu der wesentlichen Abstraktion, der „Keimzelle", auf, die die genetisch ursprünglichen inneren Widersprüche des untersuchten Systems ausdrücken. Es schreitet dann zur konkreten Verallgemeinerung vor, indem die verschiedenen besonderen Manifestationen aus dieser entwicklungsbezogenen Grundlage abgeleitet werden. HEGEL und MARX folgend wird dieses Verfahren als *Aufsteigen vom Abstrakten zum Konkreten* bezeichnet. DAVYDOV weist daraufhin, dass außerhalb dieses Prozesses der Begriff „einfach zu einem Wort" wird (DAVYDOV, 1977, S. 308).

> Einen Begriff von einem Gegenstand zu haben bedeutet, über eine allgemeine Methode zu seiner Konstruierung, über Wissen über seine *Entstehung* zu verfügen. Diese Methode ist die besondere Denktätigkeit des Menschen, die selbst als Derivat der gegenständlichen Handlung gebildet wird, welche den Erkenntnisgegenstand reproduziert. ... Hinter jedem Begriff ist also eine besondere gegenständliche Handlung verborgen (oder ein System solcher Handlungen), deren Aufdeckung eine spezielle Untersuchungsaufgabe darstellt. (DAVYDOV 1977, 309)

DAVYDOV fasst die Merkmale des empirischen und theoretischen Wissens und Denkens in sechs Punkten zusammen:

> 1. Empirisches Wissen wird durch *Vergleichen* der Gegenstände und der Vorstellungen über sie erarbeitet, was es ermöglicht, in ihnen gleichwertige, gemeinsame Eigenschaften auszusondern. Theoretisches Wissen entsteht aufgrund der *Analyse* der Rolle und der Funktion eines bestimmten Verhältnisses innerhalb eines gegliederten Systems.
>
> 2. Der Vergleich sondert die *formal* gemeinsame Eigenschaft aus, deren Kenntnis es ermöglicht, die einzelnen Gegenstände, unabhängig davon, ob sie miteinander zusammenhängen, zu einer bestimmten formalen Klasse in Beziehung zu setzen. Durch Analyse wird ein solches *reales* besonderes Verhältnis der Dinge ermittelt, das genetische Grundlage aller anderen Erscheinungsformen des Systems ist; dieses Verhältnis fungiert als die

allgemeine Form oder das Wesen des gedanklich reproduziert werdenden Ganzen.

3. Das empirische Wissen, dem *Beobachtung* zugrunde liegt, widerspiegelt nur die *äußeren* Eigenschaften der Gegenstände und stützt sich daher völlig auf anschauliche Vorstellungen. Das theoretische Wissen entsteht aufgrund der *Umwandlung* der Gegenstände und widerspiegelt deren *innere* Beziehungen und Zusammenhänge. Bei der Reproduktion eines Gegenstandes in Form von theoretischem Wissen geht das Denken *über die Grenzen* der sinnlichen Vorstellungen hinaus.

4. Die formal gemeinsame Eigenschaft wird als *nebengeordnet* neben den besonderen Eigenschaften der Gegenstände ausgesondert. Im theoretischen Wissen wird jedoch der *Zusammenhang* der real gemeinsamen Beziehungen mit dessen verschiedenen Erscheinungsformen, der Zusammenhang von Allgemeinem und Besonderem fixiert.

5. Die Konkretisierung des empirischen Wissens besteht in der Auswahl der Illustrationen, der Beispiele, die zur entsprechenden formal gebildeten Klasse gehören. Die Konkretisierung des theoretischen Wissens erfordert seine Umwandlung in eine entwickelte Theorie durch *Ableiten* und Erklären der besonderen Erscheinungsformen aus ihrer allgemeinen Grundlage.

6. Notwendiges Mittel zur Fixierung des empirischen Wissens ist das Wort – der Terminus. Das theoretische Wissen wird vor allem in den *Methoden* der geistigen Tätigkeit ausgedrückt bzw. in den verschiedenen Zeichen- und Symbolsystemen, insbesondere durch die Mittel der künstlichen und der natürlichen Sprache (Der theoretische Begriff kann bereits als Methode zur Ableitung des Einzelnen aus dem Allgemeinen existieren, ohne eine terminologische Formulierung aufzuweisen). (DAVYDOV, 1977, S. 310-312)

DAVYDOVs Argumentation leidet hier unter einer dichotomen Struktur. Empirisches Denken und theoretisches Denken werden als einander ausschließende Alternativen vorgestellt. Ihre wechselseitige Abhängigkeit und gegenseitige Durchdringung wird zeitweilig beiseite gelassen. DAVYDOV diskutiert dieses Problem der Komplementarität jedoch früher in seinem Buch.

> Die Sinnlichkeit des Menschen als gegenständlich-praktische Tätigkeit ist ihrem Inhalt nach *widersprüchlich*. Empfindung und Wahrnehmung an sich widerspiegeln das vorliegende Sein. Über die *praktische Handlung*, die die Dinge miteinander zweckmäßig in Berührung bringt (Gegenstand und Arbeitsmittel), „dringt" jedoch ein anderer Inhalt in die Sinnlichkeit – die Vermitteltheit und der Zusammenhangscharakter des Seins, sein innerer Gehalt. Die praktische Handlung als sinnlich-gegenständliche Handlung vereinigt in sich einen widersprüchlichen Inhalt – Äußeres und Inneres, Vorliegendes und Vermitteltes, Einzelnes und Allgemeines. Hier befinden sich diese Momente in unmittelbarer Einheit. (DAVYDOV, 1977, S. 261-262)

Später werden sowohl phylogenetisch als auch ontogenetisch diese ursprünglichen Momente des praktischen Handelns differenziert in voneinander unterscheidbare grundsätzliche Formen des Denkens, des empirischen und des theoretischen, oder des klassifikatorischen und experimentellen. Keines von ihnen kann jedoch als vollständig unabhängig von dem anderen angesehen werden. Beide Formen enthalten latente Formen oder Samen des anderen. Das bedeutet nicht, dass sie sich entwicklungsmäßig auf dem gleichen Niveau befinden. Im Gegenteil, es ist ja das theoretische Denken, das die Instrumentalität enthält, die notwendig für die expansive Entwicklung ist, für die Hervorbringung des Neuen. DAVYDOVs zentrales Argument ist theoretisch beeindruckend. Und es führt zu praktischen Konsequenzen.

> Von einem logisch-psychologischen Standpunkt aus betrachtet, läßt sich das echte Verständnis, das eine Person von einem Sachverhalt besitzt, anhand der Fähigkeit zeigen, einer anderen Person den gesamten Prozeß seines Ursprungs zu reproduzieren und zu demonstrieren. Im Falle des Zahlbegriffs bedeutet dies, daß ein Schüler in der Lage sein sollte, unabhängig vom Lehrer, mit geeigneten Handlungen und Gegenständen zu demonstrieren, warum es sowohl möglich als auch notwendig ist, diesen Begriff auszubilden. Der Schüler sollte darüber hinaus in der Lage sein, die numerischen Eigenschaften irgendeiner quantifizierbaren Menge zu irgendeinem spezifischen Zweck zu nutzen. So kann z.B. mit Hilfe von Aufgaben wie den folgenden demonstriert werden, ob ein Kind den Zahlbegriff verstanden hat oder nicht:
>
> 1. Man lasse das Kind die gleiche Menge Wasser aus einem Behälter in einen zweiten umfüllen, der sich in der Form vom ersten unterscheidet (der erste Behälter ist schlank und mit einer Einteilung versehen, der zweite ist ein Glas mit einer weiten Öffnung). Ein Kind, das tatsächlich die Bedingungen isolieren kann, Um eine Zahl zu erhalten, d.h. das wirklich die Bedeutung der Zahl versteht, sollte irgendein zwischengeschaltetes Maß verwenden, wie etwa ein kleineres Glas, um die Wassermenge zu bestimmen, die der schmale Zylinder enthält (z.B. fünf kleine Gläser voll) und dann die gleiche Anzahl von Gläsern in das Glas mit der weiten Öffnung schütten.
>
> 2. Man lasse das Kind angeben, wieviele große Gläser Wasser in eine Reihe von drei großen und vier kleinen Gläsern Wasser passen, wenn ein kleines Glas halb so viel Wasser wie ein großes enthält. Das Kind muß hierbei zwei kleine als ein großes Glas zählen, um das Ergebnis fünf zu erhalten.
>
> 3. Man lasse das Kind mit einer Menge gleichartiger Klötze unterschiedliche Bedingungen herstellen, unter denen verschiedene numerische Eigenschaften definiert werden können. In dieser Aufgabe muß das Kind gleiche Gruppen von Klötzen konstruieren, und diese Gruppen dann als

Maßeinheit benutzen, um verschiedene Zahlen zu bestimmen. Wenn z.B. 24 Klötze zu je zweien gruppiert werden, dann ist die Zahl 12 ausgedrückt, wenn sie zu Je vieren gruppiert werden, die Zahl 6 usw.

4. Man lasse das Kind zeigen, wie unter Zuhilfenahme einer bestimmten Menge von Wasser in einem Glas verschiedene numerische Ausdrücke für diese Wassermenge gefunden werden können. Diese Aufgabe ist der Aufgabe 3 ähnlich, benutzt aber eine kontinuierliche Quantität statt diskreter Objekte. Verschiedene Maße (z.B. verschieden große kleinere Gläser) müssen benutzt werden, um verschieden große Zahlen auszudrücken.

Das Kind muß bei jeder dieser Aufgaben die multiplen Beziehungen zwischen einem kontinuierlichen oder diskreten Gegenstand (wie er sich in dem numerischen Maß ausdrückt) und einem Teil dieses Gegenstandes erkennen, der als Maßeinheit benutzt worden ist. Dabei ist es besonders wichtig, daß das Kind die Beliebigkeit erkennt, mit der eine bestimmte Größe als Einheit angenommen wird, die dazu benutzt wird, das Maß des ganzen Gegenstandes zu bestimmen. Beim Messen sollte das Kind die Größe der Einheit gegen eine andere austauschen können und so unterschiedliche Maße für den gleichen Gegenstand erhalten können. Für diese Übung braucht das Kind eine klare Vorstellung vom Ursprung des numerischen Maßes, um unterschiedliche konkrete numerische Darstellungen des Gegenstandes generieren zu können. Nur wenn ein Kind in der Lage ist, diese grundlegenden Schritte durchzufuhren, kann man davon sprechen, daß das Kind die Zahl als eine allgemeine mathematische Methode verstanden hat, quantitative Beziehungen zwischen und innerhalb von Gegenständen auszudrücken. ...

Zu Beginn fanden wir, daß eine Mehrheit bei Kindern mit traditionellem Unterricht diese Aufgaben nicht lösen konnten. So hatten sie bei der ersten und der vierten Aufgabe eine Idee, wie sie vorgehen sollten. Bei der zweiten Aufgabe zählten sie jedes Glas, ob klein oder groß, als einzelne Einheit und kamen so zu „sieben" als Lösung, statt der richtigen Lösung „5". Bei der dritten Aufgabe zahlten sie die Klötze einzeln, mit dem Ergebnis „24", und waren nicht in der Lage, irgendeine andere Gruppierung als Zählweise zu finden. (Davydov, 1982, S. 225-227)

Auch wenn diese Kinder über einen beschränkten Zahlbegriff verfügten, der es ihnen möglich machte, sich mit alltäglichen und Schulproblemen auseinanderzusetzen, zeigten sie wirklich kein echtes mathematisches Verständnis des Zahlbegriffs. Dis war darauf zurückzuführen, dass die Lehrer „bekannte" Zahlen als Ausgangspunkt für den Unterricht innerhalb des traditionellen Rahmens benutzten. Auf dieser Grundlage gelangten Kinder des 1. Schuljahres schnell zur Addition und Subtraktion von Zahlen, die ihnen nur auf Grundlage von Erfahrung bekannt waren. Davydov zitiert den berühmten Mathematiker Kolmogorov (1960, S. 10): „Wenn man die mathematischen

Begriffe im Unterricht von ihren Ursprüngen trennt, führt das zu einem Unterricht ohne Prinzipien und mit einer defekten Logik."

Modelle als Instrumente des expansiven Denkens

In der gegenwärtigen Forschung im Bereich der kognitiven Psychologie hat das Interesse an sogenannten mentalen Modellen beachtlich zugenommen. Allein im Jahre 1983 sind zwei größere Werke unter dem Titel *Mentale Modelle* erschienen (GENTNER & STEVEN, 1983; JOHNSON-LAIRD, 1983). In einem Überblicksartikel schlagen ROUSE und MORRIS (1985, 7) die folgende Definition mentaler Modelle vor: Sie stellen Mechanismen dar, mit deren Hilfe Menschen Beschreibungen der Zwecke und Formen von Systemen, Erklärungen des Funktionierens von Systemen und der beobachteten Systemzustände und Vorhersagen über zukünftige Systemzustände generieren können. NORMAN fügt einen wichtigen Punkt hinzu:

> Mentale Modelle sind Modelle, die auf natürliche Weise entstehen. Das heißt, durch die Interaktion mit einem bestimmten System formulieren die Menschen mentale Modelle dieses Systems. (1983, S. 7)

NORMAN unterscheidet mentale Modelle von begrifflichen Modellen. Letztere werden bewusst von Lehrern, Designern, Wissenschaftlern und Ingenieuren geschaffen. Es bleibt aber unklar, ob begriffliche Modelle auch mental sind – oder vielleicht nicht-mental. Der Unterschied scheint einfach in Bezug auf die Bewußtheit und die Systematik bezüglich der Darstellung zu bestehen.

In vielfacher Hinsicht ist die augenblickliche Diskussion über mentale Modelle eine neue Version der Konfusion um den Modellbegriff, der in der Philosophie während der sechziger Jahre dieses Jahrhunderts herrschte. WARTOFSKY fasst diese Konfusion wie folgt zusammen:

> Bei der Rede über Modelle bewohnen diese oft eine vergessene Zone zwischen zwei Welten. Auf der einen Seite sind sie keine Bürger der handfesten Welt realer Gegenstände und Prozesse; oder sie haben im besten Falle nur eine abgeleitete Bürgerschaft, indem sie sich auf eine solche Welt beziehen. Auf der anderen Seite wird ihnen die volle Gleichheit in der kognitiven Welt der angeblichen Wahrheiten nicht gewährt, sondern nur die Funktion von Instrumenten einer solchen Kognition zugestanden: Brücken, Hilfen für die Vorstellungskraft, Beweismaschinen, heuristische Vorrichtungen, Bezugssysteme für die Ordnung von Daten und was nicht alles. (WARTOFSKY, 1979, S. 3)

Das Problem der kognitiv-psychologischen Auffassung mentaler Modelle besteht darin, dass sie *statisch* und *leblos* in einem zweifachen Sinne ist.

Erstens, mentale Modelle werden als etwas verstanden, das sich spontan innerhalb des Kopfes der Individuen auf der Basis von individueller Erfahrung entwickelt. Diese Evolution besteht aus zwei grundlegenden Prozessen (DE KLEER & BROWN, 1983, S. 156): der Konstruktion oder des *Entwurfs* des mentalen Modells und der *Simulation* des Ergebnisses dieser Konstruktion oder der Probelauf des Modells. Beide Prozesse sind jedoch *von der Konstruktion und dem Gebrauch von externen, materiellen, gesellschaftlich-kulturellen Modellen abgeschnitten*. Wie diese externen, vergegenständlichten Modelle entwickelt werden und wie sie mit den individuellen mentalen Modellen interagieren, bleibt ein geheimnisvoller Bereich außerhalb des Interesses der herrschenden kognitiven Psychologie. Diese isolationistische Form der Untersuchung lässt die mentalen Modelle der kognitiven Psychologie zu bloßen Filtern werden, langsam erneuerbaren Gegenständen des Konsums. Modelle werden ihres produktiven und instrumentellen Aspekts entkleidet.

Zweitens, als Konsequenz der ersten Beschränktheit scheint es keinen zufriedenstellenden Weg zu geben, das qualitative Niveau oder den Typ eines mentalen Modells zu bewerten. Eine große Menge verschiedener Klassifikationen und Typologien sind angeboten worden, aber jede von ihnen scheint gleichermaßen beliebig zu sein. Der Grund dafür liegt darin, dass die Klassifikationen und Typologien *keine historische Grundlage* besitzen. Solange die historischen Schritte der gesellschaftlichen Produktion von Modellen unerkannt bleiben, sind die Psychologen dazu verdammt, ihre privaten Lieblingstypologien *ad nauseam* immer wieder neu zu erfinden. Sie werden auch nicht in der Lage sein, die notwendigen zukünftigen Qualitäten von Modellen zu antizipieren und zu befördern.

Zu Beginn dieses Kapitels habe ich angemerkt, dass expansives Denken verlangt, dass die konsumtiven Gegenstände des Denkens in produktive Instrumente des Denkens transformiert werden. Begriffe, die etwas abbilden, müssen in instrumentelle Begriffe transformiert werden. Diese Transformation erfordert eine spezifische Form der Gegenständlichkeit-Instrumentalität. Modelle sind spezifisch vereinfachte und „gereinigte" Rekonstruktionen des wahrnehmungsmäßig gegebenen konkreten Gegenstandes, die für den Zweck geschaffen sind, unerwartete Informationen zu gewinnen oder unvorhergesehene Möglichkeiten des Gegenstandes auszuarbeiten. Modelle sind ein integrales Moment des Experimentierens. Indem sie gleichzeitig transparent und kompakt sind, funktionieren Modelle sowohl als Projektionen wie auch als Mittel der Konstruktion und Realisierung der Projektionen (DAVYDOV, 1977, S. 260-261).

WARTOFSKY versteht Modelle ganz in dieser Richtung. Für ihn besteht ein Modell nicht einfach in der Entität, die wir als das Modell verstehen, sondern potentiell eher in der Form der Handlung, die eine solche Entität selbst repräsentiert. In diesem Sinne „sind Modelle Verkörperungen des Zieles und gleichzeitig Instrumente der Zielerreichung" (WARTOFSKY, 1979, S. 142).

Modelle sind die spezifisch theoretischen oder expansiven Formen der *Idealität*. Das Ideelle existiert nur bei Menschen. Aber man kann die Menschen nicht verstehen als einzelnes Individuum mit einem Gehirn, sondern als konkretes Zusammensein von Menschen, die kollektiv ihre Lebenstätigkeit realisieren, als das Zusammen von gesellschaftlichen Beziehungen, die zwischen Menschen um den Prozess der gesellschaftlichen Produktion ihres Lebens herum entstehen. Nur in diesem Sinne ist das Ideelle innerhalb der Menschen.

> Das Ideelle existiert „innerhalb" des so aufgefassten Menschen, denn „innerhalb" denn innerhalb seiner befinden sich alle die die Dinge, durch welche die gesellschaftlich ihr Leben produzierenden Individuen „vermittelt" sind; – Worte, und Bücher, und Statuen, und Kirchen, und Klubs, und Fernsehtürme, und (vor allem!) Arbeitswerkzeuge ... Die ideelle Form ist die Form eines Dinges, aber außerhalb dieses Dinges, im Menschen, als Form seiner aktiven Lebenstätigkeit, als Zweck und Bedürfnis. Oder umgekehrt: sie ist eine Form der aktiven Lebenstätigkeit des Menschen, doch außerhalb des Menschen, und eben als Form des von ihm geschaffenen Dinges. Die „Idealität" selbst existiert im beständigen Wechsel dieser beiden Formen ihrer „äußeren Verkörperung", ohne mit einer von ihnen, gesondert genommen, zusammenzufallen. Sie existiert nur durch den unaufhörlichen Prozeß, in welchem sich die Form der Tätigkeit in die Form des Dinges verwandelt, und umgekehrt – die Form des Dinges in die Form der Tätigkeit (des gesellschaftlichen Menschen, versteht sich). (IL'ENKOV, 1994, S. 222)

Modelle als die spezifisch-theoretische Form der Idealität können fruchtbar unter zwei Perspektiven analysiert werden: der funktionalen und der historischen

Die Funktionsweise von Modellen beim theoretischen Denken – Darstellung und Diskussion

Unter dem Gesichtspunkt der Funktionsweise können drei allgemeine Schritte der Modellkonstruktion und -anwendung bestimmt werden. Theoretisches Denken beginnt mit der Konstituierung seines Gegenstandes. Der Gegenstand der Untersuchung wird mit Hilfe des vorhandenen Vorwissens über den Problembereich abgegrenzt. Diese Konstituierung des Gegenstandes geschieht oft auf eine stillschweigende Art und Weise, ohne dass das Individuum sich darum bewusst bemüht, als unreflektierte Projektion sozialer Konventionen und Beziehungen, in die das Individuum eingebettet ist. Der Gegenstand ist jedoch niemals direkt verfügbar, ohne konstituierende Handlungen des Subjekts – ohne dass er identifiziert und benannt wird. Dieser erste Schritt der Konstituierung des Gegenstandes oder der Problembestimmung kann in einer Abbildung wie folgt dargestellt werden (siehe Abb. 2.17)

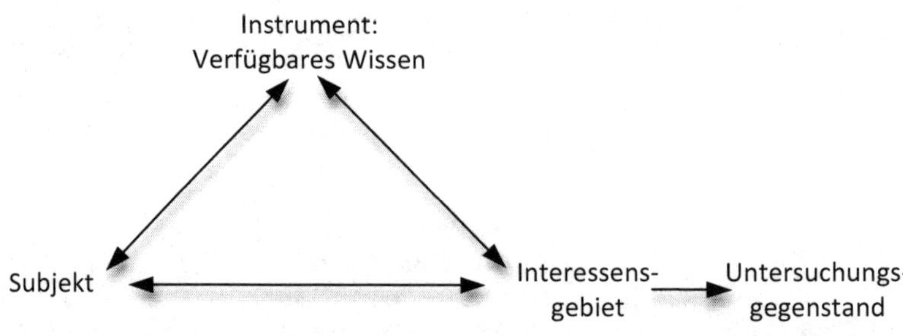

Abb. 2.17. Die Konstituierung des Gegenstandes als erster Schritt theoretischen Denken

Dieser oft unbewusste und implizite Schritt unterscheidet nicht zwischen der Theoriekonstruktion und einem beliebigen alltäglichen Problemlösen. Theoretisches Denken unterscheidet sich von anderen Formen des Denkens darin, dass es ein Modell des Gegenstandes konstruiert, wobei es versucht, die verborgenen Beziehungen oder Regelmäßigkeiten aufzudecken und sichtbar zu machen, die hinter dem beobachtbaren Verhalten des Gegenstandes liegen. Diese Konstruktion eines Modells geschieht mit Hilfe der Analogie: „Das Wesen der Theorie besteht also aus verschiedenen modellierenden Beziehungen, die Formen der Analogie darstellen" (HARRÉ, 1970, S. 35).

Die Analogie als Instrument besitzt eine enge Nachbarschaft zum Spiel und zur Imagination. Bei beiden macht das Subjekt „die Regel des Spiels" sichtbar oder die verborgenen Beziehungen des Gegenstandes transparent und durch verschiedene Formen des praktischen und mentalen Experimentierens wahrnehmbar.

Dieser zweite Schritt der Theoriekonstruktion ist ein Schritt in den Bereich der von BATESON so genannten „sekundären Prozesse" (1972, S. 185), d.h. ein Schritt hin zu bewusst externalisierten und vergegenständlichten Abstraktionen. Dieser Schritt ist in Abb. 2.18 schematisch dargestellt.

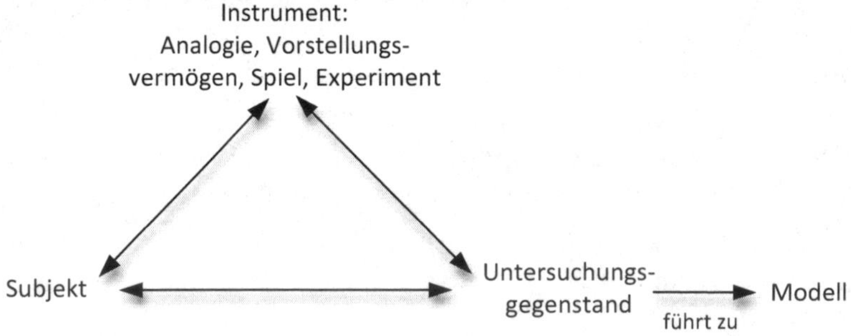

Abb. 2.18. Modellkonstruktion als zweiter Schritt theoretischen Denkens

Ein Modell ist noch keine voll entwickelte Theorie. Das theoretische Modell kann als Instrument der gleichzeitigen Entwicklung und Anwendung der Theorie betrachtet werden. Das Modell lädt zu Gedankenexperimenten und Konkretisierungen ein und provoziert sie. Wie WARTOFSKY (1979, S. 142) sagt, ist es „eine Erschaffung von etwas, das in Richtung auf die Zukunft arbeitet." Bei dieser Arbeit in Richtung auf die Zukunft arbeitet das Subjekt mit Hilfe des Modells nicht allein den Gegenstand aus. Es arbeitet ebenfalls das Modell aus, modifiziert es mit neueren, komplexeren Entwicklungsformen und Variationen. In anderen Worten es baut eine Theorie auf der Grundlage und mit Hilfe des Modells. Dies ist der dritte Schritt in der eigentlichen Theoriekonstruktion (Abb. 2.19). In dieser Sichtweise ist die Theorie eine aktive, sich entwickelnde Beziehung des Modells zu den Dingen, die das Modell repräsentieren soll. Seine Vergegenständlichungen nehmen die Formen von Aussagen, Kategorien, Regeln und Prozeduren an.

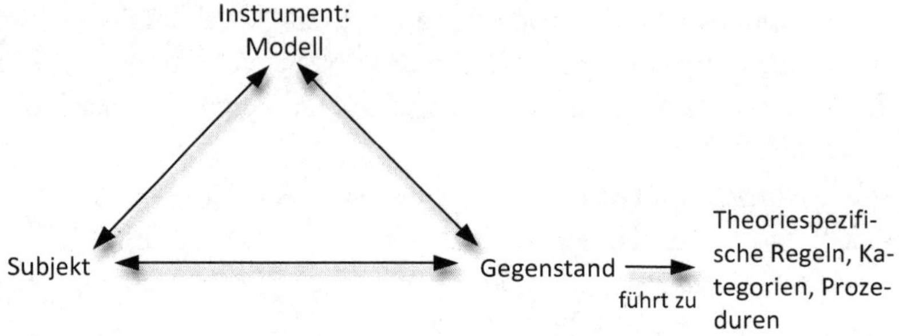

Abb. 2.19. Aufsteigen vom Abstrakten zum Konkreten als dritter Schritt theoretischen Denkens

Der oben beschriebene schrittweise Prozess erscheint klar und kompakt. In dieser Form ist der Prozess des Aufsteigens vom Abstrakten zum Konkreten oft in der marxistischen Literatur dargestellt: als ein im wesentlichen individueller und mentaler Prozess der Expansion. Er ist jedoch zu sauber und regelmäßig, um die kognitiv-instrumentellen Aspekte der Sprünge zu erfassen, die bei der Erschaffung von gesellschaftlich neuen Tätigkeitsstrukturen eine Rolle spielen.

Ein Blick auf die Abbildungen 2.17 bis 2.19 zeigt, dass Denken hier auf einen *einsamen* Prozess reduziert worden ist. Das Subjekt bleibt das Individuum. Eine Gemeinschaft ist explizit nicht beteiligt. Ebenso *bleibt der Gegenstand* vom Anfang bis zum Ende *der gleiche*. Es gibt keine strukturelle Expansion in diesen Beziehungen. Darüber hinaus besteht die Theorie als Endprodukt aus neuen *Repräsentationen* der Wirklichkeit; die Veränderung der Wirklichkeit selbst ist nicht impliziert.

Um es zusammenzufassen: Die oben beschriebenen Schritte bilden das theoretische Denken als eine Reihe von individuell situierten mentalen Handlungen ab. Der Prozess entspricht dem des Lernens IIb, wie er oben in Kapitel 3 dargestellt worden ist.

Es bleibt zu erklären, worin der qualitative Übergang dieser Reihe von individuellen, mentalen Handlungen zu einem neuen kollektiven, materiellen

Tätigkeitssystem besteht. Schematisch lässt sich das wie folgt darstellen (Abb. 2.20):

Das allgemeine zyklische Modell dieses expansiven Übergangs, oder die Zone der nächsten Entwicklung, ist in Abbildung 3.3 im vorigen Kapitel dargestellt worden. Hier geht es jedoch nun um die spezifischen kognitiven Instrumente, die für die bewusste oder intuitive Beherrschung dieses Übergangs benötigt werden. Bisher habe ich darauf hingewiesen, dass eine neue

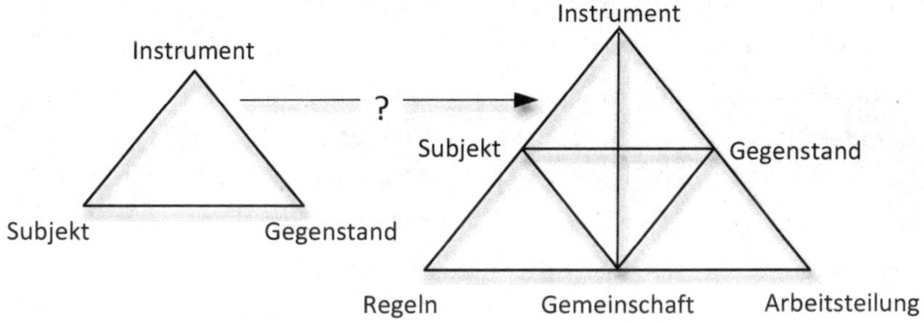

Abb. 2.20. Der Übergang von individuellen Handlungen zu kollektiver Tätigkeit

Konzeption des Begriffs erforderlich ist. Ich habe auch daraufhingewiesen, dass Modelle eine besondere Rolle innerhalb dieser neuen Konzeption des Begriffs spielen. Um aber die kognitiven Instrumente und ihre Funktionsweisen konkreter zu charakterisieren, müssen die aufeinander folgenden herrschenden historischen Formen des Übergangs analysiert werden. Meine funktionale Analyse wird also, in anderen Worten, notwendig eine historische Dimension annehmen. Die strikte Grenze zwischen funktionaler und historischer Analyse muss tendenziell überwunden werden.

Ich beginne diese funktional-historische Analyse damit, dass ich B. M. KEDROVS (1966/67, 1972) berühmte historische Falldarstellung über die Entdeckung des periodischen Systems der chemischen Elemente durch D. I. MENDELEEV aus dem Jahre 1869 neu interpretiere.

Die Entdeckung des Periodensystems der Elemente als Beispiel eines expansiven Übergangs

D. I. MENDELEEV entdeckte das Periodensystem im Jahre 1869. Als außergewöhnlich genaue Person bewahrte er alle jene Dokumente und Notizen vollständig auf, die etwas mit seiner Arbeit zu tun hatten, selbst relativ kleine und unbedeutende. Seit Ende der vierziger Jahre hat KEDROV intensive Untersuchungen im MENDELEEV-Museum der Universität Leningrad durchgeführt, um den Verlauf dieser großen Entdeckung mit Hilfe dieser Archivmaterialien zu rekonstruieren.

MENDELEEVs Entdeckung kann in viele Perioden aufgeteilt werden. Zunächst gab es eine Vorbereitungsperiode von ungefähr 15 Jahren (1854-1869). Zweitens fand die Entdeckung selbst an einem einzigen Tag statt, dem 17. Februar 1869. Drittens wurde die Entdeckung in einer anschließenden Periode von ungefähr 3 Jahren ausgearbeitet und verfeinert (Februar 1869 bis Dezember 1871). Schließlich benutzte MENDELEEV die verbleibenden 35 Jahre seines Lebens für die weniger intensive und dichte Aufgabe des Beweisens und Vervollständigens der Theorie und ihrer Durchsetzung in der Wissenschaftlergemeinschaft.

Das Tätigkeitssystem, das wir hier untersuchen, besteht in dem „unsichtbaren College" oder der Gemeinschaft Forscher in der Chemie der zweiten Hälfte des 19. Jahrhunderts. Typisch für Wissenschaft als allgemeine Arbeit ist, dass dieses Tätigkeitssystem aus außergewöhnlich verstreuten parallel arbeitenden Einheiten bestand. Aber diese waren noch relativ autonom und unabhängig voneinander.

> Das erste Niveau, auf welchem sich die überwältigende Mehrheit der Chemiker dieser Zeit befand, lief darauf hinaus, die Elemente in natürliche Gruppen einzuteilen, ohne sie auf eine Einheit zu beziehen. Die zweite Ebene bestand darin, das allgemeine Gesetz auszuarbeiten, das all diesen Elementen zugrunde liegt, und bestand also darin, die Gruppen miteinander zu verbinden, in die sie bereits eingeordnet waren. (KEDROV, 1966/67, S. 33)

Das *Hindernis* für einen expansiven Durchbruch von der spezifischen zu der allgemeinen Ebene bestand in der relativen Abgekürztheit der Standardprozedur.

> Die Gruppierung der Elemente entsprechend ihrer spezifischen Merkma-

> le war eine Tradition geworden und hatte sich im Bewußtsein der Chemiker verfestigt. Es wurde schließlich das stärkste Hindernis für die Weiterentwicklung der Wissenschaft. ... Tatsächlich erfordert die Gruppierung der Elemente nach ihren spezifischen Merkmalen, daß nur chemisch ähnliche Elemente miteinander verglichen und zueinander in Beziehung gebracht werden, während die chemisch unähnlichen und besonders chemisch entgegengesetzte Elemente nicht verglichen und auch nicht miteinander verbunden werden. Im Unterschied dazu erfordert der Übergang zu der allgemeinen Ebene, d.h. die Entdeckung eines allgemeinen Naturgesetzes, das *alle* Elemente umfaßt ... notwendigerweise die Verbindung nicht nur ähnlicher, sondern ganz besonders wichtig auch *unähnlicher* Elemente. (KEDROV, 1972, S. 88)

Die induktive Tradition machte es unmöglich, das Atomgewicht als die einheitliche Basis für die Konstruktion eines umfassenden Systems der Elemente zu nutzen – zu jener Zeit das einzige bekannte Merkmal, das allen Elementen gemeinsam war. Es hätte chemisch unähnliche und sogar polar entgegen gesetzte Elemente einander nähergebracht.

In dem Maße, in dem das Wissen über die Elemente und ihre spezifischen natürlichen Gruppen zunahm und technisch einfacher zu gewinnen war (durch Elektrolyse, Spektroskopie), wurden die Nachteile sichtbar, die sich aus dem Mangel des allgemeinen Prinzips der Ordnung der Elemente ergaben.

> Im 6. Jahrzehnt des 19. Jahrhunderts hatte die Chemie einen solchen Stand erreicht, daß die Chemiker eigentlich auf die eine oder andere Art und Weise einen Übergang von der ersten Ebene zu der zweiten Ebene hätten bewirken *müssen*. Das war die Aufgabe, vor die sich die Chemie durch die objektive Entwicklungslinie der Wissenschaft selbst gestellt sah. (KEDROV, 1966/67, S. 33)

Tatsächlich kamen wenigstens zwei andere Wissenschaftler, NEWLANDS in England und DE SHANCOURT in Frankreich, der Entdeckung zur gleichen Zeit wie MENDELEEV sehr nahe. Diese allgemeine *Notlage* innerhalb der chemischen Forschungstätigkeit war im Falle von MENDELEEV besonders kritisch. Zur Zeit der Entdeckung schrieb er sein umfangreiches Lehrbuch *Grundlagen der Chemie*.

> Der erste Teil dieses Buches war Ende 1868 vervollständigt, seine Abschlußkapitel waren der Gruppe der sehr starken nicht-metallischen Haloide (Halogene) gewidmet. Anschließend an die Haloide folgte die Gruppe der sehr starken Metalle – alkalische Metalle, denen der Autor die ersten beiden Kapitel des zweiten Teiles seines Buches widmete. Man kann annehmen, daß Mitte Februar 1869 beide Kapitel beendet waren, und der

> Autor sich nun mit der Aufgabe konfrontiert sah, zu entscheiden, welche Gruppe von Elementen nun den alkalischen Metallen im Buch folgen sollten. Dieses zu entscheiden, machte es aber notwendig, herauszuarbeiten, welche Metalle den alkalischen am nächsten waren. ... Um das zu beantworten, war es notwendig, irgendein allgemeines Prinzip zu finden, dementsprechend die Elemente in ihren Gruppen in einer bestimmten Ordnung präsentiert werden konnten. (KEDROV, 1966/67, S. 19)

MENDELEEVs chemische Forschungstätigkeit kann mit Hilfe des Dreiecksmodells charakterisiert werden, das in Kapitel 2 entwickelt worden ist (siehe Abb. 2.21).

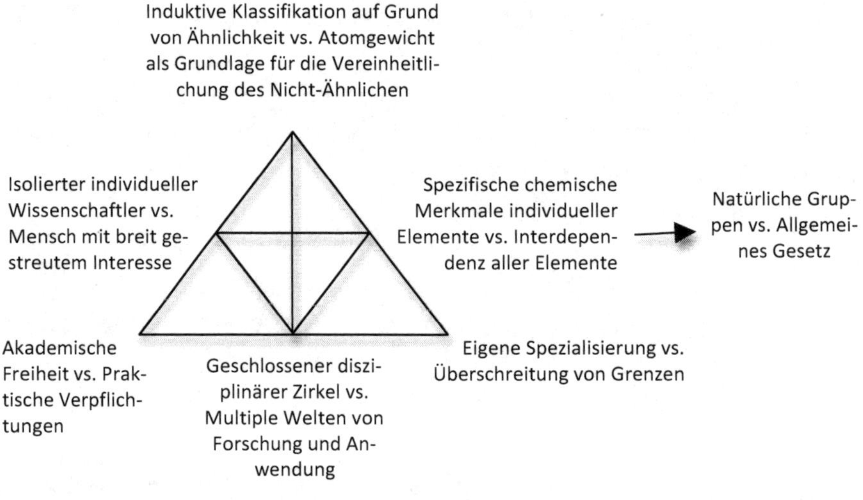

Abb. 2.21. Der primäre Widerspruch in MENDELEEVs chemischer Forschungstätigkeit

Diese persönliche kritische Zuspitzung der Notlage war jedoch nicht genug. Ein *fremdes Element* drang in das System der Forschungstätigkeit ein und intensivierte diesen Konflikt zu einem *sekundären Widerspruch*. Parallel zu seiner Forschung war MENDELEEV leidenschaftlich an der Entwicklung von kooperativen Programmen für die praktische Landwirtschaft beteiligt. Er hatte eine Inspektionsreise zu einigen Molkereien im Zentralrussland zwischen dem 17. und dem 28. Februar 1869 geplant. Nachdem er jedoch gerade die ersten beiden Kapitel wie oben erwähnt beendet hatte, waren seine Gedanken intensiv mit dem Problem der Fortsetzung des Buches beschäftigt. Gleichzeitig kam die Zeit für die Abreise näher.

> Dank dieser rein zufälligen Zustände und unerwartet für Mendeleev kamen am 17. Februar beide Linien seiner Tätigkeit während dieser Periode in Konflikt und kreuzten einander: Zunächst die Arbeit an den „Grundlagen der Chemie" und zweitens seine Reise in die Molkereikooperative. Da die Reise mit interessierten Organisationen besprochen war, gab es für Mendeleev keine andere Möglichkeit, als an diesem spezifischen Tag zu fahren. Dieser Umstand begrenzte die Zeit außerordentlich, die er erübrigen konnte, um sie dem Problem zu widmen, mit dem er konfrontiert war. ... In anderen Worten, Mendeleev gelang die Entdeckung des periodischen Gesetzes unter Bedingungen größter Zeitnot, und dies war der Ursprung eines ganz bestimmten Charakters und Weges in seiner Entwicklung. Die allgemeine psychologische Situation Mendeleevs am Tage der Entdeckung kann man mit der Situation eines Schachmeisters bezeichnen, der sich in einem Spiel von Anfang an in Zeitnot befindet, aber, koste es, was es wolle, danach strebt, einen Sieg trotz der ungünstigen Bedingungen zu erringen. (KEDROV, 1966/67, S. 20)

Das fremde Element, das in die Forschungstätigkeit eingedrungen war, war also eine neue Regel, nämlich die des Zeitelements. Dies ist jedoch immer noch ein unzureichendes Bild der Bedingungen, unter denen die Entdeckung stattfand. Tatsächlich fand MENDELEEV schnell eine partielle, halb intuitive Lösung des Problems was das nächste Kapitel seines Buches betraf.

> Als Mendeleev die Antwort auf die Frage gefunden hatte, die ihn interessierte – welche Gruppe der Metalle nach den alkalischen Metallen in seinen Grundlagen der Chemie behandelt werden sollten – betrachtete er seine Arbeit nicht als abgeschlossen. ... Es ging ihm nun darum, die Entdeckung der Gesetzmäßigkeit bis zum Ende durchzuführen, die er bereits in seinen ersten Annäherungen gefunden hatte. ...
>
> Es stellte sich jedoch heraus, daß die ursprüngliche Methode der Konstruktion der Periodentafel der Elemente, sukzessiv ein Element nach dem anderen einzutragen, nicht auf die Menge aller Elemente anwendbar war, auch wenn sie in der ersten Phase der Entdeckung erfolgreich gewesen war. Der Punkt war: wenn Mendeleev mit den gut bekannten Elementen arbeitete, fanden alle mit wenigen Ausnahmen ihren Platz in der Periodentafel, auch wenn sie anschließend ihre Plätze tauschen mussten, waren solche Fehler doch selten und beeinträchtigten nicht das Gesamtbild der Organisation der Elemente, die sich im Augenblick auf der Periodentafel befanden. Als Mendeleev jedoch versuchte, mit den gleichen Mitteln eine Grundlage dafür zu finden, die weniger gut bekannten Elemente einzuschießen, wurde die Zahl der notwendigen Korrekturen, Verschiebungen und Löschungen so umfangreich, daß sie mit dem Fortschritt der Entdeckung in Konflikt gerieten. In jedem Fall die halbfertige Tafel wieder von Anfang an neu abzuschreiben ... war praktisch unmöglich. Dies hätte so viel Zeit gekostet, daß man nicht daran hätte denken können, diese Arbeit an einem Tag abzuschließen (er musste ja am folgenden Tag

> die Kooperativen aufsuchen). Die *Zeitnot* ... erforderte eine bequemere Methode um die in der Entwicklung befindliche Entdeckung zum Abschluss zu bringen. (KEDROV, 1966/67, S. 23-24)

Diese Situation, der scharfe Widerspruch zwischen einer sich entwickelnden Idee und den fehlenden Instrumenten für ihre Formulierung und Ausarbeitung, spitzte sich bis zu einem Punkt zu, an dem Anzeichen für ein Doublebind auftauchten.

> Genau zu diesem Moment, so schien es, rief sein Freund A. A. Inostrantzev an und fand MENDELEEV in einer finsteren, depressiven Stimmung. Inostrantzev berichtet, dass MENDELEEV davon zu sprechen begann, wie zukünftig die Darstellung des periodischen Systems der Elemente aussehen sollte. Aber zu diesem Zeitpunkt war das Gesetz noch nicht formuliert und die Tafel noch nicht vervollständigt. „Ich habe es alles fertig in meinem Kopf", sagte MENDELEEV bitter, „aber ich kann es nicht in der Tafel darstellen." ...
>
> MENDELEEV selbst ... schrieb in sein Tagebuch, dass er nach einer Periode des Enthusiasmus plötzlich in ein Loch oder sogar in eine Depression fiel, was manchmal in Tränen endete (KEDROV 1966/67, S. 24)

Wie gelang es MENDELEEV, die Doublebind-Situation zu durchbrechen? Hieran war eine interessante, offensichtlich zufällige Analogie als Sprungbrett beteiligt.

> Es sollte erwähnt werden, daß Mendeleev es liebte, Patiencen zu spielen, bei denen ja die gut gemischten Karten nach bestimmten Regeln ausgelegt werden müssen, die zu einem bestimmten Muster führen, wenn man sie nach Farbe und Kartenwert auslegt. Die Analogie zu der Verteilung der Elemente ist fast vollständig gegeben. Als er sich diesem Problem zuwandte, waren zwei unvollständige Tafeln der Elemente bereits zu Papier gebracht, und diese enthielten bereits sehr klar eine Verteilung der Elemente in zwei Dimensionen: horizontal, entsprechend ihrer allgemeinen chemischen Eigenschaften oder chemischen Ähnlichkeiten (was einer Anordnung von Spielkarten nach der Farbe entsprechen würde) und vertikal, entsprechend der Nähe ihrer Atomgewichte (was einer Anordnung der Spielkarten nach ihrem Kartenwert entsprechen würde). (KEDROV, 1966/67, S. 24)

Das Sprungbrett bestand also aus einer Technik und einem Bild, die einer Freizeitbeschäftigung entnommen waren, von der Forschungsarbeit ziemlich weit entfernt, aber der Person sehr vertraut. Diese Art der Assoziation mag rein zufällig und beliebig aussehen. Dies ist jedoch nicht die ganze Wahrheit. Im Prinzip ist die gleiche Analogie bereits früher in einer anderen Problemsituation von dem bekannten Wissenschaftler GERHARDT benutzt worden. GERHARDT zog eine Parallele zwischen der Anordnung der Karten nach Farbe und Kartenwert auf der einen Seite und der Anordnung organischer Substanzen in homologen und genetischen Reihen auf der anderen Seite. MENDELEEV betrachtete sich als einen von GERHARDTs überzeugten Anhängern und war natürlich mit dieser früheren Anwendung vertraut.

Mit der Hilfe dieses Sprungbretts konstruierte MENDELEEV seine berühmte „chemische Patience", die schnell „in ein allgemeines Bild des zukünftigen Systems der Elemente in seiner Vollständigkeit überging" (KEDROV, 1966/67, S. 26). In anderen Worten, das *neue allgemeine Modell des Gegenstandes* der chemischen Forschungstätigkeit war formuliert.

Der Verlauf der Entdeckung kann jetzt mit Hilfe einer Tabelle zusammengefasst werden (Tabelle 4.3), die denjenigen ähnelt, die in den Fällen von *Huckleberry Finn* (Tabelle 3.3) und den *Sieben Brüdern* (Tabelle 3.4) aufgeführt worden sind.

Tabelle 4.3 präsentiert graphisch das Problem, das nicht nur für KEDROVs Fall, sondern für die meisten Beschreibungen wissenschaftlicher Entdeckungen gegeben ist. Der Übergang vom Singulären und Spezifischen zum Allgemeinen wird nur die Hälfte des Weges verfolgt bis zu dem Punkt der Formulierung und Modellierung des neuen Gesetzes oder Prinzips. Dies ist aber noch nicht die wirkliche Ebene der Allgemeinheit.

Wie transformiert das neue allgemeine Modell die Struktur und den Inhalt der in Frage stehenden praktischen wissenschaftlichen Forschungstätigkeit? Was ist die Natur der tertiären und quartären Widersprüche?

Diese Fragen werden unbeantwortet gelassen, als ob sie als unwesentlich für ein Verständnis der wissenschaftlichen Kreativität betrachtet werden. In meiner Analyse werden diese Fragen als überaus wichtig betrachtet.

Es gibt einen Grund für die allgemeine Vernachlässigung dieser Phasen in Berichten von Entdeckungen. Eine „klassische" Entdeckung, so wie die von MENDELEEV, wird typischerweise von einem genialen individuellen Wissenschaftler gemacht, der sein Handwerk versteht. Eine solche Entdeckung, wenigstens in ihrer intensiven Phase, scheint in dem Punkt zu kulminieren, indem der individuelle Handwerker-Wissenschaftler seine revolutionären Ergebnisse publiziert und sie metaphorisch gesprochen an die Wissenschaftlergemeinschaft (damit indirekt an die Gesellschaft im ganzen) zum Zwecke der Beurteilung und möglicher Anwendungen weitergibt. Die diskontinuierliche Natur dieser historischen Form von Übergang macht es schwer, das ungeheure Potential zu erkennen, das in der Emergenz des geschaffenen Neuen durch die tertiären Widersprüche eingebettet ist.

Tabelle 2.7. Die Verlaufsstruktur der Entdeckung des Periodengesetzes

Widerspruch	Phase	Thema Nach Kedrov
Primär innerhalb der Bestandteile der alten Tätigkeit	Notlage	Allgemein: die induktive klassifikatorische Tradition vs. das Bedürfnis, den wachsenden Umfang und die Komplexität der Elemente zu beherrschen
		Individuell: die Bestimmung der Gruppe von Elementen für das nächste Kapitel des Buches
Sekundär zwischen den Bestandteilen der alten Tätigkeit	Doublebind	Eindringen einer neuen Regel (Zeitdruck) vs. alte Instrumente (induktive Klassifikation, schrittweises Vorgehen
	Herausbildung von Gegenstand/ Motiv	Die Idee der Patience als Sprungbrett Neuer Gegenstand: alle Elemente in einem umfassenden System Neues allgemeines Modell: das periodische Gesetz, dargestellt in der Periodentafel
Tertiär zwischen der alten und der gegebenen neuen Tätigkeit/Motiv (zwischen dem bloß verstandenen und dem tatsächlichen Motiv)	Anwendung, Verallgemeinerung; einzelne Handlungen der gegebenen neuen Tätigkeit	?

Macht es aber irgendeinen Sinn, über das *gegebene Neue* im Fall einer großen wissenschaftlichen Entdeckung zu sprechen? Ist nicht alles neu geschaffen?

Ich bin davon überzeugt, dass wissenschaftliche Entdeckungen genau wie expansive Entwicklungen in alltäglicheren Tätigkeitssystemen zum großen Teil auf Leistungen der Synthetisierung und Kristallisierung von Elementen beruhen, die bereits „da" waren. In MENDELEEVs Fall waren die Atomgewichte bereits bekannt. Ganz sicher ist in diesem Fall das gegebene Neue verschieden von dem der *Sieben Brüder* zum Beispiel. Wissenschaft als *allgemeine Arbeit* produziert starke Verallgemeinerungen. Der dynamischste und revolutionärste Aspekt wissenschaftlicher Entdeckungen folgt jedoch aus den unerwarteten Fragen und aus den Ideen, die entstehen, während diese Fragen assimiliert, diskutiert, verallgemeinert und angewandt werden. Der Psychologe oder Historiker, der wissenschaftliche Kreativität untersucht, ist gewöhnlich am kreativen Individuum interessiert. Er verliert so die expansive Entwicklung aus dem Blick, sobald das Subjekt des Prozesses nicht länger das individuelle Genie, sondern ein Kollektiv oder verschiedene Kollektive sind.

Als MENDELEEVs kreativer Prozess seine intensiven Phasen erreichte, betritt eine neue Regel – das Zeitlimit – die untere linke Ecke des Dreiecks in Abbildung 2.21. Zur Lösung des Widerspruchs zwischen der neuen Regel und den alten Instrumenten erscheint in der obersten Ecke ein provisorisches *neues Instrument*, die Patience, in der Funktion eines Sprungbretts. Diese neuen Bedingungen führen zu einem expansiven Übergang an der Stelle, an der sich ein qualitativ *neues Ergebnis* von MENDELEEVs Handlungen zeigt: nicht einfach neues, spezifisches, klassifikatorisches Wissen über die Elemente, sondern ein vollständig neues allgemeines Prinzip des Verständnisses ihrer Beziehungen – das periodische Gesetz. Dieses Ergebnis wurde in eine *neue Art von allgemeinem Instrument* transformiert, welches dann zu einer qualitativ neuen Entwicklungsform der chemischen Forschungstätigkeit führte.

Dieser historische Typus von Tätigkeit und von expansivem Übergang entspricht dem klassischen Ideal der universitären Forschung. Der geniale individuelle Wissenschaftler und sein selbstloses Streben nach reiner Wahrheit scheinen die herausragenden Beweggründe hinter großen Entdeckungen zu sein. In neueren Zeiten hat Michael POLANYI (1958) diesen Typus des Übergangs zu einem zeitlosen Modell jedweder Forschungsarbeit gemacht. POLANYIs Konzeption von Wissenschaft als Tätigkeit kann mit Hilfe von Abb. 2.22 dargestellt werden.

Die bemerkenswerte Eigenschaft dieses Modells besteht in dem Mangel von inneren Widersprüchen. Druck in Richtung auf Veränderung wird als äußere Bedrohung und nicht als Manifestation der inneren Dynamik der Forschungstätigkeit betrachtet.

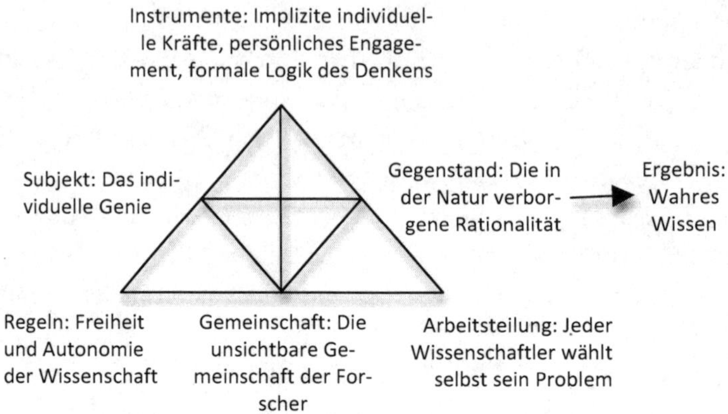

Abb. 2.22. POLANYIS Wissenschaftskonzeption (nach MIETTINEN 1986)

Jerome RAVETZ (1971, S. 128; meine Hervorhebung, Y.E.) schlussfolgert, indem er sich direkt auf POLANYI bezieht, dass *„wissenschaftliche Arbeit* zwangsläufig eine *handwerkliche Tätigkeit* ist, bei der eine persönliche Vertrautheit mit bestimmten Dingen und ein feines Urteil über deren Eigenschaften nötig ist.

Ein weiteres Beispiel: Von der Kernspaltung zum Manhattan-Projekt

Die Position von POLANYI und RAVETZ, Wissenschaft als ahistorisches Handwerk zu betrachten, lässt sie geradezu bedauernswert hilflos aussehen, wenn sie mit der Tatsache der Industrialisierung der Wissenschaft konfrontiert sind. Das Werkzeug, das sie Wissenschaftlern anbieten, ist eine geschärfte moralische Bewusstheit. Besonders in RAVETZ Arbeit gibt es einen auffallenden Widerspruch zwischen der ganz genauen Beschreibung der Industrialisierung der Forschung und dem Insistieren auf der immerwährenden handwerklichen Qualität der wissenschaftlichen Arbeit.

> In den letzten Jahren hat sich die Vision von der „Wissenschaft" als der Suche nach dem Guten und dem Wahren stark verdüstert und soziologische und ethische Probleme häufen sich von allen Seiten an ... Das bedeutet zunächst das Vorherrschen kapitalintensiver Forschung und als deren soziologische Folge eine Machtkonzentration in bestimmten Sektoren der Gemeinschaft. Es schließt auch die gegenseitige Durchdringung von Wissenschaft und Industrie mit ein und die damit verbundene Verwischung

> der Grenzen, die ermöglichten, daß unterschiedliche Arbeitsstile mit ihrem jeweils angemessenen Verhaltenskodex und ihren unterschiedlichen Idealen nebeneinander bestehen konnten. Ferner bedeutet die Industrialisierung große Maßstäbe sowohl bei den einzelnen Einheiten als auch insgesamt mit dem sich daraus ergebenen Verfall eines Netzes von informellen persönlichen Kontakten, die ein Bindungselement einer Gemeinschaft sind. Schließlich bringt diese Entwicklung jene Instabilität und jene Empfindung eines raschen, aber unkontrollierten Wandels in die Wissenschaft, die für Handel und Industrie in unserer Zivilisation typisch sind. (RAVETZ, 1973, S. 35)

Die Industrialisierung der Wissenschaft bedeutet den Durchbruch der Großforschung (PRICE, 1963; WEINBERG, 1967), großangelegter Forschungsprojekte und Forschungsinstitute mit kostenintensiver Ausstattung und komplexer Organisation.

> Diese Veränderung ist genauso grundlegend wie jene, die sich in der Volkswirtschaft vollzog, als unabhängige Handwerker durch kapitalintensive Fabriksproduktion mit Lohnarbeitern ersetzt wurden. Die gesellschaftlichen Folgen der industriellen Revolution waren sehr tiefgehend – die im Detail nicht vergleichbaren Folgen der gegenwärtigen Veränderungen in der Wissenschaft sind es nicht minder. Mit dem Verlust seiner Unabhängigkeit bleiben für den Wissenschaftler drei mögliche Rollen:
>
> Entweder er wird ein Angestellter, der unter Aufsicht eines Vorgesetzten arbeitet; oder er wird ein individueller freiberuflicher Mitarbeiter der investierenden Stellen, der von aufeinanderfolgenden kleinen Dotationen lebt; oder er wird selbst zum Unternehmer, der eine Einheit oder Einrichtung leitet, die auf Grund von Kontrakten mit entsprechenden Stellen Forschung in großem Maßstab produziert. (RAVETZ, 1973, S. 51)

Will man den historischen Typus von Forschungsarbeit, wie er typisch für MENDELEEVs Entdeckungen war (und von POLANYI und RAVETZ idealisiert wird), als *Handwerk* bezeichnen, dann kann man diese neue Form als *rationalisierte* Forschung bezeichnen. Ihr primärer innerer Widerspruch ist der jener Lohnarbeit im Kapitalismus.

> Es entwickelt sich dann eine Forschungsfirma, die mit der Produktion von Ergebnissen in Durchführung von Kontrakten Profit macht. Der Direktor einer solchen Anstalt ist dann wirklich ein Entrepreneur, der mit einem Bündel von zu erwartenden, bestehenden, erweiterungsfähigen, erneuerbaren und umwandelbaren Kontrakten verschiedener Abteilungen einer oder verschiedener Stellen jonglieren muß. Das Geschäft ist selbstverständlich unsicher, denn sein einziges Kapital sind seine guten Beziehungen zu jenen, die über die Vergabe von Mitteln entscheiden. In einer solchen Forschungsfabrik sind die Umstände im allgemeinen nicht gerade förderlich für jene langsame, sorgfältige und selbstkritische Ar-

> beitsweise, die die Voraussetzung für die Erzielung wirklich guter wissenschaftlicher Ergebnisse ist. So können viele, die meisten oder sogar alle dort durchgeführten Arbeiten unsolid sein; aber der Entrepreneur arbeitet nicht für den traditionellen Markt unabhängiger Handwerksproduzenten, die den Wert einer Arbeit in allgemeiner Übereinstimmung taxieren. Solange er seine Kontaktleute zufriedenstellen oder sie zumindest in dem Glauben halten kann, daß sie bei einer Stornierung oder Nichterneuerung seiner Kontrakte mehr zu verlieren haben als bei ihrer Fortsetzung (weil sie sich ja in ersterem Falle auch selbst. bloßstellen würden), wird sein Geschäft florieren. (RAVETZ, 1973, S. 65-66)

Die auffälligsten neuen Bestandteile der Forschungstätigkeit können folgendermaßen aufgelistet werden, (a) Teure und komplizierte technologische *Instrumente* machen die Finanzierung durch den Staat, das Militär oder die Industrie notwendig. (b) Die Instrumente ermöglichen es, unerwartete praktische Anwendungen von neugefundenen Naturgesetzen zu finden, und dies schafft ein Bedürfnis nach neuen Formen von Forschungs*gegenständen* und *-ergebnissen*. (c) In der Konsequenz besteht die Gemeinschaft der Forscher nicht länger in dem unsichtbaren College der freien Wissenschaftler, sondern in einem großen Projekt, einem Institut oder Konglomerat, das aus Forschern und Unternehmern, oft auch aus Mitgliedern der staatlichen Bürokratie und des Militärs besteht, (d) Diese Gemeinschaft reorganisiert sehr schnell das Subjekt der Forschung – das geniale Individuum wird durch Projekt- oder Institutsmanager ersetzt (wobei dem individuellen Forscher eine mehr oder weniger anonyme Rolle zufällt), (e) Die Gemeinschaft ist neuen Formen von *Regeln* unterworfen, besonders Regeln der Geheimhaltung und des Zeitbudgets (man erinnere sich an MENDELEEVs *Zeitnot*: sie wird nun zu einem institutionalisierten Merkmal), (f) Die Gemeinschaft unterliegt auch einer neuen inneren *Arbeitsteilung*, was vor allem eine horizontale Abschottung und eine vertikale Hierarchisierung (die Trennung von Planung und Ausführung) innerhalb der Forschungsorganisation bedeutet.

Das erste und berühmteste Beispiel rationalisierter Forschungsarbeit stellt das Manhattan-Projekt dar. An ihm waren insgesamt 150.000 Menschen beteiligt, und seine Kosten beliefen sich auf ungefähr 2 Milliarden US $. Die Geschichte des Projekts ist in vielen Veröffentlichungen dokumentiert und analysiert. Eine der konkretesten und detailliertesten unter diesen Geschichten ist Robert JUNGKs (1990) *Heller als tausend Sonnen: das Schicksal der Atom-Forscher*. Es basiert auf Interviews und Briefen einer bemerkenswerten Anzahl von Personen, die im Zentrum jenes Prozesses standen, der von der Entdeckung der Kernspaltung zu der Entwicklung und dem Gebrauch von Atom- und Wasserstoffbomben führte. Ich werde diesen Prozess des expansiven Übergangs mit Hilfe der bereits in den vorhergehenden Fallanalysen benutzten Mittel darstellen und zusammenfassen.

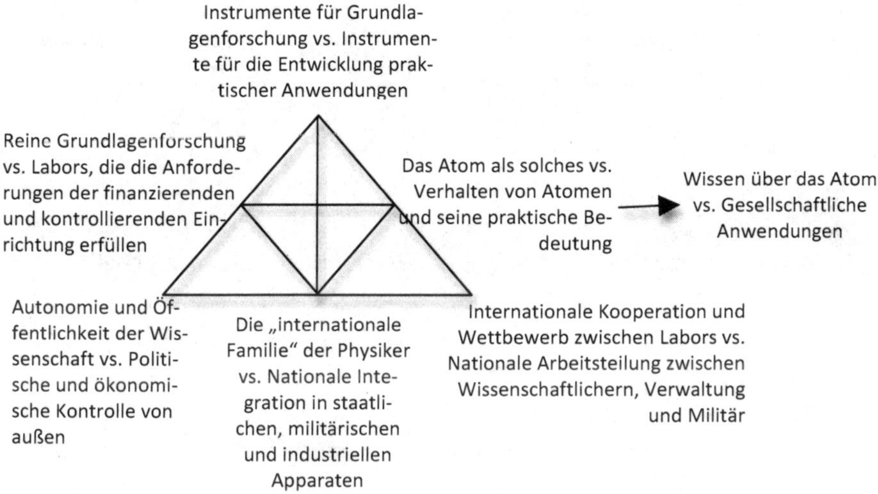

Abb. 2.23. Der primäre Widerspruch der atomphysikalischen Forschungstätigkeit an der Neige ihrer Phase der Unschuld

Ich will zunächst eine Darstellung der späten handwerklichen Form der Forschung in der Atomphysik geben, wie sie während der zwanziger und dreißiger Jahre existierte und florierte (Abb. 2.23). Man merkt sofort, dass die Tätigkeit von Abb. 2.23 eine späte Entwicklungsform der Wissenschaft als Handwerk darstellt. Der Gegenstand ist nicht länger bloß ein Individuum, sondern ein Laboratorium – auch wenn dieses sehr stark durch ein prominentes Individuum identifiziert ist und von ihm geführt wird. Die Arbeitsteilung wird beherrscht von einem internationalen Wettbewerb zwischen den Laboratorien. Und was am wichtigsten ist: die Instrumente werden sehr schnell sehr teuer und komplex.

Innerhalb dieses Tätigkeitssystems wurde die *Notlage* als ungeheure Unsicherheit und Aufregung erfahren. Dies wurde durch den Zusammenbruch des Weltbildes der klassischen Physik in der Folge einer Reihe von revolutionären Entdeckungen verursacht» die in EINSTEINS Relativitätstheorie kulminierten. Die CURIES, RUTHERFORD und BOHR zeigten, dass das Unteilbare tatsächlich geteilt werden konnte. Unter den führenden Physikern entstand eine wachsende, aber noch unbestimmte Bewusstheit davon, dass ihre Forschung es mit unbekannten Kräften zu tun hat, deren Entfesselung möglicherweise große gesellschaftliche Konsequenzen haben würde. JUNGK (1990, S. 28) zitiert den deutschen Physiker und Nobelpreisträger Walter NERNST, der im Jahre 1921 schrieb:

> Wir leben sozusagen auf einer Insel von Schießbaumwolle, ... für die wir Gott sei Dank das anzündende Streichholz noch nicht gefunden haben.

Man könnte sagen, dass der primäre innere Widerspruch dieser Form von Forschungstätigkeit zwischen der grundsätzlich individuell-autonomen Form der wissenschaftlichen Arbeit und den zunehmend gesellschaftlichen Konsequenzen und Folgen der Instrumente, Gegenstände und Ergebnisse dieser Arbeit bestand. Wie JUNGK (1990, S. 24) hervorhebt, hatte bereits der erste Weltkrieg tatsächlich die Grundlage der unschuldigen Isolation der Laboratorien von der blutigen Wirklichkeit der restlichen Gesellschaft erschüttert. Das außergewöhnlich kreative Ferment innerhalb der Familie der Physiker schien aber während der zwanziger und dreißiger Jahre zeitweilig ihre Autonomie zu stärken.

Der sekundäre Widerspruch und die Möglichkeit des Doublebind ergab sich aus einem zweifachen Prozess. Erstens aus CHADWICKs Entdeckung des Neutrons im Jahre 1932, und einer Reihe von Fortschritten in der Experimental-Physik, die sich daran anschlossen und die Forscher an die Schwelle der Atomspaltung führten. Zweitens drang ein vollständig anderes Tätigkeitssystem, nämlich die Politik, in die Forschungstätigkeit ein. Die stärkste Intervention kam von den Nazis, zunächst als Verfolgung zahlreicher jüdischer Wissenschaftler, später als Unterordnung der Grundlagenforschung unter militärische Zielsetzungen.

> Welch außerordentliches Zusammentreffen aber, dass innerhalb der gleichen zwölf Monate das Neutron entdeckt (Februar 1932), Roosevelt gewählt wurde (November 1932) und Hitler die deutsche Regierung übernahm (Januar 1933)! (JUNGK, 1990, S. 73)

Der sekundäre Widerspruch war geschaffen, er spitzte sich in einem Doublebind zu und expandierte in zwei Wellen. Die erste Welle resultierte in der Entdeckung der Kernspaltung durch Otto HAHN gegen Ende des Jahres 1938.

Die zweite Welle führte zum Startschuss für das Manhattan-Projekt im Jahre 1942.

Die Schranke, die in der ersten Welle überwunden werden musste, war noch eine „rein wissenschaftliche", die an MENDELEEVs Fall erinnert.

> Muß man sich vergegenwärtigen, daß nach den damaligen Vorstellungen der Physik nur Geschosse von einer bisher noch nicht erzielten Durchschlagskraft imstande sein würden, in den Kern eines schweren Atoms einzudringen und ihn zu spalten. ... Die Vorstellung, daß den Neutronen, die überhaupt keine elektrische Ladung tragen, gelungen sein sollte, was man mit den schweren Geschossen nicht erreicht hatte, war zu phantastisch, als daß man an sie glauben konnte. (JUNGK, 1990, S. 85)

In MENDELEEVs Fall bestand das fremde (und offensichtlich zufällige) Element, das die Problemsituation zu einem Doublebind zuspitzte, in der Regel der *Zeitnot*. Im Fall der Atomphysik bestand das fremde Element ebenfalls in einer Regel – der Regel der Rassenpolitik der Nazis.

Der Hintergrund bestand in einer Rivalität zwischen zwei in dem Feld führenden Wissenschaftlerinnen, Irène JOLIOT-CURIE aus Paris und Lise MEITNER aus Berlin, wobei letztere jahrelang die engste Mitarbeiterin Otto HAHNs gewesen war.

Die oben charakterisierte Schranke hätte tatsächlich nur dann überwunden werden können, wenn die Ergebnisse und Verfahren der beiden Laboratorien in Paris und Berlin-Dahlem zusammengefügt worden wären. Die Rivalität machte dies unmöglich, und das ging so weit, dass HAHN es ablehnte, JOLIOT-CURIEs wissenschaftliche Veröffentlichungen zu lesen. Im Jahre 1938 aber stand die Nazi-Regierung kurz davor, MEITNER wegen ihrer jüdischen Herkunft zu verhaften. Sie emigrierte überstürzt aus Deutschland. STRASSMANN, HAHNs neue rechte Hand, las JOLIOT-CURIEs neuen Artikel, und er zwang buchstäblich HAHN, ihn zur Kenntnis zu nehmen, indem er ihn laut vorlas.

> „Das schlug bei Hahn ein wie der Blitz", erinnert sich sein Mitarbeiter. „Er rauchte nicht einmal seine Zigarre zu Ende, legte sie brennend auf dem Schreibtisch ab und lief mit mir hinunter ins Labor. (JUNGK, 1990, S. 89)

HAHN verfolgte nun die neue experimentelle Spur und entdeckte den grundlegenden Mechanismus der Atomspaltung, den er sofort am 22. Dezember 1938 zur Publikation absandte. HAHNs eigene theoretische Verallgemeinerungen waren jedoch noch zögerlich. Lise MEITNER war nach Schweden gegangen, wo sie isoliert lebte. Sie hatte soeben einen jungen Verwandten, den

Physiker O. R. FRISCH aus Niels BOHRS Laboratorium eingeladen, um Weihnachten mit ihm zu verbringen. Da erhielt sie den Brief von HAHN, der die revolutionären Ergebnisse der neuen Experimente enthielt. MEITNER ihrerseits zwang FRISCH buchstäblich, ihren Überlegungen zu diesen Ergebnissen zu lauschen. Diese Konversation und die sich daran anschließenden führten zu einem gemeinsamen Artikel von MEITNER und FRISCH (in der Ausgabe von *Nature* vom Februar 1939), in dem eine plausible theoretische Interpretation auf der Grundlage von HAHNS experimentellen Ergebnissen gegeben wurde. Das Konzept der Kernspaltung war geboren.

In der ersten Welle wurde der Doublebind wohl als hoffnungsloses, sachliches und soziales Auseinanderbrechen einer äußerst fruchtbaren Zusammenarbeit in der Forschungstätigkeit erfahren. MEITNERS Emigration schwächte das Berliner Laboratorium ganz beträchtlich (dessen Anstrengungen aber sowieso im entscheidenden Punkt auf der falschen Spur waren) und an eine Zusammenarbeit mit dem konkurrierenden Pariser Laboratorium war nicht zu denken. In dieser offensichtlichen Sackgasse funktionierten die neuen sozialen Konstellationen (die zwei neuen Dyaden, HAHN – STRASSMANN und MEITNER – FRISCH, die nur in indirekter Kommunikation miteinander standen) als *Sprungbrett*.

In anderen Worten: Es scheint, dass es nicht nur instrumentelle, sondern auch soziale Sprungbretter gegeben hat, die aus neuen intersubjektiven Formierungen oder Neukombinationen bestanden.

Der Widerspruch der zweiten Welle wurde durch das fremde politische und militärische Element (die Hitler-Bürokratie) gebildet, das in die Gemeinschaft der Physiker eingedrungen war und nun drohte, indem es HAHNS Entdeckung als Instrument benutzte, den Gegenstand und das Ergebnis der Tätigkeit in eine Kraft des Bösen umzuwandeln: die Atombombe. Der Widerspruch bildete sich in anderen Worten zwischen dem maßgeblichem Subjekt (den relativ autonomen Forschern in den Laboratorien) und der sich entwickelnden neuen Gemeinschaft (den Physikern, die in einer Ansammlung von Politikern und Offiziellen des Militärs eingebettet waren) heraus. Das Paradox bestand darin, dass das alte Subjekt versuchte, den Eindringlingen eine Niederlage zu bereiten, indem es andere, mindestens ebenbürtige Eindringlinge einlud. Es wurde versucht, die Atombombe zu stoppen, indem eine Atombombe entwickelt wurde.

Der Doublebind, der sich daran anschloss, bestand in dem bekannten Kampf von Leo SZILARD und seinen Mitstreitern (der im April 1939 begann), die amerikanische Regierung von der Notwendigkeit zu überzeugen, praktische Maßnahmen gegen die Gefahr der möglichen Herstellung einer Atombombe in Deutschland Hitlers zu ergreifen.

> Szilard, Wigner, Teller und Weißkopf mußten sowohl innere wie äußere Hemmungen überwinden, ehe sie Kontakt mit der amerikanischen Regierung aufnehmen konnten. Erstens brachten sie als frühere Mitteleuropäer prinzipiell jeder Regierung, vor allem aber Militärbehörden, höchst wenig Vertrauen entgegen. Zweitens war keiner von ihnen geborener Amerikaner. Mit Ausnahme Wigners waren sie noch nicht einmal lange genug eingewandert, um schon Staatsbürger zu sein. Während sich Szilard und seine Freunde noch den Kopf darüber zerbrachen, wie sie mit einer wirklich einflußreichen Behörde ins Gespräch kommen könnten, erreichte sie die vertrauliche Nachricht, daß im Dritten Reich bereits mit Wissen und Unterstützung der Behörden an dem „Uran-Problem" gearbeitet werde. Es schienen sich also die schlimmsten Befürchtungen der emigrierten Atomforscher zu bestätigen. (JUNGK, 1990, S. 102)

SZILARD und WIGNER besuchten im Juli 1939 EINSTEIN – ebenfalls Pazifist – um ihn dazu zu bewegen, seine Autorität zu gebrauchen, um die amerikanische Regierung wachzurütteln. Nachdem sie eine Weile vergeblich herumgefahren waren und nach EINSTEINs Haus gesucht hatten, begann SZILARD zu zögern und schlug vor, dass sie aufgäben – die ganze Idee war vielleicht ein schwerer Fehler. Sein Freund WIGNER wollte aber weitermachen, und bald half ihm ein kleiner Junge, das richtige Haus zu finden. Die Konversation mit EINSTEIN wischte vorübergehend jeden Zweifel weg.

Diese Episode hat große Ähnlichkeiten mit einer Doublebind-Situation. Wieder war das Sprungbrett sozial und gesprächsbezogen. Der Widerspruch wurde durch eine intensive Handlung gelöst: Der verhängnisvolle Brief an Präsident ROOSEVELT wurde in Angriff genommen.

Was dann geschah, ist wohlbekannt. Die neue militärisch-wissenschaftlich-industrielle Tätigkeit der Atomforschung und -entwicklung wurde tatsächlich als Modell entworfen und praktisch etabliert. Die Modellierung wurde in zwei aufeinanderfolgenden Schritten begonnen. Zunächst wurde im Juli 1942 Robert J. OPPENHEIMER zum Kopf einer kleinen Gruppe von Wissenschaftlern ernannt, die das beste theoretische Modell des neuen Gegenstandes skizzieren sollten, damals die „schnelle Spaltbombe" genannt. Dann traf sich im Herbst 1942 eine Gruppe in einem Zug mit dem Namen *Zwanzigstes Jahrhundert GmbH*. Diese Gruppe bestand aus Prof. OPPENHEIMER, General GROVES und den Obersten NICHOLS und MARSHALL. Sie sollte einen Plan für ein zentrales „Super-Laboratorium" entwickeln – die zukünftige *Gemeinschaft* der neuen Tätigkeit. Die Gruppe in dem Zug könnte tatsächlich selbst als soziales Modell oder als Mikrokosmos verstanden werden, ein Vorläufer der Gemeinschaft von Los Alamos.

Die Führer der großen Forschungsstätten von Los Alamos, Oak Ridge und Hanford wurden die wahren Subjekte der Tätigkeit – General GROVES in viel stärkerem Maße als Robert J. OPPENHEIMER. Die Arbeit ging unter den Regeln von extremem Zeitdruck und Geheimhaltung vonstatten, und die Arbeitsteilung war aufs äußerste gegeneinander abgeschottet.

In Tabelle 2.8 ist der Ablauf der Entdeckung der Kernspaltung und die anschließende Entwicklung der Atombombe zusammengefasst.

In der Phase der Anwendung und Verallgemeinerung war der Kampf der Physiker gegen die Unterordnung der Forschung unter destruktive Zwecke, Geheimhaltung und Rationalisierung offensichtlich nicht nur defensiv gewesen. Er hat auch Elemente des neu Geschaffenen produziert. Ich werde mich jedoch mit der historischen Entwicklung der inneren Widersprüche des neuen Tätigkeitssystems der rationalisierten Kernforschung nicht weiter beschäftigen. Der Hauptpunkt ist hier, dass das Manhattan-Projekt kein historischer Zufall war, sondern vielmehr ein Prototyp der zukünftigen Projekte der rationalisierten Großforschung.

Die Struktur des sich nun ergebenden neuen Tätigkeitssystems ist in Abb. 2.24 dargestellt. Sie gibt ein Bild von der idealisierten Anatomie der ersten größeren Formation rationalisierter Wissenschaft.

Es war ohne Zweifel immer noch Wissenschaft. In Los Alamos arbeiteten die in der Welt führenden theoretischen Physiker, Männer wie Niels BOHR und Enrico FERMI. Das neue Tätigkeitssystem sieht in der Darstellung in Abb. 2.24 harmonisch und frei von Widersprüchen aus. Und so sah es auch tatsächlich in den Augen der führenden Personen auf dem Gipfel des kreativen

Enthusiasmus aus – vor Deutschlands Kapitulation und der tatsächlichen Explosion der ersten Bombe.

Tabelle 2.8. Die Verlaufsstruktur der Entdeckung der Kernspaltung

Widerspruch	Phase	Thema Nach Kedrov
Primär innerhalb der Bestandteile der alten Tätigkeit	Notlage	Allgemein: Autonome Form der Forschung vs. ihre zunehmenden sozialen Abhängigkeiten und Folgen; Individuell: Rivalität zwischen HAHN/ MEITNER und JOLIOT-CURIE
Sekundär zwischen den Bestandteilen der alten Tätigkeit	Doublebind	Erste Welle: Eindringen neuer Regel (Rassenpolitik der Nazis) vs. alte Gemeinschaft (HAHN /MEITNER Gruppe); Zweite Welle: Neues politisches und militärisches Element (Hitler-Bürokratie) dringt in die Gemeinschaft (Familie der Physiker) ein vs. alter Gegenstand und altes Ergebnis (Atome und Wissen über sie als solches)
	Herausbildung von Gegenstand/ Motiv	Erste Welle: Neue soziale Gesprächskonstellation (HAHN/STRASSMANN; MEITNER/FRISCH) als Sprungbrett; Zweite Welle: Neue soziale Gesprächskonstellation (SZILARD-WIGNER-EINSTEIN) als Sprungbrett; Neuer Gegenstand: Die Bombe; Neues allgemeines Modell: Zunächst die Theorie der Kernspaltung; dann das Modell einer optimalen Bombe und eines „Superlaboratoriums"
Tertiär zwischen der alten und der gegebenen neuen Tätigkeit/Motiv (zwischen dem bloß verstandenen und dem tatsächlichen Motiv)	Anwendung, Verallgemeinerung; einzelne Handlungen der gegebenen neuen Tätigkeit	Traditionelle autonome handwerkliche Forschung vs. rationalisierte Forschung im nuklearen Establishment (plus geschaffene neue Handlung, die beides überschreiten)
Quartär zwischen der neuen Tätigkeit und ihren Nachbartätigkeiten	Tätigkeit 2	Rationalisierte Kernforschung und Entwicklung

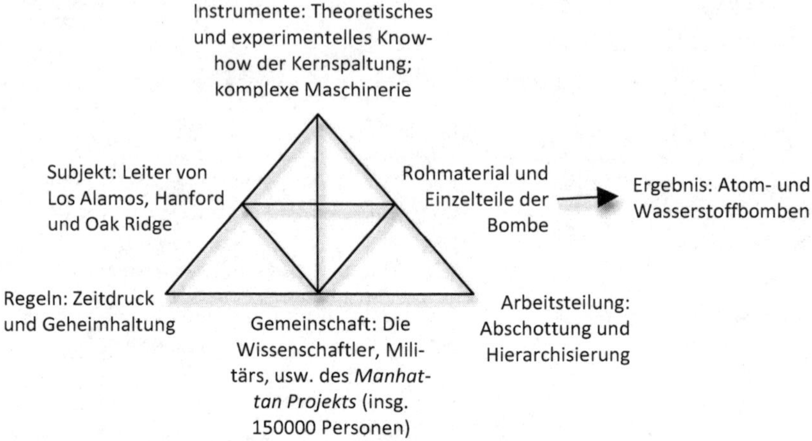

Abb. 2.24. Die idealisierte Struktur der neuen Tätigkeit im Bereich der Forschung und Entwicklung von Nuklearwaffen

Der expansive Prozess, der zum Manhattan-Projekt führte, und die sich daran anschließenden Widersprüche haben sich in einer Vielfalt von Variationen wiederholt und tun dies auch immer noch, wo sich akademische Wissenschaft und Geschäftswelt miteinander verbinden, um neuartige Branchen der industriellen Technologie zu schaffen. Gentechnologische Firmen sind hierfür ein gutes Beispiel. Die Widersprüche in Bezug auf die *Zeit* innerhalb dieser Organisationen sind von DUBINSKAS (1988) analysiert worden.

Historische Formen der Tätigkeit und der Expansion

Als historische Tätigkeitsform unterscheidet sich die rationalisierte Wissenschaft stark von der Wissenschaft als Handwerk. In der Wissenschaft als Handwerk produziert der individuelle Wissenschaftler ein neues, allgemeines Modell (ein Naturgesetz, eine Theorie), das er in die Hände der Wissenschaftlergemeinschaft legt. Es gibt einen deutlich gekennzeichneten Bruch zwischen der Phase der Gegenstands-/Motivkonstruktion und der Phase der Anwendung und Verallgemeinerung (siehe Tabelle 2.7). Dieser Bruch kann sogar die Form eines längeren Stillstands annehmen: Die neue Entdeckung wird zunächst verworfen, und vielleicht erst nach dem Tode des individuellen Subjekts wird sie schließlich angewandt und verallgemeinert.

In der rationalisierten Wissenschaft wird der Zeitfaktor essentiell. Das neue wissenschaftliche Produkt muss schnell auf den Markt geworfen werden (was immer das als System der gegenständlichen Tätigkeit ist; man erinnere sich an Abbildung 2.7).

Darüber hinaus sind in der rationalisierten Wissenschaft der Gegenstand und das Ergebnis der Tätigkeit von vornherein festgelegt. Die Grundidee ist, das herzustellen, was bestellt worden ist. Dies bedeutet jedoch nicht, dass die rationalisierte Wissenschaft irgendwie automatisch bewusster mit den Folgen dieses neuen Produkts umgeht, mit den Veränderungen, die es in der Struktur der wissenschaftlichen Tätigkeit selbst und in der gegenständlichen Tätigkeit hervorbringen kann. Im Gegenteil, die abgeschottete und hierarchische Arbeitsteilung hindert die Teilnehmer an rationalisierter Wissenschaft – einschließlich der Leitung – tatsächlich daran, diese Veränderungen vorherzusehen und zu beeinflussen. Auch wenn also der Übergang von den individuellen Handlungen zu einer qualitativ neuen Form der Tätigkeit rasch und dramatisch stattfinden kann, so als ob die Zeit komprimiert würde, laufen die Ereignisse jedoch zu einem Großteil hinter den Rücken oder über die Köpfe der Handelnden ab. Robert J. OPPENHEIMERS persönliche Tragödie bezeugt dies auf ganz exemplarische Weise.

Innerhalb der rationalisierten Wissenschaft gab es jedoch bereits von Anfang an gewisse dringende und praktisch drängende Probleme.

> So hatte z.B. die Mehrzahl der Mitarbeiter des „Computing center" in Los Alamos lange Zeit keine Ahnung, wozu die mit ihren Rechenmaschinen ausgeführten komplizierten Kalkulationen eigentlich dienten. Da sie nicht wußten, was ihre Berechnungen bezweckten, arbeiteten sie ohne wirkliches Interesse. Feynman, einer der jungen theoretischen Physiker, setzte schließlich durch, daß er diesen Leuten sagen durfte, was in Los Alamos hergestellt werden solle. Darauf stiegen die Leistungen der Abteilungen sofort beträchtlich, und einige Leute machten sogar freiwillige Überstunden. (JUNGK, 1990, S. 138)

Dies war eine klare Verletzung der Regel der Tätigkeit. JUNGK berichtet von einem weiteren Vorfall aus Los Alamos, der sich diesmal auf Edward U. CONDON bezieht, einen der Pioniere der Experimental-Physik.

> Condon besaß als Berater großer Industriefirmen praktische Erfahrung in Produktionsfragen, die der Akademiker Oppenheimer unmöglich haben konnte. Gerade aus seiner Erfahrung heraus, sah Condon sofort, daß sich in Los Alamos die „Compartmentalization" nicht ohne Schaden durchfüh-

> ren lassen werde. Er arbeitete dann sein eigenes Reglement aus, das die künstlich errichteten Mauern zwischen den einzelnen Abteilungen einriß. Das wurde von Groves als schwere Insubordination betrachtet, und er veranlaßte die Versetzung Condons an einen anderen Posten. (JUNGK, 1990, S. 146)

Die Geschichte der Rationalisierung der Wissenschaft – und der Rationalisierung der Arbeit im allgemeinen – ist voll von ähnlichen Konflikten, die die Motivation und die Produktivität der Arbeit gefährden. Die angeführten Zitate zeigen, wie sich parallel eine historische Form der Tätigkeit aus diesem inneren Konflikt der rationalisierten Wissenschaft fast im gleichen Augenblick entwickelte, wie dieselbe geboren wurde. Diese parallele Form kann *humanisierte* Wissenschaft genannt werden.

In der humanisierten Forschung ist vor allem die *Arbeitsteilung* revidiert. Statt extremer Hierarchisierung und Abschottung wird eine Organisation oder eine Unterorganisation von relativ autonomen Produktionsgruppen gebildet. Eine Produktionsgruppe beschäftigt sich mit einer bedeutsamen und oft herausfordernden Aufgabe, die einen ganzheitlichen Charakter hat. Die Gruppe ist hauptsächlich für die Quantität und die Qualität der Gesamtheit der Produkte verantwortlich. Dabei wird von oben nicht genau kontrolliert, wie sie dabei vorgeht. Die Hierarchie innerhalb der Gruppe wird so minimiert, dass deren Kooperation und offene Kommunikation unterstützt werden. Die Gruppe kann aus hoch spezialisierten Individuen bestehen, aber es werden Maßnahmen ergriffen, ein gemeinsames Bewusstsein von der Gesamtaufgabe und dem gesamten Arbeitsfortschritt zu entwickeln und aufrechtzuerhalten, Unteraufgaben werden flexibel miteinander kombiniert und im Prozess der Arbeit des Projekts neu umverteilt.

Es ändert sich auch das *Subjekt* der Tätigkeit. In der rationalisierten Wissenschaft fällt es dem abgeschotteten individuellen Forscher manchmal schwer, sich mit dem Subjekt der Tätigkeit zu identifizieren. So verfolgt das Management mit Nachdruck diese Identifikation. Das persönliche Engagement jedes Teilnehmers ist ein Schlüsselelement dieser Form der Tätigkeit. Das Subjekt gewinnt daher zwei voneinander verschiedene Schichten: das Management der Gesamttätigkeit und die halbautonome Gruppe als funktionelle Einheit dieser Tätigkeit.

Auf der anderen Seite sind der Gegenstand, das Ergebnis, die Instrumente und die Gemeinschaft der Tätigkeit im Prinzip nicht qualitativ verschieden von denjenigen der rationalisierten Wissenschaft. Sogar die Regeln ändern sich normalerweise nur innerhalb der Gruppe. Im Kontext der Gesamttätigkeit herrschen oft Geheimhaltung und Wettbewerb zwischen den Gruppen vor. Und der Zeitdruck kann viel stärker werden, als er jemals in der rationalisierten Forschung sein könnte.

Humanisierte Forschung – und humanisierte Arbeit im allgemeinen – dient offensichtlich einer doppelten Funktion. Sie ist eine Alternative, die mit der rationalisierten Forschung im Wettbewerb und im Kampf liegt. Gleichzeitig ist sie ein ausgleichender oder kompensierender Faktor, der in einer Symbiose mit der rationalisierten Form der Forschung lebt.

In dem Buch *Die Seele einer neuen Maschine* beschreibt Tracy KIDDER (1981) anschaulich den Prozess der Entwicklung des neuen Computers MV/8000 durch eine semi-autonome Gruppe von Ingenieuren bei *Data General*. Auch wenn dies kein Beispiel aus dem Bereich der Grundlagenforschung ist, erfüllt der Prozess doch sehr schön die Anforderungen der humanisierten Form der Tätigkeit, die oben beschrieben worden ist.

KIDDERs Bericht dokumentiert auch die fatale Barriere, die sowohl der rationalisierten wie der humanisierten Forschung eigen ist. Die Gruppe produziert den Prototyp der qualitativ neuen Maschine (des neuen Modells) innerhalb von Rekordzeit. Die Gruppe einschließlich ihrer Führer ist jedoch völlig hilflos, als der Prozess in die Phase der Anwendung und Verallgemeinerung eintritt. Die Leute vom Verkauf und vom Marketing übernehmen nun die Regie. Die Gruppe besitzt plötzlich keine Identität mehr – sie fällt auseinander und löst sich auf. Am Ende des Buches gibt es den zwingenden Eindruck eines Verlustes. Irgendwie waren die Subjekte keine echten Subjekte, die in der Lage gewesen wären, auch nur die unmittelbare Zukunft der eigenen Gruppe vorherzusehen, ganz zu schweigen von der zukünftigen Transformation der Gesamttätigkeit der Firma. Auch wenn dieser Übergang sehr schnell vonstatten ging, war er jedoch nicht weniger außerhalb menschlicher Reichweite als die Handwerksform dieses Übergangs.

Ich hab nun drei grobe historische Tätigkeitsformen skizziert: die Handwerksform, die rationalisierte Form und die humanisierte Form. Gleichzeitig sind dies historische Formen des expansiven Übergangs. Innerhalb jeder historischen Tätigkeitsform trägt der expansive Übergang von der einen zur anderen, fortgeschritteneren Form die historischen Merkmale der gegebenen Tätigkeitsform. Es können verschiedene aufeinanderfolgende expansive Übergänge innerhalb ein und derselben historischen Tätigkeitsform vorkommen. Es gibt jedoch revolutionäre expansive Übergänge, die von einer Tätigkeitsform zu einer anderen fuhren.

In Kapitel 2 habe ich daraufhingewiesen, dass eine vierte historische Tätigkeitsform im Begriff ist sich zu entwickeln. Im begrifflichen Kontext von Kapitel 2 habe ich von der expansiven Lerntätigkeit oder dem Lernen durch Expansion gesprochen. Im begrifflichen Kontext von Kapitel 3 habe ich von expansivem Lernen III gesprochen. Eine solche neue Form des Übergangs impliziert das Entstehen einer *kollektiv* und *expansiv beherrschten Form der Tätigkeit.*

Ich fühle mich versucht, hier den Begriff „bewusst beherrscht" oder sogar „theoretisch beherrscht" zu gebrauchen. Ein solches Etikett erscheint auf der anderen Seite ziemlich verwegen. Es ist sicherer, die potentielle Bedeutung intuitiver Formen der kollektiven und expansiven Beherrschung zur Kenntnis zu nehmen, besonders da der Begriff der Bewusstheit gewöhnlich auf die individuelle Bewusstheit allein beschränkt ist. Dieser „Verlust des Ich" oder die „befreite Handlung" sind tatsächlich sehr schwierig in unsere gewöhnlichen Vorstellungen von Bewusstheit einzubauen.

Warum habe ich der Diskussion der Wissenschaft als Tätigkeit so viel Raum gewidmet? Weil sie allgemeine Arbeit ist, die in relativ reiner Form die Tendenz in Richtung auf die Schaffung neuer allgemeiner Gebrauchswerte enthält. Diese Tendenz ist, wenn auch oft in verkleideten Formen, in jedem menschlichen Tätigkeitssystem enthalten. Expansive Übergänge sind das Hauptgeschäft der Wissenschaft (ähnlich auch in der Kunst), wobei man annimmt, dass ihr bewusst ist, was sie tut.

Worin besteht aber die Beziehung zwischen den literarischen Beispielen in Kapitel 3 und diesen Beispielen aus der Entwicklung der Wissenschaft? Erstens geht es sowohl bei *Huckleberry Finn* wie auch bei *Die sieben Brüder* um die Geschichte der handwerklichen Form im Übergang. Zweitens geht es in beiden Geschichten um den Übergang zwischen dem neu Gegebenen und dem neu Geschaffenen, das sich in erster Linie in veränderten Lebensformen der Subjekte selbst vergegenständlicht. Die neuen Modelle sind, in anderen

Worten, nicht einfach von den Subjekten zu trennen, und daher bleibt die Diskontinuität des handwerklichen Übergangs unsichtbar (er wird erst dann sichtbar, wenn wir es in sozialer und geographischer Isolierung betrachten).

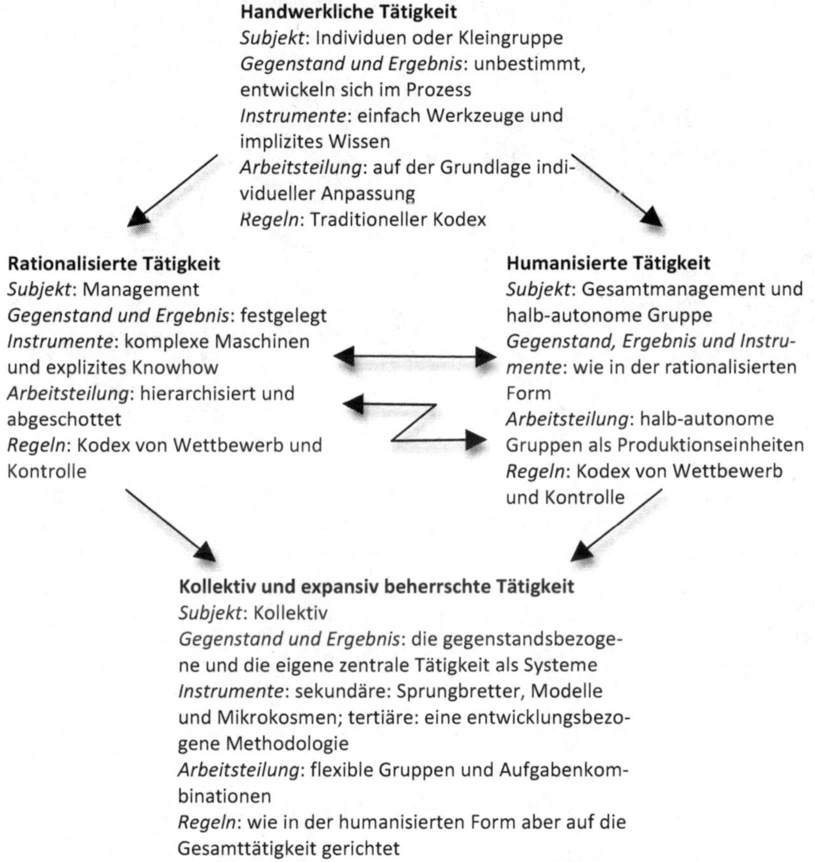

Abb. 2.25. Vier historische Formen der Tätigkeit und des expansiven Übergangs

In der Wissenschaft sind die neuen Modelle vergegenständlichte Dinge, die getrennt von ihren Schöpfern „ihr eigenes Leben leben" – daher ist die Diskontinuität sichtbar. Drittens haben wir es aus genau diesem Grunde in der Wissenschaft sehr viel deutlicher nicht nur mit der Transformation der zentralen Forschungstätigkeit selbst zu tun, sondern auch mit der heute oft simultan laufenden Transformation der gegenständlichen Tätigkeit, für die die gegebene Forschungstätigkeit neue allgemeine Instrumente liefert.

Die zentralen Merkmale der vier historischen Tätigkeitsformen und der entsprechenden Formen des expansiven Übergangs sind in Abb. 2.25 dargestellt.

Die kollektiv beherrschte Form des Übergangs in Abb. 2.25 bezieht sich auf die *Beherrschung des gesamten Zyklus der Expansion*, der in Abb. 2.15 dargestellt worden ist. Nach der Darstellung solch erschreckender Übergänge, wie sie dem *Manhattan-Projekt* zugrunde lagen, kann man vernünftigerweise in Zweifel ziehen, ob diese vierte Form des Übergangs jemals Wirklichkeit werden wird.

JUNGK zitiert den folgenden Ausspruch von HEISENBERG:

> Im Sommer 1939 hätten noch zwölf Menschen durch gemeinsame Verabredungen den Bau von Atombomben verhindern können, ... aber sie ließen diese Chance vorbeigehen. Ihre politische und moralische Einbildungskraft versagte in diesem Augenblick ebenso sehr wie ihre Treue zur internationalen Tradition. Weder brachten sie es fertig, ihr Denken und Handeln entschieden den künftigen Konsequenzen ihrer Erfindung anzupassen, noch hatten sie in dieser kritischen Situation genügend Vertrauen zu den Überlieferungen ihre Berufsstandes. (JUNGK, 1990, S. 104-105)

JUNGK zitiert weiter HEISENBERGS Freund VON WEIZSÄCKER, der gesagt hat: „Es genügte eben nicht, dass wir eine Familie waren. ... Vielleicht hätten wir ein internationaler Orden sein müssen mit disziplinarischer Gewalt über seine Mitglieder" (JUNGK, 1990, S. 105). Dies ist in der Tat ein tastender Versuch von Weizsäckers, im Nachhinein ein *soziales Modell oder einen Mikrokosmos* zu finden, die vielleicht als Instrument hätten benutzt werden können, um den Übergang auf andere Art und Weise zu beherrschen und zu lenken.

Zweifellos gibt es einen wahren Kern in HEISENBERGS Aussage. Diese zwölf Männer hätten tatsächlich die Entwicklung viel stärker beeinflussen können, als sie es tatsächlich taten. Es hat wirklich eine bemerkenswert lange Periode der Ambivalenz und Unentschlossenheit zwischen HAHNS Entdeckung und dem tatsächlichen Beginn des Manhattan-Projekts gegeben.

Ich will hier nicht versuchen zu beweisen, dass solche unerschlossenen Möglichkeiten gewöhnlich eine Art gesetzmäßiger Bestandteil Jedes expansiven Übergangs darstellt. Dieses kann man nur durch die historisch inspirierte Erforschung der Entwicklung konkreter Tätigkeitssysteme demonstrieren.

Meine Aufgabe besteht hier darin, begriffliche Werkzeuge für eine solche Forschung zu erarbeiten. Diese Forschungsinstrumente stellen notwendigerweise auch Mittel für die *praktische* Umsetzung von kollektiv beherrschten Übergängen dar. Ich werde daher nun die zentralen sekundären Instrumente der Expansion systematisieren, die ich bis jetzt gefunden habe.

Eine Systematisierung sekundärer Instrumente

Oben haben wir drei Formen von sekundären Instrumenten des expansiven Übergangs bestimmt. Es waren dies Sprungbretter, instrumentelle Modelle und soziale Modelle oder Mikrokosmen.

Sprungbretter

In den Fällen von *Huckleberry Finn*, den *Sieben Brüdern*, MENDELEEVs Entdeckung des periodischen Gesetzes und dem Entstehen des *Manhattan-Projekts* wurden die folgenden Beispiele für Sprungbretter gefunden (siehe Tabelle 2.9).

Tabelle 2.9 Beispiele von Sprungbrettern

Huckleberry Finn	Die Sieben Brüder	Das Periodengesetz	Manhattan-Projekt
Technik des Lügens	Das Bild, Teer herzustellen	Bild und Technik der Patience	a) Neue soziale Gesprächskonstellationen: HAHN-STRASSMANN, MEITNER-FRISCH b) Neue soziale Gesprächskonstellationen: SZILARD-WIGNER-EINSTEIN

Auf der Grundlage dieser oben zusammengestellten Beispiele möchte ich die folgende Definition eines Sprungbretts vorschlagen.

Ein Sprungbrett ist ein hilfreiches Bild, eine Technik oder eine soziale Gesprächskonstellation (oder eine Kombination dieser drei), welches aus einem vorhergehenden Kontext während eines akuten Konflikts mit Doublebind-Charakter in einen neuen Tätigkeitskontext des expansiven Übergangs transplantiert oder verschoben wird. Ein Sprungbrett erfüllt üblicherweise nur eine temporäre oder situative Funktion in Bezug auf die Lösung des Doublebind.

Gibt es einen Unterschied zwischen dem Begriff des Sprungbretts und dem Begriff der Erfahrung, wie er von POLANYI und den Gebrüdern DREYFUS vorgeschlagen worden ist?

Bei dem Begriff der Erfahrung wird davon ausgegangen, dass er in der Form eines reibungslosen, impliziten und automatischen Prozesses des Erkennens von Ähnlichkeit funktioniert. Sprungbretter funktionieren weder reibungslos noch automatisch. Sie erscheinen in Zeiten der Not, fast wie eine Rettungsboje. Der psychologische Mechanismus ihrer Erscheinungsweise ist nicht genau bekannt, aber eine intensive geistige Auseinandersetzung scheint eine notwendige Vorbedingung zu sein. Darüber hinaus soll Erfahrung Lösungen auf der Grundlage von früheren ähnlichen Gelegenheiten liefern. Sprungbretter sind keine Lösungen. Sie sind nur Auslöser oder Hinweise auf einen Weg, der zu einer expansiven Lösung führt. In ihrer Erscheinungsweise und ihrem konkreten Inhalt haben sie oft wenig oder nichts mit dem Wesen einer möglichen Lösung zu tun.

Diese Unterschiede werden üblicherweise in kognitiven Theorien des metaphorischen und analogen problemlösenden Denkens vernachlässigt. Donald SCHÖNS (1983) Arbeit stellt in ihrer Betonung des Kontextes und der Entwicklungskontinuität eine Ausnahme dar. Er gebraucht den Begriff der „generativen Metapher", der auf dem Mechanismus beruht, „etwas als etwas zu sehen". Mit anderen Worten beschränkt er seine Theorie auf mehr oder weniger direkte Beziehungen visueller Ähnlichkeit. Die oben vorgestellten Fälle demonstrieren, dass ein Sprungbrett tatsächlich ein visuelles Bild sein kann (z.B. das Bild, Teer herzustellen). Es kann aber auch vollständig nicht-visuell sein, fast eine motorische Technik (z.B. die Technik zu lügen). Und es kann eine soziale Gesprächskonstellation sein, in der die verbale Interaktion entscheidend ist. Die Modalität eines Sprungbretts variiert also, und direkte Ähnlichkeitsbeziehungen sind eher die Ausnahme als die Regel. Ich werde auf die Idee des Sprungbretts noch einmal in Kapitel 5 zurückkommen.

Modelle

In den vier Fällen, die oben analysiert worden sind, haben sich die folgenden allgemeinen Modelle gefunden (vgl. Tab. 2.10).

Tabelle 2.10. Beispiele von allgemeinen Modellen

Huckleberry Finn	**Die Sieben Brüder**	**Das Periodengesetz**	**Manhattan-Projekt**
„Ich tue, was sich gerade als nützlich erweist"	Das zivilisierte Landleben	Das Periodengesetz, verkörpert in der Periodentafel	a) Die physikalische Theorie der Kernspaltung b) Das theoretische Modell der optimalen Bombe und das Modell des „Superlaboratoriums"

Es gibt offensichtliche, qualitative Unterschiede in der Modalität der gefundenen Modelle. Für *Huckleberry Finn* und die *Sieben Brüder* blieb das neue allgemeine Modell ein *verbaler Ausdruck von externer oder interner Sprache* (für das Konzept der inneren oder privaten Sprache vgl. ZIVIN 1979). Für MENDELEEV nahm das neue allgemeine Modell die Form einer *schriftlichen* Theorie an, die sich in der graphischen Form der Periodentafel kristallisierte. Für HAHN und MEITNER und FRISCH drückte sich das Modell in der Form einer theoretischen *Texten* und von *mathematischen Formeln* aus. Für OPPENHEIMER und GROVES erschien das Modell der Bombe und das Modell des Super-Laboratoriums in der Form von theoretischen Texten, mathematischen Formeln und technischen Zeichnungen.

Es gibt jedoch eine wichtigere Dimension für einen Vergleich der Modelle. Ich will dies die strukturelle Qualität oder die Rationalitätsform nennen, die sich in dem Modell ausdrückt. Diese Dimension ist aufs engste mit dem Begriff der Kausalität verbunden, der hinter dem Modell liegt.

Die primitivsten Modelle stellen Exemplare oder Prototypen dar, die zu dem Zwecke ausgewählt oder hergestellt werden, etwas Allgemeines innerhalb einer größeren Klasse von Dingen oder Phänomenen zu repräsentieren. Das Konzept des Modells in der Modebranche trägt noch diese Bedeutung. Ein Individuum repräsentiert die größere Klasse von „Schönheit" oder „Stil". Ein solches primitives Modell ist ursprünglicher weise spontan; es ist nicht mit Hilfe einer bewussten Analyse konstruiert, sondern vielmehr mit Hilfe von Intuition und Habitualisierung. Diese Form eines Modells impliziert eine magische oder animistische *Konzeption von Kausalität*: Dinge und Phänomene werden betrachtet, als ob sie von Kräften oder sogar eigenen Intentionen angetrieben würden. Noch wichtiger ist vielleicht, dass diese Rationalitätsform Erklärungen in der Geschichte und in der ganzheitlichen Natur des Universums sucht.

> Anstelle eines gemeinsamen kausalen Hintergrundes, der die Eigenschaften und Ereignisse der Natur bedingt, werden „historische" Gründe angeführt. ... Diese Vorliebe für die Entwicklung einer konkreten Kausalität drückt sich im entwickelten mythischen Denken in der Vorstellung einer Epoche aus, die jeder historischen Dauer entrückt ist. Die mythische Periode wird als kreativ verstanden, sie enthalt die Kräfte der Genesis, die die Erscheinungsweise der Welt beherrscht. (WERNER, 1961, S. 304-305)
>
> Die Welt wird als visuelles Ganzes gesehen, dessen Teile eine materielle, dinghafte Natur besitzen. Sie wird als Ganzheit interpretiert, aber diese Ganzheit ist eine eines konkret repräsentierten mythisch-gesellschaftlichen Organismus. (WERNER, 1961, S. 312)
>
> In einer Kultur, die die Schrift nicht kennt, besteht das Wissen des Psychischen in einer Art empathischer Identifikation zwischen dem Wissenden und dem Gewussten, in welcher der Gegenstand des Wissens und die Totalität des Seins des Wissenden in einer Art und Weise verschmelzen, die liberale Kulturen üblicherweise als unbefriedigend empfinden, als vage und verwirrt, und irgendwie zu intensiv und vereinnahmend. (ONG, 1977, S. 18)

Die Schrift schließt eine Ansicht der Welt ein, die durch Geschlossenheit charakterisiert ist: Festgelegte Definitionen und Nomenklatur, stabile Ordnung und Klassifikation. Die statischen, ewigen Hierarchien der mittelalterlichen Konzeption des Universums sind sehr typische Modelle dieser Form. Man kann sie nominalistische und klassifikatorische Modelle nennen. Die Konzeption von Kausalität, die ihnen zugrunde liegt, ist die einer Vorherbestimmung von oben. Wie KOESTLER (1966) bemerkt, sind solche Modelle „hierarchisch *par excellence*, aber rigide; sie ähneln steinernen Pyramiden in der geistigen Landschaft".

Im Werk von Petrus RAMUS (1515-1572) über Lehrbücher erreichten klassifikatorische Modelle einen ihrer Höhepunkte.

> Lehrbücher für buchstäblich alle Fächer der Künste (Dialektik oder Logik, Rhetorik, Grammatik, Arithmetik, usw.) gingen nach gefühllosen Definitionen und Unterteilungen vor, die wiederum zu weiteren Definitionen und Unterteilungen führten bis auch der letzte Partikel des Faches auseinandergenommen und erledigt war. Ein Lehrbuch für ein bestimmtes Fach im Sinne von Ramus hatte keine erkennbare Beziehung mit irgendetwas außerhalb seiner selbst. ... Darüber hinaus konnte das Material in einem solchen Lehrbuch sich in Form von gedruckten dichotomisierten Gliederungen oder Übersichten präsentieren, die genau die räumliche Or-

> ganisation des Materials als solches und in der mentalen Erfassung anzeigten. (Ong, 1982, S. 134-135)

Das Modell der *Sieben Brüder* ist ein Beispiel für diese Form der Klassifikation. Das Bild des zivilisierten ländlichen Lebens im Dorf ist tief verankert in den Idealen einer stabilen Ordnung, Harmonie und Hierarchie.

Das Entstehen der modernen Naturwissenschaft produzierte eine Rationalitätsform, die allmählich die nominalistischen und klassifikatorischen Formen überwand.

> Die höheren Handwerker des 16. Jahrhunderts, die Künstler und die Militäringenieure waren nicht nur daran gewohnt zu experimentieren, sondern auch daran, ihre Ergebnisse in empirischen Regeln und quantitativen Begriffen auszudrücken. Mit den Substanzformen und okkulten Qualitäten der Gelehrten konnten sie wenig anfangen. Sie suchten nach nützlichen und wenn möglich quantitativen Verfahrensregeln, wenn sie Hebel, Maschinen und Kanonen konstruierten. In den Manuskripten von Leonardo da Vinci (um 1500) werden solche quantitativen Verfahrensregeln immer wieder gegeben. Normalerweise werden sie nach Art von Kochrezepten formuliert: „Wenn du wissen willst", so sagt Leonardo in der Erklärung zur Zeichnung einer Waage, „wie viel mehr MB wiegt als AM, dann beobachte, wie oft CB in AD hineinpasst" usw. (Zilsel, 1976, S. 82).

Modelle dieser Form sind prozedural, seien es nun Algorithmen oder heuristische Regeln. Wenn nominalistische und klassifikatorische Modelle die Frage nach dem „Was" beantworten, dann beantworten die prozeduralen Modelle die Frage nach dem „Wie". Sie versuchen nicht mehr, fixierte und unbewegliche Hierarchien zu erfassen – sie werden konstruiert, um praktische Leistungen zu erleichtern. Die Konzeption von Kausalität, die dieser Form von Modellen zugrunde liegt, ist linear und sequentiell. Diese Rationalitätsform erreicht ihren Gipfel im Entwurf und in der Herstellung von Maschinen.

*Huckleberry Finn*s Modell ist ein Beispiel für eine heuristische Regel. Sie besitzt die typische Form eines Befehls oder Rezepts: „Nachdem Du dieses getan hast, tue immer das, was am nächsten liegt."

Die Grenzen prozeduraler Modelle werden sichtbar, wenn etwas falsch läuft, wenn der Gegenstand und das Instrument sich nicht mehr entsprechend der Schritte verhalten, wie sie in dem Algorithmus vorgeschrieben sind. Sie werden ebenfalls sichtbar, wenn die Situation neuartig ist und Unsicherheit darüber herrscht, welche Prozedur zu wählen oder zu entwickeln ist.

Schließlich werden die Grenzen sichtbar, wenn der Gegenstand oder das Instrument so komplex werden, dass die reine Vielfalt möglicher spezifischer Regeln und Prozeduren überwältigende Ausmaße gewinnt. In solchen Kontexten werden allgemeine heuristische Regeln als Lösung angeboten. Je allgemeiner jedoch die Heuristik wird, desto mehr nimmt ihr Inhalt und ihre Erklärungskraft ab.

Im 19. Jahrhundert gewannen ganzheitliche, probabilistische und Konzeptionen der systemischen Interdependenz Auftrieb in verschiedenen Zweigen der Wissenschaft (VON BERTALANFFY, 1968, S. 45). Die zugrundeliegende Konzeption ist die der retroaktiven Kausalität, in welcher „ein vollständiges System als einbegriffen in eine geschlossene retroaktive kausale Beziehung gesehen wird" (WARTOFSKY, 1968, S. 306).

> Die moderne Physik, besonders die Physik der Elementarteilchen, demonstriert augenfällig die beschränkte Natur des kausalen Verständnisses als einseitige Aktion eines Körpers auf einen anderen und zeigt ihr Versagen in Bezug auf die Erklärung von Mikroprozessen. Die Idee der Ursache als Interaktion von Feldern und Teilchen, die verschiedene Mikroprozesse hervorbringt, ist von wesentlicher Bedeutung in der Grundlegung der physikalischen Ideen der modernen Quantenfeldtheorie. Die Physik des 20. Jahrhunderts hat eine deutliche Tendenz, das Kausalitätsprinzip mit der systemisch-strukturellen Erklärungsweise von Phänomenen zu kombinieren. Im wesentlichen heißt dies, eine Ursache liegt in der Natur einer Interaktion der verschiedenen Elemente, Teile und Tendenzen eines Systems, die das Verhalten dieses Systems beherrscht. (SVECHNIKOV, 1971, S. 241-242)

Modelle dieser Rationalitätsform sind systemische Modelle. Wenn klassifikatorische Modelle Was-Fragen und prozedurale Modelle Wie-Fragen beantworten, dann zielen systemische Modelle auf die Beantwortungen von Fragen nach dem Warum. Solche Modelle helfen bei der Diagnose und Vorhersage von Verhaltenszuständen und Veränderungen von komplexen Systemen. Sie sind üblicherweise probabilistischer Natur (vgl. zur Diskussion der sozialen Konstruktion systemischer Modelle BLOOMFIELD 1986).

MENDELEEVs Modell des Periodensystems der Elemente scheint irgendwie zwischen einem klassifikatorischen Modell und einem systemischen Modell zu liegen. Es ist keine einfache Hierarchie mehr. Es ist zu dem Zweck konstruiert, die Interdependenzen zwischen dem gesamten System und seinen Elementen zu enthüllen. Die Form der Tabelle des Modells bildet jedoch nicht direkt dynamische Übergänge und Bewegungen innerhalb des Systems ab.

Andererseits mussten OPPENHEIMER, GROVES und ihre Mitarbeiter, als sie die Bombe als komplexe technische Vorrichtung und das Super-Laboratorium von Los Alamos als komplexe Organisation entwickelten, notwendig systemische Modelle benutzen. Darauf weist schon die probabilistische Unsicherheit vor der ersten erfolgreichen Testexplosion hin.

Es waren auch die Erfolge des Systemdenkens und der Systemtechnik, die Zweifel an der letztendlichen Gültigkeit der systemischen Rationalitätsform hervorgebracht haben. Die wachsende Bewusstheit globaler und universaler Zusammenhänge bringt Fragen hervor, wie „Wohin bringt uns das alles?" und „Wie hat das alles angefangen?", aber in der Sichtweise geschlossener Systeme, die den meisten der kybernetischen Ansätze zugrunde liegt, ist die Zeitdimension nur sehr beschränkt vorhanden. Zeit wird als ein Kontinuum gesehen, in dem sich das gegebene System zwischen verschiedenen Zuständen bewegt. Es gibt aber keine Vorstellung von der Dynamik der qualitativen Entwicklung, oder der expansiven Transformation, des Systems selbst. Dies wird besonders deutlich in den pessimistischen Weltmodellen oder den „Simulationen des Untergangs" (BLOOMFIELD, 1986, S. 167), die seit Beginn der siebziger Jahre von den Systemanalytikern entworfen worden sind.

> Projekte der globalen Modellierung beginnen typischerweise mit der Betrachtung der Vergangenheit und benutzen sie als Grundlage zur Beschreibung der Gegenwart. Ist einmal ein Modell entwickelt, dann wird es dazu benutzt, ein Ausgangsszenario von der Gegenwart in die Zukunft zu generieren, wobei keine fundamentale Veränderung angenommen wird. (RICHARDSON, 1984, S. 126)

In den Naturwissenschaften ist diese restriktive Auffassung der Reversibilität der Zeit besonders drastisch durch Ilja PRIGOGINES Auffassung von der Irreversibilität der Zeit und der Selbstorganisation in Frage gestellt worden (vgl. PRIGOGINE, 1984; PRIGOGINE & STENGERS, 1986).

In ähnlicher Weise hat David BOHM (1985) versucht, den Begriff der Kausalität neu zu fassen, indem er den Begriff der „formativen Ursache" gebrauchte.

> In der altgriechischen Philosophie hingegen bedeutete das Wort *Form* in erster Linie eine innere *formende Tätigkeit* ..., die die Ursache für das Wachstum der Dinge und für die Entwicklung und Differenzierung ihrer verschiedenen wesentlichen Formen ist. ... Besser ließe sich dies vielleicht als *formative Ursache* ... beschreiben, um zu betonen, daß es sich nicht um

> eine bloße Form handelt, die von außen übergestülpt wird, sondern vielmehr um *eine geordnete und gegliederte innere Bewegung, die den Dingen wesensmäßig eigen ist.* (BOHM, 1985, S. 33)

Ansätze wie der von PRIGOGINE und der von BOHM verweisen auf das Entstehen einer neuen Rationalitätsform. Diese Rationalitätsform ist im wesentlichen historisch und ganzheitlich – diese Eigenschaften besitzen auch die oben beschriebene primitivste Rationalitätsform. Wo aber der primitive Historizismus und Holismus im wesentlichen *unmittelbar* oder spontan ist, ist der neue Historizismus und Holismus hoch reflexiv und durch eine spezifische Form von Modellen *vermittelt.*

Weder PRIGOGINE noch BOHM führen die Frage der instrumentellen Modelle dieser neuen Rationalitätsform weiter aus. PRIGOGINE weist daraufhin, dass es eine andere Denktradition gibt, die sich mit diesem Problem auseinandergesetzt hat.

> Es ist interessant festzustellen, daß diese Situation eine gewisse Analogie zu jener Situation aufweist, aus der der dialektische Materialismus hervorging. Die jüngste Entwicklung in der Physik, die Entdeckung der konstruktiven Rolle der Irreversibilität, hat innerhalb der Naturwissenschaften eine Frage aktuell werden lassen, die schon vor langer Zeit von jenen gestellt worden ist, für die ein Verstehen der Natur gleichbedeutend war mit dem Verstehen ihrer Fähigkeit, den Menschen und seine Gesellschaften hervorzubringen. Wir haben ... eine Natur beschrieben, die man als „historisch" bezeichnen könnte, eine Natur, die der Entwicklung und der Innovation fähig ist. Interessant ist, daß die Idee einer Geschichte der Natur schon vor langer Zeit von Marx und in detaillierterer Weise von Engels als integrierender Bestandteil der materialistischen Auffassung vertreten wurde. (PRIGOGINE & STENGERS, 1986, S. 218-219)

Die Entwicklungslinie von HEGEL, MARX und ENGELS und dann zu IL'ENKOV und DAVYDOV (vgl. die Abschnitte *Dialektische Logik und Begriffe* und *DAVYDOV und das Problem der Begriffe* weiter oben) legt es nahe, dass die hier benötigten Modelle dem Typ „Keimzelle" angehören, was den genetisch ursprünglichen inneren Widerspruch des untersuchten Systems ausdrückt. Solche Modelle fungieren nicht nur als Hilfsmittel zur Diagnose des Zustands eines gegebenen geschlossenen Systems, sondern auch als Mittel, die Genese und die expansiven Übergänge oder Fluktuationen eines offenen Systems nachzuzeichnen und zu entwerfen.

Ich möchte vorschlagen, die Dreiecksmodelle der Tätigkeit, die in diesem Band entwickelt und gebraucht worden sind, als einen solchen Modellierungsversuch zu betrachten. Unter den vier Fällen, die ich untersucht habe, ist die Theorie der Kernspaltung, die von HAHN entdeckt und von MEITNER und FRISCH weiter entwickelt wurde, ein besonders gutes Beispiel für diese Form von Modellen. Das problematische an diesem Modell ist jedoch, es darauf beschränkt war, den expansiven und irreversiblen Prozess der Kernspaltung *nur als Naturphänomen* zu repräsentieren, wobei es völlig unfähig war, es als gesellschaftlich-historisches Phänomen zu modellieren. Der letztgenannte Aspekt, die gesellschaftlich-historische Modellierung der Kernspaltung, blieb so Männern wie GROVES und OPPENHEIMER überlassen, die nur in der Lage waren, geschlossene systemische Modelle zu produzieren, die für technische Optimierung geeignet waren, aber nicht für die Beherrschung des gesellschaftlich-historischen Prozesses.

Ich möchte nun zusammenfassen, was bisher über die fünf historischen Formen von Modellen gesagt worden ist (Tabelle 2.11).

Tabelle 2.11. Fünf historische Formen von Modellen

Form des Modells	Vorstellung von Kausalität	Fallbeispiel
1. Spontan, prototypisch	magisch, animistisch	-
2. Nominalistisch und klassifikatorisch	von oben vorbestimmt	Sieben Brüder
3. Prozedural	linear und sequentiell	Huckleberry Finn
4. Systemisch	retroaktiv	Periodentafel (?) *Manhattan--Projekt*
5. Keimzelle	historisch, gestaltend	Kernfusion (?)

In expansiven Übergängen, Reisen durch Zonen der nächsten Entwicklung, werden allgemeine Modelle in erster Linie für die *Antizipation und planmäßige Bearbeitung des sich entwickelnden Objekts* und des Motivs der neuen Tätigkeit benötigt. Solche Modelle sind instrumentell im exakten Wortsinn. Man findet jedoch oft, dass auch eine andere Form von Vehikel eine wichtige Rolle in expansiven Übergängen spielt. In der Analyse der vier Fälle habe ich diese Vehikel *soziale Modelle* oder *Mikrokosmen* genannt.

Mikrokosmen

In den vier vorgestellten Fällen habe ich die folgenden Mikrokosmen gefunden (Tabelle 2.12).

Tabelle 2.12. Beispiele von Mikrokosmen

Huckleberry Finn	Die Sieben Brüder	Das Periodengesetz	Manhattan-Projekt
Das Floß und seine Leute	Das Bauernhaus von Impivaara	–	a) – b) OPPENHEIMER, GROVES und die zwei Obersten im Zug

Mikrokosmen sind Miniaturen der Gemeinschaft, die die Basis für die neue Form der Tätigkeit bilden wird. Sie sind soziale Testvorrichtungen der neuen Tätigkeit. Allen drei Beispielen in Tabelle 2.12 ist gemeinsam, dass der Mikrokosmos in einer physikalisch und sozial relativ isolierten Formation auftritt: ein Floß auf dem Fluss, ein einsames Haus in abgelegenen Wäldern, ein Zugabteil. Es ist auch eine vorübergehende Formation – ein Vehikel, das überflüssig ist, nachdem die Zeit reif für den entscheidenden Schritt der sozialen und organisatorischen Verallgemeinerung ist.

Die Beispiele von Tabelle 2.12 beziehen sich auf der anderen Seite nicht auf die im Entstehen begriffene kollektiv beherrschte Form des expansiven Übergangs. Merkmale wie die relative Isolation können sich möglicherweise radikal verändern, wenn es um Übergänge diesen Typs geht.

Auf der Suche nach tertiären Instrumenten der Expansion

Ich habe oben eine Reihe von sekundären Instrumenten des expansiven Übergangs vorgeschlagen. Ein expansiver Übergang in seiner im Entstehen begriffenen kollektiven und expansiv beherrschten Form muss jedoch als *Lerntätigkeit* verstanden werden. Eine vollständige Tätigkeit kann als Ganzheit nur mit Hilfe eines tertiären Instruments beherrscht werden (vgl. die Tabellen 2.1 und 2.2). Es ist in anderen Worten eine umfassende Methodologie für die Herstellung und den Gebrauch der oben beschriebenen sekundären Instrumente erforderlich.

Klassischerweise ist die formale Logik eine Kandidatin für ein solches Instrument, oder ihre nahen Verwandten, die formalen Operationen PIAGETS. Wie bereits oben ausgeführt worden ist, ist die formale Logik zur Beherrschung von Prozessen nicht geeignet, bei denen die Irreversibilität der Zeit und die qualitative Entwicklung zentral sind.

> Es sieht so aus als würden Erwachsene im Stadium der formalen Operation in einem hermetisch abgeschlossenen ahistorischen Universum leben, in dem das Leben eine Sache der Notwendigkeiten ist, die sich aus den natürlichen, nicht von Menschen gemachten Gesetzen der Äquilibration ableiten. Solche Individuen besitzen keine Lebensgeschichte, ungefähr so als hätten sie kein Gedächtnis. Die Eliminierung der historischen Dimension ... unterwirft sich einer Form von technologischer Rationalität, die den schwerwiegenden Problemen des modernen Lebens, eingeschlossen die nukleare Bedrohung, zugrunde liegen. (BROUGHTON, 1984, S. 408)

Einige Wissenschaftler, die die Idee der formalen Operation als letzte Stufe der kognitiven Entwicklung nicht befriedigend finden, beschäftigen sich heute mit der Idee, dass es eine oder mehrere *Entwicklungsstufen über PIAGETs Stufe der formalen Operationen hinaus* geben muss.

Der Band *Beyond Formal Operations* (COMMONS, RICHARDS, & ARMON, 1984) enthält eine repräsentative Auswahl von Artikeln zu diesem Ansatz. In dem äußerst kritischen abschließenden Beitrag listet BROUGHTON neun Varianten dieses Ansatzes auf. Er charakterisiert die Theoretiker hinter diesen Herangehensweisen als „liberale Revisionisten", die versuchen, den Apparat der formalen Logik PIAGETS zu „humanisieren". Es findet sich wenig Kritik an der Orthodoxie von PIAGETs Stufentheorie, die Mehrzahl befürwortet die Realität und Bedeutung des formalen Denkens. Für sie findet die formale Logik Anwendung in einer bestimmten Sphäre, aber in bestimmten anderen Sphären oder Entwicklungsperioden macht sich eine alternative oder fortgeschrittenere Form des Denkens bemerkbar. Die grundlegende Abfolge PIAGETs bleibt unberührt. BROUGHTON kommt daher zu dem Schluss, dass die Idee der vorgeschlagenen Stufen, die über die formalen Operation hinausgehen sollen, auf einer falschen Grundlage aufgebaut sind.

BROUGHTONS Kritik kann so verstanden werden, als ob eine formal-operative Form des Denkens tatsächlich nicht existiert. Ich stimme dieser Schlussfolgerung zu, wenn formale Operation als universale, letztendlich biologisch determinierte Form des Denkens verstanden wird. In der gesellschaftlich-historischen Wirklichkeit existieren die formale Logik und das formal operative Denken (in verschiedenen Annäherungen an den Idealtyp) jedoch zweifellos. In meiner Analyse fungiert das formal-operative Denken, wie irgendeine Form des Denkens, als von Menschen gemachtes Artefakt, als tertiäres Instrument einer gewissen historischen Periode. Es existiert, aber es besitzt nur einen begrenzten Lebenszyklus.

Die Frage ist also nicht, was nach den formalen Operationen in einer (ahistorisch verstandenen) Ontogenese kommt, sondern was ihr gesellschaftlich-historisch folgt. Die Analysen, die in diesem Buch ausgebreitet worden sind, weisen auf eine bestimmte Anforderung: das neue tertiäre Instrument muss die Beherrschung der Expansion in der nicht-reversiblen Zeit ermöglichen.

Von den Theoretikern, die einen Beitrag zu *Beyond Formal Operations* geleistet haben, nimmt nur Patricia ARLIN die Bedeutung der Expansion als zentrales Problem auf. Sie weist darauf hin, dass das hypothetisch-deduktive Modell des formal-operativen Denkens davon ausgeht, dass den Subjekten Probleme zur Lösung präsentiert werden. Die Möglichkeiten und Hypothesen werden durch die Natur des präsentierten Problems eingeschränkt; sie sind auf das gegebene System beschränkt (ARLIN, 1984, S. 262). ARLIN geht davon aus, dass es zwei grundlegende Mechanismen gibt, die im postformalen Denken wirken: Kontraktion und Expansion. Kontraktionen beinhalten die zielgerichtete Unterordnung des Denkens unter die begrenzenden Rahmenbedingungen des Problems. Expansionen beinhalten die zielgerichtete Überwindung der Grenzen des gegebenen Problems. Die von ARLIN analysierte expansive Form des Denkens wird Problemfindung genannt. Sie stellt die Fähigkeit dar, „allgemeine Fragen aus vielen schlecht definierten Problemen abzuleiten" (ARLIN, 1984, S. 264; vgl. auch GETZELS & CSÍKSZENTMIHÁLYI, 1976).

> Die Begründung einer fünften Stufe (wobei die formal-operative die vierte darstellte Y.E.) beruht auf dieser Definition der Problemfindung und auf den Beobachtungen, daß „allgemeine Fragen" im Denken der Heranwachsenden ungewöhnlich sind. (ARLIN, 1984, S. 265)

ARLINS Verständnis von Expansion bleibt so auf der individuell-psychologischen und der Ebene empirischer Beobachtung. Es ist mehr eine Intuition als ein konkretes methodologisches Instrument.

Auch die Vertreter des postformalen Ansatzes diskutieren ihre vorgeschlagenen höheren Stufen nicht im Sinne von Instrumenten. Sie scheinen Entwicklung in einer ziemlich traditionellen Art und Weise zu verstehen – als etwas, das beobachtet und erklärt werden kann, aber nicht berührt und beherrscht werden kann. Es ist merkwürdig, dass Interventionen in *Beyond Formal Operations* fehlen.

Eine solche Sichtweise hinterlässt verständlicherweise ein Vakuum innerhalb des Feldes der Pädagogik. Dieses Vakuum wird gegenwärtig durch zahlreiche Programme angefüllt, die „allgemeine Denkfähigkeit" lehren (für einen Überblick vgl. NICKERSON, PERKINS, & SMITH, 1985). Das vielversprechende Wort „allgemein" weist auf etwas nach Art der tertiären Instrumente hin. Der Tenor innerhalb dieser Bewegung ist jedoch, dass kreatives und kritisches Denken in getrennte Fähigkeiten aufgeteilt werden sollen. Einige von diesen Fähigkeiten werden weiter in Schritte zerlegt. Diese schrittweisen Prozeduren werden dann gelehrt, entweder in einzelnen Kursen oder eingebettet in verschiedene schulische Inhalte. Eine typische „allgemeine Denkfähigkeit" könnte wie eines der drei folgenden Beispiele aussehen:

Beispiel l

> l. Phase der Refokussierung – 2. Phase der Bewußtheit – 3. Phase der Verantwortung – 4. Phase der Zielsetzung – 5. Phase der Aufgabenbearbeitung – 6. Phase der Aufgabenbeendung. (MARZANO und ARREDONDO 1986, 21)

Beispiel 2

> Regel l. Bestimme das Ziel der Analyse. – Regel 2. Bestimme Hinweise oder Fragen, die die Analyse leiten sollen. – Schritt l. Teile das Ganze in seine Teile. – Schritt 2. Vergleiche einen Teil mit deinen Hinweisen oder Fragen. Notiere deine Ergebnisse (mache eine Liste). Wiederhole diesen Schritt für jeden Teil aus Schritt l. – Schritt 3. Ziehe eine Schlussfolgerung/Verallgemeinerung, die dem Ziel, das in Regel l ausgedrückt wurde, genügt. (JACKSON, 1986, S. 35)

Beispiel 3

> l. Definiere die Situation. – 2. Formuliere das Ziel. – 3. Entwickle Ideen. – 4. Definiere die neue Situation. – 5. Entwickle einen Plan. – 6. Führe den Plan aus. (WALES, NARWI, & STAGER, 1986, S. 40)

Diese „allgemeinen Denkfähigkeiten" sind tatsächlich Algorithmen oder heuristische Regeln, um gewisse alltägliche Handlungen auszuführen, die in unserer Kultur gewöhnlich „Problemlösen" oder »Analyse" oder „Entscheiden" genannt werden. Vergleicht man sie mit der elaborierten Struktur von

PIAGETs formalen Operationen, dann erscheinen diese einzelnen „Denkfähigkeiten" sehr speziell und beliebig.

Ganz sicher haben sie wenig zu tun mit der Gesamtbeherrschung expansiver Übergänge. Vom Gesichtspunkt der Lebenstätigkeit der Menschen erscheint der Begriff „allgemein" hier als vollständige Verdrehung, als ob das Leben aus Haufen oder Puzzles von einzelnen Teilen bestünde, die auf eine beliebige „und-summative" Art und Weise zusammengesetzt werden können.

Auf der anderen Seite sieht das Leben oft genauso aus. Die Verdrehung ist selbst eine adäquate Widerspiegelung der subjektiven Konsequenzen der Entfremdung durch die Arbeitsteilung.

Formale Dialektik

Schon vor dem zunehmenden Interesse an postformalen Operationen hat Klaus RIEGEL (1973) vorgeschlagen, dass die „fünfte Stufe" kognitiver Entwicklung aus „dialektischen Operationen" bestehe.

RIEGELs Konzeption von Dialektik ist in seiner *Grundlagen der dialektischen Psychologie* (1980) zusammengefasst. Gleichzeitig begannen der Sozialwissenschaftler Ian MITROFF und seine Kollegen ein Forschungsprogramm über das, was sie „dialektische Untersuchungssysteme" nannten (für einen Überblick vergleiche MITROFF & MASON, 1981). Die epistemologischen und psychologischen Auffassungen dieser beiden Forschungsbereiche sind sich im wesentlichen gleich, auch wenn sie aus unterschiedlichen disziplinären Traditionen stammen. Die bislang gründlichste empirische Untersuchung dieses Zusammenhangs stellt *Dialectical Thinking and Adult Development* von Michael BASSECHES (1984) dar.

RIEGEL charakterisiert dialektisches Denken wie folgt:

> Jedes Ding ist es selbst und zugleich viele andere. Beispielsweise ist jedes konkrete Ding, etwa ein Stuhl, eben dieses Ding; es hat jedoch gleichzeitig viele verschiedene Eigenschaften. Dadurch, daß wir einige Eigenschaften herausstreichen und andere nicht beachten, können wir die eine oder andere abstrakte Vorstellung (Theorie) über den Stuhl entwickeln. Aber nur wenn wir alle diese Eigenschaften in ihrer sich ergänzenden Abhängigkeit sehen, kommen wir zu einem angemessenen, konkreten Verständnis.... Vernunft (dialectical thinking) versteht sich selbst, die Welt und jedes konkrete Objekt in der Vielzahl ihrer (seiner) widersprüchlichen Beziehungen. (RIEGEL, 1980, S. 60)

RIEGEL nimmt dann HEGELs berühmte Diskussion von *Herr und Knecht* auf. Er weist daraufhin, dass es abstrakt und undialektisch wäre, nur den Herrn oder den Knecht getrennt voneinander zu betrachten.

> Nur wenn man beide Seiten in ihrer wechselseitigen Beziehung betrachtet, erhält man ein konkretes Bild der gesamten Lage, ohne das eine oder das andere zu verdecken. Eine solche Beschreibung repräsentiert dialektisches Denken mit den ihm innewohnenden Widersprüchen. (RIEGEL, 1980, S. 60)

Das klingt vernünftig. Bei näherem Hinsehen zeigen sich jedoch grundlegende Probleme. Vor allem reduziert RIEGEL systematisch seine Systeme auf dyadische Formationen. Die Mutter-Kind-Dyade und die Autor-Leser-Dyade gehören zu seinen Lieblingsbeispielen.

> Minimalbedingung für eine Analyse, in der nicht nur nach Antworten, sondern auch nach Fragen gesucht wird, ist die Anwesenheit von zwei Personen z.B. einer Mutter und ihrem Kind, die über die Zeit hin interagieren und so miteinander sich entwickeln. (RIEGEL, 1980, S. 19)

> Die Belastung sollte für Leser wie für Kinder weder zu groß noch zu klein sein. Die richtigen Informationen müssen im richtigen Augenblick in der richtigen Dosierung gegeben werden. ... Koordination und gegenseitige Abstimmung zweier Zeitläufe sind ... zentrales Thema der dialektischen Theorie. (RIEGEL, 1980, S. 26)

Man findet keine expansive vermittelnde Drittheit hier (vgl. die Diskussion von PEIRCE und POPPER in Kapitel 2). Anstelle der Schaffung neuer Kontexte wird die Synchronisierung innerhalb des gegebenen Kontextes als die zentrale Aufgabe der Dialektik angesehen.

In RIEGELs Dialektik wird der Geschichte der Gegenstände und Instrumente menschlicher interaktiver Systeme wenig Aufmerksamkeit gewidmet. Die Dialektik wird zu einer ahistorischen Analyse von Beziehungen und Interaktionen.

> Indem aber die „dialektischen Psychologen" diese isolierten Beziehungen, den abstrakten Interaktionszusammenhang, als das Ganze behaupten, als das, was den Mensch-Welt-Zusammenhang ausmacht, verdinglichen sie die Beziehungen. Sie ersetzen die Psychologie durch Systemdenken. ... Menschen wie Dinge sind nur noch austauschbare Träger, bloßes Material für das Beziehungssystem. (GRÜTER, 1979, S. 162)

RIEGELs Dialektik ist eine Widerspiegelung gesellschaftlicher Beziehungen allein aus der Perspektive der Zirkulation und des Tausches. Innerhalb der Zirkulations- und Tauschsphäre der bürgerlichen Gesellschaft erscheinen Menschen und Dinge in ihren abstrakten Beziehungen, vermittelt und reguliert durch die unsichtbare Substanz des Tauschwertes. Es scheinen keine neuen Werte produziert zu werden, und es scheint keine materielle Substanz zu geben, an der gearbeitet wird und der eine Form gegeben wird. Es ist symptomatisch, dass RIEGELS Dialektik keine Naturdialektik kennt und keine Dialektik, die in die Gegenstände menschlicher Arbeit eingebettet ist. Charles TOLMAN (1981) nennt dies „die Metaphysik der Beziehungen."

Ian MITROFF und seine Mitarbeiter nehmen einen etwas anderen Standpunkt ein. Für sie ist die Dialektik ein Verfahren, miteinander konkurrierende Standpunkte und Interpretationen zu präsentieren, zu kritisieren und zu synthetisieren. Wie MITROFF und KILMAN (1978, S. 73) ausführen, besteht der Zweck dieses Verfahrens darin, „implizite Annahmen explizit zu machen und sie neben die konträren Annahmen des gegnerischen Standpunkts zu stellen." Eine Schlussfolgerung aus dieser Untersuchung lautet wie folgt:

> Die Botschaft lautet, dass man Menschen beibringen kann, dass es besser ist, bei komplexen Angelegenheiten sich die Geschichten von konkurrierenden Experten anzuhören, und sei es nur, weil dies außergewöhnlich behilflich dabei ist, die Annahmen besser zu verstehen, die den Positionen von Experten zugrunde liegen. (MITROFF & MASON, 1981, S. 36)

Dialektik ist hier auf eine Form des Diskurses und der Debatte reduziert. Sie ist von der historischen Analyse der Gegenstände des Diskurses abgeschnitten. Die Aufgabe besteht darin, miteinander konkurrierende Sichtweisen zu verstehen und zu synthetisieren, und nicht darin, in der Praxis die objektive Dynamik und die expansiven Widersprüche von Systemen der gesellschaftlichen Realität zu erfassen und zu nutzen.

Das Buch von BASSECHES (1984) soll den Ausflug in den Bereich der formalen Dialektik vervollständigen. Der Autor versucht, bestimmte „dialektische Schemata" in Interview-Protokollen von College-Studenten und Professoren zu bestimmen. Er führt vier Gruppen solcher Schemata auf, nämlich „bewegungsorientierte Schemata", „formorientierte Schemata", „beziehungsorientierte Schemata" und „metaformale Schemata". Er betrachtet jedoch niemals ernsthaft den Inhalt und die Geschichte der Fragen, um die es in den Interviews geht (bequemerweise beziehen sich die Fragen auf die Beschaffenheit der Collegebildung). Die Denkformen und Konzeptionen, die sich bei den Versuchspersonen nachweisen lassen, können so ganz unabhängig von ihren Inhalten als „dialektisch" bezeichnet werden. Eine Konzeption, die auf reiner Unwissenheit oder fehlender Informiertheit beruht, kann so immer noch als „bewegungsorientiert" oder „beziehungsorientiert" angesehen werden. Es ist auch vorstellbar, dass die untersuchten Personen eine spezifische Fähigkeit entwickeln, „dialektischen" Unsinn zu produzieren, um dem Wissenschaftler einen Gefallen zu tun oder sich einen Spaß zu machen.

Am Ende des Buches gibt BASSECHES (1984, S. 366-67) dies auch fast zu.

> Aus einer philosophischen Perspektive ergibt sich die auffälligste Spannung in diesem Buch vielleicht aus der Tatsache, dass das dialektische Denken in einer relativ formalistischen, inhaltsfreien Art und Weise beschrieben worden ist.... Ein Versuch, das dialektische Denken formalistisch zu beschreiben ist, wenn auch möglicherweise nützlich, so doch letztendlich begrenzt und möglicherweise verzerrend.

Das aktuelle Interesse an der formalen Dialektik ist tatsächlich nicht neu. Claude LÉVI-STRAUSS (1961, S. 54-55) gibt in seiner Erinnerung an seine Studentenjahre an der Sorbonne eine treffende Charakterisierung dieser Form des Denkens.

> Damals begann ich zu verstehen, wie jedes Problem, ob schwierig oder trivial, gelöst werden kann. Die Methode ist immer die gleiche. Zunächst führt man die traditionellen „zwei Ansichten" der Frage auf. Dann stellt man eine gemeinverständliche Rechtfertigung der ersten auf, nur um sie mit Hilfe der zweiten zu widerlegen. Schließlich verabschiedet man sich von beiden mit Hilfe einer dritten Interpretation, die zeigt, daß die beiden anderen gleichermaßen unbefriedigend sind. Das heißt, gewisse verbale Manöver erlauben es einem, die traditionelle „Antithese" als komplementäre Aspekte ein und derselben Wirklichkeit aufzustellen.... Bald wird aus dieser Übung das reine Verbalisieren und die Reflektion weicht einer Art höherem Wortspiel.

Dies ist eine Form von „Drittheit"; aber es ist eine „und-summative" Drittheit, keine expansive.

Inhaltliche Dialektik

Die Vertreter der formalen Dialektik beziehen sich zu Recht auf HEGEL als den Begründer der wissenschaftlichen Dialektik. Ihre Interpretationen werden jedoch der Qualität von HEGELS Denken nicht gerecht. Eine notwendige Vorbedingung für eine substanzielle, inhaltliche Dialektik besteht darin, die Essenz HEGELS zu erfassen.

Es ist bekannt, dass für HEGEL die Vernunft, das Denken der primäre Motor und die unendliche Kraft ist, durch die und in denen alle Realität ihr Sein findet. Vernunft oder Denken war dabei nicht etwas rein Geistiges, das nur im Kopf des Individuums stattfindet und sich allein in Worten manifestiert. HEGEL verlangte, dass das Denken in allen Formen erforscht werden müsse, in denen es sich realisiert, vor allem in menschlichen Handlungen und Tätigkeiten, in der Erfindung von Dingen und Ereignissen außerhalb des Kopfes des Individuums.

Auf dieser Grundlage verstand HEGEL richtig die logischen Formen des individuellen Bewusstseins als objektiv bestimmt durch Dinge außerhalb der individuellen Psyche, durch die gesamte geistige und materielle Kultur determiniert, die von Menschen kollektiv geschaffen und transformiert wird, die das Individuum umgibt und mit Ihm von Geburt an interagiert. Dieser kollektive Prozess, die intellektuelle Entwicklung der Menschheit, kann in der Geschichte der Wissenschaft und der Technik objektiv nachgezeichnet werden. Dieser Prozess schließt nach HEGEL auch eine Phase ein, in der das Denken in der gegenständlichen Tätigkeit realisiert wird – und durch diese Tätigkeit in den Formen von Dingen und Ereignissen außerhalb des Bewusstseins. HEGEL kam hier „bis *dicht* an den Materialismus", wie LENIN (1971, S. 277) bemerkt hat.

Das Denken sollte als kollektive, kooperative Tätigkeit analysiert werden, bei der das Individuum nur partielle Funktionen ausübte. Indem es an der gemeinsamen Arbeit teilnimmt, unterwirft das Individuum sich selbst den Gesetzen und Formen des universellen Denkens, auch wenn ihm diese als solche nicht bewusst sind.

Dialektik war für HEGEL die Form und Methode des Denkens, die sowohl den Prozess der Entfaltung von Widersprüchen wie auch deren konkrete Lösung auf einem tieferen Niveau des Verstehens des Gegenstandes einschloss. Die Widersprüche konnten in anderen Worten nur im Verlauf der Entwicklung der Wissenschaft, der Industrie und all der Sphären gelöst werden, die HEGEL den „objektiven Geist" nannte. Das praktische Ergebnis des dialektischen Denkens bestand nicht in individueller Anpassung, sondern in der kollektiven gesellschaftlichen Entwicklung und qualitativen Veränderung der materiellen menschlichen Kultur.

HEGELS grundsätzliche Überlegenheit über die modernen Vertreter der formalen Dialektik findet sich in zwei Tatbeständen: (1) HEGEL untermauerte die *Objektivität* der logischen Formen des Denkens, ihren Ursprung in den universellen Formen und Gesetzen der Entwicklung der menschlichen Kultur – Wissenschaft, Technik und Moral; (2) HEGEL führte den Gedanken der *Praxis* in unsere Vorstellung von Denken und Logik als den gegenstandsbezogenen Prozess der Tätigkeit ein, der Dinge in Übereinstimmung mit einem Begriff verändert.

Wo kamen aber die universellen Formen und Muster der Logik und des Denkens her? Wo hat der universelle Geist seinen Ursprung?

Um HEGELS Ansicht besser zu verstehen, muss man sich darüber klar sein, dass er seine Antwort nicht einfach von der Religion nahm. Seine Konzeption war vielmehr eine genaue Widerspiegelung der tatsächlichen Bedingungen, unter denen sich die spontane Entwicklung gesellschaftlicher Arbeitsteilung, die Trennung von geistiger und körperlicher Arbeit insbesondere vollzog. Unter diesen Bedingungen wurde die Wissenschaft in einen besonderen Beruf transformiert, der der Mehrheit der Menschen und der praktischen, körperlichen Arbeit übergeordnet war und ihm Gegensatz zu ihnen stand.

Indem er diese Bedingungen erfasste und reproduzierte, stellte HEGEL den Menschen und sein tatsächliches Denken einem unpersönlichen, „absoluten" Denken gegenüber, einem Denken, das tatsächlich die Menschen und die Welt der Menschen als ewige Kraft geschaffen hatte.

Logik wurde zu einer absoluten Form, verglichen mit der die materielle Welt und die tatsächliche menschliche Tätigkeit etwas Abgeleitetes, Sekundäres und Erschaffenes waren. Der Wissenschaftler, der Geistesarbeiter, erschien als der Vertreter des universellen Denkens, das sich seinen Kategorien nähert und sie formuliert. Die sinnlich objektive Tätigkeit körperlicher Arbeit erschien nur als „Vorgeschichte" und „Anwendung" des Denkens. Das Wort (oder die Sprache) erschien logischerweise als das primäre Werkzeug der Externalisierung und Vergegenständlichung des Denkens.

Nach ENGELS ist die Dialektik „weiter nichts als die Wissenschaft von den allgemeinen Bewegungs- und Entwicklungsgesetzen der Natur, der Menschengesellschaft und des Denkens" (ENGELS, 1972, S. 131-132). Die dialektische Logik ist in anderen Worten nicht bloß die Wissenschaft von den Gesetzen und Formen des Denkens, sondern auch und vor allem die Wissenschaft von der Entwicklung aller Dinge, sowohl materieller wie „spiritueller".

HEGEL war auch an der ihn umgebenden Welt interessiert, an menschlicher Kultur und Arbeit. Er betrachtete sie aber als Ableitungen des universellen Denkens. Das machte es ihm schwer, die verschiedenen Formen von Natur und Kultur *sui generis* zu untersuchen, unabhängig vom ewigen universellen Geist. HEGEL reduzierte die Dialektik jedoch niemals auf reine „dialogische Interaktionen" oder „Diskussionsregeln", die ihrer objektiven Inhalte beraubt sind. HEGEL hat vielleicht die Beziehung zwischen Denken und äußerer materieller Welt auf den Kopf gestellt, er hat aber sicher die Welt nicht aus den Augen verloren: Das Denken ist „nicht die Tätigkeit, die den Inhalt als ein Fremdes handhabt, nicht die Reflexion in sich aus dem Inhalte heraus" (HEGEL, 1952, S. 46).

HEGEL richtete schärfste Kritik auf den abstrakten Formalismus.

> Die Eine unbewegte Form vom wissenden Subjekte an dem Vorhandenen herumgeführt, das Material in dies ruhende Element von außen her eingetaucht, dies ist so wenig, als willkürliche Einfälle über den Inhalt, die Öffnung dessen, was gefordert wird, nämlich der aus sich entspringende Reichtum und sich selbst bestimmende Unterschied der Gestalten. Es ist vielmehr ein einfarbiger Formalismus, der nur zum Unterschiede des Stoffes, und zwar dadurch kommt, weil dieser schon bereitet und bekannt ist. (HEGEL, 1952, S. 18)

Im Unterschied zum Formalismus definierte HEGEL die eigentliche Natur der Dialektik wie folgt:

> Nicht das Abstrakte oder Unwirkliche ist ihr Element und Inhalt, sondern das Wirkliche, sich selbst Setzende und in sich Lebende, das Dasein in seinem Begriffe. Es ist der Prozeß, der sich seine Momente erzeugt und durchläuft, und diese ganze Bewegung macht das Positive und seine Wahrheit aus. Diese schließt also ebenso sehr das Negative in sich, dasjenige, was das Falsche genannt werden würde, wenn es als ein solches betrachtet werden könnte, von dem zu abstrahieren sei. (HEGEL, 1952, S. 39)

Die Dialektik beschäftigt sich in anderen Worten mit realen substantiellen Inhalten. Die Dialektik beschäftigt sich darüber hinaus mit der Bewegung von Objekten. Diese Bewegung wird durch zwei wesentliche Merkmale charakterisiert: Es ist eine Selbstbewegung, die nicht extern veranlasst, sondern intern verursacht ist (causa sui), und es ist Bewegung in der Form innerer Widersprüche. Das dialektische Denken sollte sich in den Inhalt „versenken, ihn durch seine eigene Natur, d.h. durch das Selbst als das Seinige, sich bewegen (zu) lassen, und diese Bewegung (zu) betrachten" (HEGEL, 1952, S. 45).

Der Prozess des dialektischen Denkens wird dem Prozess des formalen Verstehens gegenübergestellt.

> Statt in den immanenten Inhalt der Sache einzugehen, übersieht er immer das Ganze und steht über dem einzelnen Dasein, von dem er spricht, d.h. er sieht es gar nicht. (HEGEL, 1952, S. 45)

Insofern es nicht auf das reduzierbar ist, was bereits bekannt ist, entwickelt sich das Ergebnis dialektischen Denkens wie bei einem intensiven Abenteuer oder einer Kriminalgeschichte.

> Das wissenschaftliche Erkennen erfordert aber vielmehr, sich dem Leben des Gegenstandes zu übergeben oder, was dasselbe ist, die innere Notwendigkeit desselben vor sich zu haben und auszusprechen. Sich so in seinen Gegenstand vertiefend, vergißt es jener Übersicht, welche nur die Reflexion des Wissens aus dem Inhalte in sich selbst ist. Aber in die Materie versenkt und in deren Bewegung fortgehend, kommt es in sich selbst zurück, aber nicht eher als darin, daß die Erfüllung oder der Inhalt sich in sich zurückwirkt, zur Bestimmtheit vereinfacht, sich selbst zu einer Seite seines Daseins herabsetzt und in seine höhere Wahrheit übergeht. Dadurch emergiert das einfache, sich übersehende Ganze selbst aus dem Reichtume, worin seine Reflexion verloren schien. (HEGEL, 1952, S. 45)

Dieser Prozess vereinigt Inhalt und Form, Theorie und Methode.

> Die konkrete Gestalt, sich selbst bewegend, macht sich zur einfachen Bestimmtheit;
>
> damit erhebt sie sich zur logischen Form und ist in ihrer Wesentlichkeit; ihr konkretes Dasein ist nur diese Bewegung und ist unmittelbar logisches Dasein. Es ist darum unnötig, dem konkreten Inhalt den Formalismus äußerlich anzutun; jener ist an ihm selbst das Übergehen in diesen, der aber aufhört, dieser äußerliche Formalismus zu sein, weil die Form das einheimische Werden des konkreten Inhalts selbst ist. (HEGEL, 1952, S. 47)

Nach HEGEL ist die Wahrheit das Ganze. „Das Ganze aber ist nur das durch seine Entwicklung sich vollendende Wesen" (HEGEL, 1952, S. 21). „Das erste Auftreten ist erst seine Unmittelbarkeit oder sein Begriff. So wenig ein Gebäude fertig ist, wenn sein Grund gelegt worden, so wenig ist der erreichte Begriff des Ganzen das Ganze selbst" (HEGEL, 1952, S. 16). Das theoretische Denken muß das anfängliche und wirklich allgemeine Wesen des komplexen Ganzen finden, es muß das Ganze auf sein abstraktes Fundament zurückführen.

> Die Wirklichkeit dieses einfachen Ganzen aber besteht darin, daß jene zu Momenten gewordenen Gestaltungen sich wieder von neuem, aber in ihrem neuen Elemente, in dem gewordenen Sinne entwickeln und Gestal-

tung geben. (HEGEL, 1952, S. 16)

Die dialektische Methode ist eine Methode, das Wesen eines Gegenstandes zu erfassen, in dem theoretisch die Logik seiner Entwicklung, seines historischen Werdens reproduziert wird. Die dialektische Methode ist so eine historische Methode. Sie ist aber auch Einheit des Historischen und des Logischen. Die Geschichte des Gegenstandes wird von zufälligen Details befreit, sie wird auf das Niveau einer logischen Abfolge gehoben, von dem aus dann die Details in ihrem ganzen Reichtum nun „von neuem, aber in ihrem neuen Elemente, in dem gewordenen Sinne" abgeleitet werden können.

Weiter oben haben wir diese Methode als Aufsteigen vom Abstrakten zum Konkreten bezeichnet. Es gibt dabei keine Abkürzungen. Bei jedem Gegenstand muss die Logik der Entwicklung neu gefunden werden, indem man sich „in die Materie versenkt."

Ich bin ja hier auf der Suche nach einem tertiären Instrument expansiver Übergänge. Die Dialektik, wie sie von HEGEL und von vielen seiner materialistischen Nachfolger verstanden worden ist, ist dabei in zweierlei Hinsicht problematisch. Dialektik als Methode des Denkens ist erstens allgemein vorgestellt als ein *einsames, individuelles* Unterfangen. Zweitens wird Dialektik generell nur als Methode des *Denkens* verstanden.

In meiner Analyse ist Dialektik die Logik der Expansion. Und die Expansion ist im wesentlichen ein sozialer und praktischer Prozess, der mit Kollektiven von Menschen zu tun hat, die ihre materielle Praxis rekonstruieren.

Sozialität und Expansion: von der Meisterlehre zur Polyphonie

HEGEL war sich der überindividuellen Natur des Denkens bewusst. Wie oben bereits angemerkt, ordnete sich das Individuum auch den Gesetzen und Formen des universellen Denkens unter, indem es tatsächlich an gemeinsamer Arbeit teilnahm, auch wenn dies als solches nicht bewusst war. Die überindividuelle Natur des Denkens konnte für HEGEL nicht angemessen durch menschliche Wesen aus Fleisch und Blut verwirklicht werden. Der absolute Geist musste als sein Subjekt hingestellt werden.

HEGEL war Zeuge der Auflösung präkapitalistischer sozialer Strukturen, für die ein Kollektivismus ohne bewusste Reflexion typisch war. Solche Strukturen findet man beispielsweise in mittelalterlichen Systemen der Meisterlehre. Man kann sie auch heute noch *in vivo* untersuchen z.B. in den traditionellen japanischen Formen der darstellenden Kunst.

> Die traditionellen Formen der japanischen darstellenden Kunst... sind so konstruiert, dass sie nicht wissenschaftlich gelehrt werden können und dass die Lernenden sie allein dadurch beherrschen können, dass sie das imitieren und wiederholen, was die Lehrer tun. Diese Art des Lernens nennen wir manchmal „eine Handlung stehlen". Zum Beispiel beginnt ein Novize im japanischen Tanz zuerst damit, die Darstellungsformen des Lehrers zu imitieren. Dies wiederholt er viele Jahre lang, bis er endlich den Punkt erreicht, an dem er den japanischen Tanz gut beherrscht und ein Meister genannt wird. (HIROMATSU, 1986, S. 1-2)

Die Darstellungen werden in einer spezifischen sozialen Umgebung eingeübt, die „Welt" genannt wird. Das Sumo-Ringen ist hierfür ein Beispiel.

> In der Sumo-Welt gibt es ein stabiles etabliertes System (das *heya* System), und jeder Ringer muß in eine dieser „heya" eintreten und mit dem Lehrer und anderen Ringern leben. Der Zweck dieses stabilen Systems besteht darin, junge Ringer zu Meistern auszubilden, wobei sie einer strengen Etikette, Disziplin und einer besonderen Wertordnung unterworfen werden, die die Grundlage für die von der Welt getrennte Gesellschaft des Sumo ist. Physikalisch betrachtet ist ein Stall (*heya*; wörtlich „Raum"), eine selbständige Einheit, die über alle Möglichkeiten zum Leben und zum Trainieren verfügt. ...
>
> Ein Stall wird geleitet unter der absoluten Kontrolle eines einzelnen Chefs (oyakata). Alle *oyakata* sind ehemalige Spitzenringer und Mitglieder der japanischen Sumo-Vereinigung. Oyakata sind im allgemeinen verheiratet und leben in einem besonderen Bereich. Ihre Frauen, die den Titel „okamisan" rühren, sind die einzigen Frauen, die in einem heya leben. Die okamisan spielt hinter den Kulissen eine wichtige Rolle für den reibungslosen Ablauf des Stalls, aber es gehört niemals zu ihren Pflichten, für die Ringer zu kochen oder sauberzumachen. Dies und alle anderen Hausarbeiten außerhalb des Bereichs des oyakata werden von Lehrlingen und Ringern von niedrigem Rang ausgeführt, die dafür keinerlei Bezahlung erhalten und zusätzlich den Spitzenringer als *tsukebito* (Diener) zur Verfügung stehen müssen.... Durch das Leben in einem heya mit dem oyakata und anderen Spitzenringern, üben sich junge Ringer nicht nur im Sumo, sondern lernen auch die gesamte Atmosphäre der Sumo Welt kennen. (HIROMATSU, 1986, S. 11-13)

HIROMATSU (1986, S. 15) kommt zu dem Schluss, dass die traditionellen darstellenden Künste nicht unter dem Gesichtspunkt eines „Punktes", sondern eines „Raumes" als Ganzes betrachtet werden müssen. Dies ist offenbar richtig, aber die räumliche Dimension ist hier untrennbar mit der zeitlichen verflochten. Die Geschichte ist in der Form einer impliziten Tradition in allen

Handlungen innerhalb dieser „Welt" gegenwärtig, und der oyakata ist im wesentlichen ein Repräsentant und eine Verkörperung dieser Tradition (für weitere Analysen und Dokumentationen über das Handwerk und die Meisterlehre vgl. GOODY, 1982; STÜRMER, 1979).

Der industrielle Kapitalismus ist der Triumph des Individualismus. Die entwickelte Form des Lernens ist hier die Schulpflicht. In der Pflichtschule ist die herrschende Funktionseinheit die einzelne räumlich und zeitlich getrennte Aufgabe.

> Das Grundmuster besteht in folgendem. Lernen wird dargestellt (l) in der Form von diskreten primären Lernaufgaben (stecke einen Holzstift in ein Loch, wo ist die Katze, buchstabiere Hund, wie viel ist 2+2); (2) Aufgaben werden aus dem Ereignisfluss als besondere Episoden ausgegliedert, die einen Anfang, ein Ende und eine Art von Markierung besitzen, die signalisiert „dies ist eine besondere Situation"; (3) Aufgaben werden in den Jahren, in denen sich das sekundäre Lernen ausbildet, sorgfältig dahingehend abgestimmt, dass sie in bequemer Reichweite der perzeptivmotorischen und der kognitiven Fähigkeiten des Kindes liegen; (4) Aufgaben besitzen einen Endpunkt, eine Auflösung; (5) der Punkt der Auflösung ist so strukturiert, dass er zwei einander logisch ausschließende Ergebnisse besitzt, „Erfolg" oder „Misserfolg" (das heißt, der Punkt der Auflösung entspricht dem Punkt, an dem eine Lösung gegeben wird); (6) alle Aufgaben können „mit Erfolg gelöst" werden; (7) eine solche Lösung kann innerhalb kurzer Zeit erreicht werden (innerhalb der Aufmerksamkeitsspanne oder später innerhalb der „Motivationsspanne" des Kindes, (8) die „Lösung" wird mit einer Belohnung versehen (die fehlende Belohnung im Falle eines „Misserfolgs" wird als Bestrafung angesehen), wobei diese Belohnung sich deutlich von einer geringerwertigen Belohnung unterscheidet, die man erhält, weil man sich „Mühe gegeben" hat; (9) gewöhnlich besteht die Belohnung im Falle des gelungenen Aufbaus eines Lernmusters in Lob, verbunden mit verstärkter Zärtlichkeit oder Herzlichkeit; (10) und diese Belohnung ist für das Kind von großer emotionaler Bedeutung. (LEVY, 1976, S. 179-180)

LEVY (1976, S. 183) weist daraufhin, dass „der Inhalt der Aufgaben trivial ist, außer dass er auf Hinweise für mehr oder weniger Erfolg bezogen ist". Diese Form des Lernens ist eng verbunden mit dem Vorherrschen einer engen Spezialisierung (siehe „Abschottung") und einer situativen Perspektive auf das Leben. Das Erstgenannte repräsentiert die räumliche, das Letztgenannte die zeitliche Dimension der Sozialität sowohl beim Lernen wie bei der Lohnarbeit.

MARX nimmt diese beiden Aspekte der Sozialität in seiner berühmten kurzen Passage über die allgemeine Arbeit auf.

> Nebenbei bemerkt, ist zu unterscheiden zwischen allgemeiner Arbeit und gemeinschaftlicher Arbeit. Beide spielen im Produktionsprozeß ihre Rolle, beide gehen ineinander über, aber beide unterscheiden sich auch. Allgemeine Arbeit ist alle wissenschaftliche Arbeit, alle Entdeckung, alle Erfindung. Sie ist bedingt teils durch Kooperation mit Lebenden, teils durch Benutzung der Arbeiten Früherer. Gemeinschaftliche Arbeit unterstellt die unmittelbare Kooperation der Individuen. (MARX, 1972, S. 113-114)

Kooperative Arbeit, die direkte Kooperation von Individuen, ist die räumliche Dimension der Sozialität. Wirklich allgemeine Arbeit setzt aber immer auch die zeitliche Dimension voraus, in direkte „Kooperation" mit denen, die zuvor gelebt haben, und jenen, die nach uns kommen werden.

Oben habe ich diese Dimensionen der Sozialität in der Meisterlehre und im Zur-Schule-Gehen skizziert. Welche Form der Sozialität könnte dem Lernen durch Expansion entsprechen?

Die vielversprechendsten Elemente für eine Antwort finden sich in dem Werk des russischen Literatur-Theoretikers Michail BACHTIN (1979, 1989) über den Roman.

Wie Michael HOLQUIST (1981, S. XXVI) anmerkt, hat der enorme Erfolg des Romans im 19. Jahrhundert die Tatsache überschattet, dass er für den überwiegenden Verlauf seiner Geschichte ein randständiges Genre war, das wenig studiert und oft denunziert wurde. BACHTIN vergleicht den Roman mit dem Epos. Er kommt zu folgendem Ergebnis: „Die epische Welt kennt nur die eine einheitliche und einzige, durch und durch fertige Weltanschauung, die für die Helden wie auch für den Autor und die Zuhörer gleichermaßen verbindlich und unumstößlich ist" (BACHTIN, 1989, S. 245). Und: „Der epische und tragische Held ist nichts ohne sein Schicksal und das dadurch bedingte Sujet; er kann nicht zum Helden eines anderen Schicksals, eines anderen Sujets werden" (BACHTIN, 1989, S. 246-247).

Es gibt eine tiefe Affinität zwischen dem Epos als der herrschenden Form des literarischen Bewusstseins und der Meisterlehre als der herrschenden Form des Lernens. Die „Welt" der Meisterlehre korrespondiert mit dem „Schicksal" und der „Fabel" des Epos. So wie der industrielle Kapitalismus und die Zwangsschule die Meisterlehre ersetzen, ersetzt der Roman das Epos.

> Die Zerstörung der epischen Distanz und der Übergang der Gestalt des Menschen aus der fernliegenden Ebene in die Zone des Kontakts mit dem unabgeschlossenen Ereignis der Gegenwart (und somit auch mit dem der Zukunft) führt zu einer grundlegenden Umgestaltung des Menschenbildes in Romanen (und im folgenden auch in der gesamten Literatur). Auch in diesem Prozess spielen die folkloristischen, aus dem Lachen des Volkes gespeisten Quellen des Romans eine enorme Rolle. Eine erste und äußerst wesentliche Entwicklungsetappe war die Familiarisierung des Menschenbildes mittels des Lachens. Das Lachen zerstörte die epische Distanz; es begann den Menschen frei und familiär zu erforschen, sein Innerstes nach außen zu kehren, das Mißverhältnis zwischen Äußerem und Innerem, zwischen der Möglichkeit und ihrer Realisierung aufzudecken. Das Menschenbild wurde mit einer grundlegenden Dynamik versehen, der Dynamik der Nicht-Übereinstimmung und des Mißklangs zwischen den verschiedenen Momenten dieses Bildes; der Mensch horte auf, mit sich selbst identisch zu sein, und folglich schöpfte ihn auch das Sujet nicht mehr restlos aus. (BACHTIN, 1989, S. 246)
>
> Es ist die Zone des Kontakts mit der unabgeschlossenen Gegenwart und folglich auch mit der Zukunft, die die Notwendigkeit einer solchen Nichtübereinstimmung des Menschen mit sich selbst erzeugt. Stets bleiben in ihm nicht realisierte Potenzen und unerfüllte Forderungen zurück. Es gibt eine Zukunft – und diese Zukunft muss einfach einen Bezug zum Bild des Menschen haben, sie muss ganz einfach in ihm wurzeln. (BACHTIN 1989, 248)

BACHTIN zeigt hier, dass der kapitalistische Individualismus nicht nur das Gesicht der Entfremdung, Abschottung und Situativität besitzt. Er hat auch das Gesicht des Gegenwartsbezugs, der Offenheit und Flüssigkeit, der Freiheit von fixierten Autoritäten und absoluten Traditionen. Er besitzt potenziell die „ewig suchende, immer wieder sich selbst erforschende und alle seine konsolidierten Formen revidierende" (BACHTIN, 1989, S. 250) Möglichkeit.

BACHTIN hält jedoch hier nicht an. Seine Ideen beschränken sich nicht darauf, den optimistischen Aspekt des Individualismus zu verdeutlichen. Sein Hauptergebnis besteht im Gegenteil in dem Potential der neuen Qualität einer Sozialität, die sich aus dem Individualismus entwickelt. Er fand dieses neue Potential im Roman antizipiert.

> Der Roman ist künstlerisch organisierte Redevielfalt, zuweilen Sprachvielfalt und individuelle Stimmenvielfalt. Die innere Aufspaltung der einheitlichen Nationalsprache in soziale Dialekte, Redeweisen von Gruppen, Berufsjargon, Gattungssprachen, Sprachen von Generationen und Altersstufen, Sprachen von Interessengruppen, Sprachen von Autoritäten, Sprachen von Zirkeln und von Moden, bis hin zu den Sprachen sozialpolitischer Aktualität (jeder Tag hat seine eigene Losung, sein Wörter-

> buch, seine Akzente) – diese innere Aufspaltung jeder Sprache im je einzelnen Moment ihres geschichtlichen Daseins ist die notwendige Voraussetzung für die Romangattung: der Roman orchestriert seine Themen, seine gesamte abzubildende und auszudrückende Welt der Gegenstände und Bedeutungen mit der sozialen Redevielfalt und der auf ihrem Boden entstehenden individuellen Stimmenvielfalt. Die Rede des Autors und die Rede des Erzählers, die eingebetteten Gattungen, die Rede der Helden sind nur jene grundlegenden kompositorischen Einheiten, mit deren Hilfe die Redevielfalt im Roman eingerührt wird. Jede von ihnen begründet eine Vielzahl von sozialen Stimmen und eine Vielfalt von (immer mehr oder weniger dialogisierten) Verbindungen und Korrelationen zwischen den Aussagen und den Sprachen. Diese Bewegung des Themas durch Sprachen und Reden, deren Aufspaltung in Elemente der sozialen Redevielfalt, ihre Dialogisierung: dies macht die grundsätzliche Besonderheit der Stilistik des Romans aus. (BACHTIN, 1979, S. 157)

Diese Vision einer neuen Sozialität beruht auf Vielsprachigkeit und Polyphonie, die mit Hilfe eines gemeinsamen Gegenstandes orchestriert und organisiert werden. Man könnte in einer Entlehnung von der kognitiven Wissenschaft hier vielleicht von parallel verteilten Prozess-Systemen sprechen. Ein sich entwickelndes Tätigkeitssystem, das sozial auf solchen parallel verteilten Modulen beruht, könnte man als lokales oder globales paradigmatisches Netzwerk von Gruppen und Individuen verstehen, die einen Gegenstand/ein Motiv und Werkzeuge gemein haben.

Wie würde sich aber eine solche soziale Struktur von der klassischen Idee der Gelehrtenrepublik unterscheiden oder von dem unsichtbaren College von miteinander verbundenen Forschergruppen? Bei BACHTIN lautet die Antwort: „Im Roman müssen alle sozio-ideologischen Stimmen der Epoche vertreten sein, d.h. alle wesentlichen Sprachen der Epoche, kurz der Roman muss ein Mikrokosmos der Redevielfalt sein" (1979, S. 290). Auf das expansive Lernen und die Forschung angewendet bedeutet dies: *Alle konfligierenden und komplementären Stimmen der verschiedenen Gruppen und Schichten in dem untersuchten Tätigkeitssystem müssen einbezogen und genutzt werden.* Wie BACHTIN zeigt, heißt das mit Sicherheit auch, dass die Stimmen und die nicht-akademischen Genres der gewöhnlichen Menschen eingeschlossen sind. Statt der klassischen Argumentation innerhalb einer einzelnen akademischen Sprachform erhalten wir so ein Feuerwerk aus dem Zusammenprall verschiedener Sprachformen und Sprachen (für weitere Analysen von

BACHTINS dialogischem Ansatz vgl. MORSON, 1986; RADZIKHOVSKIJ, 1987; TODOROV, 1984).

Die Metapher der parallel verteilten Systeme oder der paradigmatischen Netzwerke bezieht sich typischerweise auf die räumliche Dimension der Sozialität. Die zeitliche Dimension, die Kooperation mit denjenigen, die vor uns waren, findet man beispielsweise in DARWINS „Konversation" mit HUMBOLDT (vgl. GRUBER, 1984, S. 13-14) und in EINSTEINS „Konversation" mit NEWTON (vgl. GLAZMAN, 1972, S. 209-212). Dies sind jedoch immer noch Beispiele von Dialogen, die von herausragenden Individuen geführt wurden, und sie laufen sehr stark innerhalb uniformer Sprachformen ab. Die Notwendigkeit der Redevielfalt verändert die Natur dieser indirekten Kooperation. Statt dass ein individueller Wissenschaftler mit seinem Vorläufer aus der Vergangenheit argumentiert, haben wir es nun mit einer heterogenen Gemeinschaft von parallel verteilten Einheiten zu tun, die eine Konversation mit einer Vielfalt von Vergangenheiten führen, die von veröffentlichten klassischen Theorien bis zu praktischen Erfahrungen reichen, die in verstreuten Resten und persönlichen Erinnerungen konserviert sind.

Die dritte Zwischenbilanz

In diesem Kapitel habe ich gezeigt, dass Lernen durch Expansion (eng verbunden mit der sich entwickelnden historischen Form kollektiv und expansiv beherrschter Tätigkeit) seine eigenen Instrumente des theoretischen Denkens erfordert. Ein solches expansives Denken erfordert, allgemein gesprochen, einen neuen Begriff vom *Begriff* als Verfahren des *Aufsteigens vom Abstrakten zum Konkreten*. Dies ist der logische Kern des dialektischen Denkens.

Innerhalb dieses allgemeinen Instruments können drei Formen von sekundären Instrumenten unterschieden werden: *Sprungbretter*, *Modelle* und *Mikrokosmen*. Das *Keimzellen-Modell* ist die historisch am weitesten entwickelte Form der Modelle, die die anfänglich einfache widersprüchliche Beziehung zum Gegenstand hat, die zu der Entwicklung und Transformation eines bestimmten Systems führt.

Das Aufsteigen vom Abstrakten zum Konkreten entspricht der Logik des expansiven Übergangs von individuellen Handlungen zu der qualitativ neuen kollektiven Tätigkeit. Dies bedeutet, dass die Dialektik als tertiäres Instrument der expansiven Übergänge nicht in Form vereinzelten individuellen Denkens verstanden werden kann. Die spezifische Form von Sozialität, die mit diesem Instrument verbunden ist, wird von BACHTIN als Redevielfalt oder orchestrierte Polyphonie bezeichnet. Die offensichtliche Frage, die auf das letzte Kapitel dieses Buches hinweist, ist nun: Welches sind die Regeln der expansiven Orchestrierung? Wie schafft man Einheit in der Vielfalt?

Ansätze einer expansiven Methodologie

Der Zyklus kulturhistorischer Methodologie: VYGOTSKIJ, SCRIBNER und COLE

Sylvia SCRIBNER beschreibt in ihrem brillanten Papier über die Bedeutung der Geschichte bei VYGOTSKIJ (1985) die vier Momente von VYGOTSKIJs Methodologie wie folgt:

> 1. Vygotskij beginnt mit Beobachtungen des Verhaltens von zeitgenössischen Erwachsenen in hochentwickelten Gesellschaften. Seine Ausgangspunkte waren unauffällige, aber alltägliche kulturelle Formen des Verhaltens. Vygotskij nannte diese Phänomene „rudimentäre Formen". Jede dieser Formen zeigt die dreifache Struktur der kulturellen Formen des Verhaltens, die aus einem Umweltreiz, einer Reaktion und einem von Menschen geschaffenen symbolischen Reiz, der zwischen beiden vermittelt, bestehen. Jede Form enthält den „Schlüssel zu höherem Verhalten".
>
> 2. Um zu bestimmen, wie sich rudimentäre Formen zu neue Formen verändern, ist es erforderlich, sich von den Beobachtungen alltäglichen aktuellen Verhaltens abzuwenden und der historischen Transformation von Strukturen zuzuwenden. Historische und ethnopsychologische Quellen erlauben die Rekonstruktion der Phasen, welche die rudimentären Formen auf ihrem Weg zu höheren Systemen passieren.
>
> 3. Die historische Abfolge kann als Modell für einen künstlich hervorgerufenen Veränderungsprozess bei Kindern dienen, ein Prozess, der mit experimentellen Mitteln in Gang gesetzt worden ist. Die Experimente werden in „reiner und abstrakter Form" zeigen, wie die kulturelle Entwicklung in der Ontogenese läuft. Die experimentell-genetische Methode konstituiert daher das dritte methodologische Moment und die Quelle der reichsten und lebendigsten Erkenntnisse.
>
> 4. Beobachtungen über den tatsächlichen Entwicklungsfortschritt heutiger Kinder bilden das vierte Moment des Theorie-Gebäudes. Vygotskij glaubte, dass Modelle auf der Grundlage experimenteller Studien notwendigerweise schematisch und vereinfacht seien. Das Experiment sagt uns nichts darüber, wie höhere Systeme vom Kind tatsächlich verwirklicht werden; ein experimentell induzierter Prozess bildet niemals die genetische Entwicklung so ab, wie sie im Leben verläuft. Experimente erfassen ebenfalls nicht die große Vielfalt kindlichen Verhaltens in den vielen Umständen, in denen sie aufwachsen. Auch wenn das Experiment den Prozess modelliert, muss die konkrete Forschung die Beobachtungen in Übereinstimmung zu Beobachtungen über natürlich ablaufendes Verhalten bringen. Vygotskij beginnt und endet deshalb mit Beobachtungen vom Verhalten im Alltagsleben, um Modelle der Geschichte höherer Systeme zu entwickeln und zu überprüfen. (SCRIBNER, 1985, S. 135-137; vgl.

auch WERTSCH, 1985c, Kapitel 2)

SCRIBNERS Rekonstruktion von VYGOTSKIJS Methodologie lässt sich zusammenfassend in Abb. 2.26 darstellen.

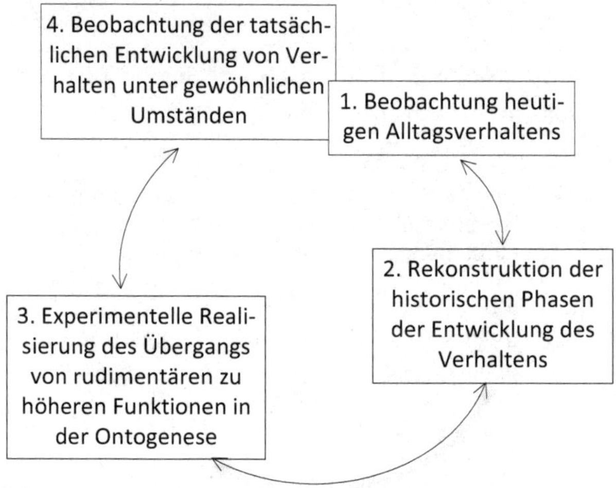

Abb. 2.26. Die vier Momente der Methodologie Vygotskijs (nach Scribner 1985)

SCRIBNER selbst fügt VYGOTSKIJS ursprünglichem Schema wichtige Überlegungen hinzu.

> In Vygotskijs Theorie ... erscheint Geschichte als ein einfacher unidirektionaler Verlauf soziokulturellen Wandels. Es ist ein Prozess in der Welt, der uns von der Genese von spezifisch menschlichen Formen des Verhaltens und ihren sich verändernden Strukturen und Funktionen in der Vergangenheit Auskunft gibt. ... Für konkrete Forschungszwecke und für die Theorieentwicklung in der Gegenwart scheint eine solche Sichtweise unangemessen. Gesellschaften und kulturelle Gruppen nehmen an der Weltgeschichte mit verschiedenen Tempi und auf verschiedene Weisen teil. Jede hat ihre eigene Geschichte, die die Natur des gegenwärtig ablaufenden Wandels beeinflusst. ... Die Geschichten einzelner Gesellschaften sind nicht unabhängig vom Prozess in der Welt, sie sind aber auch nicht darauf reduzierbar. Damit diese Pluralität angemessen erfasst werden kann, muss die Theorie Vygotskijs dahingehend erweitert werden, dass sie ... die Geschichte einzelner Gesellschaften einschließt. (SCRIBNER, 1985, S. 138-139)

SCRIBNER weist auch daraufhin, dass es nicht genügt, sich allein auf die Entwicklung des Kindes zu konzentrieren. Sie schlägt vor, „Geschichte des Kindes" durch „Lebensgeschichte" zu ersetzen (SCRIBNER 1985, 140).

Michael COLE (1986) geht einen Schritt weiter in der Ausarbeitung der kulturhistorischen Methodologie. Er untersucht die Forschung im Rahmen der sowjetischen kulturhistorischen Schule und ihrer späteren Entsprechungen, die von ihm selbst und seinen Kollegen durchgeführt worden sind, besonders auf dem Gebiet der kulturvergleichenden Psychologie. Im Anschluss daran kommt er zur folgenden Konklusion.

> Die sowjetische Tradition ... legte eine Betonung auf globale historische Veränderungen in der Natur der Psyche, die irgendwie auf Kosten der synchronen Variabilität gingen, die sich aus dem Unterschied zwischen konkreten Tätigkeitsbedingungen ergab. Die empirische Forschung gehörte erst zu den späteren Erfahrungen sowjetischer gesellschaftlich-historischer Wissenschaftler, und diese Forschung folgte, als sie endlich eine Möglichkeit wurde, der frühen Tendenz, sich auf größere historische Umbrüche in politökonomischen Formationen zu konzentrieren statt auf detaillierte Untersuchungen von spezifischen Tätigkeitssystemen und den funktional-psychologischen Systemen, die sie hervorgebracht haben.
>
> Die amerikanische Tradition nahm ihren Ausgangspunkt von einem angewandt-empirischen Bedürfnis, synchrone, kulturell bedingte Unterschiede in ganz spezifischen Bereichen der Kognition in Beziehung zu gleichfalls spezifischen Bereichen der sozio-kulturellen Praxis zu erklären. Sie führte zu umfangreicher Forschung mit relativ dünner, ahistorischer und eklektischer Grundlage, aber einer starken methodologischen interdisziplinären Basis, die die Aussagen über die Faktoren sichern sollten, die verschiedene Ebenen des Verhaltens in unterschiedlichen Kontexten innerhalb kultureller Gruppen kontrollieren. ...
>
> Insgesamt sehe ich im Augenblick Fortschritte in der Entwicklung der gesellschaftlich-historischen Schule, die aus ihrem kulturvergleichenden Forschungsprogramm resultieren, vor allem als Prozess der Kombination der amerikanischen Betonung des kulturellen Kontextes und der Untersuchung konkreter Tätigkeitssysteme mit der sowjetischen Betonung der vermittelten Struktur höherer psychologischer Funktionen und der Bedeutung der Geschichte und politischen Ökonomie. (COLE, 1986, S. 19-21)

Die methodologischen Erweiterungen, die hier von SCRIBNER und COLE vorgeschlagen werden, befinden sich völlig in Übereinstimmung mit den ursprünglichen Absichten von VYGOTSKIJ, LURIJA und LEONT'EV, Absichten, die „in ihrer Forschung unvollständig realisiert" blieben (COLE ,1986, S. 21).

Der Zyklus expansiver Methodologie

Es ist instruktiv, VYGOTSKIJs methodologische Schritte mit dem Zyklus des expansiven Übergangs zu vergleichen, der in Kapitel 2.3 vorgestellt worden ist. Zu diesem Zweck ist der Zyklus noch einmal in Abb. 2.27 dargestellt.

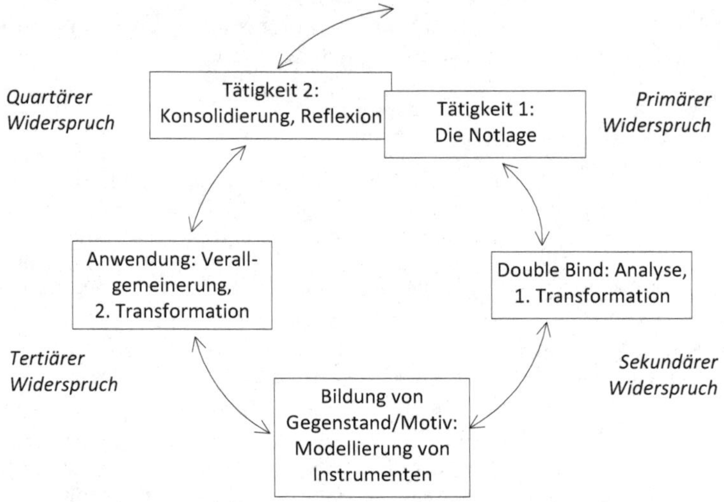

Abb. 2.27. Der Zyklus des expansiven Übergangs

In VYGOTSKIJs methodologischem Zyklus stellt das höhere funktionale System oder die höhere Form des Verhaltens in seiner ontogenetischen Entwicklung das Zielobjekt der Untersuchung dar. Die allgemeine Kulturgeschichte wie auch die Geschichte spezieller Gesellschaften und Tätigkeitszusammenhänge dienen als Quellen für Hypothesen, um die Ontogenese zu verstehen und zu rekonstruieren. Die Ontogenese wird ihrerseits grundsätzlich im Sinne der Interiorisation verstanden. Die allgemeine Richtung der Untersuchung schreitet vom gesellschaftlich-kulturell Gegebenen zum individuell Angeeigneten und Interiorisierten fort. Die Ausführungen von SCRIBNER und COLE stimmen mit dieser grundsätzlichen Richtung überein.

Es bleibt ungeklärt, wie die gesellschaftlich-kulturell vermittelten Formen des Verhaltens oder die Tätigkeitskontexte oder sogar die Gesellschaften überhaupt hervorgebracht oder geschaffen worden sind. Der vierte Schritt in VYGOTSKIJs Zyklus sieht eine Variation, aber keine Erschaffung vor.

Der Zyklus des expansiven Übergangs wendet sich genau dieser Frage zu. Er zeichnet die Generierung von neuen gesellschaftlich-kulturellen Tätigkeitssystemen durch Kollektive konkreter menschlichen Wesen nach. Der Ausgangspunkt ist hier der sich individuell ausdrückende Zweifel, das Zögern und die Störung. Die Richtung weist vom Individuellen zum Gesellschaftlichen. Der individuelle Ausgangspunkt ist jedoch selbst nur als kulturell-historisches Ergebnis zu verstehen.

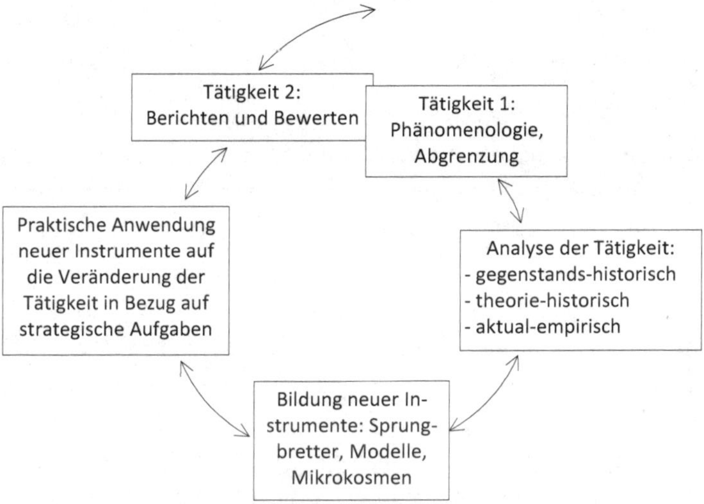

Abb. 2.28. Der methodologische Zyklus der expansiven entwicklungsbezogenen Forschung

Beide Zyklen beschreiben offensichtlich den ihnen eigenen Aspekt der Wirklichkeit, oder besser den ihnen eigenen Aspekt der zyklischen Bewegung der Geschichte. Geschichte ist sowohl Interiorisation wie Expansion. Der Aspekt des expansiven Übergangs war VYGOTSKIJ nicht unbekannt, wie in Kapitel 2.2 in Verbindung mit seiner Psychologie der Kunst gezeigt worden ist. Er wurde jedoch nicht in seine allgemeine Methodologie integriert. In LEONT'EVS Werk erscheint die Expansion als das Phänomen, bei dem Handlungen zu Tätigkeiten werden. Aber auch hier bleibt dies ein Nebenaspekt.

Auch wenn die allgemeinen Richtungen der zwei Zyklen einander entgegengesetzt sind, sind ihre inneren Strukturen jedoch bemerkenswert ähnlich im Sinne von Schritten konkreter Forschung. Diese Ähnlichkeit wird noch deutlicher, wenn der Zyklus des expansiven Übergangs in einen Zyklus der entwicklungsbezogenen Forschung übersetzt wird (Abb. 2.28).

Im folgenden wird jeder Schritt des methodologischen Zyklus, der in Abb. 2.28 dargestellt ist, kurz ausgeführt werden. Es wird eine methodologische Skizze oder ein Entwurf und keine umfassende Darstellung der expansiven Forschungsmethodologie sein. Letzteres kann nur in Zusammenhang mit und angereichert durch konkrete(r) empirische Forschung geschehen. Dieses bleibt eine Aufgabe für die Zukunft.

Phänomenologie und Beschreibung des Tätigkeitssystems

Der erste Schritt expansiver Entwicklungsforschung besteht darin, (a) eine vorläufige *phänomenologische Einsicht* in die Natur seines Diskurses und seiner Probleme zu gewinnen, wie sie von jenen erlebt werden, die in diese Tätigkeit involviert sind und (b) in der *Beschreibung* des untersuchten Tätigkeitssystems.

In Bezug auf (a) besteht die Aufgabe des Forschers darin, die Notlage und den primären Widerspruch unter der Oberfläche der Probleme, Zweifel und Ungewissheiten zu erfassen, wie sie von denen erfahren werden, die Ausführende der Tätigkeit sind. Dies kann unter anderem durch umfassende Lektüre der internen und öffentlichen Diskussion in Bezug auf die Tätigkeit erreicht werden, durch teilnehmende Beobachtungen, Diskussionen mit Menschen, die in diese Tätigkeit involviert sind, oder Experten-Erfahrungen über sie besitzen.

In Bezug auf (b) beschäftigt sich die expansive Forschung nicht mit Tätigkeiten „im allgemeinen", sondern mit realen Tätigkeiten, die durch identifizierbare Personen an identifizierbaren Orten ausgeführt werden. Die Beschreibung ist genau dieser Akt der Identifizierung des persönlichen und geographischen Ortes und der Grenzen dieser Tätigkeit. Dass die Beschreibung der Phänomenologie nachgeordnet ist, ist offensichtlich. Der Ort und die Grenzen der Tätigkeit können angemessen nur dann beschrieben werden, wenn man in ihnen einigermaßen „zuhause" ist.

Analyse der Tätigkeit

Der zweite Schritt besteht in rigorosen Analysen des Tätigkeitssystems. Diese Analysen können in drei verschiedene unterteilt werden (vgl. HOLZKAMP, 1983):

(a) die gegenstandsgeschichtliche Analyse, (b) die theoriegeschichtliche Analyse und (c) die aktualempirische Analyse.

(a) Die gegenstandsgeschichtliche Analyse besteht darin, die aufeinander folgenden Entwicklungsphasen des Tätigkeitssystems zu bestimmen und zu analysieren. Sie zielt jedoch nicht nur auf die Periodisierung, sondern besonders darauf, die sekundären Widersprüche zu entfalten, die der Anlass für die Übergänge von der einen zur anderen Entwicklungsphase sind. Die Analyse wird durchgeführt mit Hilfe von allgemeinen Modellen der Tätigkeit (vgl. Abbildung 2.6 und 2.7) wie auch mit Hilfe von Techniken der Beschreibung der Verlaufsstruktur der Übergänge (wie sie oben in den vier Fällen benutzt wurden).

Wie LEONT'EV hervorgehoben hat, wird die Eigenart einer Tätigkeit primär durch ihren Gegenstand bestimmt. Die Analyse nimmt daher ihren Ausgangspunkt von den qualitativen Veränderungen des Gegenstandes, der selbst als Tätigkeitssystem verstanden wird. Das System der gegenständlichen Tätigkeit kann jedoch nicht als der zentralen Tätigkeit bloß äußerlich betrachtet werden, als bloß mit ihr „verbunden". Der Gegenstand wird im Gegenteil vor allem als integraler Bestandteil der zentralen Tätigkeit analysiert, wobei es gleichzeitig als relativ unabhängiges eigenständiges Tätigkeitssystem behandelt wird. Diese Verfahrensweise des Übergehens „vom Inneren" der zentralen Tätigkeit auf die gegenständliche Tätigkeit und zurück in die zentrale Tätigkeit ist unabdingbar, wenn der Forscher die Selbstbewegung und die selbstorganisierende Dynamik der untersuchten Tätigkeit im Griff behalten will. Die gegenstandsgeschichtliche Analyse kann in anderen Worten nicht auf den relativ unabhängigen Gegenstand reduziert werden. Der Gegenstand wird zum Gegenstand nur als Bestandteil der sich entwickelnden zentralen Tätigkeit.

(b) Die theoriegeschichtliche Analyse ist durch die Tatsache motiviert, dass ein Tätigkeitssystem in jeder seiner Entwicklungsphasen eine Menge an gemeinsamen sekundären Artefakten, d.h. an Begriffen und Modellen benutzt. Diese kulturellen Artefakte sind in verschiedenen Medien verkörpert (d.h. in Handbüchern, Arbeitsinstruktionen, festgelegten Verfahren der Klassifikation und Diagnose, usw.), sie sind aber alle im Prinzip öffentlich zugängliches Wissen und fungieren als allgemeine begriffliche Instrumente der praktischen Tätigkeit. Es ist hier nicht von Bedeutung, in welchem Ausmaß diese begrifflichen Instrumente als theoretisch oder auf einer Theorie beruhend angesehen werden. Das Wesentliche ist, dass sie zum Teil innerhalb der zentralen Tätigkeit konstruiert und zum Teil von außerhalb in sie importiert werden. Der letztgenannte Aspekt erfordert eine besondere Analyse der Entwicklung der Theorien, die in die zentrale Tätigkeit eingebracht werden und möglicherweise der Instrumente herstellenden Tätigkeiten hinter diesen Theorien. Auch wenn eine Beschreibung der Abfolge der Perioden ein notwendiger Anfang sein mag, besteht auch hier das Hauptziel der Analyse darin, die Herausbildung der sekundären Widersprüche zu bestimmen und nachzuzeichnen, die von den sekundären Instrumenten der folgenden Entwicklungsperiode hervorgebracht wurden oder mit ihnen in Verbindung stehen.

(c) Öffentlich zugängliche vergegenständlichte Instrumente sind stark eingeschränkt, sind aber als Verallgemeinerungen auf vielfache Weise und für vielfache Zwecke interpretierbar und anwendbar. Die gegenstandsgeschichtliche und die theoriegeschichtliche Analyse ist daher nicht hinreichend. Sie müssen durch die aktualempirische Analyse der internalisierten und neu erfundenen Modelle ergänzt werden, die von den an der Tätigkeit Partizipierenden tatsächlich benutzt und aufrecht erhalten werden.

Drei Grundsätze können für die aktualempirische Analyse formuliert werden. *Erstens*, die tatsächlich in der Tätigkeit benutzten Modelle sollten wenn möglich auf allen drei Ebenen von Tätigkeit/Motiv, Handlung/Ziel und Operation/Bedingungen analysiert werden (vgl. Tabelle 2.1 und 2.2). *Zweitens*, die Modelle sollten als deklarative Begriffe analysiert werden, als prozedurale Leistungen, als soziale Diskurse oder Interaktionen, als kommunikative Netze und als organisatorische Strukturen. *Drittens*, die Modelle sollten mit Hilfe der Ergebnisse der historischen Analyse bewertet werden (siehe (a) und (b) oben) und mit Hilfe der fünf allgemeinen historischen Formen von Modellen, die weiter oben in diesem Kapitel vorgestellt worden sind (Prototypen, klassifikatorische Modelle, Verfahrensmodelle, systemische Modelle, Keimzellen-Modelle).

Ein wesentliches Ergebnis und Instrument der drei komplementären Formen der Analyse, die oben dargestellt worden sind, besteht in der Definition der *Gegenstands-Einheit* einer gegebenen Entwicklungsphase der untersuchten Tätigkeiten. Mit Gegenstands-Einheit meine ich den typischen Abschnitt oder größeren Teil des Gegenstandes, der vom Subjekt in einer bestimmten Zeit gemeistert und geformt werden kann. Eine solche Einheit versetzt uns in die Lage, die „Lebensspanne" des Gegenstandes vom Rohmaterial bis zum Endprodukt zu verfolgen. Da es direkt oder indirekt von allen Abteilungen und hierarchischen Ebenen innerhalb der Gemeinschaft der Tätigkeit gehandhabt wird, versetzt es uns auch in die Lage, in kompakter Form die Verzweigungen und Verbindungen zwischen individuellen Handlungen und der Gesamttätigkeit zu untersuchen. Wenn die Gegenstands-Einheit einmal bestimmt ist, liefert sie also eine strategische Linse oder ein Vergrößerungsglas, durch das die innere Bewegung des Tätigkeitssystems sichtbar wird.

Ein weiteres Ergebnis der Analyse besteht im hypothetischen Bild der nächsten fortgeschritteneren Entwicklungsform des Tätigkeitssystems. Ein solches vorläufiges Modell ist jedoch noch kein hinreichendes allgemeines Instrument, um den expansiven Übergang zu erreichen. Es ist vielmehr ein notwendigerweise skizzenhafter Behelf, der den Prozess weiter anleiten soll.

Das letztendliche Ziel der Analyse besteht nicht nur darin, einfach die inneren Widersprüche und die Entwicklungslogik der Tätigkeit für den Forscher deutlich zu machen. Das Ziel besteht darin, die Teilnehmenden, die potentiellen Subjekte der Tätigkeit, selbst mit dem sekundären Widerspruch zu konfrontieren. Die Analyse fungiert in anderen Worten als Geburtshelferin, die den *Doublebind zur Welt bringen soll*, oder wenigstens die vorweggenommene Idee des Doublebind in Form eines intensiven begrifflichen Konflikts. Dies kann dadurch erreicht werden, dass man die Teilnehmer die Analyse durch ihre eigenen Handlungen rekonstruieren lässt. Eine solche Rekonstruktion findet typischerweise auf der Grundlage von ausgewählten und komprimierten Materialien statt wie auch von Aufgaben, die eine Debatte zwischen den Teilnehmern mit sich bringen. Ganz ähnlich wie im Fall der

Sieben Brüder kann die Entstehung und Verschärfung des Doublebind sich in einer Folge von Schritten ereignen, wobei jeder zunächst nur partiell oder vorläufig aufgelöst wird.

Herausbildung neuer Instrumente

Man kann leicht sehen, dass der dritte größere Schritt die größte Dramatik in der expansiven Methodologie besitzt. Die Teilnehmer des untersuchten Tätigkeitssystems sind aufgefordert, qualitativ neue Modelle als wirkliche Schlüssel zur Lösung des Doublebind zu formulieren. Wie weiter oben in diesem Kapitel gezeigt worden ist, besteht dieser Schritt aus drei Hauptelementen: (a) dem Finden eines *Sprungbretts*, (b) der Formulierung des *allgemeinen instrumentellen Modells* und der von ihm abgeleiteten Modelle und (c) der *Konstruktion eines Mikrokosmos*, um die Verantwortung für die weitere Ausarbeitung der instrumentellen Modelle und ihre Umsetzung in neue Formen der Praxis zu übernehmen.

(a) Wie findet man ein Sprungbrett? Handelt es sich dabei um ein intuitives Geschehen, dass nicht bewusst gesteuert und entwickelt werden kann?

Im folgenden werde ich die Arbeit von G. S. ALTSHULLER (1984) über „Kreativität als exakte Wissenschaft“ dazu benutzen, eine alternative Konzeption zu formulieren. Das zentrale Problem technischer Erfindungen besteht für ALTSHULLER darin, das Konzept der gegenstandsunspezifischen Suche zu überwinden, das so typisch für die verschiedenen Methoden wie Brainstorming, Synectics usw. ist.

> Die Methode der Fokussierung auf das Objekt besteht beispielsweise darin, Merkmale einiger zufällig ausgewählter Objekte auf das Objekt zu übertragen, das neu gestaltet werden soll, wobei sich im Ergebnis ungewöhnliche Kombinationen ergeben können und die psychologische Trägheit überwunden werden kann. Wenn man also „Tiger“ als das zufällige Objekt und „Bleistift“ als das fokale Objekt nimmt, das verbessert werden soll, gelangt man zu Kombinationen wie „gestreifter Bleistift“, „Raub-Bleistift“, „Fangzahn-Bleistift“. Wenn man diese Kombinationen untersucht und weiterentwickelt, kann man manchmal originelle Ideen entwickeln. (ALTSHULLER, 1984, S. 13)

Es versteht sich von selbst, dass eine solche gegenstandsunspezifische Methode tausende von Versuchen erforderlich machen kann, bevor man ins Schwarze trifft. ALTSHULLER charakterisiert solche Methoden mit Hilfe einer Metapher. „Stellen Sie sich vor, wir untersuchen die Tätigkeit eines Steuermannes an Bord eines Schiffes, das einen sich windenden Fluss befahrt. Wir wollen nichts über den Fluss selbst wissen, sondern versuchen, die Handlungen des Steuermannes nur in psychologischen Begriffen zu beschreiben." (ALTSHULLER ,1984, S. 8).

ALTSHULLERS eigene Lösung besteht darin, dass kreative Lösungen spezifischer, gegenstandstypischer Notationssysteme bedürfen, mit deren Hilfe man in der Lage ist, das Problem darzustellen, zu analysieren und auszuarbeiten. Auf der Grundlage einer minutiösen Analyse Tausender Patente und historischer Erfindungen hat ALTSHULLER ein komplexes Inventarium von Notationssystemen für technische Probleme entwickelt. Er betont vor allem, dass technische Probleme in technische Widersprüche und dann in physikalische Widersprüche umgeformt werden müssen. „Bei physikalischen Widersprüchen (PW) wird der Konflikt verschiedener Anforderungen maximiert. Daher erscheint der PW auf den ersten Blick absurd, unzulässig per definitionem" (ALTSHULLER, 1984, S. 29).

Um ein Problem darzustellen, verwendet ALTSHULLER die von ihm so genannte „S-Feld-Technik".

> Bei jeder Erfindung gibt es einen Gegenstand. ... Dieser Gegenstand kann die gewünschte Aktion nicht aus sich selbst heraus realisieren, sondern muß mit seiner Umgebung oder einem anderen Gegenstand interagieren. Indem er das tut, wird jede Veränderung von der Entladung, Absorption oder Veränderung von Energie begleitet. Die beiden Substanzen und ein Feld können vollständig verschieden voneinander sein, sie sind aber notwendig und hinreichend für die Herausbildung eines minimalen technischen Systems, das den Namen S-Feld erhalten hat (von Substanz und Feld). (ALTSHULLER, 1984, S. 52)

Es gibt ein differenziertes Notationssystem für die Konstruktion einfacher S-Feld-Darstellungen von komplexen Problemen. „Es gibt Regeln, die es einem ermöglichen, ein exaktes Modell des Problems zu konstruieren. So ist es notwendig, in ein Paar konfligierender Elemente das Artefakt einzufügen.... Wenn man das Artefakt nicht in das konfligierende Paar einschließt, bricht das Modell des Problems zusammen und man befindet sich wieder in der Anfangsstellung" (ALTSHULLER, 1984, S. 79; man erinnere sich an das Problem der Drittheit).

Es gibt ein weiteres, spezielleres Notationssystem, die von ALTSHULLER so genannte „Methode der kleinen Menschen". Sie bezieht sich auf den Gebrauch von Empathie, durch die der Erfinder „sich in den Gegenstand hineinversetzt" und nach einer Lösung aus der Perspektive und Stellung des Gegenstandes sucht.

> Indem der Erfinder sich mit einer speziellen Maschine (oder einem ihrer Teile) identifiziert und ihre möglichen Änderungen untersucht, wählt er ganz unwillkürlich solche aus, die für Menschen akzeptabel sind und schließt solche aus, die für den menschlichen Organismus unakzeptabel sind, wie in Teile zerlegen, zersplittern oder in Säure auflösen. Die Integrität des menschlichen Organismus hindert einen daran, bei vielen Problemen mit Erfolg Empathie einzusetzen. (ALTSHULLER, 1984, S. 108)

Indem Teile des Gegenstandes in Form von kleinen Menschen grafisch repräsentiert und modelliert werden, kann man das Potential der Empathie erhalten ohne ihre inhärenten Nachteile in Kauf nehmen zu müssen.

ALTSHULLERs Notationssysteme sind faktisch Sprachen, die zu dem Zweck konstruiert worden sind, einen befreienden *ganzheitlichen und zugleich analytischen Blick* auf die Gesamtstruktur und Dynamik der widersprüchlichen Situation werfen zu können. In den vier Fällen, die in den vorigen Kapiteln dieses Buches untersucht worden sind, schien es so, als sei das Sprungbrett auf Grund eines glücklichen Zufalls erfunden worden, weil die Sprache, in die es potentiell eingebettet war, unsichtbar und unbekannt blieb. Expansive Forschung und Intervention agiert genau umgekehrt. Den Teilnehmern steht eine Sprache (oder verschiedene komplementäre Sprachen) zur Ausarbeitung des Sprungbretts zur Verfügung. Diese Sprachen sind nicht beliebig. Ihr Potential hängt von ihrem Vermögen ab, den Gegenstand zu durchdringen und zu organisieren. Sie werden daher auf der *Grundlage der gegenstandsgeschichtlichen, theoriegeschichtlichen und aktualempirischen Analysen konstruiert.*

(b) Der Übergang von der bereitgestellten Sprache zu einem Sprungbrett und von da zu einem neuen allgemeinen Modell ist in der expansiven Forschung selten völlig klar und unidirektional. Darüber hinaus wäre es verfehlt, von den Teilnehmern zu erwarten und zu verlangen, dass sie jeden Schritt und Teilschritt so tun, als hätten sie ihn selbst entdeckt. Es ist sicher wichtig, die Teilnehmer durch Aufgaben des Problemlösens und Problemfindens voranschreiten zu lassen, so dass das neue allgemeine Modell von Anbeginn an nicht bloß mechanisch und oberflächlich angeeignet wird. Ganz gleich aber wie geschickt solche Aufgaben formuliert werden: das neue Modell stellt das gegebene Neue dar und schließt so den Aspekt der geführten und sogar erzwungenen Aneignung ein

Dieser Umstand bezieht sich auf die Tatsache, dass das Sprungbrett – im Sinne des persönlichen Erlebnisses der Offenbarung – nicht notwendig vor der Formulierung des neuen allgemeinen Modells erscheint. Für eine ganze Reihe einzelner Teilnehmer an einem Prozess des expansiven Übergangs wird das Wesen dieses Übergangs nur verzögert im Nachhinein persönlich erfahren und einen *persönlichen Sinn* im Sinne der Terminologie von LEONT'EV annehmen, wenn das neue allgemeine Modell in vergegenständlichter Form untersucht werden kann oder sogar erst bei seiner Anwendung in der Praxis. Dies ist die Bedeutung der Doppelpfeile in den Abbildungen 5.2 und 5.3. Sie schließen die Möglichkeit der „Rückkehr" zu der Phase der Suche nach einem persönlichen Sprungbrett ein, wenn der Gesamtprozess des Übergangs die Stufe der Formulierung oder Anwendung des allgemeinen Modells erreicht hat.

Eine solche Verzögerung bedeutet an sich keine Gefahr, die es zu vermeiden gilt. Dies impliziert, dass die Herausbildung neuer Instrumente faktisch nicht den entscheidenden Schritt für die Lösung der Widersprüche darstellt, auch wenn er von außen gesehen der dramatischste Schritt des Übergangs ist. In dieser Phase herrscht in der Regel großer Enthusiasmus unter den Beteiligten: Es werden Schlüssel entdeckt. Aber die bewusste Wahrnehmung der Hindernisse, der Unsicherheit und der Auseinandersetzung nimmt in den Phasen der Analyse und Anwendung zu.

Ich habe weiter oben daraufhingewiesen, dass die Analyse der Tätigkeit zu einem skizzenhaften, hypothetischen Modell der nächsten, fortgeschritteneren Form des Tätigkeitssystems führt. Um diese hypothetische Skizze zu einem realen allgemeinen Modell der Expansion zu machen, ist es notwendig, die *strategische(n) Komponente(n)* des Tätigkeitssystems (die strategischen „Ecken" des Dreiecks) in Form neuartiger Modelle auszuarbeiten. Am häufigsten besteht die strategische Komponente im *Gegenstand* der Tätigkeit.

Um beispielsweise eine expansive Lösung der zunehmenden Widersprüche der Arbeitstätigkeit von Hausärzten (siehe das Beispiel in Kapitel 2) zu finden, ist es wahrscheinlich erforderlich, ein neues Modell des Gegenstands ihrer Arbeit zu entwickeln. Der Gegenstand wird traditionell als „eine

Krankheit" oder „ein Patient" verstanden, als ein Individuum mit bestimmten Symptomen oder Krankheitserscheinungen, die es zu heilen gilt. Die Symptome sind heutzutage zunehmend komplex und subtil geworden, mit psychischen und sozialen Faktoren eng verflochten und nicht auf die nach der Schulmedizin klassifizierten Krankheitserscheinungen reduzierbar. Eine Rekonzeptualisierung des Gegenstands könnte ein Modell der Patienten erfordern, das von ihrer Situiertheit in ihrer Lebenstätigkeit ausgeht und eingebettet ist in ein Modell der „Gemeinschaftsdiagnose" (vgl. z.B. HAGLUND, 1983). Solche Modelle wären dann allgemeine Instrumente, mit denen die Praktiker ihre diagnostischen Verfahren reorganisieren könnten.

Die strategische Komponente kann andererseits auch das *Instrument* der Tätigkeit darstellen. Dies ist typisch dann der Fall, wenn es die Forschung mit einer Tätigkeit zu tun hat, die sich mit dem Einbau und der Implementierung neuer komplexer Technologie konfrontiert sieht. TOIKKAS (1986) Analyse der Implementierung eines FMS (*Flexible Manufacturing System*) in einer Maschinenfabrik ist hierfür ein Beispiel. Auf der Grundlage einer kollektiven Modellierung der historischen Entwicklung und der inneren Widersprüche des vorliegenden Produktionsprozesses (Keimzellen-Modelle) wurden zusammen mit den Arbeitern systemische Modelle der Planung und Meisterung der Implementierung ausgearbeitet.

> Das System-Modell der FMS besteht aus zwei Hauptteilen: einerseits dem *Prozeß*-Modell (Aufbau und Materialfluss) und andererseits dem Modell des *Kontrollsystems* (Einheiten und Hierarchie der Kontrollfunktionen als graphisches Modell). Das System-Modell besteht im eigentlichen Sinne aus einer Simulation auf dem Papier, mit deren Hilfe wir den Prozess und die Kontrollvorgänge analysiert haben, die erforderlich sind, um ein bestimmtes Getriebe herzustellen. Auf der Grundlage des System-Modells war es möglich, konkrete Modelle für spezifische Problemsituationen zu erarbeiten. Bisher haben wir Verfahren sowohl für eine Veränderung der Kaliber wie für das Wiederanfahren der Drehspindel nach einer Störung entwickelt. (TOIKKA, 1986, S. 4)

Ein Aneignungsprozess, der auf historischer Einsicht beruht und zur echten Anwendung führt, ist alles andere als mechanisch und geradlinig.

> Die in Arbeitsgruppen und gemeinsamen Diskussionen produzierten endgültigen Modelle überstiegen immer öfter die Qualität der Modell-Lösungen, die von den Forschern vorgelegt worden waren. Das bedeutet auch, daß der Prozeß der kollektiven Modellierung eine wertvolle Methode ist, neue Informationen über das System zu erhalten. Interessant ist

> auch, daß es keine qualitativen Unterschiede zwischen den Ergebnissen der Arbeiter- und Manager-Gruppen gab. ... Das Training schließt zunehmend Elemente von Planung ein. Je konkreter die Analyse des Systems geworden ist, desto mehr offene Fragen tauchten in den Diskussionen auf. Während zum Beispiel die Operationen simuliert wurden, die bei einer Störung der Drehspindel durchgeführt werden müssen, fanden die Arbeiter ein Verfahren, die Spindel wieder anlaufen zu lassen, das eleganter und einfacher war als dasjenige, das der Entwickler des zentralen Kontrollsystems geplant hatte. (TOIKKA, 1986, S. 4)

(c) Für die Herausbildung eines Mikrokosmos ist die entwicklungsbezogene Natur der Intersubjektivität von entscheidender Bedeutung. FICHTNER (1984) hat eine Entwicklungssequenz von drei Grundformen der Intersubjektivität vorgeschlagen.

Die erste und ursprünglichste Form von Intersubjektivität heißt *Koordination*. Individuen haben sich zusammengefunden, um auf einen gemeinsamen Gegenstand einzuwirken, ihre individuellen Handlungen sind aber bloß äußerlich miteinander verbunden. Sie handeln immer noch als voneinander getrennte Individuen, Jedes entsprechend der individuellen Aufgabe. Interaktion ist nicht bewusst reflektiert, sie geschieht meist in Form spontaner Reaktionen und Zuneigungen.

Die zweite, in der Mitte liegende Form ist die der *Kooperation*.

> Jedes Individuum muß eine überindividuelle Aufgabe auf das individuelle Ziel der Handlung beziehen und diese Beziehung aufrechterhalten. In bezug auf die gemeinsame Aufgabe muß es sowohl die Handlungen und Handlungsergebnisse seiner Partner und seine eigenen Handlungen und ihre Ergebnisse aufeinander abstimmen. Darüber hinaus muß es auf Handlungen und Ergebnisse seiner Partner einwirken, falls dies notwendig wird, wieder in Hinblick auf die gemeinsame Aufgabe. (FICHTNER, 1984, S. 217)

Die dritte Form der Intersubjektivität heißt *reflexive Kommunikation*. Das lebendige Wissen personaler Subjekte entwickelt sich hier in verbalen und anderen symbolischen Prozessen. Es wird in der kollektiven Reflektiertheit oder der kollektiven Subjektivität konkretisiert.

> Das kollektive Subjekt drückt sich selbst und die Gesetzmäßigkeiten seines Funktionierens nicht so sehr durch die inneren Strukturen des individuellen Bewusstseins aus als durch die äußere praktische gegenständliche Tätigkeit und durch die kollektive kognitive Tätigkeit in bezug auf Systeme vergegenständlichten Wissens. (LEKTORSKI, 1984, S. 241)

FICHTNERs drei Formen der Intersubjektivität entsprechen den drei Ebenen von Operation, Handlung und Tätigkeit, wie sie in den Tabellen 3.1 und 3.2 dargestellt worden ist. In FICHTNERs Argumentation werden die entwicklungsbezogenen Formen der Intersubjektivität nicht als Stufen in der Ontogenese verstanden, sondern als *Phasen in jedem Zyklus echter Lerntätigkeit.* Dies korrespondiert sehr gut mit der Idee der expansiven Zyklen. Jeder expansive Übergang ist ein Übergang vom Individuellen zum Kollektiven oder von der Koordination zur reflexiven Kommunikation.

Ein Mikrokosmos ist ein sozialer Prüfstand und ein Brückenkopf der zukünftigen kulturell fortgeschritteneren Form des Systems der Tätigkeit. Die bewusste Formierung eines Mikrokosmos als Schritt innerhalb expansiver Forschung entspricht der *Herausbildung eines Vehikels für den Übergang von der Kooperation zur reflexiven Kommunikation.* Der Mikrokosmos soll mit anderen Worten nach innen reflexive Kommunikation entwickeln und sie nach außen propagieren, wobei er zugleich expandiert und sich tendenziell in die gesamte Gemeinschaft der Tätigkeit auflöst.

Die praktische Anwendung neuer Instrumente

Die neuen Instrumente können nur bei ausgewählten *strategischen Aufgaben* Anwendung finden. Solche Aufgaben stellen die Punkte dar, an denen Durchbrüche zu fortgeschritteneren Formen von Praxis möglich sind. Indem diese Aufgaben mit Hilfe der neuen Instrumente bearbeitet werden, sehen sich diejenigen, die an dem Tätigkeitssystem partizipieren, mit intensiven Konflikten zwischen alten und neuen Formen des Handelns und Denkens konfrontiert – mit dem tertiären Widerspruch.

Diese Konflikte nehmen verschiedene Formen an. Es können Auseinandersetzungen zwischen den alten Regeln und den neuen Instrumenten oder zwischen der alten Arbeitsteilung und der neuen Kommunikation sein, die in dem Mikrokosmos im Entstehen begriffen ist. Es kann sich auch um den Zusammenprall zwischen den traditionellen und den neuen Instrumenten handeln, der oft erlebt wird als Angst, Widerstand und als intensive psychische Konflikte innerhalb von Individuen und Kollektiven.

Die Aufgabe der Forschung besteht nicht nur darin, dieses Drama aufzuzeichnen und zu unterstützen. Die anspruchsvollste Aufgabe besteht darin, die *Lösungen* der *Konflikte* nachzuzeichnen und zu analysieren, die von den Beteiligten in ihren alltäglichen Handlungen hervorgebracht werden. Das *geschaffene Neue* findet sich in solchen praktischen Lösungen. Die praktischen Lösungen, die das Unerwartete, das Unerkennbare darstellen, sind eigentlich *Anfangsformen neuer Theorien*. Sie sind wahrscheinlich schwer in das gegebene Neue zu integrieren, weil sie sich irgendwie dagegen sträuben, sie sind aber doch unverzichtbar dafür, weil es sich um die Bestandteile mit der größten Dynamik handelt – so wie Eero für die sieben Brüder unverzichtbar war, auch wenn er sich arrogant verhielt.

Diese Stufe der expansiven Forschung ist für die Forscher selbst die schwierigste und die größte Belohnung. Die Schwierigkeit ist zweifach. Zunächst besteht die Anwendung und Verallgemeinerung des neuen Instruments aus einem langwierigen Prozess, der das geduldige Sammeln von Daten vor Ort erfordert. Dann haben sich in der vorhergehenden Phase die Forscher und Hauptbeteiligten des expansiven Übergangs stark mit dem gegebenen neuen allgemeinen Modell und den davon abgeleiteten Instrumenten identifiziert. Nun müssen die Forscher plötzlich aufhören, diese Instrumente zu befürworten und müssen ihre Augen darauf richten, Ereignisse und Ideen zu erfassen, die den Modellen völlig fremd sind oder die Modelle manchmal einfach bloß lächerlich erscheinen lassen.

Die Belohnung wartet in der sorgfältigen Analyse solcher Daten. Die Forscher werden mit der Tatsache konfrontiert, dass alle ihre gekonnten Anstrengungen, die Beteiligten plangemäß dazu zu bringen, kulturell fortgeschrittenere Modelle anzunehmen und anzuwenden, teilweise fehlgeschlagen sind. Ein echter expansiver Zyklus produziert unvermeidlich nicht bloß Zivilisation, sondern auch ein Stück Wildnis. Die Belohnung besteht darin, diese Wildnis theoretisch zu erfassen, etwas Unerwartetes als ein Stück der Geschichte der Zukunft zu finden und zu verstehen.

Berichten

Es ist nicht einfach, einen Bericht und eine Bewertung der Ergebnisse expansiver Forschung zu erstellen. Die Reise durch die Zone der nächsten Entwicklung lässt sich am besten mit einer Reihe von verschiedenartigen Verfahren verfolgen und dokumentieren, die von phänomenologischen und kulturanthropologischen Beobachtungen und historischen Analysen bis zu streng kontrollierten kognitiven Analysen von Leistungen, Begriffen und diskursiven Prozessen reichen. Die schiere Masse und Verschiedenartigkeit der gesammelten Daten machen diese neuen Formen der Berichterstattung erforderlich.

Für einen solchen Bericht gibt es eine einfache Regel. Man sollte die historisch-genetische Methode auch bei der Darstellung der Forschungsergebnisse anwenden. Man sollte, in anderen Worten, den tatsächlichen Verlauf des expansiven Übergangs reproduzieren, indem man der zeitlichen Struktur folgt, die ihm zu Grunde liegt. Das schließt offensichtliche zeitliche Exkursionen und Abschweifungen in begriffliche, deskriptive, statistische, experimentelle und vergleichende Gebiete nicht aus.

Diese Form von Bericht hat ihre Vorfahren und Verwandten in den Genres des Tagebuchs, des Berichts über eine Expedition, der Reisebeschreibung und des Entwicklungsromans. Die Chronik, die Biographie und der historische Roman gehören dagegen nicht zu den nächsten Verwandten. Es gibt einen wichtigen Unterschied zwischen diesen beiden Gruppen. Die erste Gruppe ist durch die Suche nach neuen Visionen und Eroberungen gekennzeichnet. Die zweite Gruppe ist durch das Wissen eines Außenstehenden gekennzeichnet, zu dem man sich leicht bekennen kann, wenn die Ereignisse der Vergangenheit angehören.

Abschließende Bilanz

Worin besteht die historische Aufgabe der expansiven entwicklungsbezogenen Forschung? Die Aufgabe kann auf dem Hintergrund der in diesem Buch vorgelegten Analyse folgendermaßen bestimmt werden.

Das Ziel expansiver entwicklungsbezogener Forschung besteht darin, Zyklen des expansiven Übergangs zu kollektiv beherrschten Reisen durch die Zone der nächsten Entwicklung zu machen. Das Ziel besteht in anderen Worten darin, Menschen mit den tertiären und sekundären Instrumenten auszustatten, die notwendig für die Meisterung von qualitativen Transformationen ihrer Tätigkeitssysteme sind.

Epilog

Worin bestehen die Hauptergebnisse dieser Studie? In vereinfachter und kondensierter Form können die Ergebnisse in der folgenden Aufstellung von Kategorien dargestellt werden.

1. Die Kategorie der Tätigkeit, wie sie sich in Form der Dreiecksmodelle in den Abb. 2.4 bis 2.7 darstellt.

2. Die Kategorie der Lerntätigkeit, oder des Lernens durch Expansion, die in Form der Dreiecksmodelle in den Abb. 2.11 und 2.12 ausgedrückt ist.

3. Die neu interpretierte und erweiterte Kategorie der Zone der nächsten Entwicklung, die der sequentiellen Struktur des Lernens durch Expansion entspricht, wie sie in dem zyklischen Modell in Abb. 2.15 ausgedrückt ist.

4. Der kategoriale Rahmen zur Bestimmung und Analyse von historischen Formen von Tätigkeitssystemen und expansiven Übergängen, wie er in Abb. 4.9 dargestellt ist.

5. Der kategoriale Rahmen zur Bestimmung und Analyse von Instrumenten des Lernens durch Expansion, der in den Tabellen 4.5 bis 4.8 ausgearbeitet worden ist.

6. Der Umriss einer Methodologie expansiver entwicklungsbezogener Forschung, der in Abb. 5.3 zusammenfassend dargestellt ist. Es liegt in der Natur theoriebezogener Forschung, dass die gefundenen Kategorien sich nicht selbst bestätigen, verifizieren oder falsifizieren. Diese Art der Forschung hat mehr Ähnlichkeit mit einer Expedition. Als Kolumbus von seiner Expedition zurückkehrte, behauptete er, Indien gefunden zu haben. Der kategoriale Inhalt seiner Behauptung war unzutreffend, und doch markierten seine Entdeckungen den Anfang eines unvorhergesehenen expansiven Zyklus praktischer und begrifflicher Entwicklung.

Ich bin mir sicher, dass ganz analog dazu man wiederholt nachweisen wird, dass die Inhalte der in dieser Studie gefundenen Kategorien nicht adäquat sind. Die wirkliche Frage ist aber, ob sie Werkzeuge sein werden, expansive Zyklen verschiedener Ebenen und Bereiche theoretischer und praktischer Tätigkeit hervorzubringen und zu beherrschen.

3

Die Erweiterung der Theorie des Expansiven Lernens

Erfahrungen aus Reisen in Richtung der Ko-Konfiguration[5]

Yrjö Engeström

Einführung

Dieser Artikel ist eine Zusammenschau der herausragenden Ergebnisse einer dreijährigen Interventionsstudie mit dem Titel *Neue Formen des expansiven Lernens in der Arbeit: Die Landschaft der Ko-Konfiguration.*[6] In diesem

---

[5] Das Forschungsvorhaben, über das in diesem Kapitel berichtet wird, wurde in dem Projekt *New Forms of Expansive Learning at Work: The Landscape of Co-Configuration* innerhalb des Forschungsprogramms *Life as Learning* der Akademie von Finnland durchgeführt. Zu besonderem Dank für ihre Beiträge zu dem Projekt verpflichtet bin ich Vaula Haavisto, Merja Helle, Anna-Liisa Niemelä, Auli Pasanen, Osmo Saarelma, Tarja Saaren-Seppälä, Hanna Toiviainen und Liisa Varjokallio.

[6] Da das vorliegende Papier eine zusammenfassende Darstellung zum Gegenstand hat, muss ich auf eine Anzahl von theoretischen Konzepten zurückgreifen, die ich dabei nicht im einzelnen ausarbeiten kann. Diese theoretischen Konzepte sind in früheren Veröffentlichungen vorgestellt und diskutiert worden, auf die ich mich an jeweiligen Stellen im Text beziehe. Dabei beziehen sich die Daten in diesem Papier auf illustrative Beispiele und Ausschnitte, die der Erläuterung und Konkretisierung der theoretischen Ziele dienen sollen. [Der Begriff der Ko-Konfiguration ist von Victor & Boynton (1998) eingeführt worden um eine historisch neue Stufe der industriellen Produktion zu kennzeichnen, die sich nach ihrer Ansicht aus der folgenden Reihe der Produktionsweisen ergibt: Handwerk, Massenproduktion, individualisierte Massenfertigung und schließlich Ko-Konfiguration. Die Produktion auf dieser letzten Stufe verbindet Kunden, Produkte und Produzenten und versucht Produkte herzustellen, die den wechselnden Bedürfnissen der Kunden

Projekt haben wir die Versuche analysiert und aktiv unterstützt, Arbeit und Lernen in drei Institutionen zur verändern: in einer Bank, einem Gesundheitszentrum und einem Hi-Tech Unternehmen.[7]

Jede historische Form von Arbeit generiert und erfordert zugleich eine gewisse Form des Wissens und des Lernens. Gegenwärtig sind die anspruchsvollsten und vielversprechendsten Entwicklungen mit dem Entstehen der ko-konfigurativen Arbeit verbunden. Eine entscheidende Vorbedingung der Ko-Konfiguration ist die Schaffung intelligenter kundenorientierter Produkte und Dienstleistungen, die sich den wechselnden Bedürfnissen der Benutzer anpassen (VICTOR & BOYNTON, 1998, S. 195).

Wir können vielleicht vorläufig Ko-Konfiguration als eine in der Entwicklung begriffene historisch neue Form von Arbeit definieren, die sich aus folgenden notwendigen Bestandteilen zusammensetzt: (a) anpassungsfähige intelligente kundenorientierte Kombinationen von Produkten und Dienstleistungen, (b) kontinuierliche Beziehungen gegenseitigen Austauschs zwischen Kunden, Produzenten und den Produkt-Dienstleistung Kombinationen, (c) dauerhafte Ausgestaltung und Anpassung der Produkt-Dienstleistung Kombination über einen längeren Zeitraum, (d) aktives Miteinbeziehen der Kunden und entsprechender Input in die Konfiguration, (e) multiple miteinander zusammenarbeitende Produzenten, die in Netzwerken innerhalb oder zwischen Organisationen zusammenarbeiten müssen und (f) wechselseitiges Lernen aus den Interaktionen zwischen den am Handeln in der Konfiguration Beteiligten. Die Ko-Konfiguration erfordert flexible Verknüpfungsarbeit (*knotworking*), in der kein einzelner Akteur alleinige und endgültige Autorität besitzt – ein Zentrum gibt es in diesem Sinne nicht mehr (ENGESTRÖM, ENGESTRÖM, & VÄHÄAHO, 1999).

Expansives Lernen bezieht sich auf Prozesse mit deren Hilfe ein Tätigkeitssystem, zum Beispiel eine bestimmte Arbeitsorganisation, seine drängenden

---

entsprechen. Sie erfordert einen intensiven Ausbau der Vernetzung (netzwerken, *knotworking*). Anm. des Hersg.]

[7] In der Machbarkeitsstudie haben wir eine Interventionsmethode benutzt, die wir "Change Laboratory" genannt haben. Sie ist ausführlich in ENGESTRÖM, VIRKKUNEN, HELLE, PIHLAJA, & POIKELA (1996) und ENGESTRÖM (2007c) beschrieben und diskutiert worden. Die Interventionsmethode selbst ist nicht zentraler Gegenstand dieses Artikels.

internen Widersprüche auflöst, indem es eine qualitativ neue Funktionsweise für sich selbst konstruiert und implementiert (ENGESTRÖM 1987, 2001a). Die allgemeine Arbeitshypothese unserer Untersuchung war, dass expansives Lernen, das durch die Einführung von ko-konstruktiver Arbeit verlangt und erzeugt wurde, mit Hilfe drei zentraler Merkmale charakterisiert werden kann (ENGESTRÖM, 2004b):

1. Es handelt sich um *transformierendes* Lernen, das radikal die gemeinsamen Arbeitsgegenstände mit Hilfe neuartiger Werkzeuge, Modelle und Konzepte in einem objektivierten und bewussten Sinne erweitert. Dieser transformierende Aspekt des Lernens in der Ko-Konfiguration legt die Betonung auf Handlungen des Entwerfens, Modellierungen, Textualisierung, Objektivierung, Konzeptualisierung und Visualisierung. Wir können sagen, dass dies die sichtbare Superstruktur neuer Formen des expansiven Lernens in der Arbeit ist.

2. Es ist *horizontales* und dialogisches Lernen, das Wissen schafft und das die Tätigkeit transformiert, indem es Grenzen überschreitet und Verbindungen zwischen Tätigkeitssystem knüpft, die in einem Bereich multipler Tätigkeiten operieren. Dieser horizontale Aspekt des Lernen in der Ko-Konfiguration legt die Betonung auf Handlungen des Brückenschlagens, der Überschreitung von Grenzen, des "knotworking", des Aushandelns, des Austausches und des Handels. Dies ist die Struktur situativ konstruierter sozialer Räume, Foren und Treffen, die für neue Formen des expansiven Lernens in der Arbeit erforderlich sind.

3. Es ist Lernen im *Untergrund*, das kognitive Wege markiert, die verkörpert und gelebt sind, aber nicht wahrgenommen werden können. Diese Wege dienen als Anker und stabilisierende Netzwerke, die die Lebbarkeit und Erhaltung der neuen Konzepte, Modelle und Werkzeuge sichern und so die Ebenen multipler Tätigkeit erfahrbar und lebbar machen. Diese untergründigen Aspekte des Lernens in der Ko-Konfiguration legen die Betonung auf räumliche Übergänge und Bewegung, auf Wiederholung, Stabilisierung und Destabilisierung, auf Verkörperung. Dies ist die unsichtbare, rhizom- oder mykorrhiza-artige Infrastruktur neuer Formen des expansiven Lernens in der Arbeit.

Diese drei Punkte kann man als drei Schritte in der Herausbildung des expansiven Lernens für die Ko-Konstruktion verstehen. Die Schaffung expliziter Konzepte, Modelle und Werkzeuge soll dann zur Implementierung dieser Konzepte und Werkzeuge führen, in horizontal grenzüberschreitendem Aufeinandertreffen und untergründigen Wegen des Vertrauens und des sozialen Kapitals.

In den folgenden Abschnitten werde ich kurz die Ergebnisse unserer Studien in den drei Arbeitsbereichen beschreiben. In jedem einzelnen Fall werde ich mit den Widersprüchen beginnen, vor die sich diese Bereiche gestellt sahen, werde dann zu dem neuen Konzept und zu den neuen Werkzeugen übergehen, die von den Praktikern in der jeweiligen Organisation entwickelt und übernommen wurden, und dann zu den Hindernissen, die sich bei den Versuchen ergaben, das neue Konzept und die neuen Werkzeuge in die Praxis zu implementieren. Schließlich werde ich zu Beispielen kommen, in denen die Praktiker das Potenzial gezeigt haben, die Hindernisse zu überwinden. Nach der Darstellung dieser drei Fälle, werde ich ihre Implikationen für die Entwicklung und die Anwendung von Werkzeugen und Technologien in der Arbeit diskutieren, und werde dabei die Idee der *Instrumentalität* als Anreicherung der oben vorgestellten Arbeitshypothese aufgreifen. Zum Schluss, werde ich eine Lücke in der Arbeitshypothese identifizieren und die Idee der *Erfahrung* als eine mögliche Brücke zur und Revision der Arbeitshypothese vorstellen.

Fall 1: Die Bank

Mein erster Fall bezieht sich auf die Arbeit von Investment Managern in einer skandinavischen Bank. International vergleichende Studien von Bankgeschäften und den Arbeitsbeziehungen in Banken zeigen, dass Deregulierung, Privatisierung und technologischer Wandel dabei sind in allen industrialisierten Ländern die Arbeit von Banken tiefgreifend zu verändern. BAETHGE, KITAY, und REGALIA (1999, S. 5) haben es so ausgedrückt: "in der Welt der regulierten Finanzmärkte hatten Banker und Devisenhändler einen komfortablen Job" – im Unterschied zu den Unsicherheiten, den Heterogenität der Aktivitäten und dem wachsenden Wettbewerb, mit denen Banken und ihre Mitarbeiter heute konfrontiert sind.

In der von uns untersuchten Bank machten die Investmentmanager während der 90er Jahre das große Geld am Aktienmarkt. Nach dem Jahr 2000 änderte sich die Situation dramatisch. Es wurde schwierig, auch weiterhin Gewinne im Aktienhandel zu erzielen und die Resultate der Vermögensverwaltung der Investmentmanager ging auf einen alarmierend tiefen Stand zurück. Bezogen auf die gemachten Gewinne entwickelte sich eine fast krisenhafte Situation.

Die Herausforderung an das Lernen bestand für die Investmentmanager darin, eine nachhaltige Form der Arbeit zu schaffen, die auf bereits bestehende langdauernde Beziehungen zu den Kunden aufbauen, aber weniger von den Aktienmärkten abhängig sein würden und die den Kunden neue Möglichkeiten bieten, für ihre Anlagen Sorge zu tragen. Wir führten eine Intervention im Bereich des Anlagenmanagements in einem *Change Laboratory* im Frühling und Herbst 2003 mit den Investmentmangern und ihren Abteilungsleitern durch. Das *Change Laboratory* fand in 12 wöchentlichen Sitzungen statt, sechs vor und sechs nach dem Sommer (vgl. ENGESTRÖM, PASANEN, TOIVIAINEN, & HAAVISTO, 2005).

Unsere Intervention fand kurz nach der Einführung eines neuen Instruments statt, das der "Investment Plan" für das Management der Kundenbeziehungen in der Arbeit der Investmentmanager genannt wurde. Ein Investment Plan ist ein schriftliches Dokument, das aus einer Anzahl von Seiten besteht, die Informationen über den Kunden beinhalten. Es ist ein vertraulicher Bericht, dessen Grundlage das Gespräch zwischen dem Kunden und dem Investmentmanager ist. Der Investment Plan soll die Ziele für das Management der gesamten Anlagen des Kunden formulieren und die Strategie mit deren Hilfe diese Ziele erreicht werden sollen.

Am Anfang wurde der Investment Plan selbst nicht als besonders hilfreiche Lösung angesehen, sondern vielmehr als eine zusätzlich aufgebürdete Arbeit. Im Verlaufe der Intervention im *Change Laboratory* schlugen die Teilnehmer vor, dass eine Art "Sparring" mit einem Partner gebraucht würde, das den Investmentmanagern helfen sollte miteinander zu kooperieren und Investmentpläne für und mit den Kunden zu machen (Exzerpt 1). Die Idee des "Sparring" entwickelte sich dabei zum Kern eines neuen Konzepts.

Exzerpt 1

Investmentmanager 1: Ich habe schon gesagt, dass wir diese Art der Sparring Diskussionen brauchen. Das genau fehlt uns. Wir haben verschiedene Instrumente; die kann man verbessern und kundenfreundlicher machen. ... Manchmal sieht es so aus, als würden wir alle das ganz für uns alleine tun ...

Investmentmanager 2: Was vielleicht funktionieren könnte ist, das zum Beispiel M. zwei [Investmentpläne] pro Monat macht und das die dann in einer Gruppensitzung vorgestellt und diskutiert werden. . .

Wissenschaftler: Genau ...

Investmentmanager 2: und da bekommen sie Kritik und Sparring. Wenn er sie nur alleine in einer dunklen Ecke vorbereiten würde, dann würde das zu nichts führen.

Schließlich wurde die Organisation der Abteilung selbst so verändert, dass sie die am Sparring orientierte Arbeit unterstützten sollte. Die Position eines "Sparring Managers" wurde geschaffen und die Gruppenstruktur der Abteilung wurde verändert um die kooperative Diskussion von Fällen einzelner Klienten zu unterstützten.

Die Implementation der am Sparring orientierten Arbeit war jedoch von Anfang an schwierig. Die Klienten wurden traditionell als geschützte persönliches Eigentum des jeweiligen Investmentmanagers betrachtet und der gemeinsame Zugriff auf Klienten wurde als zusätzliche Arbeit angesehen. In anderen Worten, während die am Sparring orientierte Form der Arbeit zu Beginn durch engagierte Problemlösebemühungen von unten Gestalt gewann, verlor sie irgendwie ihre Stoßkraft als sie in die Alltagspraxis umgesetzt worden war. Es entstand eine Lücke zwischen dem entwickelten Konzept und dem implementierten Konzept.

Während des Interventionsprozesses gab es eine Episode, die das Potenzial zu haben schien, diese Lücke zu überbrücken. In der zehnten Sitzung des *Change Laboratory* baten wir zwei Investmentmanager, ein simuliertes Gespräch zwischen einem Investmentmanager und einem Kunden zu führen. Der Kunde entsprach in Grundzügen einem realen Kunden und die beiden Praktiker hatten die Akten des Kunden vor dem Gespräch erhalten. Diese Simulation entzündete eine ungewöhnlich intensive und engagierte Diskussion, die nicht weniger als acht bedeutsame von den Teilnehmern formulierte Ideen oder Vorschläge enthielt. Die folgenden Exzerpte illustrieren zwei dieser Vorschläge.

Exzerpt 2

Investmentmanager 3: Wenn man dem Klienten zugehört hat, sollte man eine klare Vorstellung davon haben, wie man jetzt vorgeht. Es kann um die Vorstellung des Hintergrundes eines Investmentplans gehen, oder um etwas anderes. Man sollte es im Kopf und auf dem Papier haben, so dass man entsprechend vorgehen kann.

Exzerpt 3

Investmentmanager 3: Und dann vielleicht dieses hier, etwas, das ich selbst ziemlich oft mache, dass ich unser eigenes Angebot klein mache. Irgendwie, hier ist unser kleiner Vorschlag und passt der überhaupt zu dem, was Sie suchen. Ich benutze genau diese Worte. Es ist natürlich einfach, von außen darauf zu sehen und da sollte es klar sein, dass wir nur etwas wirklich gutes und von guter Qualität verkaufen sollten. Man sieht das nur, wenn man wie hier in den Spiegel schaut ...

Wissenschaftler: Ja, es ist interessant, dass das Wort „klein" ein paar Mal benutzt wurde. Ist das hier üblich? Sie sagten, dass Sie selbst es auch benutzen ...

Investmentmanager 3: Also, ich weiß nicht, ob ich genau die Worte „ein kleines Angebot" benutze ... aber man macht ihn klein ...

Investmentmanager 4: Eigentlich bemitleidenswert ...

Wissenschaftler: Warum das? Woher kommt dieses „Kleine", „Bescheidene" ?

Investmentmanager 3: Ich denke, dass wir versuchen, die Schwelle für den Kunden niedriger zu machen, ihm zu zeigen, dass es nichts Beängstigendes ist. Wenn man dann aber von der Seite darauf schaut, bemerkt man, dass es das Angebot weniger interessant macht ...

Das Exzerpt 2 enthält den direkten Vorschlag für eine neues Instrument: Investmentmanager sollten eine Vorlage dafür entwickeln wie man Gespräche mit neuen Kunden führt. Das Exzerpt 3 ist eine kritische Beobachtung, die einen impliziten Vorschlag enthält: Investmentmanager sollten aufhören, ihre Angebote klein zu machen. Die Ideen und Vorschläge waren sowohl spezifisch wie auch von allgemeiner Bedeutung. Sie haben das Persönliche und das Kollektive, das unmittelbar Gegebene und das Zukunftsorientierte miteinander verbunden. Es scheint, dass diese Art von Gespräch ein ungewöhnliches Potenzial dafür besitzt, Engagement zu erzeugen, dass die Lücke zwischen Entwurf und Anwendung überbrücken kann.

Tabelle 3.1 stellt die wesentlichen Ergebnisse unseres ersten Falles zusammen. In den nächsten Abschnitten werde ich den Ablauf der anderen beiden Fälle in der gleichen Form darstellen.

Tabelle 3.1. Hauptergebnisse der Bank

Widerspruch	Neues Konzept	Neue Instrumente	Hindernisse	Potenzial
Abnehmende Erträge vom Börsenhandel gegenüber alten Instrumenten und dem Besitz von Kunden	Am *Sparring* orientierte Form der Arbeit	Investment Plan und Organisation des *Sparring*	Es ist nicht üblich, sich Kunden zu teilen; bedeutet zusätzliche Arbeit	Simuliertes Kundengespräch löst Engagement aus

Fall 2: Das Gesundheitszentrum

Der zweite Fall ist der eines städtischen Gesundheitszentrums, das für die medizinische Grundversorgung der Bevölkerung eines Stadtteils von Espoo verantwortlich ist, das in der Nähe der Hauptstadt Espoo liegt. In den Jahren 2004 und 2005 haben wir hier Patienten interviewt und Sitzungen im *Change Laboratory* mit Ärzten und Pflegern des Zentrums durchgeführt. Jede dieser Sitzungen war einem oder zwei Patienten und ihren Fällen gewidmet. Einige Sitzungen führten zu zusätzlichen Sitzungen mit dem Patienten zusammen mit anderen Spezialisten.

Der leitende Arzt des Gesundheitszentrum beschrieb den Widerspruch der Arbeit als eine Spannung zwischen zwei verschiedenen Bedürfnissen, mit denen das Zentrum sich auseinander setzen musste. Auf der einen Seite hatten die meisten Patienten einfache medizinische Probleme, die eines nach dem anderen in einer ziemlich standardisierten und festgelegten Art und Weise behandelt werden konnten. Auf der anderen Seite gab es aber auch Patienten mit vielfältigen und schwierigen Problemen, die eine andere Behandlung und andere Instrumente und Regeln brauchten. Die letzte Gruppe war diffus und schwer auszumachen, aber sie enthielt Patienten mit multiplen chronischen Erkrankungen, Patienten mit komplexen sozialen Problemen und Patienten mit psychischen Problemen und Abhängigkeiten. Die letzte Gruppe wird manchmal die „schwierigen" Patienten („heartsink patients", O'DOWD, 1988) genannt, weil sie beim Praktiker oft das Gefühl der Hilflosigkeit und der Frustration auslösen.

Der leitende Arzt machte den Vorschlag, dass die Praktiker, um mit der Spannung zurecht zu kommen, ein Modell von *zwei Patientenströmen* entwickeln sollten. Dem einen Patientenstrom würden die irgendwie standardmäßigen Patienten zugewiesen, während dem anderen die komplexen Patienten zugewiesen würden, die mehr Aufmerksamkeit, Zeit und vielleicht auch neue Instrumente beanspruchten. Die Entwicklung und Implementierung dieses allgemeinen Modells der *zwei Patientenströme* wurde als Aufgabe und Vision für die Intervention übernommen.

In dem Maße, in dem komplexe Fälle von Patienten in den Gesprächen mit den Praktikern diskutiert wurden, wurde es klar, dass der zweite Patientenstrom eine neue Form der Arbeit erforderte, die (a) die Konstruktion eines Überblicks über die Versorgung des Patienten gemeinsam durch Praktiker und Patient, (b) Diskussion der Versorgung durch das Praktikerteam, die in dem Gesundheitszentrum arbeiten, wenn nötig in Gegenwart des Patienten, und (c) gemeinsame Entscheidungen um die Koordinierung der Versorgung zu verbessern, wenn nötig in einem größeren organisatorischen Rahmen in Gegenwart anderen Betreuungspersonals. Diese Form der Arbeit erhielt den Namen "Gemeinschaftskonsultation", um die Idee zum Ausdruck zu bringen, dass die gesamte Arbeitsgruppe des Gesundheitszentrums – und auch Betreuungspersonal außerhalb des Zentrums – in die Diskussion und die Verbesserung der Versorgung von komplexen Patienten involviert sein müssen.

Es wurden zwei Instrumente benutzt, um einen gemeinsamen Überblick über die Versorgung des Patienten zu konstruieren. Das erste, der Pflegeplan, führte das gesamte offizielle und inoffizielle Betreuungspersonal auf, das mit der Betreuung des Patienten betraut war, sowie besondere Aufgaben und Verbindungen. Das zweite, der Ablauf der Pflege, stellte die gesundheitsbezogenen lebens- und pflegegeschichtlichen Ereignisse des Patienten auf einer Zeitachse dar, die sich üblicherweise über mehrere Jahre und sogar Jahrzehnte erstreckte. Diese Instrumente wurden in konsentierter Form benutzt und damit sicherzustellen, dass Sichtweisen sowohl des Patienten wie auch des Praktiker ihren Niederschlag finden konnten. Oft führte allein die Tatsache, dass zwei solche Darstellungsinstrumente konstruiert wurden, zur Identifizierung von wichtigen Lücken, Diskrepanzen, Missverständnissen und ungedecktem Bedarf in der Pflege.

Das neue Modell und die neuen Instrumente wurden überarbeitet und für die Anwendung auf der Grundlage von Vorschlägen und Erfahrungen vereinfacht, die von den Praktikern zum Ausdruck gebracht worden waren. Gleichzeitig begannen die Praktiker wachsende Zweifel und Bedenken in Bezug auf ihre Implementation auszudrücken. Es war schwierig für sie, komplexe Patienten zu identifizieren, für die ihre Konsultation in der Gemeinschaftspraxis tatsächlich von Nutzen war. Einige der Praktiker drückten ihre Zweifel an der vorrangigen Behandlung dieser Patienten von Anfang an. Sie machten sich Gedanken darüber, ob es wirklich genug solcher Patienten geben würde, um die zusätzliche Arbeit zu rechtfertigen, die die Implementation erfordern würde. In anderen Worten, wir bemerkten wieder eine Lücke zwischen dem Entwurf und Anwendung.

Es gab jedoch auch Momente intensiven Engagements, sogar Erregung, in den Sitzungen des Change Laboratory. Sie traten in Situationen auf, in denen die Analyse und die zukunftsorienterte Entwurfsdiskussion eines Patientenfalles mit irgendwelchen aktuellen Entscheidungen verbunden war oder mit der Überschreitung von Grenzen, die die Veränderung der Pflege hier und jetzt zum Ziel hatten. Ich nenne diese Situationen "Episoden des Vernetzens in Echtzeit" (zum Begriff des Vernetzens, "knotworking" siehe ENGESTRÖM, ENGESTRÖM, & VÄHÄAHO, 1999).

Eine solche Episode fand statt als ein Arzt dem Team des Gesundheitszentrums den Fall einer Patientin vorstellte, deren chronische Erkrankung sich auf eine derartige Art und Weise verschlimmerte, dass möglicherweise die Mobilität der Patientin und ihre Möglichkeiten bedroht waren, alleine und unabhängig zu leben, was die Patientin außerordentlich besorgte. Die Patientin hatte sich einer Reihe von Rehabilitationsmaßnahmen unterzogen, von denen sie nur eine als hilfreich angesehen hatte. Weitere Therapien wurden von der nationalen Gesundheitsorganisation nicht länger bezahlt und sie hatte das Gefühl, dass ihre Versorgung in einer Sackgasse steckte. Der Arzt schlug vor, dass das städtische Gesundheitsamt für die Fortsetzung der Therapie zahlen sollte, die die Patientin als hilfreich erlebt hatte. Diese Therapie war jedoch ungewöhnlich und teuer und die Beamten des städtischen Gesundheitsamtes hatten dem Arzt gesagt, dass sie einen entsprechenden Antrag ablehnen würden, wenn nicht überzeugende Argumente dafür gefunden würden. In der Diskussion schlug ein anderer Praktiker des Gesundheitszentrums vor, dass der Arzt zu Neurologen am städtischen Krankenhaus Kontakt aufnehmen sollte um die Empfehlung von Experten für die Therapie zu bekommen. Andere Teilnehmer wiesen darauf hin, dass dies womöglich nicht zu einem positiven Ergebnis führen würde und empfahlen, dass der Arzt Kontakt mit dem privaten Neurologen aufnehmen sollte, den die Patientin einmal im Jahr aufgesucht hatte.

An diesem Punkt griff eine Krankenschwester eine konkrete Möglichkeit auf, die zu praktischem Handeln führte.

Exzerpt 4

Krankenschwester 1: Ich wollte mal nach diesem Neurologen fragen, der uns einmal im Monat besucht. Können wir den irgendwie gebrauchen?

Leitender Arzt: Gibt es jemanden, der uns besucht?

Krankenschwester 1: Ja, eine Neurologe. Er wird heute wieder zum dem L Gesundheitszentrum kommen [das benachbarte Gesundheitszentrum der Kommune]. Er wird am Abend eine Sprechstunde abhalten.

Arzt 2: Macht er das nicht speziell für Patienten mit Kopfschmerzen?

Krankenschwester 1: Ja, aber ...

Leitender Arzt: Ja, ja.

Krankenschwester 1: Könnten wir ihn denn nicht gebrauchen, weil wir keine Patienten haben. Heute zum Beispiel wird er nur einen Patienten haben ...

Leitender Arzt: Ahaa!

Arzt 1 [der Arzt der Patientin]: Sollen wir direkt A [die Patientin]...

Leitender Arzt: Sofort.

Arzt 1: ... benachrichtigen und einen Termin machen ...

Leitender Arzt: Also, wenn wir uns nach den Vorgaben von KM [dem Neurologen, der die Visite macht] richten, dann können wir das nicht tun. Weil das zu schwierig ist, er akzeptiert keine zu schwierigen Patienten.

Arzt 2: Ja ...

Krankenschwester 1: Nein, das ist wahrscheinlich zu schwierig für ihn.

Arzt 1: Aber vielleicht hat A [die Patientin] heute frei und ist bereit hinzugehen, wenn ich sie anrufe. Wann kommt der Neurologe?

Krankenschwester 1: Heute um halb vier.

Arzt 1: Okay!

Leitender Arzt: Versuchen wir es!

(...)

Arzt 1: Eine wunderbare Gelegenheit!

Mitten in der allgemeinen Aufregung verließ der Arzt den Sitzungsraum und rief den Neurologen an. Während er telefonierte, diskutierten die Teilnehmer die allgemeinen Implikationen, der der Fall der Patientin hatte.

Exzerpt 5

Leitender Arzt: Also ich finde, diese Art der Behinderung eines Patienten ist wirklich ziemlich verbreitet ...

Arzt 2: leichte Behinderung.

Leitender Arzt: Leicht, ja behindert, bei der man irgendwo etwas Therapie bekommt. Und dabei passiert es, dass sie aus der Therapie mit staatlicher Unterstützung herausfällt. In vielen Fällen wird der Arzt gefragt, eine Art von Attest zu schreiben, damit es eine einjährige Verlängerung für die Therapie gibt.

Arzt 2: Ja, genau.

Leitender Arzt: Und besonders bei erwachsenen Patienten behält unglücklicherweise oft niemand die Gesamtplanung der ärztlichen Versorgung in der Hand.

Der Arzt kam von seinem Telefonat zurück und die anderen Teilnehmer waren begierig das Ergebnis zu erfahren.

Exzerpt 6

Arzt 2: Wird er sie untersuchen?

Arzt 1: KM hat es abgelehnt.

Krankenschwester 1: Das habe ich mir schon gedacht.

Leitender Arzt: Ahaa!

Arzt 1: Er sagte Auf keinen Fall! Weil nach der Vereinbarung ist dies für Patienten, die unter schweren Kopfschmerzen leiden.

Krankenschwester 1: Das habe ich mir schon gedacht.

Arzt 1: Und es ist unfair, wenn wir einem anderen Patienten einen Termin geben, auch wenn er heute nur einen einzigen Patienten hat. Er ist da ganz demokratisch und kann nicht irgendwelche anderen Patienten nehmen außer denen, die unter Kopfschmerzen leiden. Er hat also leider für heute abgesagt ...

Leitender Arzt: Nun ja.

Arzt 1: ... A zu untersuchen.

In der nächsten Sitzung des *Change Laboratory* wurde der Arzt gefragt, wie die Situation für die ärztliche Versorgung der Patientin A sei. Es stellte sich heraus, dass der intensive Versuch der Vernetzung in der vorigen ihr die Energie gegeben hatte, weitere Vernetzungsversuche zu unternehmen – mit beeindruckenden Konsequenzen.

Exzerpt 7

Arzt 1: Als ich der Patientin erzählte, dass sie nun doch heute den Neurologen [KM] nicht sehen wird, erzählte sie dass sie einen privaten Neurologen FD vor einiger Zeit im Jahr 1998 aufgesucht hatte. Ich rief ihn [FD] also an und fragte ihn nach seiner Meinung. Er befürwortete sehr stark die Therapie [die abgelehnt worden war]. Und dann fragte ich, ob die Patientin irgendein Dokument von dieser privaten Behandlung besitzt. Er hatte ein Gutachten für sie geschrieben, in dem er auch ausgeführt hatte, dass dies im Prinzip eine unheilbare Krankheit ist, in der keine Medikamente, sondern höchstens Rehabilitation und Therapie helfen können und das diese spezielle Therapie eindeutig geholfen hat. Dann habe ich U [den leitenden Arzt der Kommune, der für Finanzentscheidungen zuständig ist] und von ihm habe ich Erlaubnis erhalten, andere uneffektive Therapien aufzugeben und allein auf diese Therapie zu konzentrieren. Dann rief ich die Therapie-Abteilung [der Kommune] an und die Krankenschwester, die die Anträge unterschreibt, sagte ja, wenn sie die Patientin hierher schicken mit allen Dokumenten dann wird die Therapie durchgeführt. Und dann rief ich die Patientin an, die jetzt ganz glücklich ist. Das haben wir also gelöst.

Tabelle 3.2. Hauptergebnisse des Gesundheitszentrums

Widerspruch	Neues Konzept	Neue Instrumente	Hindernisse	Potenzial
Komplexe Patienten und Multi-Morbidität gegen Instrumente und Regeln für die Behandlung eines Problems nach dem anderen	Zwei Patienten-Ströme; Gemeinschafts-sprechstunde	Tabelle für die Versorgung und zeitlicher Versorgungsverlauf	Vielleicht gibt es garnicht so viele komplexe Patienten; zusätzliche Arbeit	Episoden der Vernetzung in Echtzeit erzeugten Intensität

Während der Intervention in dem Gesundheitszentrum beobachten wir einige ähnlich intensive Episoden von Vernetzung in Echtzeit. Sie hatten eine große Ähnlichkeit mit dem Ergebnis, das wir in einer früheren Studie in einer anderen Terminologie vorstellten: "Um die Kluft zwischen Aktion und Imagination in der Gestaltung der Geschichte zu überwinden, scheint es notwendig sie einander näher zu bringen und hin und wieder klares Entscheidungsverhalten und abbildende Modellierung miteinander verschmelzen zu lassen" (Engeström, Engeström, & Kerosuo, 2003, S. 305). Tabelle 3.2 fasst die Ergebnisse aus dem Fall des Gesundheitszentrums zusammen.

Fall 3: Die Hi-Tech Firma

Der dritte Fall bezieht sich auf eine mittelgroße Firma, die Produkte entwickelt und herstellt, die eine hohe Sicherheitsstufe erfordern, wie zum Beispiel biometrische und visuelle Pässe, elektronische und visuelle Personalausweise, *Smartcards* (Kreditkarten und Bankkarten mit integriertem Schaltkreis) sowie SIM Karten. Die Firma kann auf lange Erfahrungen in der Massenherstellung zurückblicken, die von einem Reservoir an stillschweigendem handwerklichen Können ihrer Angestellten abhängig waren. In den letzten Jahren hatte die Firma große Schritte getan in Richtung auf die Entwicklung von Hochtechnologie-Produkten und der flexibilisierten Herstellung sich schnell wandelnder Produkte, die entsprechend den Anforderungen von besonderer Kunden aus Unternehmen und dem öffentlichen Sektor gestaltet wurden. Der anfängliche Widerspruch innerhalb der Firma wurde als die tiefe Spannung zwischen den traditionellen Instrumenten, Regeln und der traditionellen Arbeitsteilung auf der Grundlage von Massenproduktion und handwerklichem Können auf der einen Seite und den neuen Anforderungen rascher Entwicklung und Maßanfertigung neuer Produkte auf der anderen.

Wir führten in den Jahren 2004 und 2005 eine Reihe von Sitzungen im *Change Laboratory* mit Arbeitern und Vorarbeitern verschiedener Abteilungen der Firma durch. Das Management der Firma hatte eine Strategie entwickelt, die "*kontinuierliche Verbesserung und Kosteneffizienz,*" "*Kundenmanagement,*" "*Schaffung überzeugender Konzepte*" und "*Internalisierung*" als Schwerpunkte für 2005 aufführte. Dies bedeutete vielfältige, simultane Transformationen und vielfältige, simultane Anforderungen an die Entwicklung von Kompetenz, die nicht einfach zu koordinieren und zu synchronisieren waren. Es gab ein augenfällige Risiko, dass sich die Strategie in ihre Einzelteile auflöst, die in verschiedenen Teilen der Firma in Isolation voneinander ausgeführt wurden. Im Verlauf unserer Interventionen wurde das Konzept der vielköpfigen Strategie (vgl. z.B. CUMMINGS & ANGWIN, 2004) konstruiert um die Herausforderungen dieser Transformationen zu erfassen

Um das Konzept in verwertbare Instrumente zu verwandeln, konstruierten wir – die Wissenschaftler und die Fachleute vom Personalwesen der Firma – zwei Matrizen, die *Strategietabelle* und die *Kompetenztabelle* genannt. Die Strategietabelle stellte die strategischen Schwerpunkte, die das Management festgelegt hatte, auf einer Achse dar und die verschiedenen Abteilungen der Firma auf der anderen Achse. Die einzelnen Zellen der Tabelle sollten die einzelnen Abteilungen mit konkreten Zielen und Aufgaben ausfüllen. Auf ähnliche Weise stellte die Kompetenztabelle verschiedene Formen von Arbeit und Wissen dar (Massenfertigung, Verfahrenserweiterung, Maßanfertigung mit hohen Stückzahlen, Ko-Konfiguration) auf der einen Achse und die Abteilungen der Firma auf der anderen Achse. Auch hier sollten die Abteilungen die einzelnen Zellen mit konkreten Aufgaben der Kompetenzentwicklung füllen. Die Tabellen sollten als visuelle Displays in den jeweiligen Arbeitseinheiten ausgestellt werden, so dass diese regelmäßig ihre Leistungen evaluieren konnten und ihre Aufgaben im Gesamtzusammenhang der vielköpfigen Strategie auf den neuesten Stand bringen konnten.

Das neue Konzept und die neuen Instrumente wurden vom Management und den Experten der Firma enthusiastisch begrüßt. Es wurde jedoch bald klar, dass niemand die Verantwortung dafür übernehmen wollte, die Instrumente vor Ort in die Produktionsstätte zu bringen und die verschiedenen Abteilungen bei der Implementation zu überwachen. Wieder wurden wir Zeuge einer breiten Kluft zwischen Entwicklung und Implementation.

In der Hi-Tech Firma war es ganz besonders schwierig, Episoden zu identifizieren, die das Potenzial besaßen, diese Kluft zu überbrücken. Die Kunden oder Endverbraucher waren für die meisten Arbeitsgruppen in der Hi-Tech Firma weiter entfernt als dies bei den Investmentmanagern und dem Personal bei der ärztlichen Versorgung der Fall war. Reale oder simulierte Gespräche mit Kunden konnten daher nicht als Quelle für persönliches Engagement genutzt werden. Stattdessen gab es zahlreiche Episoden, in denen die Arbeiter und auch die Vorarbeiter und Experten über ihre persönlichen Fertigkeiten und über die Perspektiven reflektierten, ihre Kompetenzen zu entwickeln. Einige dieser Episoden riefen bei den Praktikern ein ziemlich intensives Engagement hervor.

> *Exzerpt 8*
>
> *Arbeiter 1*: Wenn ich wollte, müsste ich eine von diesen Fabriken irgendwo in der Schweiz besuchen, die diese Farben herstellen, zum Bespiel, da, an Ort und Stelle. Es macht keinen Sinn für mich, irgendeine Druckerei X zu besuchen. ... Wir haben doch, das beste Wissen und Können, das es vermutlich gibt.
>
> *Arbeiter 2*: Für einen Monat in die Schweiz.

Arbeiter 3: Im Frühling oder im Sommer?

Arbeiter 4: Wenn das Wetter zum Motorradfahren gut ist ...

Arbeiter 1: Zwischen April und Juni ... Ich meine, wie bekommen die Farben aus der Schweiz und aus Frankreich, und das sind sagenhafte Orte, es scheint dass jeder seine Hand hebt und aufgibt, wenn man mit einem Problem fertig werden muss. Es scheint als ob zwischen uns immer noch die Große Chinesische Mauer oder zumindest die Berliner Mauer stünde. Das Wissen ist irgendwo zwischendrin unterbrochen.

Exzerpt 9

Arbeiter 5: Aber als wir zu einem bestimmten Zeitpunkt Probleme mit der Beschichtung hatten, habe ich in ganz Finnland herumtelefoniert. Ich habe mit Professoren und einer Menge Leute gesprochen. Und dann wurde es geklärt, dieses Beschichtungsproblem von S, und warum die Autolampen auf eine bestimmte Art beschichtet sind und wie das tatsächlich gut zu unserem Job passt.

Tabelle 3.3. Hauptergebnisse der Hi-Tech Firma

Widerspruch	Neues Konzept	Neue Instrumente	Hindernisse	Potenzial
Nachfrage nach neuen Produkten und Maßanfertigung gegenüber Instrumenten, Regeln und Arbeitsteilung der Massenproduktion	Vielköpfige Strategie	Strategietabellen und Kompetenztabellen	Wer implementiert und überwacht die Arbeit mit der Strategie in der Produktion?	Projektionen persönlicher Kompetenzentwicklung bei den Praktikern

Die Exzerpte 8 and 9 zeigen, dass Schwierigkeiten mit der persönlichen Kompetenz, den Fähigkeiten und dem Wissen für die Arbeiter hoch aufgeladen sind. Sie erlebten ein starkes Bedürfnis danach Partner für die Vernetzung außerhalb der Mauern der Firma zu suchen und zu finden und damit neue Elemente von Expertise zu finden, die man braucht, um mit der Herausforderung der Transformationen fertig zu werden. In Exzerpt 8 setzt man sich mit der Spannung, die in diesem schwierigen Problem liegt, in Form von Scherzen über Reisen im Ausland auseinander.

In Exzerpt 9 berichtet der Arbeit über einen erfolgreichen Versuch, die Grenzen der Firma zu überschreiten. In diesen Diskussionen konnte man spüren, wie eine neue Identität über allem zu schweben begann, die Identität eines kompetenten Arbeiters, der danach trachtet, mit allen möglichen Quellen und Partnern, national und international, Verbindung aufzunehmen, um die erforderliche Kompetenz zu konstruieren.

Die Hauptergebnisse der Hi-Tech Firma sind in Tabelle 3.3 dargestellt.

Die Erweiterung der Arbeitshypothese: Die Rolle der Instrumente bei Lernen und Arbeit

Der erste Teil der Arbeitshypothese, die zu Beginn dieses Papiers formuliert wurde, besteht in dem Idee, expansives Lernen für die Ko-Konfiguration als *transformatives Lernen*, dass radikal die gemeinsamen Arbeitsgegenstände mit Hilfe explizit vergegenständlichter und artikulierter neuartiger Instrumente, Modelle und Konzepte" zu sehen. Die drei Fälle unterstützen diese Annahme. Zugleich weisen sie darauf, dass die neuartigen Konzepte, Modelle und Instrumente keine singulären oder separaten vermittelnden Instanzen darstellen, sondern dazu tendieren, integrierte Werkzeugsätze zu bilden. Das impliziert auch die Verschiebung von der Nutzung wohl definierter singulärer Instrumente zur Entwicklung und Implementation ganzer Sätze vermittelnder Instrumente.

Ein Satz vermittelnder Instrumente ist im eigentlichen Wortsinn die Art von Ausstattung mit einem Werkzeug, die in einer Tätigkeit benötigt werden. So füllen die Werkzeuge eines Zimmermanns eine Vielzahl von Kisten. Sie bieten dem Praktiker eine Vielzahl alternativer Ansatzpunkte um eine Arbeitsaufgabe zu erledigen. Das Denken geschieht mit Hilfe der Werkzeuge. Ein Werkzeug öffnet so einen Blick auf die Mentalität dieses Berufs. KELLER und KELLER (1996) haben untersucht, wie ein Schmied seine Werkzeuge benutzt. Sie weisen auf die Variabilität und Flexibilität der Konstellationen von Werkzeugen hin.

> Es ist wichtig, darauf hinzuweisen, dass die Ideen, die die mentalen Komponenten einer Konstellation konstituieren, oft Prozeduren für die Korrektur oder die Reparatur von Abweichungen vom Bild des gewünschten Ergebnisses eines bestimmten Schrittes in der Produktion enthalten. Werkzeuge können daher auf vielfältige Art und Weise sogar innerhalb ein und derselben Konstellation benutzt. (KELLER & KELLER, 1996, S. 103; siehe auch ENGESTRÖM & AHONEN, 2001)

Wie FLECK (1994) und WILLIAMS, STEWART, und SLACK (2005) zeigen, tendieren Technologien der Information und der Kommunikation dazu, "Konfigurationstechnologien" zu sein, die auf der Grundlage von ausgewählten existierenden (oftmals standardmäßigen) technologischen Bauteilen und Werkzeugen geschaffen werden, die mit individuell hergerichteten Elementen zusammen konfiguriert werden. Die Entwicklung und Implementation von Instrumentensystemen oder *Konfigurationstechnologien* ist offenbar ein schrittweiser Prozess, der sowohl darin besteht neue und alte Instrumente und Verfahren passend zu machen als auch in neuartigen Gebrauchsweisen oder darin, standardmäßige Technologie zu *zähmen*.

> Jede Konfiguration wird aus einem breitem Spektrum von Komponenten aufgebaut, um die ganz speziellen Anforderungen einer bestimmten Gemeinschaft von Benutzern zu erfüllen. Konfigurationen verlangen daher ganz wesentliche Inputs und Anstrengungen der Nutzer, wenn sie denn erfolgreich sein wollen – und eine solcher Input kann das Rohmaterial für bedeutende Innovationen liefern. ... Der spezifische Prozess der Implementation/Innovation besteht bei Konfigurationen darin, dadurch zu lernen, dass man darum kämpft, das gesamte System ans Laufen zu bringen, das heißt, es geht um einen Prozess des "Lernens durch Ausprobieren:" Verbesserungen und Modifikationen müssen an einzelnen Bestandteilen gemacht werden bevor die Konfiguration als integrale Einheit funktionieren kann. (FLECK, 1994, S. 637–638)

BØDKER und ANDERSEN (2005) gehen in ihrem wichtigen Beitrag noch einen Schritt weiter indem sie den Begriff der "multi-mediation" entwickeln. Dies bezieht sich auf die Gleichzeitigkeit von Vermittlungsprozessen, Vermittlungsprozesse auf verschiedenen Ebenen oder in Ketten. Besonders das Vorhandensein von multiplen Ebenen vermittelnder Artefakte in der menschlichen Tätigkeit wird dabei hervorgehoben.

Ich finde jedoch, dass BØDKER und ANDERSENs Definition und Gebrauch des Ebenenbegriffs nicht genügend transparent ist. In meiner eigenen Arbeit habe ich verschiedene Ebenen der Vermittlung durch Artefakte auf dem Hintergrund diskutiert, welchen epistemischen Beitrag das Artefakt in einer bestimmten Handlung oder einer Handlungssequenz liefert. Bestimmte Artefakte sind besonders dazu geeignet "Was?"-Fragen zu stellen und Antworten darauf zu bekommen, während andere sich besser für "Wie?" und "Warum?"-Fragen eignen (ENGESTRÖM, 1990, Kapitel 8). Ein Versuch, diese Perspektive auf multiple Ebenen von vermittelnden Artefakten zu systematisieren ist zusammenfassend in Abb. 3.1 dargestellt.

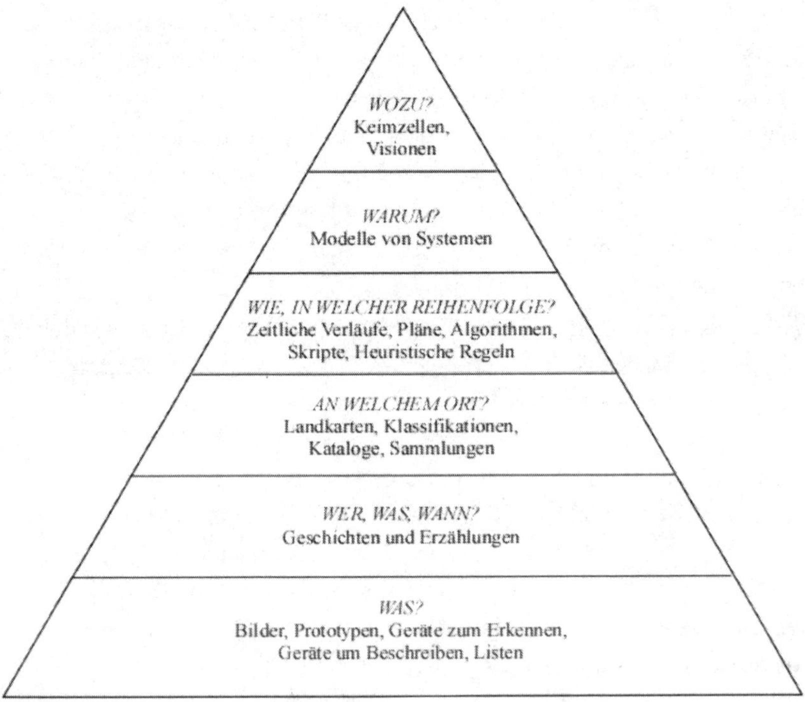

Abb. 3.1. Epistemische Ebenen vermittelnder Artefakte

Die Hierarchie in Abb. 3.1 zeigt, dass ganz oben ein Modell, das die Idee der Keimzelle benutzt, einen großen Anwendungsbereich eröffnet, wohingegen ganz unten Bilder und Geschichten typischerweise ganz spezifisch sind und an eine bestimmte Situation oder einen bestimmten Fall gebunden sind. Ein und dasselbe Artefakt kann jedoch auf radikal verschiedene Arten und Weisen benutzt werden. Ein Hammer wird typischerweise als Gerät zur Wiedererkennung benutzt: es hilft einem dabei, das zu erkennen, *was* gehämmert werden kann, wie zum Beispiel Nägel. Ein Hammer kann aber auch als Symbol für die Macht der Arbeiter dienen, als "Wohin?"-Modell oder zumindest als Zeichen, das ein solches Modell auslösen kann. In anderen Worten: die materielle Form und Gestalt des Artefakts bestimmen nur bis zu einem bestimmten Grade seine epistemische Anwendung und Verwendung.

Im Fall der Bank, den wir oben analysiert haben, war das Konzept einer am Sparring orientierten Arbeit eng mit dem Investmentplan und den Verfahren der Sparring Organisation verbunden, wie etwa mit Trainingssitzungen, die von dem Sparring Manger geleitet wurden. Der Investmentplan war ja faktisch vor unserer Intervention entwickelt worden, er erzeugte allerdings nicht allzu viel Enthusiasmus bei den Investmentmanagern bevor sie nicht das Konzept einer am Sparring orientierten Arbeit entwickelten und den Investmentplan damit in Verbindung setzten. Das Zusammenspiel zwischen dem Investmentplan (ein "Wie?"-Artefakt) und dem Konzept der am Sparring orientierten Arbeit (ein "Wohin?"-Artefakt) verlieh der neuen Vermittlung erst wirklich Kraft.

Im Fall des Gesundheitszentrum begann der Prozess mit der grafischen Darstellung, die der leitende Arzt von seiner Vision von zwei Patientenströmen (ein "Wohin?"-Artefakt) gab. Daran schlossen sich eine Reihe von Sitzungen an, in denen die neuen Instrumente, die Pflege-Tabelle und der Pflege-Kalender, benutzt wurden und schrittweise entwickelt wurden. In der Hierarchie in Abb. 3.1 hilft die Pflege-Tabelle typischerweise dabei Fragen "An welchem Ort?" zu stellen und zu beantworten, während der Pflege-Kalender typischerweise Berichte und Schilderungen ("Wer, Was, Wann?") hervorbringt und zu einem komprimierten zeitlichen Ablauf führt ("Wie, In welcher Reihenfolge?"). Gegen Ende der Intervention stellten wir den Praktikern das Konzept der Gemeinschaftssprechstunde (ein weiteres "Wohin?"-Artefakt) vor um damit zusammenzufassen und zu verallgemeinern, was bis dahin erreicht worden war.

Im Falle der Hi-Tech Firma sollten sowohl die Strategietabelle wie auch die Kompentenztabelle als Landkarten und Reservoirs ("An welchem Ort?") dienen und, zumindest potentiell auch als diagnostische Werkzeuge, die den Arbeitern und Managern helfen würden, komplexe Verbindungen zu sehen und "Warum?"-Fragen zu beantworten. Die Bedeutung der Tabellen war auf die Formulierung und Anerkennung des "Wohin?"-Konzepts einer vielköpfigen Strategie gegründet.

In allen drei Fällen nahm der Prozess expansiven Lernens, unterstützt durch das Change Laboratory Gestalt an, indem neue vermittelnde Konzepte und Instrumente in vielschichtigen Konstellationen und Instrumentensystemen konstruiert und angewendet wurde. Das hat bedeutende Implikationen für unser Verständnis der Rolle von Technologien beim Lernen.

Zunächst ist als erstes anzumerken, dass in Studien von technologisch vermittelten Lernumgebungen, neue digitale Instrumente typischerweise in einer gebrauchsfertigen Form eingeführt werden – sie werden von Lernern und Lehrern weder konstruiert noch sonst wie weiterentwickelt. Beim expansiven Lernen für die Arbeit in der Konfiguration ist die beständige Konstruktion von Instrumenten und die Re-Konfiguration vorhandener Technologien durch die Benutzer wesentlich. Eine Ebene von Technologien kann dabei in einer relativ gebrauchsfertigen Form vorhanden sein, aber andere komplementäre Ebenen müssen konstruiert werden und man muss mit ihnen experimentieren um die Technologie robust zu machen und sie im Leben des Tätigkeitssystems zu verwurzeln. Dies stimmt überein mit den Ergebnisse von CIBORRA und Mitarbeitern (2000), die darauf hinweisen, dass das Ideal der totalen Kontrolle über klar definierte und abgegrenzte Technologien in komplexen Organisation zusehends obsolet wird.

Zweitens, während technologisch vermittelte Lernumgebungen sich oft als komplexe Konstellation von Instrumenten darstellen, scheint es, klar zu sein, dass viele der Technologien, die eingeführt werden, um das Lernen zu erleichtern, in Hinblick auf ihre epistemischen Qualitäten und Potenziale selbst nur wenig untersucht und verstanden werden. Die epistemischen Ebenen, die in Abbildung 1 dargestellt sind, sind nur vorläufige Versuche, einen Rahmen für die kritische Reflexion und die epistemisch bewusste Entwicklung von Technologien für das Lernen zu schaffen – was BØDKER und ANDERSEN (2005, S. 394) "ebenenbezogene Entwicklung" nennen. Paradoxerweise kann ein solcher Ansatz der Entwicklung zu bewussten Entscheidungen führen, nicht für alle epistemischen Ebenen eines sich entwickelnden Systems von Instrumenten Anwendungen zu planen, das heißt, dazu, dass bewusst offene Räume für emergente Anwendungen und Re-Konfigurationen von unten reserviert werden.

Schließlich werden, drittens, übergreifende Konzepte und Visionen ("Wohin?"-Artefakte) in Studien zu technologisch vermittelten Lernumgebungen üblicherweise nicht als Teil der Technologie betrachtet. Begriffs- und Konzeptentwicklung auf der einen und Benutzung von Instrumenten auf der anderen werden traditionell als vollständig verschiedene Themen in der Kognitionswissenschaften und den benachbarten Disziplinen gesehen. Die oben vorgestellten Fälle weisen allerdings darauf hin, dass Konzepte und Visionen tatsächlich als wesentliche Elemente der Technologie betrachtet werden sollten (siehe dazu auch ENGESTRÖM, PASANEN, TOIVIAINEN, & HAAVISTO, 2005). Wenn die Diskussion und die Versuche vernachlässigt werden, eine konzeptionelle "Wohin?"-Ebene eines lernbezogenen Instrumentariums zu formulieren, dann tendiert die Technologie dazu, Selbstzweck zu werden, erscheint vernachlässigenswert oder wird nur in minimalem Rahmen angewendet, wie das CUBAN (1986, 2001) für schulische Kontexte gezeigt hat.

Die Revision der Arbeitshypothese: Erfahrung als Brücke

An den Anfang dieses Beitrages habe ich eine dreifache Arbeitshypothese gestellt. Der erste Punkt dieser Arbeitshypothese besagte, dass expansives Lernen im Übergangsfeld zu ko-konfigurativer Arbeit vor allem umgestaltendes, transformatives Lernen ist, das radikal die gemeinsam geteilten Arbeitsobjekte mit Hilfe explizit vergegenständlichter und artikulierter neuartiger Instrumente, Modelle und Konzepte erweitert. Wir – die Praktiker und die Forscher – haben tatsächlich in den Interventionen neue Konzepte, Modelle und Instrumente konstruiert. Die Praktiker waren mit ihnen sehr zufrieden und schienen sie als ihre eigenen zu akzeptieren. Wenn sie sie aber implementieren sollten in praktischer horizontaler Verknüpfungsarbeit und Wegfindung, wie in der zweiten und dritten Arbeitshypothese formuliert, dann kann es zu einem großen Maß an Trägheit und es wurden Hindernissen aufgerichtet. Es entstand, in anderen Worten, eine Lücke zwischen dem ersten Teil der Hypothese und ihrem Rest.

Auf der anderen Seite gab es Episoden in allen drei Fallstudien, in denen die Praktiker außerordentlich engagiert wurden. In den oben dargestellten Tabellen werden diese Phasen als *Potenzial* bezeichnet – und das bezieht sich auf die sich entwickelnden Möglichkeiten dir Kluft zwischen Entwicklung und Implementation zu überbrücken. Alle diese Episoden waren durch starkes persönliches Engagement der Beteiligten gekennzeichnet. In diesen *Potenzial*-Episoden beobachteten wir darüber hinaus ein Zusammenfließen von situationsspezifischen Lösungen und von Ideen oder Vision einer allgemeinen systembezogenen Veränderung. Das Persönliche und das Kollektive wie auch das unmittelbar Gegebene und das auf die Zukunft Orientierte schienen in diesen Phasen zu verschmelzen.

Der erste Eindruck bei diesen Phasen ist, dass es bei allen um Identitätsbildung geht. Praktiker, die sich größeren Umwälzungen in der Arbeit gegenüber sehen, müssen doch irgendwie sich selbst als Individuen sehen, die eine neue persönliche Identität übernehmen, wenn die gesamte Arbeitstätigkeit im Begriff ist, sich radikal zu ändern. GEE (2003) weist darauf hin, dass dies eine notwendige Komponente allen ernsthaften Lernens ist.

> Alles tiefgehende Lernen, d.h. aktives, kritisches Lernen, ist auf eine Vielzahl von verschiedenen Weisen unauflösbar mit der Identität verbunden. Menschen können nicht tiefgehend in einem bestimmten semiotischen Bereich lernen, wenn sie nicht bereit sind, sich dem Lernen vollständig in Hinblick auf Zeit, Energie und aktivem Engagement zu widmen. Ein solches Engagement macht es erforderlich, dass sie sich selbst als *die Art von Person* verstehen, die den neuen semiotischen Bereich lernen, benutzen und wertschätzen kann. Andererseits müssen sich auch davon überzeugt sein, dass ... von anderen wertgeschätzt und akzeptiert zu werden, die sich in diesem Bereich engagieren, das heißt von Personen in der Interessengruppe, die mit dem Bereich verbunden ist (GEE, 2003, S. 59)

Gee unterscheidet zwischen drei Formen von Identität: Identität in der realen Welt, virtuelle Identität und projektive Identität. Ganz offensichtlich ist vor allem die dritte Form, projektive Identität, hier relevant.

Das Konzept der Identität ist jedoch auch problematisch. Dies gilt besonders für virtuelle Identitäten, die sich als Rollen oder Masken darstellen, die nach Belieben gewählt, angenommen und wieder abgestreift werden (TURKLE, 1995). Allgemein gesagt wird Identität zu oft als etwas intern Kohärentes, Fixiertes und Wohldefiniertes angesehen. In diesem Sinne lässt es wenig Raum für Widersprüche, Veränderungen und Entwicklung.

Aus diesen Gründen erscheint das von VASILYUK (1988) vorgestellte Konzept der Erfahrung vielversprechender als Brücke zwischen Entwicklung und Implementation. Nach VASILYUK (1988, S. 10) ist Erfahrung "die besondere innere Arbeit, mit deren Hilfe eine Person eine Krise überwindet und besiegt, verloren gegangenes geistiges Gleichgewicht wiederherstellt und den abhanden gekommenen Sinn des Lebens wiederfindet." VASILYUK definiert mit anderen Worten Erfahrung als die Arbeit mit den Widersprüchen, denen sich Menschen bei der Aufrechterhaltung ihrer Tätigkeit gegenüber sehen.

> Wenn man nur ein Wort benutzen dürfte, um das Wesen solcher Situationen auszudrücken, dann müsste man sagen, dass es Situationen der *Unmöglichkeit* sind. Der Unmöglichkeit in Bezug auf was? Der Unmöglichkeit zu leben, die *inneren Notwendigkeiten* des Lebens zu erkennen. Der Kampf gegen die Unmöglichkeit, der Kampf darum, die inneren Notwendigkeiten zu sehen – das ist Erfahrung. Erfahrung ist die Instandsetzung einer "Zerrüttung" des Lebens, eine Restaurierungsarbeit, die gleichsam im rechten Winkel zur fortlaufenden Lebenslinie fortschreitet. Wenn die psychologische Theorie der Tätigkeit, bildlich gesprochen, die Art und Weise untersucht, wie eine menschliches Wesen seinen Lebensweg geht, dann untersucht die Theorie der Erfahrung die Art und Weise wie er oder sie dabei zu Fall kommt und wieder aufsteht um den Weg fortzusetzen (VASILYUK, 1988, S. 32)

Es ist klar, dass Praktiker, die sich in ihrer Arbeitstätigkeit größeren Umwälzungen gegenüber sehen, sich mit Widersprüchen auseinandersetzen und darum kämpfen, das Unmögliche zu überwinden. Sie versetzen sich in vorgestellte, simulierte und reale Situationen, die persönliches Engagement im Umgang mit materiellen Objekten und Artefakten (einschließlich anderer menschlicher Wesen) erfordern, die der Logik eines antizipierten oder entwickelten Modells zukünftiger Tätigkeit folgen. *Sie erfahren die Zukunft.* Um das deutlich zu machen, ist es hilfreich, DEWEYs Verständnis von Erfahrung dem von VASILYUK hinzuzufügen.

> Erfahrung ist eine Sache der Interaktion des Organismus mit seiner Umgebung, einer Umwelt, die menschlich wie auch physisch ist und die Inhalte der Tradition und der Institutionen ebenso einschließt wie die örtliche Umwelt. Der Organismus bringt durch seine eigene ihm angeborene und erworbene Struktur Kräfte mit sich, die bei der Interaktion eine Rolle spielen. Das Subjekt handelt und erleidet, und seine Widerfahrnisse sind nicht Eindrücke in weiches Wachs, sondern diese hängen von der Art und Weise ab, wie der Organismus reagiert und antwortet. Es gibt keine Erfahrung, bei der die Mitwirkung des Menschen nicht als ein Faktor bei der Festlegung dessen, was de facto geschieht, im Spiel wäre. Der Organismus ist eine wirkende und treibende Kraft, nicht nur ein transparentes Medium.
>
> Da jede Erfahrung durch eine Interaktion von Subjekt und Objekt, von einem Selbst und seiner Welt, konstituiert wird, ist sie weder rein körperlich noch rein geistig, unabhängig davon, wie stark jeweils ein Faktor dominiert. ... In einer Erfahrung werden Dinge und Geschehnisse, die zur natürlichen und sozialen Welt gehören, durch den menschlichen Kontext, in den sie eintreten, transformiert, während das Lebewesen sich verän-

> dert und durch seinen Umgang mit Dingen, die vorher außerhalb seines Erfahrungsbereiches lagen, sich fortentwickelt. (DEWEY, 1980, S. 288)

DEWEY weist darauf hin, dass sich in der Erfahrung die lebendige Kreatur verändert und entwickelt durch Interaktion mit Dingen, die zuvor ihr nur äußerlich waren. Die Herausforderung für die Theorie des expansiven Lernens besteht darin, Deweys "lebendige Kreatur" nicht nur als Individuum, sondern auch und vor allem als kollektives Tätigkeitssystem neu zu verstehen und zu reformulieren.

Schluss

Die ursprüngliche Arbeitshypothese, die zu Beginn des Papier vorgestellt wurde, kann nun erweitert und wie folgt neu formuliert werden.

Expansives Lernen, das durch die Einführung von Arbeit im Rahmen der Ko-Konstruktion entsteht und erforderlich wird kann durch die folgenden vier zentralen Merkmale bestimmt werden:

1. Es ist *umwälzendes* Lernen, das radikal die gemeinsamen Arbeitsobjekte erweitert durch explizit vergegenständlichte und dargestellte neuartige Instrumente, Modelle und Konzepte, die dazu tendieren Instrumentarien und Konstellationen auf multiplen Ebenen zu werden

2. Es ist Lernen durch *Erfahrung*, das die Teilnehmer in vorgestellte, simulierte oder reale Situationen versetzt, die persönliches Engagement im Umgang mit materiellen Objekten und Artefakten (einschließlich anderer menschlicher Wesen) erfordern, die der Logik eines antizipierten oder entwickelten Modells zukünftiger Tätigkeit folgen.

3. Es ist *horizontales* und dialogisches Lernen, das Wissen schafft und die Tätigkeit transformiert, indem Grenzen überwunden werden und Verbindungen zwischen Tätigkeitssystemen geknüpft werden.

4. Es ist *Lernen im Untergrund*, das neue kognitive Pfade markiert, die verkörpert und gelebt werden, aber unbemerkt bleiben. Diese Pfade dienen als Anker und stabilisierende Netzwerke, die die Lebbarkeit und Nachhaltigkeit der neuen Konzepte, Modelle und Instrumente sichern und so die Bereiche multipler Tätigkeit kenntlich und wohnlich machen.

Hier angelangt, erscheint Lernen durch Erfahrung vor allem als Vorschlag um die zukünftige theoretische Arbeit und empirische Untersuchungen anzuregen.

4

Jenseits der Diskontinuität
Die Erinnerung an expansives organisationales Lernen

Yrjö Engeström, Hannele Kerosuo und Anu Kajamaa[8]

Einführung

Längsschnittuntersuchungen von Prozessen und Konsequenzen des Lernens über einen Zeitraum von mehreren Jahren und über aufeinander folgende Projekte werden nicht oft durchgeführt, und entsprechend schlecht werden sie in Organisationen verstanden (PETTIGREW, 1995). In diesem Beitrag untersuchen wir die Spuren vergangener Projekte organisationalen Wandels um die longitudinale Dynamik von Kontinuität und Diskontinuität des organisatorischen Lernens in zwei finnischen Gesundheitszentren zu verstehen. Wir werden die Theorie des expansiven Lernens (ENGESTRÖM, 1987) dazu benutzen, die vorherrschenden anpassungsorientierten und dualistischen Fehlvorstellungen zu überwinden, die sich im Bereich der Theorie des organisationalen Lernens finden.

In den beiden Fällen, die wir in diesem Beitrag untersuchen werden, wurden ähnliche innovative Projekte in den frühen 90er Jahren gleichzeitig in beiden Organisationen gestartet. Wir haben die sich daran anschließenden Entwicklungswege bis ins Jahr 2005 verfolgt und decken damit einen Zeitraum von ungefähr 15 Jahren im Leben den Organisationen ab. Bei der Untersuchung dieser Entwicklungswege fragen wir danach, welche Art von Konti-

---

8 alle Universität Helsinki. Wir danken dem FINNISH WORK ENVIRONMENT FUND (grant number 104104) für die Unterstützung des Projekts, auf das sich der vorliegende Artikel bezieht.

nuität und Diskontinuität bestimmt werden können und welche Implikationen dies für unser Verständnis des Lernen in Organisationen hat.

Wir beginnen mit der Diskussion des problematischen Begriffs der Kontinuität und Diskontinuität des Wandels in Organisationen. Dann gehen wir dazu über, die Beziehung zwischen organisationalem Wandel und Lernen genau zu untersuchen, insbesondere die Perspektive, die sich aus der Sicht der Theorie des expansiven Lernens bietet. Danach werden wir Daten, Methoden und Hauptergebnisse unserer beiden Fallstudien vorstellen. Der Beitrag endet mit einem abschließenden Teil, in welchem wir zu der theoretischen Herausforderung zurück kehren, in Längsschnittuntersuchungen organisationalen Wandels über die Diskontinuität hinaus zu gehen.

Kontinuität und Diskontinuität

In Untersuchungen institutionellen und organisationalen Wandels spielen die Begriffe der Kontinuität und Diskontinuität eine herausragende Rolle. Das herrschende Modell des "unterbrochenen Gleichgewichts"[9] (z.B. GERSICK, 1991; ROMANELLI & TUSHMAN, 1994; LOCH & HUBERMAN, 1999) geht grundsätzlich davon aus, dass qualitative Veränderungen in Organisationen aus der Akkumulation kleiner stufenweiser Verbesserungen entstehen. Größeren Umwälzungen gehen längere Phasen stabilen routinemäßigen Funktionierens voraus – Gleichgewicht. An einem bestimmten Punkt erreicht die Akkumulation der schrittweisen Veränderungen einen Punkt der Eruption und eine intensive Reorganisation findet in einer relativ kurzen Phase des Getümmels statt. Entwicklung wird, in anderen Worten, dargestellt als lange Phasen der Kontinuität, die durch gelegentliche intensive Phasen von Diskontinuität unterbrochen werden.

Modelle des unterbrochenen Gleichgewichts erscheinen ziemlich hilflos, wenn es um Fälle geht, in denen keine eindeutigen längeren Phasen eines

---

[9] Die Theorie des unterbrochenen Gleichgewichts in der Evolution ist von ELDREDGE und GOULD (1972) vorgestellt worden und wendet sich gegen die Vorstellung eines allmählichen, schrittweisen Übergangs in der Evolution. Sie wird auch als "Punktualismus" (punctualism) bezeichnet (vgl. auch GOULD & ELDREDGE, 1993 und die Kritik bei DENNETT, 2002) [Anmerkung des Hrsg.]

umfassenden Gleichgewichts identifiziert werden können. Autoren wie QUINN und CAMERON (1988), ORLIKOWSKI (1996) und BROWN und EISENHARDT (1998) behaupten, dass organisationaler Wandel tatsächlich viel andauernder, verteilter und facettenreicher ist als und das Modell des unterbrochenen Gleichgewichts glauben lassen will. Wie EISENHARDT (2000, S. 703) bemerkte, "ist vielleicht das Verständnis von Veränderung als Quantensprung von einem starren Zustand zum nächsten durch ein Verständnis abgelöst zu werden, das Veränderung viel mehr in einer komplizierteren Verteilung auf einer kontinuierlichen Skala sieht." VAN DE VEN und POOLE (1988, S. 34) beobachteten, dass "im Modell des unterbrochenen Gleichgewichts der Prozess der Unterbrechung selbst nicht entwickelt wird. In ihrem aktuellen Buch *Beyond Continuity* weisen STREECK und THELEN (2005, S. 8) darauf hin, dass "die Tendenzen, die einigen theoretischen Ansätzen innewohnen, sind besonders in einer Zeit wie der unsrigen eingeschränkt, in der schrittweise Prozesse der Veränderung anscheinend allmähliche institutionelle Transformationen verursachen, die sich zu größeren historischen Diskontinuitäten aufaddieren."

Ansätze wie der von STREECK und THELEN stellen zwar eine willkommene Alternative zu dualistischen Modellen des Wandels dar, sie tendieren jedoch immer noch dazu, dass entscheidende Element, nämlich das der Gerichtetheit oder Direktionalität des Wandels, für selbstverständlich zu nehmen. Die Idee der Pfadabhängigkeit (z.B. GARUD & KARNOE, 2001) könnte vielleicht die Gerichtetheit abbilden. DEEG (2006, S. 172) hat jedoch darauf hingewiesen, dass der Begriff des Pfades selbst nicht besonders eindeutig ist.

> "Eine der offensichtlichen (und erstaunlichen) Lücken in dieser Debatte besteht darin, dass niemand versucht hat, explizit zu definieren, geschweige denn theoretisch zu bestimmen, wann man sich nicht länger auf dem alten Pfad befindet. Woher wissen wir wann es sich um "begrenzte Veränderung" im Rahmen des alten Pfades handelt und wann die Veränderung darin besteht, dass ein neuer Pfad beginnt. Wenn wir aber nicht in der Lage sind, klar zwischen Veränderung innerhalb eines Pfades und Veränderung als neuer Pfad zu unterscheiden, dann ist das Konzept selbst wohl ziemlich unbrauchbar."

Kritik an Pfadabh.

In diesem Aufsatz werden wir nach zwei andere Formen von Diskontinuität bei dem Versuch organisationalen Wandelns untersuchen. Die erste Form besteht aus schlichten Unterbrechungen im Prozess der Veränderung. POOLE, VAN DE VEN, DOOLEY und HOLMES (2000, S. 237) charakterisieren solche

„Haltepunkte" als „kritische Augenblicke, an denen sich die Art und Weise des Entwicklungsfortschritts plötzlich in Folge eines kritischen Ereignisses oder eines äußeren Schocks verändert"; sie können herbeigeführt werden durch „zeitliche Unterbrechungen wie die jährlichen Berichte oder das Ende des fiskalischen Jahres, oder durch äußere Schocks wie ökonomische Zusammenbrüche oder Entscheidungen des Firmenmanagements, oder durch interne Ereignisse wie Konflikte oder den Übergang zu einer neuen Phase einer Aufgabe." Wir wollen hier einen etwas einfacheren Blickwinkel wählen. Zeitliche Unterbrechungen sind für uns in erster Linie Haltepunkte, Beendigungen von Prozessen, wenn ein bestimmtes Vorhaben aufgegeben wird oder einfach ausläuft. Diese Art von alltäglicher Diskontinuität trifft man überall in Organisationen an, in denen Vorhaben der Veränderung in verschiedene Projekte aufgesplittert sind und mit allen möglichen Formen von Fristen und beliebigen Zeitplänen versehen sind. Wissen aus der Vergangenheit bleibt in neuen Projekten of ungenutzt (PRUSAK, 1997). Projektbezogenes, inselartiges Lernen und Wissen kann nicht leicht an andere Abteilungen der Organisation verbreitet oder vermittelt werden (SCARBROUGH, BRESNEN, EDELMAN, LAURENT, NEWELL, & SWAN, 2004). Solche alltägliche Diskontinuität wird einfach deshalb selten aktiv reflektiert, weil sie sich selbst als Abwesenheit von Handeln darstellt – bestimmte Dinge geschehen einfach nicht länger.

Die zweite Art von Diskontinuität, an der wir interessiert sind, nimmt die Form von *Richtungsänderungen* bei innovativen Maßnahmen an. Es ist das, was DEEG (siehe oben) mit „Änderung des Weges" meinte. Um diese Art von Diskontinuität identifizieren und verstehen zu können, muss man sich auf eine historische Analyse alternativer Entwicklungsrichtungen einlassen, wie sie sich in einem bestimmten Tätigkeitsbereich darstellen. Die empirischen Fälle in unserem Beitrag kommen aus dem Bereich des Gesundheitswesens in Finnland. In groben Zügen kann man die gegenwärtige Konstellation alternativer Entwicklungsmöglichkeiten in diesem Bereich mit Hilfe der Kategorien erfassen, die in Abb. 4.1 dargestellt sind.

Abb. 4.1 illustriert eine allgemeine Bewegung weg von der traditionellen Professionalität des Könnens im Gesundheitswesen. Während hierarchische und markorientierte Modelle die am meisten genutzten Alternativen sind, die Massenproduktion medizinischer Versorgung zu organisieren, gibt es ebenfalls eine sich entwickelnde Richtung, die auf der Suche nach team- und netzwerkbasierten Modellen ist, um kooperierende Gemeinschaften in den Organisationen des Gesundheitswesen zu schaffen (siehe auch KEROSUO, 2006, MACCOBY, 2006). Wenn die Richtungen der Veränderungen sich in Abb. 4.1 von einem Quadranten zum anderen bewegen, können wir von direktionaler Diskontinuität sprechen.

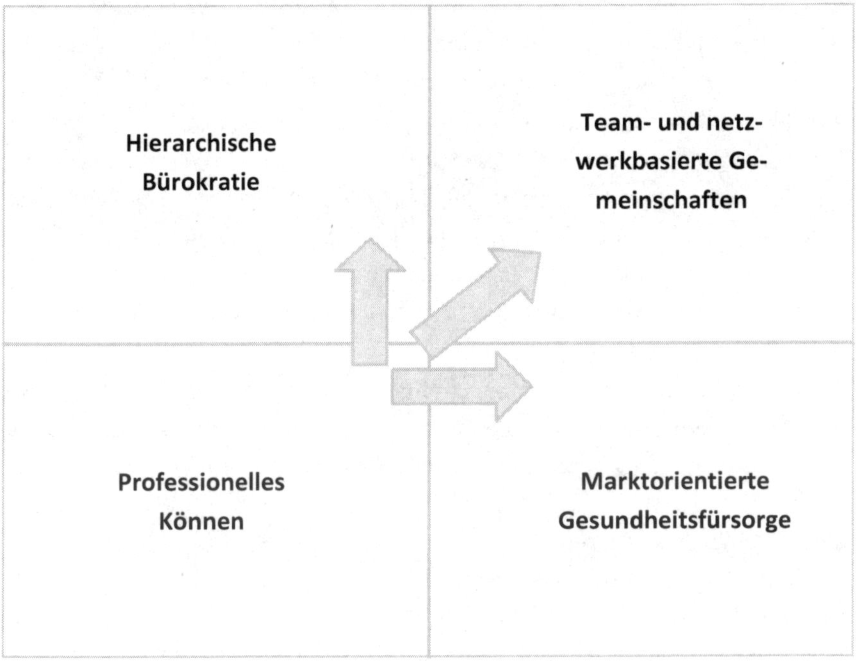

Abb. 4.1. Alternative Richtungen der Transformation von Organisationen des Gesundheitswesens

Organisationaler Wandel und Expansives Lernen

Die Beziehung zwischen organisationalem Wandel und organisationalem Lernen wird oft als etwas Triviales dargestellt, etwa als die allgemeine Forderung nach „kontinuierlichem Lernen" um den Herausforderungen diskontinuierlichen Wandels zu begegnen (NADLER, SHAW, & WALTON, 1995). Eine solche Sichtweise spiegelt die tief sitzenden konservativen und anpassungsorientierten Fehleinschätzungen von Theorien des Lernens dar, deren Basis die Akkumulation von Erfahrungen und der Herausbildung von Routinen ist. Dierkes, Antal, Child, und Nonaka (2001, S. 824) weisen entsprechend darauf hin, dass „eine implizite Annahme in einem Großteil der Literatur darin besteht, dass Prozesse des organisationalen Lernens und der Wissensentwicklung sich allmählich entlang eines antizipierten Verlaufes weiter entwickeln, wenn sie einmal in Bewegung gesetzt worden sind." Selbst solche Analysen, die Exploration und innovatives Problemlösen als Elemente organisationalen Lernens verstehen, tendieren dazu, innerhalb des allgemeinen Rahmens von Kontinuität und allmählicher Verbesserung zu verbleiben

Auf der anderen Seite kommt die Dichotomie von *single-loop* und *double-loop* Lernen von Argyris und Schön (1978, 1996) ganz in die Nähe der dualistischen Logik des unterbrochenen Gleichgewichts. Ein ähnlicher Dualismus erscheint in zahlreichen Konzeptionen des organisationalen Lernen, wie etwas in Senges (1990) Idee von adaptivem vs. generativem Lernen oder in Dodgsons (1991) Unterscheidung von taktischem und strategischem Lernen.

Einige neuere Studien der organisationalen Wandels haben jetzt damit begonnen, Lernen als ein vielschichtigeres, vielseitiges und zeitlich verteiltes Phänomen anzusehen, das sowohl schrittweise als auch radikal verläuft. Das Buch *Reform as Learning* von Hubbard, Mehan und Stein (2006) ist ein solches Beispiel. Die Autoren analysieren den Prozess der Schulreform in einer größeren us-amerikanischen Stadt als einen facettenreichen, zeitlich und räumlich verteilten Lernprozess. Sie zeigen, dass Wandel, der in irgend einem Teil des Systems beginnt, Resonanzen im System erzeugt, die nicht antizipiert werden können. „Als Ergebnis dieser schmuddeligen Unvorhersehbarkeit ereignen sich üblicherweise kontroverse Missverständnisse, Konflikte und sogar Machtkämpfe bezogen auf Werte, Überzeugungen und implizite Annahmen innerhalb der Organisationen und der sie umgebenden Gemeinschaften" (Hubbard, Mehan, & Stein, 2006, S. 8). Organisationales Lernen wird vor allem gebraucht, um solche Konflikte im Prozess der Veränderungsbestrebungen aufzulösen. „Auch wenn sie potenziell lästig sind, stellen Diskontinuitäten zwischen Gemeinschaften auch Anlässe für Lernen bereit" (Hubbard, Mehan, & Stein, 2006, S. 17).

Eines der wenigen Beispiele für einen theoretischen Ansatz, der versucht, die anpassungsorientierten und dualistischen Fehler der Analysen organisationalen Lernen zu überwinden, ist die Idee des expansiven Lernens, die im Rahmen der kulturhistorischen Tätigkeitstheorie entwickelt worden ist (ENGESTRÖM, 1987, 1995, 2001). HAAVISTOs Studie *Court Work in Transition* (2002) ist ein gutes Beispiel der Anwendung dieser Theorie.

> Das herausragende expansive Potenzial besteht in den kleinen und allmählichen Veränderungen, die sich während der Implementation in der Gerichtspraxis vollziehen. Von außen erscheinen diese Veränderungen eher zufällig oder trivial, aber sie beinhalten das Potenzial für tiefgreifende Veränderungen und Umorganisationen der gerichtlichen Arbeit. ... Informelle Anhörungen, die sich ausweitenden Initiativen von Klienten und Vergleiche stellen vielleicht ein „trojanisches Pferd" dar, das sich seinen Weg in den Kern des Gerichtssystem erzwingt. Wenn es erst einmal im Inneren ist, könnte das eine grundlegende Änderung unseres Verständnisses von Recht und Gerechtigkeit bedeuten" (HAAVISTO, 2002, S. 303-304).

Expansives Lernen ist, mit anderen Worten, sowohl diskontinuierlich wie kontinuierlich. Lange Zyklen der Expansion dauern typischerweise mehrere Jahre und bringen qualitativ neue Modelle der Arbeit und der Organisation hervor. Solche Zyklen werden durch eine große Vielfalt von auf einander folgenden und gleichzeitig verlaufenden Zyklen lokaler Innovation und Umorganisation verwirklicht.

> „Ein großer, expansiver Zyklus organisationaler Transformation besteht immer aus kleinen Zyklen innovativen Lernens. Das Auftreten solcher kleinen Zyklen innovativen Lernens garantiert jedoch selbst noch nicht, dass ein expansiver Zyklus vonstatten geht. Kleinen Zyklen können isolierte Ereignisse bleiben und der Gesamtzyklus der organisationalen Entwicklung kann stagnieren, sich zurück entwickeln oder sogar auseinander fallen" (ENGESTRÖM, 1999b, S. 385).

Wenn ein kleiner Zyklus von innovativen Lernbemühungen endet, entsteht üblicherweise ein mehr oder weniger problematischer Bruch in dem gesamten Prozess. Eine solche einfache Diskontinuität erfordert im allgemeinen überbrückende Handlungen, die es den nächsten kleinen Zyklen erlauben, auf den Ergebnissen und Erfahrungen des vorhergehenden Zyklus aufzubauen. Solche Handlungen des Überbrückens spannen sich über Brüche und Lücken in der Zeit und im sozialen Raum, über einzelne Projekte oder lokale Anstrengungen der Vergangenheit oder solche, die sich an unterschiedlichen Stellen in der Organisation abspielen. Das Überbrücken ist daher ein wichtiger Bestandteil des expansiven Lernens. Ohne solche Handlungen kann der Prozess des expansiven Lernens leicht in eine Reihe von isolierten Bruchstücken auseinander fallen.

Die direktionale Diskontinuität – kann jedoch durch bloße Überbrückungshandlungen nicht repariert werden. Eine Änderung der Entwicklungsrichtung ruft nach gemeinsamem Handeln bei der historischen Analyse und Modellierung, worin die Alternativen der Richtung expliziert und durchdiskutiert werden. Wenn solches Handeln nicht erfolgt und eine konkurrierende Richtung des Wandels außerhalb oder hinter dem Rücken der laufenden Veränderungsbemühungen konstruiert wird, dann kann der gesamte Zyklus des expansiven Lernen verschwinden oder beendet werden.

Feldforschung und Ergebnisse

Wir haben die Spuren früheren organisationalen Lernens in zwei kommunalen Gesundheitszentren, die an dem landesweiten *Working Health Center* Projekt teilnahmen. Dies war ein ziemlich großes Projekt, das vom Ministerium für Soziales und Gesundheit finanziert wurde. In diesem Projekt, das von einer Forschergruppe begleitet wurde, entfalteten finnische Gesundheitszentren Aktivitäten in den Jahren 1990 bis 1993. Unsere Studie untersuchte retrospektiv die Konsequenzen des Projektes in den Jahren 1990 bis 2005. Ziel des *Working Health Center* Projekts war es gewesen, die Kontinuität der Patientenversorgung und Patientenzentrierung in lokalen Gesundheitszentren zu verbessern, indem man zu multi-professionellen Teams überging, die für die medizinische Grundversorgung der entsprechenden Patienten zuständig sein sollten. In Finnland liegt die gesetzliche Verantwortung für die medizinische Grundversorgung bei den kommunalen Gesundheitszentren. Die Patienten zahlen nur eine bestimmte Schutzgebühr für die Inanspruchnahme der Dienste.

Am Ende der 80er Jahre des 20. Jahrhunderts kritisierte man die finnischen Gesundheitszentren weil sie zunehmend bürokratisch und ineffizient geworden waren, mit langen Wartelisten für die Patienten. Der medizinischen Behandlung individueller Patienten mangelte es an Kontinuität weil die Patienten immer dem Arzt zugewiesen wurden, der gerade frei für eine Behandlung war. Am Ende der 80er Jahre brachten Versuche, einen spezifischen Arzt einer Patientengruppe zuzuweisen und multi-professionelle Teams zu bilden, viel versprechende Ergebnisse, so dass das *Working Health Center* Projekt den Auftrag erhielt, diese Modelle zu lancieren und sie den lokalen Umständen in einem hoch partizipativen Prozess gemeinsamen Lernens anzupassen. Die ökonomische Rezession der 90er Jahre traf jedoch bald auch die Finanzierung der kommunalen Gesundheitsfürsorge und verlangsamte die Übernahme der regional gestützten Organisation.

Die Spuren des organisationalen Lernens führten uns an Stellen außerhalb der ursprünglichen Lokalisierung des Projekts organisationalen Lernen. Wir charakterisierten unsere Methode als *archäologische Ethnographie*. Wir verfolgten die Spuren in der Arbeit der teilnehmenden Personen und in dem Leben der Organisation, indem wir narrative Erinnerungen, Dokumente und dingliche Artefakte sammelten. Unsere Konzentration auf vergangene Lernprojekte in der Organisation weitet die ethnographische Methode von der Beobachtung in einem situativ und zeitlich begrenzten Feld in Richtung auf ein multi-zeitliches und historisch situiertes Feld aus (Des Chene, 1997; Marcus, 1995). Nach Des Chene (1997, S. 71), kann ein Feld „überhaupt nicht mehr als Platz order Ort bestimmt werden, sondern als ein bestimmter Zeitraum oder als eine Serie von Ereignissen, die den Forscher zu vielen Plätzen und Orten führen wird."

Die Feldforschung für die vorliegende Studie bestand aus einer Mischung von Beobachtungen und Interviews und der Sammlung von Dokumenten in Archiven. Die Interviews folgten den Prinzipien des aktiven Interviewens (Holstein & Gubrium, 1998) und des narrativen Interviewens (Czarniawska, 2004). Das Erinnern als soziale Handlung geschieht of in narrativer Form und in der Welt der Organisation wird viel an Wissen und Kenntnissen durch Narrative vermittelt (Czarniawska, 1998). Wir baten die Interviewpartner auch ihre persönlichen Erinnerungen und Dokumente zu den Interviewsitzungen mitzubringen um vergangene Ereignisse wieder ins Gedächtnis rufen zu können. Die vorliegende Forschungsliteratur zeigt, dass Akte der Erinnerung an besondere physikalische Räume und an schriftliche Dokumente gebunden sind (Engeström, Brown, Engeström, & Koistinen 1990; Radley & Taylor, 2003). In unsere Studie wiesen Interviewpartner darauf hin, dass Betriebsstätten im Laufe ihrer Projekte gewechselt wurden.

In einer anderen Situation benutzte eine Auskunftsperson Dokumente um die genauen Daten von Ereignissen zu überprüfen.

Im Fall 1 wurden zehn Praktiker interviewt, die zu Anfang als Teilnehmer in dem *Working Health Center* Projekt tätig waren. Dies waren drei Repräsentanten des mittleren und oberen Management und sieben Angestellte. Im Fall 2 wurden elf Praktiker interviewt, fünf Repräsentanten des oberen und mittleren Management und sieben medizinische Angestellte. In beiden Fällen wurden zwei Angestellte zusammen interviewt, während der Rest einzeln interviewt wurde. In beiden Fällen dauerten die Interviews ungefähr 1½ Stunden. Die Interviewfragen waren halb strukturiert und der Interviewer forderte die Interviewpartner auf sich zu bemühen, Ereignisse zu erinnern, die mit Veränderungen des Arbeitsplatzes zu tun hatten. Die Interviews berührten die folgenden Themen: (1) die Startpunkte des *Working Health Center* Projekts, (2) die wesentlichen Ereignisse des Projekts und (3) die Ergebnisse und Konsequenzen des Projekts. Ein Forschungsassistent, der ansonsten nicht in das Projekt involviert war, transkribierte die Interviews.

Wir gebrauchten den Begriff „anthropologische Einstellung" (DES CHENE, 1997, S. 77) um die relevanten Dokumente, materielle Spuren und Arbeitsplätze vergangener organisationaler Lernprojekte ausfindig zu machen. Dokumente gaben Hinweise auf organisationale Lernprojekte. Wir baten die Teilnehmer, uns Dokumente aus ihren persönlichen Unterlagen zu überlassen und uns Hinweise auf bedeutsame Dokumente zu geben. Im Fall 2 waren beispielweise einige Dokumente in einem inoffiziellem Lagerraum aufbewahrt, der voll mit nicht mehr benötigten Akten war. Wir sammelten auch Dokumente wie etwa Memos, die in den Arbeitsgruppen zirkulierten und graphische Modelle, die während der Projektphase erstellt wurden. Wir machten ebenfalls Videoaufzeichnungen und Fotos von den Arbeitsplätzen und den materiellen Objekten, die für die Perspektive der Veränderung wichtig erschienen.

Schritte in der Analyse

Unsere Analyse ging in vier Schritte vonstatten. Zunächst bestimmten wir in den Daten Narrative – Geschichten und Erzählungen – über Veränderung und Lernen. Narrative sind Vorrichtungen für das Verstehen des Handelns von Menschen (BRUNER, 1986; MIDDLETON & EDWARDS, 1990). Wir verstehen Narrative als Schöpfungen der Interviewpartner und das Erzählen als einen kommunikativen Akt, welcher sowohl die individuellen und die organisationalen Narrative wie auch den Forscher mit den Interviewpartnern verbindet. Die Menschen gebrauchen Narrative um ihre Erfahrungen in der Vergangenheit zu strukturieren. Narrative sind deshalb getränkt mit diesen Erfahrungen und mit Gefühlen. Wir betrachten Narrative als Akte der Erinnerung und wir sind der Ansicht, dass sie organisationale Erinnerung repräsentieren (KEROSUO, KAJAMAA, & ENGESTRÖM, 2005).

Für das Extrahieren der Narrative aus den Daten haben wir MISHLERS (1986) vier Kategorien benutzt. Die Kategorien sind (1) eine Orientierung, die die Szenerie und den Charakter des Narrativs erzählt, (2) eine Zusammenfassung der Ereignisse oder Begebenheiten eines Narrativs, (3) eine störende oder verkomplizierende Handlung, die einen bewertenden Kommentar zu den Ereignissen, Konflikten und Themen des Narrativs anbietet und (4) eine Auflösung, welche die Ergebnisse eines Narrativs oder eines Konfliktes beschreibt. Zum Beispiel begann ein Narrativ mit einem Bericht, der den Zustand der Organisation und ihre Praxis am Anfang des Projekts beschrieb. In der nächsten Phase, fasste das Narrativ die Ereignisse zusammen, die in dem Projekt auftraten. Danach wurde ein Problem oder eine Herausforderung in der Geschichte dargestellt. Schließlich endete das Narrativ mit einer Lösung der Probleme oder der Herausforderungen.

Im zweiten Schritt erlaubte uns die Kategorisierung bestimmte Grundlinien oder Handlungsmuster in den Narrativen zu unterscheiden. Wir gaben diesen Mustern Namen und stellten sie in Form einer Landkarte dar. So konnten wir beispielsweise die folgenden Handlungsmuster erkennen: das Muster der regional basierten Versorgung, das Muster der Einführung von Computersystemen, das Muster der organisationalen Entwicklung, das Muster der Arbeitsentwicklung und das Muster der Teamarbeit. Wir erstellten kurze Zusammenfassungen für jedes Muster, das wir für relevant hielten. Danach begannen wir, Verbindungen zwischen den verschiedenen Arten der Muster auf der Grundlage von Querverbindungen herzustellen, die die Interviewpartner in ihren Geschichten hergestellt hatten. Viele Interviewpartner verbanden etwa das Muster der regional basierten Versorgung mit dem Muster der Teamarbeit. Die Analyse der Muster ermöglichte es, Brüche und die Versuche, die Brüche zu überbrücken, in den Prozessen des organisationalen Lernens zu untersuchen. Die Analyse der Muster machte ebenfalls Veränderungen in der Richtung der Veränderung und des Wandels deutlich.

Drittens prüften wir die Dokumente, die wir gefunden hatten oder auf die man uns hingewiesen hatte. Die Dokumentenanalyse schloss auch die Analyse des organisationalen Kontext in den Jahren 1990-2005 ein, die wir mit Hilfe von Listen und Matrizen auf der Grundlage der zentralen Charakteristika des organisationalen Kontextes durchführten. Die Themen der Kontextanalyse waren unter anderem Ökonomie und Finanzierung, Personalentwicklung, Änderungen bei den Klienten und Patienten und importierte Vorhaben der Änderung und andere Änderungsbemühungen in der Tätigkeit des Gesundheitszentrums. Die Veränderungen des organisationalen Kontext wurden dann justiert in Bezug auf größere Veränderung auf nationalem Niveau, die anderen Untersuchungen entnommen werden konnten (KEROSUO, 2006). Wir verfolgten ebenfalls den Niederschlag vergangener organisationaler Lernprojekte in ihren aktuellen Anwendungen. So untersuchten wir etwa das Gebäude eines neuen Gesundheitszentrums und seine Arbeitsplätze, die auf der Grundlage der Ergebnisse des anfänglichen Projekts konstruiert worden waren. Die Analysen der Dokumente and der materiellen Artefakte erlaubte uns, zeitliche und kontextbezogene Lücken in den Interviews zu schließen.

Im vierten Schritt verglichen wir organisationale Lernprozess in zwei Fällen. Für diesen Vergleich benutzen wir die Theorie es expansiven Lernens, im besonderen das zyklische Modell der Lernhandlungen (ENGESTRÖM, 1987, S. 321-337). Der Zyklus expansiven Lernens ist ein konzeptionelles Modell, das uns als Heuristik für die Identifikation und Kontextualisierung von Diskontinuitäten und Überbrückungen (für frühere Anwendungen des Modells vgl. zum Beispiel ENGESTRÖM, 2001a; FOOT, 2001).

Zentrale Ergebnisse

In diesem Abschnitt werden wir zunächst einen allgemeinen Überblick über organisationales Lernen in Fall 1 und Fall 2 geben. Dieser allgemeine Überblick basiert auf den Ergebnissen der ersten, zweiten und dritten Schritte der oben beschriebenen Analysen. Daran anschließend beschreiben wir den Prozess vergangenen organisationalen Lernens, indem wir die Ergebnisse des vierten Schrittes der Analyse darstellen.

Fall 1

Unser erster Fall bezieht sich auf eine Klinik des Gesundheitszentrums in einer mittelgroßen Stadt im Norden Finnlands. In den 80er Jahren fungierte das Gesundheitszentrum als eine Organisation des funktionalen Sektors. Dieses organisationale Modell unterstützte keine Dienstleistungen, die eine Zusammenarbeit zwischen der Gesundheitsversorgung und den Diensten der sozialen Fürsorge erforderlich machten. Das Management des Gesundheitszentrums hatte die Erwartung, dass die Beteiligung an dem landesweiten *Working Health Center* Projekt möglicherweise dabei helfen könnte, Unterstützung bei der Reorganisation der Funktionalität des Gesundheitszentrums leisten könnte.

Ziel des *Working Health Center* Projekts im Fall 1 war der Übergang von einer Organisation des funktionalen Sektors zur regional basierten Versorgung wodurch die Effizienz und Qualität der Arbeit aus der Perspektive der Patienten gesteigert werden sollte. Die regional basierte Versorgung in die Praxis umzusetzen bedeutete, dass die Klienten in ihren Wohngebieten einem Team von Angestellten sozialer Dienste und Gesundheitsversorgung zugeordnet wurden. Teilnehmer der lokalen Projektgruppe repräsentierten sowohl die sozialen Dienste wie die Gesundheitsversorgung. Im Mittelpunkt stand die Entwicklung neuer Formen der Arbeit mit den Patienten oder mit Patienten mit multipler Symptomatik. Gegen Ende des Projekts im Jahre 1993 begann sich ein Modell multiprofessioneller Teamarbeit zu entwickeln, mit dem auch in der Praxis experimentiert wurde. Die Übernahme dieses Modells war jedoch nicht einfach. Die ökonomische Rezession erzeugte Ungewissheit in Bezug auf die Zukunft der Arbeitsplätze unter den Angestellten des Gesundheitszentrums. Es gab auch Hetze bei der Arbeit und

Probleme in der Übernahme des regionalen Modells der Versorgung unter den Angestellten. Die Kooperation zwischen den Angestellten des Gesundheitszentrums und den Sozialarbeitern war konfliktbelastet durch Meinungsunterschiede in Bezug auf die Arbeit mit den Kunden.

Die multiprofessionelle Teamarbeit wurde dadurch 1996 ein wenig ausgeweitet als ein Projekt durchgeführt wurde, das die Teamarbeit unterstützen sollte. Die Ausrichtung der Versorgung an der Wohnbevölkerung und die Praxis eines persönlich zuständigen Arztes wurden 1997 und 1998 eingeführt. Jeder Bewohner wurden einem bestimmten Arzt zugeteilt mit der Idee, die Kontinuität der Versorgung der individuellen Patienten zu verbessern. In Übereinstimmung mit dem Modell der Orientierung der Versorgung an der Wohnbevölkerung wurde das lokale Gesundheitszentrum in sieben regionale organisatorische Einheiten aufgeteilt. In diesen Einheiten taten sechs verschiedene multiprofessionelle Teams ihren Dienst. Zusammen mit der neuen organisatorischen Struktur wurde ein neues Prämiensystem eingeführt. In diesem neuen Prämiensystem erhielten die Ärzte Gehaltserhöhungen, was zu einiger Unzufriedenheit unter dem Pflegepersonal führte.

Neue organisationale Veränderungen wurden erneut zu Beginn des Jahres 1999 eingeführt. Im weitesten Sinne als eine Antwort auf die landesweite Bewegung in Richtung auf angebliche effektivere und kostengünstigere Modelle der Gesundheitsversorgung gedacht, verschob das Management die Entwicklung des Gesundheitszentrum zurück in Richtung auf eine Organisation nach dem Modell des funktionalen Sektors. Diese Richtungsänderung bedeutet keine Förderung für multiprofessionelle Teams. Die Praxis der Teamarbeit blieb nur in einem von zehn Teams am Leben. Ab 2004 hatte die Leitung des Gesundheitszentrums versucht, die Teams bis zu einem gewissen Maßc wieder einzuführen, da es durch die komplexen Anforderungen der Patienten zu einem steigenden Bedarf nach multiprofessioneller Arbeit kommt.

Die Verlaufsgrafik in Abb. 4.2 stellt eine Synthese der Analyse der Narrative, Geschichten, Dokumente und Beobachtungen im Fall 1 dar. Die Karte, die von links nach rechts gelesen werden kann, illustriert den Gesamtverlauf der Veränderungen im Fall 1 von 1980 bis 2006. Veränderungen in der organisatorischen Struktur des Gesundheitszentrums sind durch hervorgehobene Pfeile und grau unterlegte Kästchen mit Text gekennzeichnet. Die Versuche der Bildung von multiprofessionellen Teams sind durch gebogene Pfeile oberhalb der Kästchen gekennzeichnet, während die Blitzpfeile auf Elemente hinweisen, die mit den neuen organisatorischen Modellen und ihrer Implementation konfligierten. Gestrichelte Linie von „Ein Team praktiziert Teamarbeit" zu „Einige erneute Teamtreffen" weisen darauf hin, dass die Bildung von Teams sich zu entwickeln beginnt, aber noch nicht stabil ist.

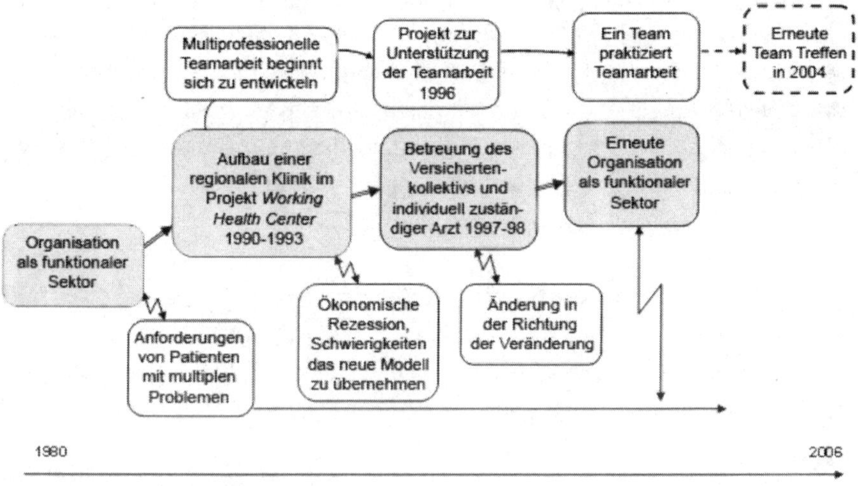

Abb. 4.2. Gesamtdarstellung der Veränderungen in Fall 1

Fall 2

Der zweite Fall stammt aus einem Konsortium von Gesundheitszentren, das Dienstleistungen für die Versichertenkollektive von acht Gemeinden bereitstellt. Die Tätigkeit des Gesundheitszentrums war entsprechend den Prinzipien des funktionalen Sektors in den 80er Jahren organisiert worden. Die Gesundheitsversorgung wurden von den Bewohnern als unbefriedigend angesehen. Sie erfolgte nach einem bürokratischen Muster, es gab lange Wartelisten und die Zuständigkeiten änderten sich bei jedem Besuch. Wie in Fall 1 entschied die Leitung des Gesundheitszentrum sich dafür, an dem *Working Health Center* Projekt teilzunehmen um ihre Leistungen in der Gesundheitsversorgung zu verbessern.

Zu Beginn der Dauer des Projekts, von 1990 bis 1993, erarbeiten Repräsentanten des Managements, Ärzte und Pfleger ein neues Modell der Organisation und der Arbeit als Lösungsvorschlag für die beobachteten Problem. Dieses neue Modell beruhte auf den Ideen der populationsbasierten Gesundheitsversorgung und auf multiprofessionellen Teams und es wurde in das Konsortium implementiert nachdem das Projekt geendet hatte. Das Projekt wurde von Wissenschaftlern durch Hilfe bei der Datenanalyse und die Modellierung des neuen Tätigkeitssystems unterstützt. Das Projekt war in Arbeitsgruppen aufgeteilt, von denen jede für ein spezifisches Thema verantwortlich war, wie z.B. die Veränderung des Organisationsstruktur, die populationsbasierte Versorgung und die Teamarbeit, neue Computersysteme und Qualität der Arbeit. Die landesweite ökonomische Rezession und die Probleme bei der Finanzierung der Gesundheitsdienste in den 90er Jahren veranlasste die Leitung des Gesundheitszentrums, 1991 innerhalb eines Jahres zu einer strikten Ausgabenkontrolle überzugehen. Dies hatte Konsequenzen für die Entwicklung und Implementation des regional basierten Gesundheitswesens. So konnten zum Beispiel Betriebsstätten nicht gebaut werden, oder verändert und umgebaut werden, um den Anforderungen eines regional basierten Gesundheitsdienstes zu genügen. Es gab auch einige Angestellte, die Widerstand gegen das neue Modell der Gesundheitsversorgung leisteten.

Im Fall 2 führte das *Working Health Center* Projekt 1994 zur Gründung von vier regionalen Gemeinschaftskrankenhäusern. Gemeinschaftskrankenhäuser begannen ihre medizinische und präventive Arbeit für die regionalen Gemeinden. Die neue Form der Organisation ließ die multiprofessionelle Kooperation zwischen den Ärzten und dem Pflegepersonal in den Krankenhäusern ansteigen. Es entwickelten sich Teams von Ärzten, Pflegern und Pflegeschwestern. Während dieser Zeit begann die Leitung des Krankenhauses mit einer neuen Initiative des Qualitätsmanagement.

Die Implementation des neuen regionalen Modells der Gesundheitsversorgung mit multiprofessionellen Teams war nicht unproblematisch. Nicht alle Angestellten übernahmen die neuen Arbeitsmodelle ohne zu fragen in ihre alltägliche Praxis. Gegen Ende 1994 konnte die Leitung zu stabiler Finanzierung zurück kehren – aber es gab andere Probleme. Die Überarbeitung der Angestellten nahm trotz wachsender Belegschaft zu. Veränderungen in der

Struktur des Dienstes zwischen primärer und sekundärer Versorgung erhöhten ebenfalls die Arbeitsbelastung der Angestellten, weil schwierigere Patienten jetzt in der Primärversorgung zu behandeln waren. Darüber hinaus konnte die Regionalisierung der Versorgung nicht die Kontinuität in der Versorgung der individuellen Patienten mit medizinischen Dienstleistungen sichern.

Eine populationsbasierte Organisation und das Hausarztprinzip wurden 1999 aufgegriffen um die Kontinuität der medizinischen Versorgung zu verbessern. Das Gesundheitszentrum bekam es mit anspruchsvolleren Patienten aus der sekundären Versorgung zu tun – parallel zu der Notwendigkeit, sozialen Problemen in den allgemeinen Diensten regionaler Populationen mehr Aufmerksamkeit zu schenken. Das neue Modell brachte die Wartelisten zum Verschwinden, aber der Zeitdruck bei der Arbeit nahm zu. Besonders das Pflegepersonal war überlastet, aber die Zahl der Pfleger wurde nicht erhöht. Auch die Arbeitszeit der Ärzte nahm im Jahre 1999 zu, aber es war schwierig Vertretungen zu finden. Das Hausarztmodell lief jedoch in Krankenhäuser mit einer festen Belegschaft. Die Teamarbeit gewann festen Halt in den Krankenhäusern. Die Teams begannen, die Arbeitsteilung zwischen Ärzten und Pflegepersonal in ihrer medizinischen Tätigkeit neu anzupassen.

Der entscheidende Durchbruch in der populationsbasierten medizinischen Versorgung fand im Jahre 2001 nach der Eröffnung eines neues Krankenhauses und der Renovierung eines älteren Krankenhauses in der größten Gemeinde des Verbundes statt. Die modernisierten Arbeitsstätten ermöglichten echte Teamarbeit im Krankenhaus. Das Management des Betreibers der Krankenhäuser begann 2001 mit neuen Fortbildungsmöglichkeiten zur Unterstützung der Teamarbeit. Im Jahre 2004 gab es Pläne zur Expansion in Richtung auf ein neues Krankenhausgebäude. Die populationsbasierte Organisation funktioniert gut, die Mehrzahl der Patienten hat eine kontinuierliche Beziehung zu dem jeweiligen Gesundheitsdienst, die Arbeitsbedingungen sind modernisiert und der Informationsaustausch zwischen den professionellen Instanzen läuft reibungslos. Die Struktur der Organisation ist auf multiprofessionelle Teams gegründet.

Die Grafik in Abb. 4.3 gibt einen Überblick über die Veränderungen zwischen 1990 und 2005 in Fall 2. Genau wie in der Grafik von Fall 1 sind die Veränderungen der organisationalen Strukturen durch dicke Pfeile in der Mitte gekennzeichnet. Die Bemühungen ein neues Modell zu entwickeln, sind durch gekrümmte Pfeile im oberen Teil der Abbildungen gekennzeichnet, währen die Blitzpfeile sich auf Elemente beziehen, die mit dem Modell konfligierten.

Abb. 4.3. Gesamtdarstellung der Veränderungen in Fall 2

Organisationale Lernprozesse in den beiden Fällen

In Fall 1 und Fall 2 begann das expansive Lernen I990 mit der Artikulation eines kollektiven Bedürfnisses nach organisationalem Lernen, das auf einen radikalen Wandel zielte – im wesentlichen auf den Übergang von hierarchischer Bürokratie zu einer team- und netzwerkbasierten kooperativen Gemeinschaft. Die herrschenden Praxisformen der Patientenversorgung wurden in beiden Fällen kritisiert und sowohl Manager wie Angestellte machten die Erfahrungen von *Doublebinds* in ihrer Arbeit.

Einige Angestellte weigerten sich an dem Projekt teilzunehmen. Sie hatten das Gefühl, dass das Projekt zu theoretisch und die Modelle zu kompliziert waren und dass es schwer war, an dem Projekt während der normalen Arbeitszeit teilzunehmen. Das Management des Gesundheitszentrums entschied jedoch in beiden Fällen, dass das Projekt wohl definiert und auch notwendig war, um die Tätigkeit des Gesundheitszentrums zu verbessern.

Im Jahre 1991 wurden die Probleme der vorherrschenden Tätigkeit analysiert. In beiden Fällen entwickelte sich eine ähnliche Herausforderung für organisationales Lernen, nämlich die Notwendigkeit, den Widerspruch zwischen der fragmentierten Organisation des Gesundheitswesens in Sektoren und dem Bedürfnis der Patienten nach verfügbarer, koordinierter und kontinuierlicher medizinischer Versorgung zu überwinden. Eine klientenorientierte Organisation auf der Grundlage von multiprofessionellen Teams wurde zur Überwindung dieses Widerspruchs vorgeschlagen. Die Entwicklung des Modells führte 1992 zu Versuchen mit regional basierten Modellen der Organisation der medizinischen Versorgung und zu Teamarbeit in beiden Organisationen.

Im Fall 1 fühlten die Angestellten Druck und Erschöpfung während der Implementation der regional basierten Versorgung im Krankenhaus. Es gab eine beständige Knappheit an Pflegepersonal und Ärzten. Die Angestellten stritten um knappe finanzielle Ressourcen und die multiprofessionelle Teamarbeit erfuhr wenig Unterstützung. Eines von sechs ursprünglich geplanten Teams begann in dem entsprechenden Krankenhaus des Gesundheitszentrums eine Praxis der Arbeit zu entwickeln und zu stabilisieren.

Im Fall 2 wurde zu Beginn von 1994 das Modell regional basierter Versorgung und Teams auf der gesamten Ebene des medizinischen Verbundes. Zuvor hatte ein Team bestehend aus Ärzten und Krankenschwestern erfolgreich mit dem neuen Modell der regional basierten Versorgung experimentiert. Einige Angestellte hatten das Gefühl, dass ihnen die Zeit, die sie in Teams verbrachten, bei der Versorgung der Patienten fehlte. Die Rezession in den 90er Jahren und die personelle Unterbesetzung führten ebenfalls zu Problemen bei der Implementation der regional basierten Organisation. Es war schwierig, das regionale Modell in die Praxis umzusetzen, da die Regionen in Bezug auf die demographische Struktur und die sozialen Charakteristika ihrer Bevölkerung nicht miteinander vergleichbar waren. Das führte dazu, dass die Arbeitsbelastung des medizinischen Personals ungleich verteilt war. Zugleich wurde ein neues Computersystem als neues Instrument für die Teams in Fall 2 getestet. Einige Praktiker waren gegen das Computersystem, weil sie das Gefühl hatten mit den alten Vorgehensweisen schneller zu sein als mit neuen Computern. Während dieser Zeit wurden in Fall 2 auch Methoden der Qualitätsverbesserung angewendet.

Bis 1999 war die populationsbasierte Versorgung zusammen mit dem Hausarztmodell in beiden Fällen implementiert. Zu dieser Zeit praktizierten im Fall 1 nur einige Teams Teamarbeit in einer Klinik des Gesundheitszentrums, während die Teamarbeit im Fall 2 weiter entwickelt wurde und die Teams damit begannen, die Arbeitsteilung zwischen den Mitgliedern der Teams neu angepasst wurde. Die Methoden der Qualitätsverbesserung wurden im Fall 2 allgemein übernommen und weiter entwickelt.

Im Fall 1 wurde beginnend mit 1999 und während der folgenden Jahre die Richtung der Veränderung radikal auf die funktionale Organisation der Sektoren zurückgedreht. Das praktizierte Team-Modell erfuhr keine Unterstützung mehr durch das Management. Ein einziges Pionier-Team überlebte. Der expansive Prozess verflüchtigte sich weil die direktionale Diskontinuität vom Management und von den Praktikern nicht analysiert und ausdiskutiert wurde.

In der Zwischenzeit wurde im Fall 2 die Expansion dadurch weiter konsolidiert, dass die neue Klinik mit entsprechendem Raum für eine populationsbasierte Versorgung eröffnet wurde und das Gesundheitskonsortium ein Projekt zum Team-Training startete. Das Team Management geht von der Idee aus, die individuellen Angestellten und Teams bei der selbständigen Gesundheitsversorgung innerhalb der Regeln und praktischen Leitlinien zu unterstützen, auf die man sich gemeinsam verständigt hat.

Der Lernzyklus von Fall 1 ist in Abb. 4.4 dargestellt. Die schattierten Bereiche stellen Brücken dar, die Unterbrechungen im Prozess reparieren sollen. Die erste Unterbrechung findet sich um das Jahr 1995 kurz nach dem Ende des ursprünglichen *Working Health Center* Projekts als das neue Modell der regional basierten Versorgung und der multiprofessionellen Teamarbeit im Gesundheitszentrum nicht Fuß fassen und sich nicht ausbreiten konnte.

Brücke 1 im Jahre 1996 stellt den Versuch der Klinik dar, die schwächelnde multiprofessionelle Teamarbeit durch ein zusätzliches unterstützendes Teamprojekt zu stärken, das von einem externen Berater/Wissenschaftler geleitet wurde.

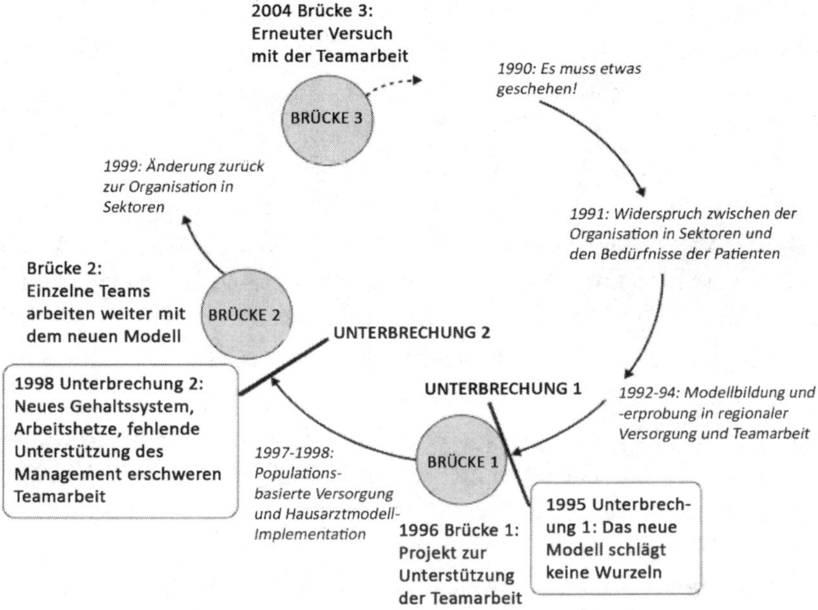

Abb. 4.4. Die Unterbrechung des expansiven Lernzyklus in Fall 1

Die Unterbrechung 2 in Abb. 4.4 stellt die Entwicklung von 1997-1998 dar als die Einführung eines neuen Tarifsystems für die Ärzte zu Unzufriedenheit beim Pflegepersonal führte und keine Ermutigung der multiprofessionellen Teamarbeit darstellte. Gleichzeitig wurden andere anspruchsvolle Projekte durchgeführt, es gab Arbeitshetze und zu wenig Personal. Das Management des Gesundheitszentrums gab der Teamarbeit keine Unterstützung. Die Brücke 2 stellt den Versuch eines einzelnen Teams dar, mit dem neuen Modell zu beginnen und so eine Brücke über die Unterbrechung zu bauen. Dies war eines von sechs Teams, die ursprünglich in der Klinik existiert hatten. In diesem Team gab es ein echtes Bedürfnis nach Teamarbeit, da es mit einer ganzen Anzahl von Patienten mit multiplen Problemen arbeitete.

Der Pfeil, der in Abb. 4.4 aus dem Zyklus herausführt, stellt die direktionale Diskontinuität dar, die 1999 entstand als das Management die Veränderungsbemühungen in die Organisation nach dem Modell der funktionalen Sektoren zurückdrehte. Die Brücke 3 stellt das Wiederauftauchen von Bemühungen der Teambildung in 2004 und später dar. Es muss nicht eigens betont werden, dass solche Versuche der Überbrückung nicht besonders überzeugend wirken, wenn die gesamte Entwicklung der Organisation in Richtung auf funktionelle Bürokratisierung zurückgedreht worden ist.

Zusammenfassend gesagt: der Fall 1 stellt einen unterbrochenen Zyklus des expansiven Lernens dar. Wir fanden keine Hinweise darauf, dass Versuche gemacht wurden bei der entscheidenden Unterbrechung im Jahre 1999 und später, die alternativen Entwicklungsmöglichkeiten zu analysieren, zu modellieren und ihre Implikationen auszudiskutieren. Die neue Richtung der Entwicklung kam von oben und das teambasierte Modell ließ man sterben.

Im Fall 2, der in Abb. 4.5 dargestellt ist, ereignete sich die erste Unterbrechung im Jahre 1991 als das Management aus heiterem Himmel eine Haushaltskürzung vornahm, was zu Missstimmung und Unsicherheit bei den Angestellten führte. Diese Unterbrechung wurde durch Brücke 1 repariert, die darin bestand, dass ein Versuchsteam mit regional basierter Versorgung experimentierte, dass zu einem stabilen Haushalt zurückgekehrt wurde und sie bestand in der Errichtung von vier regionalen Kliniken. Das alles geschah 1994. Das war entschlossenes Handeln des Management, was das Vertrauen in das neue Modell wiederherstellte.

Die zweite Unterbrechung ereignete sich 1999 als die populationsbasierte Organisation und das Hausarztprinzip implementiert wurden, was zu verstärktem zeitlichen Druck bei der Arbeit und zu Schwierigkeiten bei der Beschaffung von Vertretungen führte. Dieses Mal wurde die Unterbrechung größtenteils durch die Teams selbst überbrückt, indem sie ihre Arbeitsbelastungen planten und neu organisierten. Diese überbrückenden Handlungen wurden durch die Übernahme von Methoden der Qualitätsverbesserung unterstützt, die das Management zur allgemeinen Benutzung eingeführt hatte. Der entscheidende, dritte Teil von Überbrückungsmaßnahmen ereignete sich 2001 als das neue und das alte renovierte Klinikgebäude eröffnet wurden und das Programm zu Teamtraining gestartet wurde.

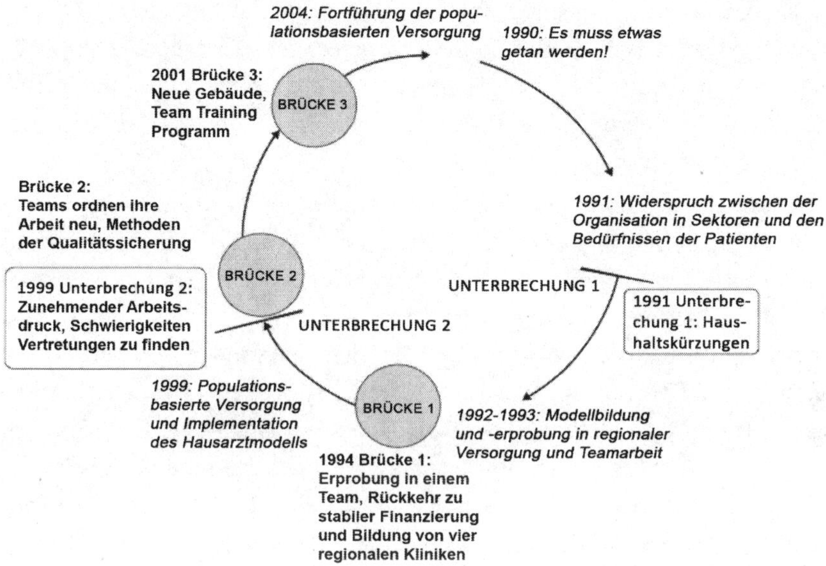

Abb. 4.5. Der erfolgreich überbrückte expansive Lernzyklus in Fall 2

Schluss

Projektbasierte Veränderungen und Lernprozesse in Organisationen sind ihrem Wesen nach diskontinuierlich. Ein Projekt endet, es kommt zu einem Bruch, und das nächste Projekt ist in der Lage es fortzusetzen oder auch nicht. Diese normale Diskontinuität wird kompliziert durch die Existenz einer Vielzahl von parallelen Projekten des Wandels in verschiedenen Teilen der Organisation.

Die Theorie des expansiven Lernens erfasst diese Diskontinuität und will sie gleichzeitig überwinden. Die großen Zyklen, die in den Abb. 4.4 und 4.5 dargestellt sind, bestehen aus zahlreichen kleineren Zyklen innovativen Lernens. Unterbrechungen dieser kleinen Zyklen machen es nötig, dass diese durch überbrückende Handlungen repariert werden. Wie die Fälle zeigen, die wir hier vorgestellt haben, sind nicht alle überbrückenden Handlungen wirksam. Im Fall 1 konnte der zweiten Unterbrechung in den Jahren 1997-1998 nur mit den Anstrengungen eines einzelnen an der vordersten Front stehenden Teams begegnet werden, was eindeutig eine unzureichende Grundlage dafür war, wieder Kontinuität zu erreichen. Das Bauen von Brücken stellt eine große Herausforderung für das Management bei dem Versuch dar, expansives Lernen im Prozess des Wandels der Organisation zu verfolgen und zu stärken.

Direktionale Diskontinuität ist etwas anderes. Beim expansivem Lernen müssen bei der Lösung drängender Konflikte alternative Richtungen artikuliert, analysiert, modelliert und durchdiskutiert werden. Im idealtypischen Modell eines Zyklus des expansiven Lernens, beginnen diese Handlungen bereits sehr früh, noch bevor das neue Modell ausformuliert und implementiert ist. Die Gefahr besteht darin, dass eine so frühe Richtungsdebatte zu flach und begrenzt bleibt und wirklich bedeutsame Richtungen der Entwicklung in der Analyse außer Acht gelassen werden. Das scheint in Fall 1 geschehen zu sein. Als der Richtungswechsel im Jahre 1999 in den Prozess einschlug, waren die Praktiker nicht in der Lage, diesem Wechsel etwas entgegen zu setzen.

Was aber machte es im Fall 2 möglich, Brücken zu bauen und den expansiven Prozess fortzusetzen? Die Unterbrechungen waren mit Sicherheit ernst genug, insbesondere im Fall der frühen Phasen der Haushaltskürzungen und des anschließenden Drucks auf die Beschäftigten. Eine Antwort auf die Frage ist im umfassenden, vielfältigen Engagement des Managements zu sehen, immer wieder Brücken zu bauen. Die Rückkehr zu stabilen Haushalten, die Bildung von vier regionalen Gemeinschaftskliniken, der Beginn des Projekts zur Qualitätsverbesserung, der Start des Teamtraining und schließlich der Bau des neuen Klinikgebäudes selbst sind Beispiele für solche andauernden Überbrückungshandlungen von seiten des Management. Der zweite Bruch von 1999 wurden ziemlich gut durch die Aktionen der Teams repariert, aber die Aktionen des Management von 2001 signalisierten den endgültigen Durchbruch des neuen Modells. Die Moral ist, dass man Überbrückungen ernsthaft angehen muss, möglicherweise in aufeinander folgenden Wellen, die die Stabilisierung des neuen Modells in materieller Form wie etwa in Gebäuden einschließen.

Irgendwie ist das Management der Organisation der Gesundheitsversorgung in Fall 2 keineswegs immun gegenüber den national kursierenden Versuchungen gewesen, die Richtung der Entwicklung zu den angeblich kostengünstigeren Modellen der funktionalen Bürokratie zurück zu drehen. Tatsächlich hat das Management ganz explizit seine eigenen Modelle in der Öffentlichkeit zur Sprache gebracht. Dieses Zur-Sprache-Bringen bedeutet, dass zumindest im Management, Handlungen in Bezug auf die Artikulation, die Analyse und die Argumentation in Bezug auf alternative Richtungen immer wieder erneut stattfanden und nicht auf die frühen Phasen des expansiven Zyklus beschränkt blieben. Das bedeutet, dass das Modell des expansiven Zyklus des Lernens nicht allein als Modell von aufeinander folgenden Phasen verstanden werden sollte. Kleinere Zyklen innerhalb des großen Zyklus bedeuten, dass gewisse Schlüsselhandlungen immer wieder mal ausgeführt werden. Dies trifft am deutlichsten auf Handlungen der Artikulation und Neu-Artikulation der Richtung des Wandels zu.

Nachdem unsere Analyse vervollständigt war, boten wir den Praktikern und Managern in Fall 1 eine Sitzung zur Rückmeldung an. Unsere Ergebnisse lösten eine lebendige Diskussion zwischen Verwaltung, politischen Entscheidungsträgern und Angestellten aus. Das Verschwinden der multiprofessionellen Teamarbeit überraschte oder schockte sogar viele der Teilnehmer. Ihnen war nicht bewusst, dass die Rückkehr zur Organisation auf der Grundlage der funktionalen Sektoren zutiefst unvereinbar mit der Idee der multiprofessionellen Teams ist. Die Zukunft wird zeigen, welche Konsequenzen diese Wiederbelebung lange vernachlässigter Handlungen haben kann.

Die Theorie des expansiven Lernens ist ein passender Rahmen für die Analyse von Lernprozessen, die auf radikale organisationale Transformationen ausgerichtet sind. In den beiden oben diskutierten Fällen bestand das Ziel darin, statt der hierarchischen und bürokratischen Formen der Organisation von Gesundheitsversorgung zu kooperativen Gemeinschaften der Gesundheitsversorgung auf der Grundlage von Teams und Netzwerken zu kommen. Unsere Analyse zeigt, dass die Gründe für das Scheitern von Fall 1 und den Erfolg von Fall 2 damit zusammen hängen, dass Kontinuität und Diskontinuität unterschiedlich gemanagt wurden. In Fall 2 zeigte das Management systematischere und andauernde Versuche, alltägliche Unterbrechungen zu reparieren, und es widerstand der Versuchung, Einsparungen dadurch zu erzielen, dass es die Richtung der Entwicklung zum Modell der funktionalen Bürokratie zurück drehte. Um solche Unterschiede zwischen Verläufen organisationalen Lernens zu erfassen, stützten wir uns auf einen theoretischen Rahmen, der sowohl Diskontinuität wie Kontinuität als grundlegende Aspekte organisationalen Lernens und Entwicklung versteht. Die Kontinuität, die es braucht um radikale langfristige Transformationen zu erzielen, kann nicht als etwas Selbstverständliches angesehen werden. Sie erfordert andauerndes Lernen von alltäglichen, normalen Diskontinuitäten, Anstrengungen beim Brückenbauen und Diskussionen über die weitere Richtung der Entwicklung.

5

Untersuchungen zum expansiven Lernen

Grundlagen, Erkenntnisse und die Herausforderungen der Zukunft

Yrjö Engeström und Annalisa Sannino[10]

Einleitung

Man vergegenwärtige sich die folgenden zwei komplexen Herausforderungen an das Lernen:

(1) Der ambulante Pflegedienst in Helsinki unterstützt ältere Menschen mit verschiedensten medizinischen Problemen, die in ihrer Wohnung leben. Er besucht seine Klientinnen und Klienten, um ihnen Medikamente auszuteilen und um sie bei verschiedenen Routinearbeiten der Haushaltsführung wie Duschen oder Essenszubereitung zu unterstützen. Die Sozialstationen und das Pflegepersonal sind jetzt herausgefordert, ihre Arbeit und Angebote neu zu definieren, um so dringenden Problemen wie die zunehmende Einsamkeit oder soziale Ausgrenzung, den Verlust von körperlicher Mobilität und Demenz zu begegnen. Die Herausforderung wird durch die Tatsache erschwert, dass die Bevölkerung Finnlands rapide altert und es zunehmend schwieriger wird, kompetentes Personal für die Hauskrankenpflege zu rekrutieren und zu halten. Wie können die Leitungen der Sozialstationen, das Pflegepersonal und die Klienten lernen, so miteinander zu arbeiten, dass auf

---

10 Beide Universität Helsinki. Unser Dank gilt den drei anonymen Gutachtern und den Herausgeberndes *Educational Research Review* für ihre aufschlussreichen und kritischen Kommentare zum Manuskript dieses Artikels. Wir danken auch Sten LUDVIGSEN und Jaakko VIRKKUNEN wie den Mitgliedern der Forschungsgemeinschaft von CRADLE für ihre konstruktiven Kommentare

die jeweiligen Bedürfnisse eingegangen werden kann und die Gesellschaft es sich finanziell leisten kann, diesen Dienst anzubieten?

(2) Seitdem Zeitschriften und Bücher zunehmend über das Internet zu beziehen sind, müssen Forscherinnen und Forscher Bibliotheken nur noch selten persönlich besuchen. Universitätsbibliotheken werden damit automatisch zu Vermittlern digitaler Information, für Studierende sind sie andererseits Bücherlager oder Lesesäle. Das bedroht die professionellen Kompetenzen des Bibliothekspersonals und ihre Arbeitsplätze. Die Leitung und die Angestellten der Universitätsbibliothek Helsinki kämpfen um eine Neudefinition ihrer Arbeit und Dienstleistung aufgrund der sich entwickelnden Partnerschaften und der flexiblen Formen der Zusammenarbeit mit Forschungsgruppen, die Informationsmanagement brauchen. Wie können Bibliotheksangestellte und Forschungsgruppen lernen, in dieser neuen Form miteinander zu kooperieren?

Dies sind nur zwei Beispiele für den Ansatz des expansiven Lernens[11]. Bei diesem Lernen sind die Lernenden in die Gestaltung und Anwendung eines radikal neuen, erweiterten und komplexeren Gegenstands und Begriffs ihrer Tätigkeit einbezogen. SFARD (1998) schlug vor, von zwei grundlegenden Metaphern für Lernen auszugehen, die heutzutage miteinander konkurrieren: die Metapher der *Aneignung* und die der *Teilhabe*. Auch wenn eine solche Zweiteilung zwar jüngst Debatten provozierte, z.B. zwischen den auf dem Computermodell basierenden und den situierten Kognitionsansätzen, ist sie eine eher irreführende als nützliche, weil zu starke Vereinfachung (siehe auch EDWARDS, 2005).

Die entscheidende Dimension, die SFARDs Dichotomie zugrunde liegt, ist aus der folgenden Frage abgeleitet: Wird der Lernende als Individuum *oder* als Gemeinschaft verstanden? Dies ist eine wichtige Dimension, die im Wesentlichen von der Annahme einer von LAVE und WENGER (1991) sowie WENGER (1998) vorgeschlagenen Praxisgemeinschaft (*community of practice*) inspiriert ist. Allerdings ist der Versuch, einen eindimensionalen Begriffsraum für

---

[11] Die Begriffe expansives Lernen und expansive Lerntätigkeit werden in diesem Artikel wie auch in der ursprünglichen Formulierung der Theorie des expansiven Lernens synonym verwendet (ENGESTRÖM, 1987/1999; siehe auch Kapitel 2 in dem vorliegenden Band).

die Identifikation, die Analyse und den Vergleich von Theorien zu konstruieren, zwangsläufig dazu verurteilt, zu viel von der Komplexität in den Lernfeldern auszuschließen. Demgegenüber entspricht die einer mehr multidimensionalen Behandlung in ihrem Potenzial und ihrer Bedeutung (ENGESTRÖM, 1987).

Um die Theorie des expansiven Lernens angemessen im konzeptionellen Feld der Lerntheorien zu verorten, werden drei weitere Dimensionen hinzugezogen:

Ist Lernen in erster Linie ein Prozess, der Kultur vermittelt und bewahrt – oder ein Prozess, der Kultur verändert und erschafft?

Ist Lernen hauptsächlich ein Prozess der vertikalen Verbesserung entlang einiger konstanter Kompetenzskalen – oder eher horizontale Bewegung, Austausch und Verschmelzung zwischen verschiedenen Kulturkontexten und Kompetenzstandards?

Ist Lernen im Wesentlichen ein Prozess des Erwerbs und der Schaffung empirischen Wissens und empirischer Konzepte – oder ein Prozess, der zu einer Bildung theoretischen Wissens und theoretischer Begriffe führt?

Die Theorie des expansiven Lernens setzt ihren Schwerpunkt auf Lerngemeinschaften, auf horizontale Bewegung und Verschmelzung, und auf die Bildung theoretischer Begriffe. Auch wenn FELSTEAD, FULLER, UNWIN, ASHTON, BUTLER, und LEE (2005) behaupten, die Theorie des expansiven Lernens erweitere lediglich die Partizipationsmetapher, fügt sie sich letztendlich weder in die eine noch die andere von SFARD (1998) vorgeschlagene Metapher. Vielmehr teilen, vom Standpunkt der Theorie des expansiven Lernens aus betrachtet, sowohl der Ansatz der Aneignung als auch der der Partizipation dieselbe konservative Ausrichtung. Beide haben wenig zur Gestaltung von Kultur beizutragen. Der Aneignungs- und der Partizipationsansatz, letzterer insbesondere im Rahmen der Theorie der legitimen peripheren Partizipation (LAVE & WENGER, 1991), beschreiben Lernen hauptsächlich als Einbahn-Entwicklung von Inkompetenz zu Kompetenz ohne wirklich Analysen der horizontalen Bewegung und Vermischung. Aneignungs-Ansätze mögen vorgeben, theoretische Begriffe wertzuschätzen, aber ihre zugrunde liegende Konzeption ist durchgängig empirisch und formal (DAVYDOV, 1990). Partizipationsbasierte Ansätze sind normalerweise misstrauisch, wenn nicht sogar ablehnend gegenüber der Entwicklung theoretischer Begriffe, weil diese Ansätze theoretische Begriffe hauptsächlich als formale lebensferne Abstraktionen betrachten.

Daher muss sich die Theorie des expansiven Lernens auf ihre eigene Metapher stützen: die Expansion. Der Kerngedanke der Expansion unterscheidet sich qualitativ sowohl von Aneignung als auch von Partizipation. Im expansiven Lernen lernen die Lernenden etwas, das es noch nicht gibt. Mit anderen Worten, Lernende konstruieren für ihre kollektive Tätigkeit einen neuen Gegenstand und einen neuen Begriff, und wenden beides in der Praxis an. Diese Verschiebung der Metapher wurde sowohl von PAAVOLA, HAKKARAINEN und LIPPONEN (2004) bemerkt; sie schlagen die Wissensbildung als dritte Metapher vor. FENWICK (2006) empfiehlt zudem, Partizipation, Expansion und Umsetzung als die einschlägigen alternativen und komplementären Metaphern für Theorien des Lernens in der Arbeitswelt.

In diesem Aufsatz möchten wir Studien behandeln, die auf der Theorie des expansiven Lernens basieren. Diese Theorie ist vor mehr als 20 Jahren entwickelt worden (ENGESTRÖM, 1987). Besonders in den vergangenen fünf Jahren wurde sie in zahlreichen Analysen und Interventionen angewandt. Die Themen reichen von Mathematiklernen Erwachsener am Arbeitsplatz (FITZSIMONS, 2003) über hybride pädagogische Innovationen (YAMAZUMI, 2008) bis hin zum Einfluss von ICT Reformen in der Lehrerbildung (RASMUSSEN & LUDVIGSEN, 2009). Die Theorie wurde in einer Studie zur Entwicklung eines Netzwerkes zur Konfliktbeobachtung (FOOT, 2001), in einer Studie zu multiorganisationalen Veränderungsbemühungen in einer Industrie (HILL, CAPPER, WILSON, WHATMAN, & WONG, 2007) und in einer Analyse der Entwicklung von Biogasproduktion als Lernprozess (PEREIRA-QUEROL & SEPPÄNEN, 2009) angewendet. Diese Untersuchungen beschäftigen sich ebenfalls mit Lernen in und für behördenübergreifende Arbeit mit Jugendlichen, die von gesellschaftlichem Ausschluss bedroht sind und spezielle Lernbedürfnisse haben (Daniels, 2004), wie auch mit dem Einsatz von Weblogs bei eLearning (MAKINO, 2007) und Lernen bei Pflegepersonal und Erwachsenenbildnern, die als „Portfolio-Experten" fungieren, indem ihre Dienstleistungen von verschiedenen Auftraggebern und Organisationen unter Vertrag genommen werden (FENWICK, 2004). Die Theorie des Lernens als Expansion wurde in einer Untersuchung der universitären Krankenpflegeausbildung bei der Simulation von Klinikerfahrung angewandt (HAIGH, 2007), in einer Untersuchung zum grenzüberschreitenden Lernen in einer Schul-Universitäts-Partnerschaft (TSUI & LAW, 2007), sowie in einer Untersuchung über die Förderung neuer Formen von Transfer zwischen Schule und Arbeitsplatz (KONKOLA, TUOMI-GRÖHN, LAMBERT, & LUDVIGSEN, 2007). Die Arbeit von GUTIÉRREZ und Kollegen über erweiterte „dritte Räume" des Lernens und Lese-Rechtschreib-Entwicklung stützt sich auf die Theorie des expansiven Lernens (GUTIÉRREZ & LARSON, 2007; GUTIÉRREZ, 2008; GUTIÉRREZ & VOSSOUGHI, 2010). Die Untersuchung von BAROWY und JOUPER (2004) zur Veränderung von Schule als personale und systemische Ko-Evolution gründet auf der theoretischen Idee der Expansion. Wenngleich die Liste zwangsläufig unvollständig bleibt, macht sie doch deutlich, dass sich die Theorie des expansiven Lernens besonders bei der Analyse von Lernen in nicht-traditionellen, gemischten und multi-organisationalen Settings als nützlich erwiesen hat.

Sehr eingehend wurde die Theorie des expansiven Lernens in den an der Universität Helsinki durchgeführten Forschungen im *Center for Activity Theory and Developmental Work Research* angewandt (seit Anfang 2009 umbenannt in *Center for Research on Activity, Development and Learning CRADLE*; im Folgenden *Helsinki Center* genannt). In diesem Artikel widmen wir unsere Aufmerksamkeit den Analysen und Erkenntnissen der 25 Dissertationen[12] und anderen veröffentlichten Arbeiten des Centers. Da das *Helsinki Center* bisher und weiterhin buchstäblich die Wiege (engl. cradle) der Theorie des expansiven Lernens ist, der Ausgangspunkt ihrer systematischen und kumulativen Entwicklung, ermöglicht uns diese Schwerpunktsetzung, eingehender auf die Potenziale und Probleme der Entwicklung des theoretischen Bezugssystems einzugehen. Darüber hinaus werden wir eine Reihe von Arbeiten aus anderen Zusammenhängen diskutieren und insbesondere auf die Kritik des expansiven Lernens eingehen.

Dieser Artikel kann jedoch nicht tiefer in die allgemeine Entwicklung der Tätigkeitstheorie einsteigen. Für diesen Hintergrund ist das Buch von SANNINO, DANIELS, und GUTIERREZ (2009) eine hilfreiche Ergänzung. Ebenso ist mit die-

[12] In Finnland müssen Doktorarbeiten als Printversion publiziert werden. Sie stehen normalerweise auch online kostenfrei als Digitalversion zur Verfügung.

sem Artikel nicht beabsichtigt, das breite Spektrum des Einsatzes der kulturhistorischen Tätigkeitstheorie in der pädagogischen Forschung darzustellen. Ein solcher Überblick wurde bereits von ROTH und LEE (2007) veröffentlicht. Eine Auswahl von Arbeiten zum grenz- und behördenübergreifendem Lernen, die in hohem Maße von der Theorie des expansiven Lernens angeregt wurden, präsentiert ein von DANIELS, EDWARDS, ENGESTRÖM, GALLAGHER, und LUDVIGSEN (2009) herausgegebener Band. Eine Sammlung von tätigkeitstheoretisch beeinflussten Untersuchungen zum Lernen, die nicht auf der Theorie des expansiven Lernens aufbauen, bietet der Band von VAN OERS, WARDEKKER, ELBERS und VAN DER VEER (2008).

Im nächsten Abschnitt möchten wir kurz auf die historische und gesellschaftliche Landschaft eingehen, innerhalb der sich der Bedarf nach expansivem Lernen entwickelt hat. Wir werden danach die theoretischen Wurzeln dieses Ansatzes behandeln und anschließend die Grundgedanken der Theorie des expansiven Lernens erörtern. Die folgenden sieben Abschnitte sind jeweils einem spezifischen Aspekt der Theorie gewidmet. Die beiden letzten Abschnitte behandeln die kritische Auseinandersetzung mit der Theorie des expansiven Lernens und künftige Herausforderungen.

Gesellschaftliche und historische Anforderungen an eine neue Lernform

In „Lernen durch Expansion" wurde das Aufkommen expansiver Lerntätigkeit als Konsequenz von historischen Transformationsprozessen dargestellt:

> Die zunehmend gesellschaftliche Natur der Arbeitsprozesse, ihre innere Komplexität und Verbundenheit wie auch ihr massiver Umfang an Kapital und Kapazität machen es deutlich, daß wenigstens in Perioden akuter Störung oder intensiven Wandels niemand wirklich die Arbeitstätigkeit als Ganzes beherrscht, obwohl die Kontrolle und Planung des Ganzen sich formal in der Hand des Management befinden. Dies schafft so genannte „Grauzonen" (PROJEKT AUTOMATION UND QUALIFIKATION, 1981), ein Vakuum oder „Niemandsland", in dem Initiativen und zielgerichtete Handlungen von praktisch jeder Ebene der betrieblichen Hierarchie unerwartete Auswirkungen haben können. (ENGESTRÖM, 1999c, S. 119-120)

Die inneren Widersprüche kapitalistischer Arbeitsproduktion und -organisation sind weiterhin Untersuchungsgegenstand im Forschungszentrum für expansives Lernen. Im *Helsinki Center* sind diese Untersuchungen innerhalb des Forschungsprogramms „Entwicklungsbasierte Arbeitsforschung" durchgeführt worden (zu den ersten Arbeiten ENGESTRÖM & ENGESTRÖM, 1986; TOIKKA, HYÖTYLÄINEN, & NORROS, 1986). Ein Großteil der von Forschern des *Helsinki Center* durchgeführten empirischen Untersuchungen und Interventionen fanden in Arbeitsplatz-Settings statt (siehe aktuelle und repräsentative Zusammenstellung in ENGESTRÖM, 2005; sowie ENGESTRÖM, LOMPSCHER, & RÜCKRIEM, 2005).

Das Hauptargument für den Fokus auf Arbeitsplatz-Settings ist, dass traditionelle Lernverfahren lediglich Aufgaben behandeln, bei denen die Lerninhalte denjenigen schon vorher bekannt sind, die die verschiedenen Lernprogramme entwerfen, verwalten und durchführen. Wenn aber ganze kollektive Tätigkeitssysteme, wie z.B. Arbeitsprozesse und Organisationen, sich selbst neu definieren müssen, reichen traditionelle Lernverfahren nicht mehr aus, denn hier weiß niemand mehr, was zu lernen ist. Der Entwurf der neuen Tätigkeit und die Aneignung des Wissens und der erforderlichen Fertigkeiten sind zunehmend miteinander verflochten. In der expansiven Lerntätigkeit verschmelzen sie (ENGESTRÖM, 1999a).

PIHLAJAS (2005) Arbeit fügt diesem Argument den entscheidenden Aspekt der sich historisch verändernden Verallgemeinerung der Arbeitsprozesse hinzu. Verallgemeinerung ist der Ursprung des Lernens. Sie basiert auf der Identifizierung und Beherrschung von Variation. Zur Zeit der Massenproduktion war es die Variation der Ausführung derselben Aufgabe durch verschiedene Arbeiter, die bewältigt werden musste. Das führte zu einer Standardisierung der wichtigsten Handlungen und Handlungssequenzen. In der modernen flexiblen Massenproduktion oder „schlanken Produktion" ist es die Variation in Form der Abweichung vom optimal rationalisierten Prozess durch Unterbrechungen, Störungen und Ausschuss, die bewältigt werden muss. Das führt zu kontinuierlicher Prozessoptimierung.

Heutzutage sind der Produktlebenszyklus, die Produktion und die Unternehmensidee erheblich kurzlebiger. Dementsprechend beschleunigt sich der Rhythmus der die gesamte Konzeptionsebene umfassenden Transformation. Mit anderen Worten, was beherrscht werden muss, ist Veränderung im Sinne ständig wechselnder Produkte, Produktion und Unternehmensideen. Dies ist nicht mehr durch technische Optimierung vereinzelter Handlungen und Prozesse erreichbar. Beschleunigte Veränderungen auf Konzeptions-Ebene in der Arbeit und in Organisationen bedürfen einer Verallgemeinerung und eines Lernens, das den Horizont der Lernenden erweitert und ihr praktisches Verständnis bis zur Ebene der kollektiven Tätigkeitssysteme erweitert.

Es gibt zwei weitere Faktoren, die zur gesellschaftlichen Notwendigkeit expansiven Lernens beträchtlich beigetragen haben. Der erste ist die Entstehung und Steigerung von sozialer oder Gemeinschaftsproduktion, der sogenannten *Peer Produktion* (BENKLER, 2006), die das interaktive Potenzial des Internets oder Web 2.0 gebraucht. Dies eröffnet ein Feld von Möglichkeiten für die Bildung neuer Tätigkeitsformen und Gebrauchswerte mit einem enormen expansiven Potenzial, wie z. B. Linux oder Wikipedia.

Der zweite Faktor ist die Entstehung und zunehmende Präsenz globaler Gefährdungen und Risiken oder. von „Gegenständen außer Kontrolle“ (ENGESTRÖM, 2008), wie z.B. die globale Erwärmung, die neuen Pandemien und die globalen Finanzkrisen. Dies eröffnet ein Feld mit enormen Herausforderungen für die Begriffsbildung und praktische Neugestaltung in einem Umfang, der die Grenzen jeder einzelnen Disziplin, Profession oder Organisation überschreiten muss.

Die theoretischen Wurzeln des Begriffs des expansiven Lernens

Die Theorie des expansiven Lernens baut auf den grundlegenden Ideen auf, die von vier Schlüsselpersonen der russischen kulturhistorischen Schule entwickelt wurden: Lev VYGOTSKIJ, Aleksei N. LEONT’EV, Evald IL’ENKOV und Vasilij DAVYDOV. Sechs Ideen, die von diesen Wissenschaftlern entwickelt wurden bilden die begriffliche Grundlage der Theorie des expansiven Lernens. Zwei weitere stammen aus den Arbeiten von BATESON und BACHTIN. Wir werden kurz jede der acht Grundannahmen beschreiben.

(1) LEONT’EV (1971) zeigte, wie das Aufkommen der Arbeitsteilung innerhalb einer Gemeinschaft zu einer Aufspaltung von Handlung und Tätigkeit

führt. Bei der Jagd eines Stammes treiben zum Beispiel einige Teilnehmer das Wild vor sich her und auf andere Teilnehmer zu, die im Hinterhalt lauern und das Wild erlegen. Diese beiden Gruppen führen in der kollektiven Tätigkeit der Jagd verschiedene Handlungen aus (Treiben, Erlegen). Die Halbwertszeit einer Handlung ist endlich; eine Handlung hat einen eindeutigen Anfang und ein Ende. Im Unterschied dazu reproduziert sich eine kollektive Tätigkeit ohne einen vorbestimmten Endpunkt durch das fortwährend wiederholte Erzeugen scheinbar gleicher Handlungen. Trotzdem gibt es kontinuierliche und manchmal dramatisch diskontinuierliche Veränderungen in der Tätigkeit. Der Grundgedanke des expansiven Lernens ist auf dieser theoretisch folgerichtigen Unterscheidung zwischen Handlung und Tätigkeit aufgebaut. Expansives Lernen ist eine Bewegung von Handlungen zu Tätigkeit.

> Das Wesen der [expansiven] Lerntätigkeit besteht in der Produktion von objektiv und gesellschaftlich neuen Tätigkeitsstrukturen (einschließlich neuer Gegenstände, Instrumente usw.) aus Handlungen, die die inneren Widersprüche der vorhergehenden Form der fraglichen Tätigkeit manifestieren. [Expansive] Lerntätigkeit besteht aus der *Beherrschung der Expansion von Handlungen hin zu einer neuen Tätigkeit.* Während der traditionelle Unterricht im Wesentlichen eine Subjekt produzierende und die traditionelle Wissenschaft hauptsächlich eine Werkzeug produzierende Tätigkeit ist, ist [expansive] Lerntätigkeit eine Tätigkeit produzierende Tätigkeit. (ENGESTRÖM, 1987, S. 124-125)

(2) Vygotskijs Konzept der Zone der nächsten Entwicklung ist ein weiterer wichtiger Baustein der Theorie des expansiven Lernens. VYGOTSKIJ definiert diese Zone als "Distanz zwischen der derzeitigen, durch unabhängige Problemlösung bestimmten Entwicklungsstufe, und der Stufe der potenziellen Entwicklung, die durch eine Problemlösung unter Anleitung eines Erwachsenen oder in Zusammenarbeit mit kompetenteren Gleichaltrigen bestimmt ist." (VYGOTSKIJ, 1978, S. 86). In *Lernen durch Expansion* wurde VYGOTSKIJs individuumszentriertes Konzept neu definiert, um sich mit Lernen und Entwicklung auf der Stufe der kollektiven Tätigkeit auseinander zu setzen:

> Es ist der Abstand zwischen den gegenwärtigen alltäglichen Handlungen der Individuen und der historisch neuen Form der gesellschaftlichen Tätigkeit, die kollektiv hervorgebracht werden kann, und zwar als Lösung des Doublebind, der potenziell in Alltagshandlungen eingebettet ist. (ENGESTRÖM, 1987, S. 174)

Im Ergebnis wurde die Zone der nächsten Entwicklung neu definiert als Raum des expansiven Übergangs von Handlungen zu Tätigkeit (ENGESTRÖM, 2000).

(3) Als Anwendung der Tätigkeitstheorie ist die Theorie des expansiven Lernens im Grunde eine *gegenstands*orientierte Theorie.

> Eigentlich ist im Begriff der Tätigkeit der Begriff ihres Gegenstandes enthalten. Der Ausdruck „gegenstandslose Tätigkeit" ist ohne jeden Sinn. ... Dabei tritt der Gegenstand der Tätigkeit auf zweierlei Weise in Erscheinung: primär in seiner unabhängigen Existenz, indem er sich die Tätigkeit des Subjekts unterordnet und umgestaltet; sekundär als Abbild des Gegenstandes, als Produkt der psychischen Widerspiegelung seiner Eigenschaften, die nur durch die Tätigkeit des Subjekts erfolgt und auf andere Weise nicht verwirklicht werden kann. (LEONT'EV, 1979, S. 85-86)

Mit anderen Worten, das Objekt ist sowohl widerständiges Rohmaterial als auch das zukunftsorientierte Ziel einer Tätigkeit. Das Objekt ist der wahre Träger des Motivs der Tätigkeit. Daher werden in der expansiven Lerntätigkeit Motive und Motivation ursprünglich nicht im Inneren individueller Subjekte gesucht – sie sind vielmehr in dem zu transformierenden und zu erweiternden Objekt. Wie LEONT'EV herausstellt, können Motive nicht unterrichtet, sondern nur gefördert werden durch die Entwicklung „des Inhalts der wirklichen Lebensbeziehungen" (LEONT'EV, 1979, S. 282) der Lernenden. Expansives Lernen ist ein Prozess der materiellen Transformation der Lebensbeziehungen.

(4) Tätigkeitstheorie ist eine dialektische Theorie und der dialektische Begriff des *Widerspruchs* spielt darin eine entscheidende Rolle. Nach IL'ENKOV (1977, 1979, 1984) sieht die Theorie des expansiven Lernens Widersprüche als sich historisch entfaltende Spannung, die in realen Tätigkeitssystemen aufgespürt und behandelt werden können. Im Kapitalismus ist der tief greifende primäre Widerspruch zwischen Gebrauchswert und Tauschwert jeder Ware inhärent und alle Bereiche des Lebens unterliegen dem Warengesetz. Der tief greifende primäre Widerspruch nimmt eine spezifische Form an und erwirbt seinen besonderen Inhalt in jeder historischen Phase und jedem Tätigkeitssystem anders. Vor allem sind Widersprüche die treibende Kraft der Transformation. Der Gegenstand der Tätigkeit ist immer in sich widersprüchlich. Es sind diese inneren Widersprüche, die einen Gegenstand zu einem beweglichen, motivierenden und zukunftsweisenden Ziel machen.

Expansives Lernen braucht die Artikulation und die praktische Auseinandersetzung mit den inneren Widersprüchen im Tätigkeitssystem des Lernenden.

(5) IL'ENKOVs Dialektik wurde besonders wirksam von DAVYDOV (1990) in die Lerntheorie übersetzt. DAVYDOV entwickelte eine Theorie der Lerntätigkeit basierend auf der dialektischen Methode des *Aufsteigens vom Abstrakten zum Konkreten*. Dies ist eine Methode, das Wesen eines Gegenstandes mit Hilfe der theoretischen Zurückverfolgung und Reproduktion der Logik seiner Entwicklung; seiner historischen Herausbildung, durch die Entstehung und Lösung seiner inneren Widersprüche zu erfassen. Eine neue theoretische Vorstellung oder ein Begriff wird zunächst in der Form einer abstrakten, einfachen Erklärungsbeziehung, einer „Keimzelle", hervorgebracht. Diese Anfangsabstraktion wird Schritt für Schritt angereichert and transformiert in ein konkretes System von vielfältigen, sich fortwährend entwickelnden Erscheinungen. In der Lerntätigkeit wird die anfänglich einfache Vorstellung in einen komplexen Gegenstand, in eine neue Praxis transformiert. Die Lerntätigkeit führt zu einer Bildung von theoretischen Begriffen – theoretisch erfasste Praxis – konkretisiert in systemischer Reichhaltigkeit und Vielfalt von Erscheinungen. In diesem Rahmen bezieht sich Abstraktes auf Einzelnes, getrennt vom konkreten Ganzen. Im empirischen Denken, das auf Vergleich und Klassifikation basiert, erfassen Abstraktionen beliebige, nur formal verbundene Eigenschaften. Im dialektischen Denken, das auf dem Aufsteigen vom Abstrakten zum Konkreten basiert, erfasst eine Abstraktion die kleinste und einfachste, genetisch ursprüngliche Einheit des gesamten funktionell verbundenen Systems (siehe IL'ENKOV, 1977; DAVYDOV, 1990; auch BAKHURST, 1991; FALMAGNE, 1995).

Das Aufsteigen vom Abstrakten zum Konkreten wird durch spezifische epistemische oder Lernhandlungen erreicht. Nach DAVYDOV (1988) besteht eine idealtypische Sequenz von Lerntätigkeit aus den folgenden sechs Lernhandlungen: (1) Transformieren der Beschaffenheit der Aufgabe, um die universelle Beziehung des Gegenstandes aufzudecken, der untersucht wird. (2) Modellieren der identifizierten Beziehung in einer materiellen, grafischen oder schriftsprachlichen Form, (3) Transformieren des Modells der Beziehung, um die Eigenschaften in ihrer „reinen Gestalt" zu untersuchen,

(4) Konstruieren eines Systems von besonderen Aufgaben, die durch eine allgemeine Methode gelöst werden, (5) Beobachten der Ausführung der vorangegangenen Handlungen, (6) Beurteilen der Angleichung der allgemeinen Methode, die sich aus der Lösung der gegebenen Lernaufgabe ergibt. In der Theorie des expansiven Lernens wurde DAVYDOVs Konzept der Lerntätigkeit weiterentwickelt, um Probleme des Lernens außerhalb der Schule und des Klassenraums zu behandeln (vgl. nächster Abschnitt).

(6) VYGOTSKIJ und seine Mitarbeiter sahen das Wesen der menschlichen psychischen Funktionen in der Vermittlung der Handlung durch kulturelle Werkzeuge und Zeichen. Die traditionellen experimentellen Methoden haben die kulturelle Vermittlung zumeist aus ihren Analysen ausgeschlossen. Aber das menschliche Subjekt „importiert" immer eine Reihe von psychologischen Instrumenten in das experimentelle Setting in Form von Zeichen, die der Experimentator von außen nicht streng kontrollieren kann (VAN DER VEER & VALSINER, 1991, S. 399).

> „Die Person, die die Kraft von Dingen oder Stimuli nutzt, kontrolliert durch sie ihr eigenes Verhalten, indem es sie gruppiert, zusammensetzt, sortiert. Mit anderen Worten, die wunderbare Einzigartigkeit des Willens besteht darin, dass der Mensch keine andere Macht über sein eigenes Verhalten hat als diejenige, die die Dinge über sein Verhalten haben. Aber der Mensch unterwirft sich die Macht der Dinge über sein Verhalten, lässt sie seinen eigenen Zwecken dienen und kontrolliert diese Macht, wie ihm beliebt. Er verändert seine Umwelt mit der äußeren Tätigkeit und beeinflusst auf diese Weise sein eigenes Verhalten, indem er es seiner eigenen Autorität unterwirft." (VYGOTSKIJ, 1997, S. 212).

Mit anderen Worten, die Wirksamkeit des Subjekts, seine Fähigkeit, die Welt bzw. sein Verhalten zu verändern, rückt in den Mittelpunkt. VYGOTSKIJ baut seine interventionistische Methodologie der *doppelten Stimulation* auf dieser Einsicht auf. Statt dem Subjekt lediglich eine Aufgabe zur Lösung aufzugeben, gab VYGOTSKIJ dem Subjekt sowohl eine anspruchsvolle Aufgabe (erster Stimulus) als auch ein „neutrales" oder mehrdeutiges äußeres Werkzeug (zweiter Stimulus), das das Subjekt mit Bedeutung belegen und in ein neues vermittelndes Zeichen umwandeln konnte, das seine Handlungen verbessert und möglicherweise zu einer Umdeutung der Aufgabe führt. Expansives Lernen verlangt bezeichnenderweise nach Entwicklungsinterventionen, die auf dem Prinzip der doppelten Stimulation basieren.

(7) Neben den bereits erwähnten russischen Tätigkeitstheoretikern verdankt die Theorie des expansiven Lernens viel dem innovativen Denken des Anthropologen BATESON (1972). Seine begriffliche Fassung von Stufen des Lernens, insbesondere der Begriff *Lernen III* und das damit verbundene Konzept des Doublebind, müssen als siebte theoretische Wurzel der Theorie des expansiven Lernens bezeichnet werden. BATESONs Lernen III und die expansive Lerntätigkeit meinen im Prinzip dasselbe. Innerhalb der Theorie des expansiven Lernens kann Batesons Gedanke des *Doublebind* interpretiert werden als „ein soziales, *gesellschaftlich wesentliches Dilemma, das nicht durch voneinander getrennte individuelle Handlungen allein gelöst werden kann – in dem aber gemeinsame kooperative Handlungen eine historisch neue Form der Tätigkeit hervorbringen können.*" (ENGESTRÖM, 1987, S. 165, Kursivierung im Original)

(8) Schließlich muss BACHTINS (1981) Idee der Vielstimmigkeit bzw. Heteroglossie zu den Fundamenten der Theorie des expansiven Lernens gerechnet werden. "Angewandt in expansivem Lernen und Forschung heißt das: *Alle widerstreitenden und komplementären Stimmen der verschiedenen Gruppen und Schichten im untersuchten Tätigkeitssystem sollen einbezogen und genutzt werden.* Wie BACHTIN zeigt, schließt dies ausdrücklich die Stimmen und nicht-akademischen Redeweisen der gewöhnlichen Menschen ein. Anstelle der klassischen Argumentation ausschließlich innerhalb der akademischen Redeweise erhalten wir so ein krachendes Feuerwerk verschiedener Ausdrucksweisen und Sprachen." (ENGESTRÖM, 1987, S. 315-316;, Kursivierung im Original). Expansives Lernen ist ein von sich aus vielstimmiger Prozess mit Debatten, Verhandlungen und Instrumentierungen.

Zentrale Grundsätze der Theorie des expansiven Lernens

Die Theorie des expansiven Lernens konzentriert sich auf Lernprozesse, in denen das Subjekt des Lernens ausgehend von einzelnen Individuen hin zu Kollektiven und Netzwerken transformiert wird. Zuerst beginnen Individuen die bestehende Ordnung und Logik ihrer Tätigkeit in Frage zu stellen. Indem andere Akteure hinzukommen, wird eine gemeinsame kritische Analyse und Modellierung der Zone der nächsten Entwicklung angestoßen und realisiert. Letztendlich umfasst die Lernanstrengung ein neues Tätigkeitsmodell, das alle Mitglieder und Elemente des kollektiven Tätigkeitssystems einschließt (Abb. 5.1).

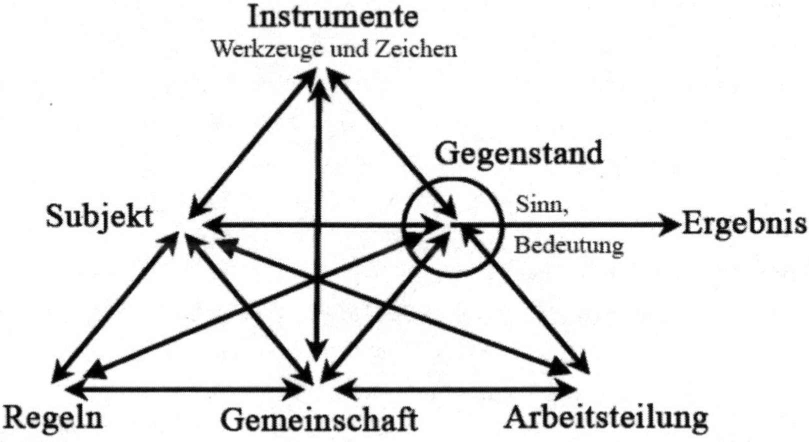

Abb. 5.1. Allgemeines Modell eines Tätigkeitssystems (ENGESTRÖM, 1987, S. 78).

In Abb. 5.1 bezieht sich ‚Subjekt' auf das Individuum oder die Untergruppe, deren Position und Standpunkt als Analyseperspektive ausgewählt ist. ‚Gegenstand' bezieht sich auf das „Rohmaterial" oder den „Problemraum", auf den sich die Tätigkeit richtet. Der Gegenstand wird mit Hilfe von Instrumenten, d.h. Werkzeugen und Zeichen, in ‚Ergebnisse' umgewandelt. ‚Gemeinschaft' schließt Individuen und Untergruppen ein, die denselben Gegenstand miteinander teilen. ‚Arbeitsteilung' bezieht sich auf die horizontale Aufgabenteilung und die vertikale Teilung von Macht und Status. ‚Regeln' schließlich beziehen sich auf explizite und implizite Vorschriften, Normen, Konventionen und Standards, die Handlungen innerhalb des Tätigkeitssystems einengen.

Der Kreis um den Gegenstand in Abb. 5.1 kennzeichnet zugleich die zentrale Rolle wie auch die inhärente Doppeldeutigkeit des Gegenstands der Tätigkeit. Der Gegenstand ist eine Einladung zur Interpretation, persönlicher Sinngebung und gesellschaftlicher Transformation. Man sollte zwischen dem verallgemeinerten Gegenstand des historischen Tätigkeitssystems und dem spezifischen Gegenstand unterscheiden, wie es dem einzelnen Subjekt zu einem bestimmten Zeitpunkt in einer bestimmten Handlung erscheint. Der verallgemeinerte Gegenstand ist mit gesellschaftlicher Bedeutung, der spezifische Gegenstand mit persönlichem Sinn verbunden. So kann zum Beispiel der verallgemeinerte Gegenstand in der medizinischen Arbeit Gesundheit und Krankheit als gesellschaftliche Herausforderungen sein, während der spezifische Gegenstand eine besondere Bedingung oder das Leiden eines bestimmten Patienten beinhalten kann.

Da Tätigkeitssysteme in wachsendem Maße miteinander verbunden und wechselseitig voneinander abhängig sind, verwenden aktuelle Studien zum expansiven Lernen eine Konstellation von zwei oder mehr Tätigkeitssystemen als Analyseeinheit, die Teile eines Objekts gemeinsam haben. Solche verbundenen Tätigkeitssysteme können eine Produzent-Kunden-Beziehung, eine Partnerschaft, ein Netzwerk, oder irgendwelche andere Formen der Kollaboration mehrerer Tätigkeitssysteme sein.

Man denke noch einmal an die erste komplexe Lernherausforderung, die wir zu Beginn des Artikels vorgestellt haben. Das Tätigkeitssystem des Pflegepersonals ist meistens darauf ausgerichtet, eine Liste von verschiedenen Routineaufgaben während eines Hausbesuchs zu erledigen. Die Lebenstätigkeit der Klientinnen und Klienten richtet sich auf die Aufrechterhaltung eines sinn- und würdevollen Lebens zu Hause, während sie mit Gefährdungen wie Einsamkeit, Verlust physischer Mobilität und der Fähigkeit selbstständig zu handeln oder auch mit Demenz kämpfen. Diese beiden Tätigkeitssysteme müssen kooperieren, um die Dienstleistung der Hauskrankenpflege zu ermöglichen; jedoch sind ihre Objekte sehr verschieden, und es gibt eine wachsende Spannung zwischen ihnen (Abb. 5.2). Diese sich zunehmend verschlechternde Situation kann mit Hilfe eines expansiven Lernprozesses verändert werden, in dem die beiden Parteien zusammen ein neues gemeinsames Objekt und einen neuen Begriff für ihre gemeinsame Tätigkeit entwickeln.

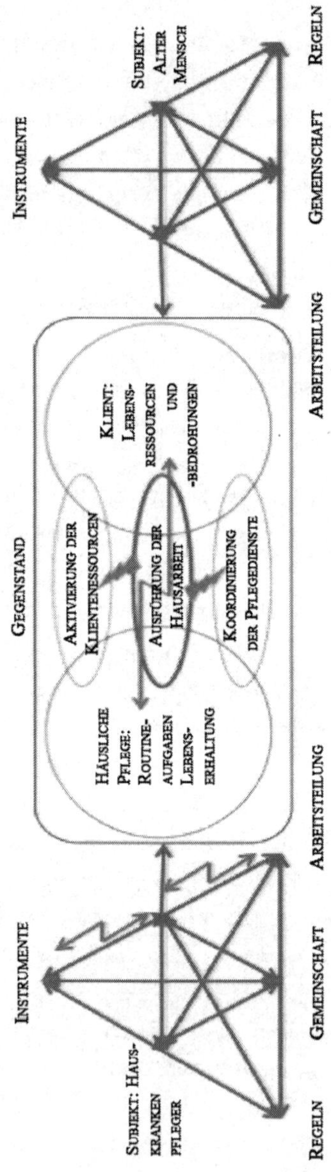

Abb. 5.2. Die unabhängigen Tätigkeitssysteme der Hauskrankenpflege und ihrer Patienten (vgl. auch NUMMIJOKI & ENGESTRÖM, 2009).

Offensichtlich erfordert diese Art der Erweiterung der Analyseeinheit, die tatsächlichen Menschen aus Fleisch und Blut zu identifizieren und ihnen in ihrem jeweiligen Tätigkeitssystem Stimme zu verleihen. Die expansive Lerntheorie kann nicht auf das Lernen von abstrakten Organisationen ohne konkrete menschliche Subjekte reduziert werden. Der Wechsel zwischen der System- und Subjektperspektive ist von entscheidender Bedeutung:

> Die Systemperspektive einer Organisation ist offenkundig unzureichend, wenn die Forscher mit Hilfe von expansivem Lernen versuchen, qualitative Veränderungen zu verstehen und zu ermöglichen. Veränderungen müssen durch reale, bestimmbare Menschen, einzelne Personen und Gruppen initiiert und gefördert werden. Der intervenierende Forscher muss innerhalb des Tätigkeitssystems Dialogpartner aus Fleisch und Blut finden, die ihre eigenen Emotionen, moralische Interessen, ihren Willen und ihre Absichten haben. Organisationen müssen notwendigerweise zurück übersetzt werden in von Menschen besetzte Arbeitsplätze. (ENGESTRÖM & KEROSUO, 2007, S. 340).

Widersprüche sind ein notwendiger, aber nicht hinreichender Antrieb für expansives Lernen in einem Tätigkeitssystem. In verschiedenen Phasen des expansiven Lernprozesses können Widersprüche erscheinen (a) als aufbrechende latente primäre Widersprüche innerhalb jedes Knotenpunktes des Tätigkeitssystems, (b) als offen erscheinende sekundäre Widersprüche zwischen zwei oder mehr Knotenpunkten (z.B. zwischen einem neuen Objekt und einem alten Werkzeug), (c) als tertiäre Widersprüche zwischen einer neu gebildeten und den Überresten der vergangenen Tätigkeitsform, oder (d) als äußere quartäre Widersprüche zwischen der neu organisierten Tätigkeit und ihren benachbarten Tätigkeitssystemen. Konflikte, Dilemmata, Störungen und lokale Innovationen können als Erscheinungen von Widersprüchen untersucht werden. Es gibt einen grundlegenden Unterschied zwischen Konflikterfahrungen und Widersprüchen, die für die Entwicklung bedeutsam sind. Erstere befinden sich auf der Ebene kurzlebiger Handlungen, letztere auf der Ebene von Tätigkeit und miteinander verbundenen Tätigkeiten und haben einen viel längeren Lebenszyklus. Sie sind also auf zwei verschiedenen Analyseebenen verortet. Der Ursprung von Konflikten kann durch Verschiebung von der Handlungsebene des Konflikts hin zur Tätigkeitsebene der Widersprüche untersucht werden (SANNINO, 2005, S. 169).

Widersprüche werden zu den eigentlichen Triebkräften des expansiven Lernens, indem durch sie ein entstehendes neues Objekt erkannt und in ein Motiv verwandelt wird: „das Zusammenfallen von Bedürfnis und Gegenstand ist ein außerordentlich bedeutsamer Akt" (LEONT'EV, 1979, S. 89). Das Motiv der kollektiven Tätigkeit wird für ein Individuum durch den persönlichen Sinn bedeutsam: „Sinn drückt die Beziehung des Tätigkeitsmotivs zum unmittelbaren Handlungsziel aus" (LEONT'EV, 1979, S. 261).

Expansives Lernen führt zu der Bildung eines neuen expandierten Gegenstandes und eines auf den Gegenstand gerichteten Tätigkeitsmusters. Das beinhaltet die theoretische Begriffsbildung der neuen Tätigkeit, die auf dem Erfassen und Modellieren der anfänglichen einfachen Beziehung, der ‚Keimzelle,' beruht, die eine neue Tätigkeit hervorbringt und ihre verschiedenartigen konkreten Erscheinungen erzeugt (DAVYDOV, 1990). Die Bildung eines expandierten Gegenstandes und eines entsprechenden neuen Tätigkeitsmusters erfordert und erzeugt kollektive und distribuierte Handlungsfähigkeit, sie hinterfragt und durchbricht die Grenzen der bestehenden Tätigkeit und macht sich auf zu einer Reise durch das unbekannte Gelände der Zone der nächsten Entwicklung (ENGESTRÖM, 1996d, 2005). Mit anderen Worten, das ‚was' des expansiven Lernen ist ein Drilling: expandiertes Tätigkeitsmuster, entsprechender theoretischer Begriff und eine neue Form der Handlungsfähigkeit.

Das Aufsteigen vom Abstrakten zum Konkreten wird durch spezifische epistemische oder Lernhandlungen erreicht. Zusammen bilden diese Handlungen einen expandierenden Zyklus bzw. eine Spirale. Eine idealtypische Sequenz von epistemischen Handlungen in einem expandierenden Zyklus kann wie folgt beschrieben werden (dazu auch ENGESTRÖM, 2001b).

Die erste Handlung ist die des Infragestellens, Kritisierens oder Ablehnens einiger Aspekte der gängigen Praxis und bestehenden Lebensweisheiten. Der Einfachheit halber nennen wir diese Handlung *Infragestellung*.

Die zweite Handlung ist die der Situations*analyse*. Die Analyse schließt mentale, diskursive oder praktische Veränderungen der Situation ein, um die Ursache oder erklärende Mechanismen zu finden. Die Analyse bringt „Warum?"-Fragen und erklärende Prinzipien hervor. Eine Form der Analyse ist die *historisch-genetische*; sie versucht die Situation dadurch zu erklären, dass sie sie bis zu ihrem evolutionären Ursprung zurückverfolgt. Eine andere Analyseform ist die *aktual-empirische*; sie sucht die Situation durch die Konstruktion eines Abbildes der inneren systemischen Beziehungen zu deuten.

Die dritte Handlung ist die des *Modellierens* der neu gefundenen Erklärungsbeziehung in irgendeinem öffentlich beobachtbaren und übertragbaren Medium. Das bedeutet den Entwurf eines expliziten vereinfachten Modells der neuen Idee, das für die Problemsituation eine Lösung eröffnet.

Die vierte Handlung ist die der *Überprüfung* des Modells durch Anwendung, Operation und Experiment, um seine Dynamik, sein Potenzial und seine Grenzen voll zu erfassen.

Die fünfte Handlung ist die *Implementierung* des Modells durch praktische Anwendung, Anreicherung und konzeptionelle Erweiterung.

Die sechste und siebte Handlung sind die der *Reflexion* und Evaluation des Prozesses und der *Konsolidierung* der Ergebnisse in einer neuen stabilen Praxis.

Diese Handlungen haben große Ähnlichkeit mit den sechs Lernhandlungen, die von DAVYDOV (1988; siehe voriger Abschnitt) vorgeschlagen wurden. DAVYDOVs Theorie orientiert sich allerdings an Lerntätigkeiten innerhalb der Grenzen eines Klassenzimmers, wobei die Inhalte des Curriculums im Vorhinein von fachkundigeren Erwachsenen vorgeschrieben werden (ENGESTRÖM, 1991d). Das erklärt wahrscheinlich, warum sie die erste Handlung der kritischen Infragestellung und Zurückweisung nicht enthält, und warum die fünfte und sechste Handlung, die Implementierung und Konsolidierung, durch die ‚Konstruktion eines bestimmten Aufgabensystems' und ‚Evaluations'-Handlungen ersetzt werden, die die Konstruktion von tatsächlich neuen kulturellen Praktiken nicht umfassen. Jüngste Untersuchungen deuten an, dass insbesondere die erste Handlung des Infragestellens verschiedene Formen von konfliktgeladenen Begegnungen und des Zusammenpralls von Standpunkten enthalten kann (SANNINO, 2010).

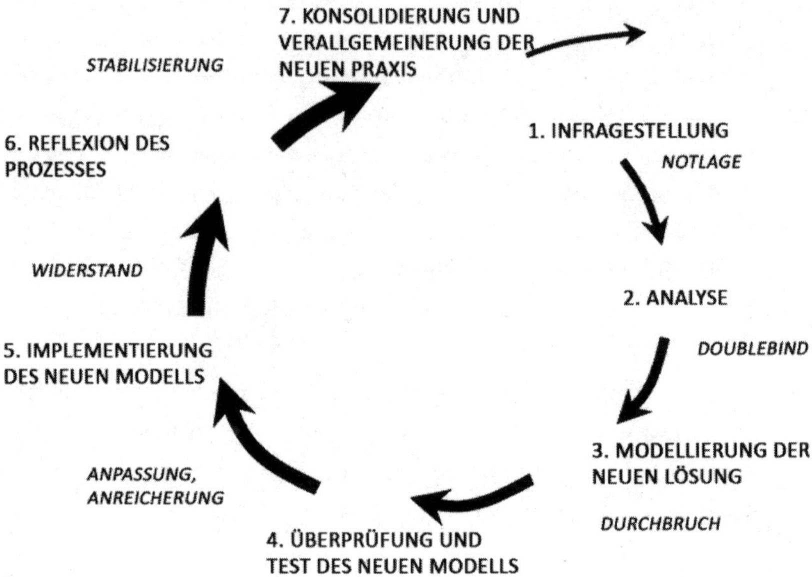

Abb. 5.3. Abfolge der Lernhandlungen im expansiven Lernzyklus (ENGESTRÖM, 1999b, S. 384).

Der expansive Lernprozess sollte als Konstruktion und Lösung von sich nach und nach entwickelnden Widersprüchen verstanden werden. Der gesamte idealtypische expansive Zyklus kann als Diagramm mit Hilfe von Abb. 5.3 beschrieben werden. Die dickeren Pfeile kennzeichnen den erweiterten Bereich von und die Mitwirkung in Lernhandlungen. Der Zyklus des expansiven Lernens ist keine Universalformel von Phasen oder Stufen. In der Empirie wird wohl niemand jemals einen kollektiven Lernprozess finden, der dem idealtypischen Modell einwandfrei folgt. Das Modell ist ein heuristisches begriffliches Instrument, das aus der Logik des Aufsteigens vom Abstrakten zum Konkreten abgeleitet ist. Jedes Mal, wenn jemand einen expansiven Lernprozess mit Hilfe des Modells untersucht oder unterstützt, prüft, kritisiert und bereichert er hoffentlich die theoretischen Grundannahmen. So gesehen ist es notwendig, dass das Modell des expansiven Lernens detaillierter ist als z.B. die von LEWIN (1974) vorgeschlagene sehr allgemeine Sequenz des ‚*Auftauen (unfreeze), Verändern (move),* und *Stabilisieren (refreeze.*'

Die Grundgedanken der Theorie des expansiven Lernens sind in empirischen und Interventions-Studien weiterentwickelt worden. Wir werden im folgenden einige der Themen behandeln, die in diesen Untersuchungen entwickelt wurden .

Expansives Lernen als Gegenstandstransformation

Traditionellerweise wird erwartet, dass sich Lernen als subjektive Veränderung manifestiert, z.B. im Verhalten und der Erkenntnis des Lernenden. Expansives Lernen erscheint jedoch in erster Linie als Veränderung im Gegenstand der kollektiven Tätigkeit. Im erfolgreichen expansiven Lernen führt das schließlich zu einer qualitativen Transformation aller Bestandteile des Tätigkeitssystems.

In ihrer Untersuchung von Lehrerkollegien analysierte KÄRKKÄINEN (1999) Veränderungen im Objekt als qualitative Wendepunkte. Sie begleitete ein Arbeitsgruppe von Grundschullehrern, die sich auf den Lernprozess eingelassen hatte, neue Formen eines thematischen Curriculums zu entwerfen und anzuwenden, die verschiedenste Schulfächer überschnitten, über die physischen Grenzen des Klassenzimmers und der Schule hinaus gingen und länger als die gewöhnliche Unterrichtsstunde dauerten.

KÄRKKÄINEN (1999) untersuchte den Entwurf und die Einführung der thematischen Unterrichtseinheit ‚Gemeinde'. Der Gegenstand entwickelte sich in drei Phasen. Die ersten vier Treffen des Lehrerkollegiums brachten den Gedanken einer fächerübergreifenden themenzentrierten Arbeit hervor. Die nächsten Treffen ergaben einen Entwurf für das Thema ‚*Gemeinde*. Die letzten fünf Treffen kontrollierten die Ausführung des Entwurfs und evaluierten die Realisierung sowohl des spezifischen Themas als auch der Themenarbeit allgemein. Jeder Wendepunkt war durch verstärktes Auftreten von diskursiven Störungen (Missverständnissen, Meinungsverschiedenheiten, Konflikten etc.), Phasen der Infragestellung und der Fokussierung auf verschiedene Stimmen oder Perspektiven charakterisiert.

KÄRKKÄINEN entdeckte acht Wendepunkte in der Konstruktion des Objekts. In der Bewegung durch diese Phasen und Wendepunkte entwickelte sich das Objekt von einem allgemeinen Begriff der Unterrichtsfächer überschneidenden ‚themenzentrierten Arbeit' hin zu dem besonderen, auf die lokale Gemeinde bezogenen Thema und schließlich in eine relativ komplexe facettenreiche Gruppierung des Hauptthemas und seiner Unterthemen. Es ist wichtig festzuhalten, dass die Konzentration auf ein spezifisches Thema die allgemeine Idee der ‚themenzentrierten Arbeit' als Gegenstand der Lehrenden nicht abgelöste. Das konkrete Thema wie auch die allgemeine Idee blieben im Blickfeld und wurden gleichzeitig ausgearbeitet. KÄRKKÄINEN zufolge schien dieser Zwei-Ebenen-Charakter des Gegenstandes einen Großteil des expansiven Prozesspotenzials zu erklären: Die Lehrenden konnten zwischen dem Besonderen und dem Allgemeinen wechseln, ohne sich in einem der beiden festzufahren.

Die Expansion des Gegenstandes verläuft innerhalb zahlreicher Dimensionen. ENGESTRÖM (2000) und HASU (2000) identifizierten vier Dimensionen: die sozial-räumliche („Wer sollte noch einbezogen werden?"), die antizipierend-zeitliche („Welche vergangenen und zukünftigen Schritte sollten bedacht werden?"), die moralisch-ideologische („Wer ist verantwortlich und wer entscheidet?"), und die systemisch-entwicklungsbezogene („Wie gestaltet das die Zukunft der Tätigkeit?"). ENGESTRÖM, PUONTI und SEPPÄNEN (2003) verglichen drei Untersuchungen zum expansiven Lernen unter dem Aspekt der einerseits sozial-räumlichen und andererseits zeitlichen Dimension. Sie kamen zu dem Schluss, dass Zeit und Raum nicht alles erklärten; die moralisch-ideologische Dimension von Macht und Verantwortung spielen ebenfalls immer eine Rolle. Diese dritte Dimension wurde von PUONTI (2004) in ihrer Studie zur Untersuchung der Wirtschaftskriminalität behandelt.

> Eine laufende Ermittlung besteht aus einem stetigen Wechselspiel von Straftat und ihrer Untersuchung. Dennoch ist der Fall nie lediglich ein Einzelfall: Die untersuchte Straftat konstituiert einen Teil der allgemeinen Wirtschaftskriminalität, zugleich ist die Ermittlung Teil der Prävention von Wirtschaftskriminalität. Das Zusammenspiel von Straftat und Ermittlung kann auf zwei Ebenen betrachtet werden: auf der Ebene des Einzelfalls und auf der allgemeinen Ebene. Expansion besteht in einer zweifachen Entwicklung: Die Straftat wird expandiert durch die Straftäter, andererseits haben die Ermittler die Möglichkeit, den Gegenstand ihrer Ermittlung zu expandieren. Die Eigendynamik des Gegenstandes entwickelt das Potenzial zur Expansion, aber die Anstrengungen, Gegenstand der Ermittlungen zu expandieren sind unzureichend geblieben. ...

Expansion wird gemeinhin als positive Entwicklung verstanden. Mein Untersuchungsdesign zeigt aber auch die dunkle Seite der Expansion. Es kann als der Wechsel eines widersprüchlichen Phänomens von einer Entwicklungsphase in die andere gesehen werden. Es gibt einen stetigen Kampf zwischen den Straftätern und der Staatsgewalt: Welche Seite erreicht zuerst die nächste Entwicklungsphase? Die Ermittlung ist nicht bloß in den Händen der Ermittler, die Straftat holt vielmehr zum Gegenschlag aus und zwingt die Ermittler, neue Handlungsalternativen einzuführen. (PUONTI, 2004, S. 82)

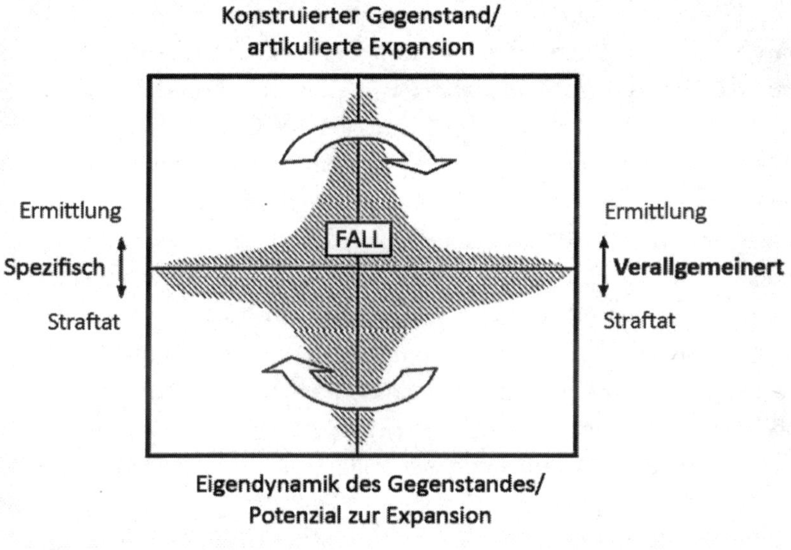

Abb. 5.4. Expansion des Objektes der Untersuchung von Wirtschaftskriminalität (PUONTI, 2004, S. 83).

PUONTI erfasste diese Doppelbewegung der Expansion in einem aufschlussreichen Diagramm (Abb. 5.4). Es ist eine nützliche Erinnerung an die Tatsache, dass Expansion nicht auf die Anstrengungen der Lernenden reduziert werden kann, die auf Emanzipation und Machtzuwachs abzielen. Expansion wird ebenfalls im Objekt selbst erzeugt und ist niemals nur ein gutartiger Prozess.

Die Expansion des Gegenstandes kann bewertet werden, wenn die Dimensionen der Expansion festgelegt sind. In einer Untersuchung zum expansiven Lernen unter Lehrenden einer finnischen Mittelschule (ENGESTRÖM, ENGESTRÖM, & SUNTIO, 2002) war die zentrale Lernherausforderung eine moralisch-ideologische: nämlich sich über eine negative und zynische Voreingenommenheit gegenüber den Schülerinnen und Schülern hinwegzusetzen und ihr Potenzial zu entdecken. Das Kollegium der Schule absolvierte einen *Change Laboratory* Prozess, dessen Auswirkungen im Anschluss daran noch einige Monate nachverfolgt wurden. Insgesamt wurden elf Gruppendiskussionen der Lehrenden über einen Zeitraum von elf Monaten aufgezeichnet. Diese ausgedehnte Längsschnittstudie wurde transkribiert und analysiert, um die negativen und positiven Gesprächssequenzen der Lehrenden über ihre Schülerinnen und Schüler zu ermitteln. Drei wichtige Ergebnisse bildeten sich heraus. Zum einen nahm die Menge der Gespräche über Schülerinnen und Schüler im Verlauf der Untersuchung und im Anschluss daran beständig zu, als die im *Change Laboratory* entworfene neue Praxis angewandt wurde. Zum zweiten dominierte bei Prozessbeginn das negative Gespräch, aber zum Prozessende hin gewannen positive Gespräche die Oberhand und behielten sie bis zum Ende. Drittens verschwand das negative Reden nicht; es nahm nicht einmal ab. „Anders ausgedrückt war die Entwicklung des positiven Sprechens über Schüler wahrhaft eine Expansion und Bereicherung des Repertoires; es entstand nicht auf Kosten der bisherigen Gesprächsformen" (ENGESTRÖM et al., 2002, S. 220). Diese ‚Expansion durch Bereicherung' bedeutete auch eine zunehmende Vielfalt der auf Schüler bezogenen Gesprächsthemen. In der frühen Planungsphase des Prozesses waren Lehrergespräche über Schüler auf sieben Gesprächsthemen begrenzt. In der abschließenden Evaluationsphase behandelten schülerbezogene Lehrergespräche 16 verschiedene Gesprächsthemen. Noch einmal: Die früheren Gesprächsthemen verschwanden nicht, aber die Themenpalette erweiterte sich radikal.

Expansives Lernen als Bewegung in der Zone der nächsten Entwicklung

Gewöhnlich besteht der Maßstab für schulisches Lernen im Erfolg der einzelnen Schüler in Prüfungen und verschiedenen Arten von Leistungstests. In den Theorien des organisationalen Lernens sind die Kriterien für Lernen dem gegenüber normalerweise irgendwie mit der messbaren Leistungsoptimierung der Organisation verbunden. In der Theorie des expansiven Lernens werden die Kriterien und Maßstäbe des Lernens mit Hilfe historischer Analyse aufgestellt. Eine solche Analyse zielt darauf, die zu lösenden Widersprüche zu erkennen und die Zone der nächsten Entwicklung zu planen, die durchlaufen werden muss, um die bestehenden Widersprüche zu überwinden. Das bedarf effektiver Formen der Gliederung und Beschreibung der historisch möglichen Zone der nächsten Entwicklung.

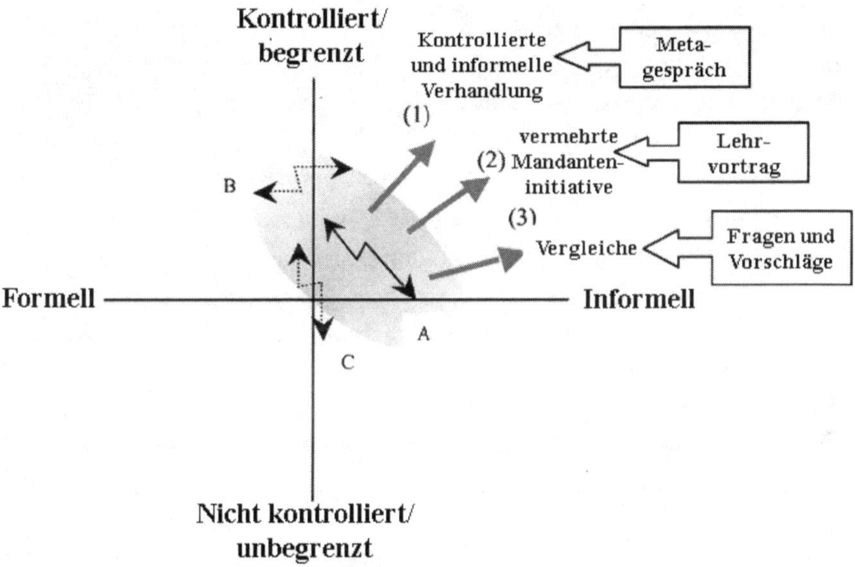

Abb. 5.5 Pionierformen, neue Gesprächsformen und Spannungen in der Zone der nächsten Entwicklung finnischer Gerichtsverfahren (HAAVISTO, 2002, S. 298).

HAAVISTO (2002) untersuchte die expansiven Lernanstrengungen eines finnischen Landgerichts, das die allgemeinen Richtlinien der nationalen Gerichtsreform vor Ort umsetzte. Sie begleitete, dokumentierte und analysierte drei Zivilprozesse vor und drei weitere nach der Reform. HAAVISTO fasst die Zone der nächsten Entwicklung, mit der sich das Gericht konfrontiert sah, in Abb. 5.5 zusammen. Die Gerichtsverfahren in Finnland waren traditionell sehr formal und monologisch aufgrund der langatmig geschriebenen

Schriftsätze, die vor den Richterinnen und Richtern verlesen wurden. Gleichzeitig überließen die Richter traditionell die Entscheidung den Anwälten, welche Sachverhalte zu behandeln waren und wie lange mit dem Austausch von Schriftsätzen fortgefahren wurde. Mit anderen Worten, die alten Gerichtsverfahren waren sowohl formal als auch unkontrolliert, was oft bedeutete, das zahlreiche Anhörungen über einen Zeitraum von mehreren Monaten ausgedehnt wurden. Die neue Gesetzgebung strebte Gerichtsverfahren an, die sich auf formlose mündliche Vorträge stützten und dennoch durch den vorsitzenden Richter wirksam kontrolliert und gesteuert wurden. Dies sollte zu einem verkürzten Prozess führen, in dem alle Standpunkte innerhalb einer einzigen Anhörung ans Licht kommen sollten. Diese Veränderung ist mit einem Übergang verknüpft, weg von der traditionellen Vorstellung von Gerechtigkeit als materielle Wahrheit hin zu der Idee von ausgehandelter Gerechtigkeit und pragmatischem Kompromiss.

In HAAVISTOs Studie verlief das expansive Lernen relativ kleinschrittig, angeführt durch ‚Pionierformen', wie z.B. Gerichtsverfahren, in denen die Mandanten (nicht Anwälte) aktiv Initiative zu zeigen begannen oder auch Verfahren, in denen die Richter aktiv eingriffen, um einen Vergleich zwischen den Parteien herbeizuführen. In diesen Pionierformen bildeten sich neue Vortragsformen heraus, wie z.B. Lehrvorträge der Richter, die sich auf die Vortragsinitiative des Mandanten in der Anhörung richteten. Gleichzeitig entstanden auch neue Spannungen, wie beispielsweise zwischen den vermehrten Initiativen der Mandanten, die durch die Zwanglosigkeit einerseits und die stärkere Gewichtung der aktiven Kontrolle, und Leitung auf der Seite der Richter andererseits ermöglicht wurden (Pfeil A in Abb. 5.5). Pfeil B in Abb. 5.5 stellt die Spannung zwischen dem zutiefst formellen Charakter der Vorträge der Rechtsexperten und dem informellen Charakter des Mandantenvorträge dar. Pfeil C repräsentiert die Spannung zwischen kontrollierten/begrenzten und nicht kontrollierten/unbegrenzten Vorträgen in den Anhörungen, die der verwendeten alternativen Logik inhärent ist, um die neuen Gerichtsverfahren zu legitimieren:

> Der erste nimmt an, dass die Wahrheit in freier und uneingeschränkter Kommunikation herauskommen wird; der zweite, dass sie sich in einer Kommunikation entwickelt, die durch Verfahren reguliert und rationalisiert wird. (HAAVISTO, 2002, S. 295).

In ihrer Untersuchung zu Lernherausforderungen im biologischen Gemüseanbau verwendet SEPPÄNEN (2004) ein ähnlich strukturiertes Diagramm, um die Zone der nächsten Entwicklung der biologisch anbauenden Bauernhöfe darzustellen. Mit Hilfe der historischen Analyse erschloss SEPPÄNEN die Ebenen innerhalb der zwei von ihr ermittelten Dimensionen. Die horizontale Dimension wurde ursprünglich als die Erhaltung der Fruchtbarkeit des Ackerbodens verstanden; Umweltschutz ist die neuere Ebene innerhalb dieser Dimension. Die gesellschaftliche Integration wurde anfänglich als Marktbedingung verstanden, EU-Subventionen haben die Ebene der administrativen Beziehungen hinzugefügt, und die jüngste Ebene besteht aus ‚organischen' Beziehungen zu anderen Landwirten und Beratern.

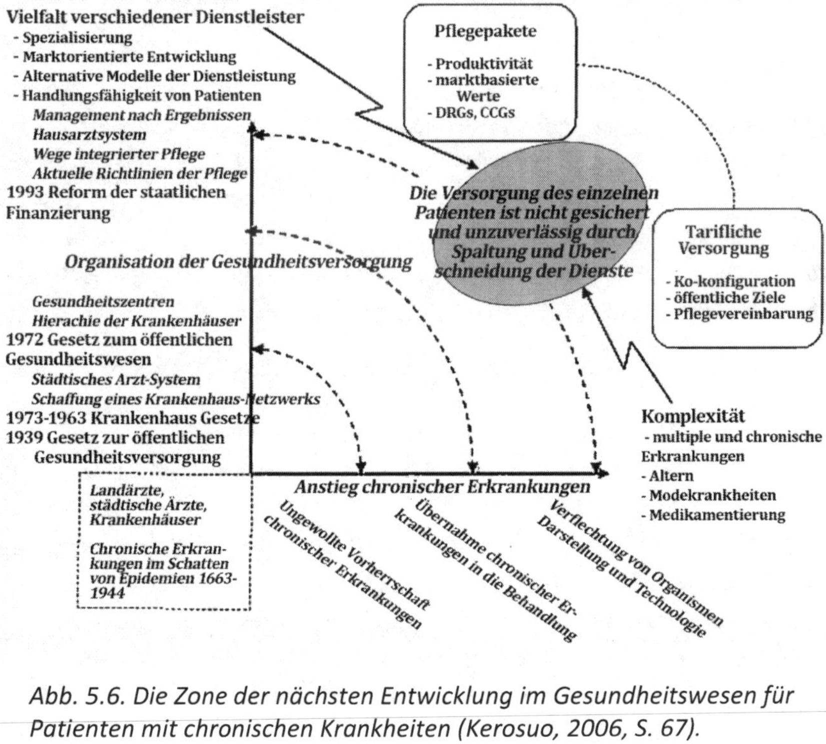

Abb. 5.6. Die Zone der nächsten Entwicklung im Gesundheitswesen für Patienten mit chronischen Krankheiten (Kerosuo, 2006, S. 67).

KEROSUO (2006) verwendet eine ähnliche, aber stärker ausgearbeitete Darstellungsweise der Zone der nächsten Entwicklung im Gesundheitswesen, besonders aus der Perspektive des Umgangs mit chronischen Krankheiten (Abb. 5.6). Die Darstellung nutzt die zunehmende Vielfalt von medizinischen Dienstleistungen und die Entstehung von chronischen Krankheiten als Schlüsseldimensionen der historischen Entwicklung, um zwei alternative Modelle für die Zukunft des Gesundheitswesens zu beschreiben: das Modell des Pflegepakets und das Modell der ausgehandelten Pflege. Ersteres beruht auf Vorstellungen von Produktivität, Marktwert und diagnosebezogene Gruppen (DRGs). Letzteres basiert auf Vorstellungen von Allgemeinwohl, Kontinuität der Pflege und Pflegevereinbarung. Die Spannung zwischen diesen beiden Entwicklungsrichtungen manifestiert sich in Unstimmigkeiten und Unsicherheiten bei der Pflege jedes einzelnen Patienten.

Darstellungen wie Abb. 5.5 und Abb. 5.6 werden als begriffliche Werkzeuge für die Interpretation von Daten und Erkenntnissen aus spezifischen Tätigkeitssystemen und Ereignissen verwendet. Ihr Vorzug ist, dass die Zone der nächsten Entwicklung als multi-dimensionaler und spannungsgeladener Raum dargestellt wird, in dem qualitativ verschiedene Entwicklungsrichtungen und Prioritäten miteinander konkurrieren und reale Akteure zwischen alternativen Zukünften wählen. Diese Darstellung ermöglicht Vergleiche und Diskussionen über den tatsächlichen Lernprozess.

Expansives Lernen als Zyklus von Lernhandlungen

Der in Abb. 5.3 dargestellte expansive Zyklus der Lernhandlungen wurde als ein Interpretationsrahmen in Untersuchungen zu relativ umfangreichen und langfristigen Transformationsprozessen verwendet. SEPPÄNEN (2004) verwendete z.B. den expansiven Zyklus, um die wichtigsten Lernschritte von zwei Bauernhöfen im Übergang von traditioneller zu organischer Landwirtschaft in einem Zeitraum von fast zehn Jahren auszuwerten. NILSSON (2003) analysierte drei aufeinander folgende expansive Zyklen bei der Integration von Vorschule, Freizeitzentrum und Grundschule in Schweden; der erste Zyklus erstreckte sich von 1981 bis 1999, der zweite von 1998 bis 2000 und der dritte begann 2000 und war zum Zeitpunkt der Analyse noch nicht abgeschlossen. In ähnlicher Weise untersuchte FOOT (2001) die Entwicklung eines Kontroll-Netzwerks für ethnische Konflikte (EAWARN) über einen Zeitraum von mehreren Jahren, in dem er zwei aufeinander folgende Zyklen fand.

Das Zyklus-Modell zwingt den Forscher, Ereignisse als Erkenntnishandlungen zu verstehen. Häufig führt dies zu entscheidenden Einsichten, wie FOOT verdeutlicht.

> Wenn man die beiden Zyklen nebeneinander betrachtet, wird deutlich, dass sie sich teilweise chronologisch überlappen. Wie für spiralförmige Zyklen üblich hängt der zweite vom ersten ab, obwohl er nicht genau daran anschließt. Die Einführung des Indikatoren-Modells (ein neues Netzwerk-Instrument) tauchte in der Evaluationsphase des ersten sowie in der Analysephase des zweiten Zyklus auf. D.h. die Einführung des Indikatorenmodells war eine Handlung mit zweifacher Bedeutung. Auf der einen Seite war sie Evaluations- und Konsolidierungshandlung. Auf der anderen Seite war sie eine Handlung, die zur Modellierung einer neuen Tätigkeitsform führte. (FOOT, 2001, S. 74)

Die Verwendung des expansiven Zyklus als Interpretationsrahmen in Untersuchungen relativ langer Entwicklungszeiträume hat auch zu der Beobachtung geführt, dass das, was anfänglich wie eine expansive Transformation erscheint, letztlich etwas ganz anderes werden kann. So kam z.B. MÄKITALO (2005) nach seiner Analyse der Entwicklung eines Pflegeheims über einen Zeitraum von ca. 25 Jahren zu dem Schluss, dass der Zyklus an einem bestimmten Punkt anfing, sich zu verengen. Obwohl dies natürlich möglich ist, kann es aber auch problematisch sein, den Zyklus zu nutzen, um übermäßig lange Zeiträume abzudecken. Mit anderen Worten, es ist wichtig die Kriterien sowohl des Ausgangs- als auch des Endpunkts eines Zyklus zu explizieren und zu erörtern. In der Logik des expansiven Zyklus wird angenommen, dass ein neuer Zyklus beginnt, wenn ein bestehendes, relativ stabiles Tätigkeitsmuster in Frage gestellt wird. Dementsprechend endet der Zyklus, wenn ein neues Tätigkeitsmuster sich konsolidiert hat und relativ stabil geworden ist. Man könnte einwenden, dass ein sich verengender Zyklus entsteht, wenn jemand die Infragestellung und die am Beginn eines neuen Zyklus typischerweise zunehmend schärferen Widersprüche lediglich als Endphase eines vorhergehenden auslegt. Auf der anderen Seite muss man tatsächlich erwarten, dass viele Transformationen in Tätigkeitssystemen nicht überwiegend expansiv sind. Daher ist MÄKITALOs versuchsweise Unterscheidung zwischen expansiven, sich verengenden, sich wiederholenden und unterteilten Zyklen berechtigt und muss in empirischen Studien weiterentwickelt werden. Expansion umfasst notwendigerweise auch die Möglichkeit der Desintegration und Regression.

Umfangreiche Zyklen umfassen zahlreiche kleinere Zyklen von Lernhandlungen. Ein solcher kleinerer Zyklus kann innerhalb weniger Tage oder Stunden einer intensiven gemeinsamen Analyse und Problemlösung ablaufen. Sorgfältige Untersuchungen können eine ergiebige Struktur von Lernhandlungen innerhalb solcher kurzzeitiger Anstrengungen aufdecken. Aber kann ein solcher Miniaturzyklus als expansiv bezeichnet werden? Dieser Frage wurde in einer Studie nachgegangen, die solche Miniaturzyklen von Lernhandlungen in Teamsitzungen eines Industriebetriebes untersuchte (ENGESTRÖM, 1999b).

> Miniaturzyklen des innovativen Lernens sollten als *potenziell* expansiv betrachtet werden. Ein umfangreicher expansiver Zyklus der organisationalen Transformation besteht immer aus kleinen innovativen Lernzyklen. Dennoch garantiert das Auftreten kleiner Zyklen von innovativem Lernen nicht zwangsläufig, dass auch ein expansiver Zyklus stattfindet. Kleine Zyklen können vereinzelte Ereignisse bleiben, und der gesamte Zyklus der Organisationsentwicklung kann stagnieren, regredieren oder sogar zerfallen. Das Auftreten vollständiger expansiver Zyklen ist ungewöhnlich und erfordert typischerweise verstärkte Anstrengungen und wohlüberlegte Interventionen. Mit diesen Einschränkungen im Hinterkopf können der expansive Lernzyklus und die darin enthaltenen Handlungen als Rahmen zur Analyse kleiner innovativer Lernprozesse verwendet werden. (ENGESTRÖM, 1999b, S. 385)

In der Untersuchung der Teamsitzungen folgten die expansiven Lernhandlungen nicht genau der Ordnung, wie sie im idealtypischen Zyklus-Modell in Abb. 5.3 vorgestellt wurde. Zum Beispiel wurde in einer Sitzung die Modellierung der neuen Lösung bereits zu Beginn versucht, und später nach der Analyse und der Infragestellung vervollständigt. Innerhalb der expansiven Handlungen gab es auch einige nicht-expansive Lernhandlungen, wie z.B. die Bekräftigung der vorhandenen Praxis (ENGESTRÖM, 1999b). Alle Miniaturzyklen waren sozial verteilte Leistungen. So wurden in einer der Sitzungen sieben aufeinander folgende expansive Lernhandlungen durch sechs verschiedene Teilnehmer initiiert. Eine größere Stichprobe von potenziell expansiven Miniaturzyklen von Lernhandlungen wurde daraufhin von LAMBERT analysiert (1999).

Die Interventionen im *Change Laboratory* nehmen zwischen den mehrjährigen Makrozyklen und den wenigen Stunden dauernden Miniaturzyklen eine Zwischenposition ein (ENGESTRÖM, VIRKKUNEN, HELLE, PIHLAJA, & POIKELA, 1996; ENGESTRÖM, 2007c; siehe auch späterer Abschnitt). Eine Intervention im Change Laboratory wird häufig in einer Serie von sechs bis zwölf wöchentlichen Sitzungen der Piloteinheit einer Organisation abgehalten sowie ein oder zwei Folgeveranstaltungen nach einigen Monaten. Diese Interventionsform versucht den expansiven Lernprozess zu beschleunigen und zu intensivieren, indem aufeinander folgende Aufgaben eingesetzt werden, die spezifische expansive Lernhandlungen erfordern.

Expansive Lernzyklen und Lernhandlungen, die durch Interventionen im *Change Laboratory* erzeugt wurden, sind von ENGESTRÖM (2001a), AHONEN & VIRKKUNEN (2003), VIRKKUNEN & AHONEN (2004), PIHLAJA (2005) sowie HYRKKÄNEN (2007) u.a. untersucht worden. Diese Untersuchungen zeigen, dass die Lernhandlungen der Teilnehmer nicht unbedingt den hinter den Aufgaben stehenden Absichten entsprechen, die der Interventionist festgelegt hatte. Immer wieder übernehmen die Teilnehmer die Führungsrolle im Interventionsprozess, indem sie Aufgaben ablehnen und neu formulieren sowie Handlungen ausführen, die die Pläne des Interventionisten ändern. Die Dialektik zwischen geplanten und tatsächlich verwirklichten Abläufen des expansiven Lernens ist für die zukünftige Forschung von großer Bedeutung (RASMUSSEN & LUDVIGSEN, 2009).

Expansive Zyklen sind historisch bedingt, aber nicht vorherbestimmt. Nicht jede Art der Expansion eines Objekts ist zu jedem Zeitpunkt möglich. Ein gutes Beispiel ist das Neue-Medien-Unternehmen, das von KOISTINEN (2007) untersucht wurde. Das Unternehmen operierte wie ein Handwerksbetrieb. Seine Produkte waren erfolgreich, es wuchs schnell und nahm anspruchsvollere Aufträge an. Als der Druck zunahm, mehrere Projekte gleichzeitig innerhalb enger Zeitvorgaben zu bewältigen, bekamen diese Projekte zunehmend Schwierigkeiten mit Budget, Zeitplänen und technischer Qualität. Die Unternehmensleitung verdeutlichte sich, dass sie direkt von einer handwerklichen zu einer fortschrittlichen Produktionsform der Ko-

Konfiguration (VICTOR & BOYNTON, 1998) übergehen könnte, was allerdings kontinuierliche Verhandlung und Zusammenarbeit mit den Kunden erforderlich machen würde. Dieser Sprung scheiterte. Das Unternehmen wurde schließlich verkauft und aufgelöst. Das Versagen scheint sich unmittelbar aus der Vernachlässigung eines entscheidenden Schrittes zwischen Handwerk und Ko-Konfiguration zu ergeben, nämlich den Erfordernisse der Standardisierung und effizienten schlanken Massenproduktion. Man muss nicht unbedingt VICTOR und BOYTONS Forderung akzeptieren, dass sich Organisationen notwendigerweise durch eine festgelegte Abfolge von Produktionsformen entwickeln müssen. Aber es gibt natürlich historische Bedingungen, die es erschweren wenn nicht sogar in vielen Fällen verunmöglichen, historisch entstandene Produktionsformen wie z.B. Massenproduktion zu überspringen. Denn die späteren Produktionsformen wie Ko-Konfiguration beruhen zum Großteil auf der Beherrschung vorangegangener Produktionsformen und deren bewusst kritischer Überwindung.

Expansives Lernen als Grenzüberschreitung und Netzwerkbildung

Wichtige Innovations- und Lernprozesse finden zunehmend in kollaborativ arbeitenden Gruppen und Netzwerken vielfältiger Tätigkeitssysteme statt. In Untersuchungen zum expansiven Lernen ist dies erstmals in einem Artikel aufgegriffen worden, der Grenzüberschreitung als ernsthaften theoretischen Begriff vorstellte (ENGESTRÖM, ENGESTRÖM, & KÄRKKÄINEN, 1995). Grenzüberschreitung wurde dabei charakterisiert als „horizontale Kompetenz von Praktikern, die Grenzen überschreiten müssen, um Hilfe zu finden und zu leisten und Informationen und Werkzeuge zu finden, wo immer sie auffindbar sind." (ENGESTRÖM, ENGESTRÖM, & KÄRKKÄINEN, S. 332).

> Grenzüberschreitungen haben zur Folge, dass man in unbekannte Gebiete vordringt. Es ist im Wesentlichen ein kreatives Bemühen, das neue Begriffsressourcen erfordert. In diesem Sinne schließt Grenzüberschreitung kollektive Begriffsbildung ein. (ENGESTRÖM et al., 1995, S. 333)

LAMBERT (1999) untersuchte Grenzüberschreitungen auf dem Feld der Berufsschullehrerausbildung. Die traditionelle Lehrerausbildung neigt dazu, die Standardpraktiken eines Unterrichts im Klassenzimmer für selbstverständlich zu halten. Der Höhepunkt der finnischen Lehrerausbildung war bisher die ‚Prüfungsstunde', die von der Referendarin oder dem Referendar gehalten wurde, um ihre Lehrfähigkeit in der Praxis zu demonstrieren. In einem solchen Modell bleiben die neuen Herausforderungen und Entwicklungsanstrengungen der Arbeitsorganisationen, die letztlich die Referendare anstellen, gänzlich unberücksichtigt. Lehrerausbildung ist eine eigene in sich abgeschlossene Welt.

In ihrem experimentellen Programm ersetzte LAMBERT die Prüfungsstunde durch einen grenzüberschreitenden Schauplatz, der Lernstudio genannt wurde. Die Referendare in diesem Programm arbeiteten bereits als Berufsschullehrer im Bereich des Gesundheitswesens und der Wohlfahrtspflege; sie besuchten das Lehrerbildungs-Programm, um eine offiziell anerkannte Lehrerqualifikation zu erwerben. Um ihre Lehrpläne und Lehrpraktiken zu verbessern, wurden sie gebeten, Entwicklungsprojekte am Arbeitsplatz durchzuführen. Jeder Referendar präsentierte im Lernstudio einen Bericht über sein oder ihr Projekt. Zu den Teilnehmern am Lernstudio gehörten (a) Vertreter des Lehrerbildungs-Instituts, (b) Lehrende und Studierende der Berufsschule, in der die Referendare arbeiteten, und (c) Vertreter einer oder mehrerer Arbeitgeberorganisationen (in diesem Fall Dienstleistungsunternehmen des Gesundheitswesens und der Wohlfahrtspflege), für die das jeweilige Projekt von Bedeutung war. In der Studio-Sitzung erörterten die Teilnehmenden das Projekt jedes Referendars bezüglich der möglichen gemeinsamen Innovation. Anders ausgedrückt, die Studiositzung erforderte die diskursive Überschreitung mehrerer Grenzen. Dies führte zu wechselseitigem Austausch und einer Übernahme von Ideen, die von dem gemeinsamen potenziell expansiven Objekt veranlasst wurden – ein Prozess, der Entwicklungstransfer genannt wird.

LAMBERT nahm Videos in elf Lernstudios auf und analysierte sie als Prozesse des expansiven Lernens und der Grenzüberschreitung. Sie entdeckte, dass erfolgreiche Grenzüberschreitung und Entwicklungstransfer zum großen Teil vom Einsatz geeigneter Werkzeuge abhingen. Insbesondere spielten „Grenzobjekte" (STAR & GRIESEMER, 1989), wie Formen, Wissensvorräte und grafische Modelle eine wichtige Rolle bei der Expansion des gemeinsamen Objekts.

Die Idee des Entwicklungstransfers als Ergebnis von Grenzüberschreitungen in einem expansiven Lernprozess wurde in mehreren daran anschließenden Untersuchungen weiterentwickelt (KONKOLA et al., 2007; TUOMI-GRÖHN & ENGESTRÖM, 2003). In diesen Untersuchungen verschob sich der Fokus auf die Praxiszeiten oder Praktika, die die Studierenden in der beruflichen und professionellen Ausbildung absolvierten. Die Praxiseinheiten oder Praktika wurden gemeinsam als Entwicklungsprojekte umgestaltet mit dem Ziel, dem realen Bedarf und den Herausforderungen am Arbeitsplatz zu begegnen. Die einzelnen Studierenden wie auch Gruppen von Studierenden können zwischen den Bildungseinrichtungen und dem Arbeitsplatz als entscheidende grenzüberschreitende Vermittler der Veränderung fungieren, indem sie neue Ideen überbringen, übersetzen und anwenden helfen.

Die relativ allgemeine Idee der Grenzüberschreitung wurde in einer Reihe von Untersuchungen zum expansivem Lernen in der medizinischen Pflege chronisch kranker Patienten mit multiplen Krankheiten weiterentwickelt, in denen mehrere Gesundheitsdienste eingesetzt wurden (ENGESTRÖM, 2001a, 2001b, 2003; ENGESTRÖM, ENGESTRÖM, & KEROSUO, 2003; KEROSUO, 2006; SAAREN-SEPPÄLÄ, 2004). Die Lernherausforderung in solchen Tätigkeitsfeldern besteht darin, ein neu ausgehandelte Arbeitsform zu gewinnen, in der Patienten und Praktiker von verschiedenen Sozialstationen den Pflegeverlauf der Patienten gemeinsam planen und überwachen, und dabei gemeinsam Verantwortung für den Gesamtprozess übernehmen. Der Schlüsselbegriff, der sich in diesen Untersuchungen entwickelte, ist ‚Knotworking nach Vereinbarung'.

> Der Begriff ‚Knoten' bezieht sich auf schnell pulsierende, verteilte und z.T. improvisierte Instrumentierung der gemeinsamen Leistung zwischen ansonsten lose verbundenen Akteuren und Tätigkeitssystemen ... Knotworking ist von einer pulsierenden Bewegung des Bindens, Auflösens und erneuten Verknüpfens ansonsten unabhängiger Fäden der Tätigkeit geprägt. Das Binden und Lösen eines Knotens der gemeinsamen Arbeit kann nicht auf irgendeine spezifisch individuelle oder fixiert organisationale Einheit als Kontrollzentrum reduziert werden. Ein Zentrum kann das nicht leisten. Der Ort der Initiative wechselt innerhalb einer Knotworking-Sequenz von einem Moment zum anderen. Daher kann Knotworking weder vom Standpunkt eines angenommenen Kontroll- und Koordinationszentrums, noch als Summe der von Individuen oder Institutionen beigetragenen Einzelperspektiven, angemessen analysiert werden. Der in-

stabile Knoten selbst muss zum Mittelpunkt der Analyse gemacht werden. (ENGESTRÖM, ENGESTRÖM, & VÄHÄAHO, 1999, S. 346 f.; siehe auch ENGESTRÖM, 2005, 2008)

Knotworking entsteht als Kollaborationsform in Arbeitsumgebungen, die sich Richtung Ko-Konfiguration bewegen; eine Art der Produktion, die darauf abzielt, kundenorientierte Produkte oder Dienstleistungen zu entwerfen, die den wechselnden Bedürfnissen des Konsumenten angepasst und sehr langlebig sind, und die erfordern, dass der Kunde ein wirklicher Partner des Produzenten wird (ENGESTRÖM, 2004b, 2008). In den Untersuchungen des Gesundheitswesens führte der expansive Lernprozess zur Herstellung neuer Werkzeuge für die Pflegevereinbarung. Das entscheidende Werkzeug wurde Pflegevereinbarung genannt. Es wurde durch einen Pflegeplan und einen Pflegekalender ergänzt. Gemeinsam zielten diese darauf ab, eine neue Instrumentierung für eine Knotworking-Vereinbarung zu entwickeln (ENGESTRÖM et al., 2005b; KEROSUO & ENGESTRÖM, 2003).

Der Begriff des *Knotworking* erwies sich auch in aktuellen Untersuchungen zum Lernen in verschiedensten Kontexten als nützlich wie z.B. Partnerschaften Universität-Schule (FENWICK, 2007), Wissensaustausch unter weltweit agierenden Anti-Doping-Experten (KAZLAUSKAS & CRAWFORD, 2007) und Zusammenarbeit zwischen Logopäden und schulischem Lehrpersonal (MARTIN, 2008).

Grenzüberschreitung wurde ebenfalls in tätigkeitstheoretischen Untersuchungen von technologischen Innovationen analysiert. In einer Untersuchung zur Anwendung eines komplizierten technologischen Instruments für den klinischen Gebrauch stellten HASU und ENGESTRÖM (2000) fest, dass für die Überbrückung der Kluft zwischen Entwicklern und Anwendern neue Arten von Zusatzsoftware erforderlich werden könnten: „Software-Verkäufer müssen als grenzüberschreitende Vermittler fungieren, die die Interaktion und wechselseitige Verständigung zwischen den Ansichten erleichtern." (HASU & ENGESTRÖM, 2000, S. 86). HYYSALO (2004) prägte den Begriff des ‚Anwendungs-Netzwerks', um zu erfassen, wie Technologie-Produzenten, Anwender und Dritte in der Herstellung einer funktionsfähigen anwendungsbezogenen Technologie miteinander verbunden sind. Ein solches Netzwerk ist dem *Knotworking* ähnlich, in dem „Individuen und Artefakte, die innerhalb eines Anwendungs-Netzwerks agieren, sich jederzeit ändern können" (HYYSALO, 2004, S. 230).

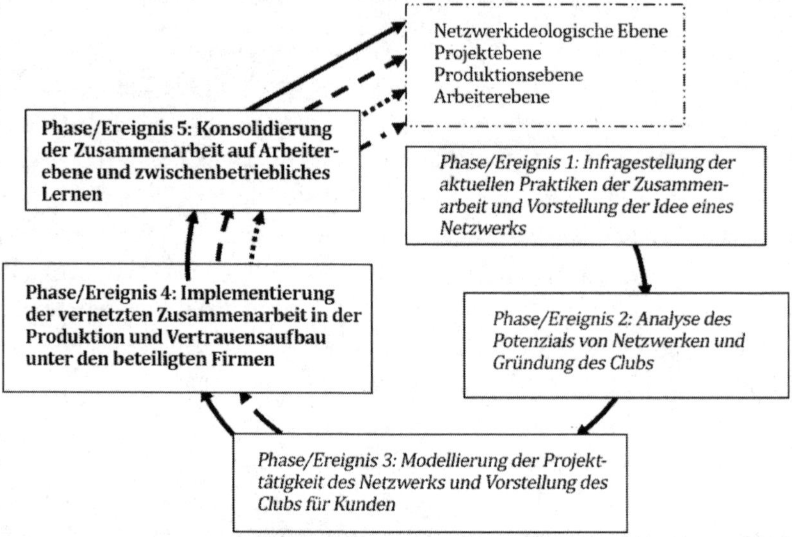

Abb. 5.7. Aktivierung der verschiedenen Lernebenen in dem expansiven Zyklus eines Kleinbetrieb-Netzwerks (Toiviainen, 2007, S. 354).

Lernen in organisationalen Netzwerken wird gemeinhin als horizontale Bewegung von Information zwischen organisationalen Einheiten verstanden. Aus dieser Perspektive wird leicht übersehen, dass Netzwerke auch Hierarchien sind. Anders ausgedrückt, Lernen ist auch eine vertikale Bewegung und Grenzüberschreitung zwischen verschiedenen organisationalen Ebenen. Dieser Aspekt expansiven Lernens stand bei der Untersuchung von TOIVIAINEN (2003) im Mittelpunkt. TOIVIAINEN untersuchte Lernen im Netzwerk von Kleinbetrieben zuerst auf vier Ebenen: der netzwerk-ideologischen Ebene, der Projektebene, der Produktionsebene und der Arbeiterebene. Die Längsschnittstudie zeigt, dass die verschiedenen Ebenen nacheinander aktiviert wurden, während der expansive Zyklus fortschritt (Abb. 5.7).

Das Zusammenspiel zwischen den Ebenen führte schließlich zur Bildung einer vollkommen neuen Funktions- und Lernebene, die zwischen der Projekt- und der Produktionsebene lag: einer Partnerschaft zwischen mehreren Unternehmen im ursprünglichen Netzwerk.

> ... die Entstehung der fünften Lernebene, der ‚Partnerschaftsebene', war für die Lerndynamik aller Ebenen ausschlaggebend. Es war eine intermediäre Ebene, die in erster Linie gebraucht wurde, um die Kluft zwischen den Visionen und Idealen des Networking einerseits und den Produktionspraktiken andererseits über die Betriebe hinweg zu überwinden. Zu Beginn des neuen expansiven Lernzyklus zeigte sich dic größte Lernherausforderung auf der Partnerschaftsebene und ihrer Kapazität, Lernen von unten zu unterstützen – nämlich die kreativen Handlungen der Produktionseinheiten in Beiträge zum Lernen des gesamten Netzwerks zu transformieren. (TOIVIAINEN, 2007, S. 353).

Expansives Lernen als dezentrale und diskontinuierliche Bewegung

TOIVIAINEN stellt fest, dass die Analyse von Lernen in dezentralen Netzwerken oder multi-organisationalen Feldern eine anspruchsvolle Aufgabe ist: „Es nehmen nicht nur mehrere Tätigkeitssysteme an der gemeinsamen Tätigkeit teil, diese kollaborativen Knotenpunkte erschaffen zudem auch eine Vielzahl von Tätigkeiten, während sie sich entwickeln." (TOIVIAINEN, 2007, S. 355). Der zunehmend dezentrale und diskontinuierliche Charakter des arbeitsbezogenen Lernens ist auch von HUBBARD, MEHAN, und STEIN (2006) in ihrer Untersuchung eines Schulreformprozesses in einer US-amerikanischen Großstadt treffend beschrieben worden. Die Autoren legen dar, dass jede irgendwo im dezentralen System eingeführte Veränderung in vorher nicht absehbarer Weise auf das gesamte System zurückstrahlte. Als Folge davon war der Lernprozess voller Diskrepanzen, Unterbrechungen, Missverständnissen und Konflikte. „Diskontinuitäten unter Gemeinschaften sind zwar potenziell störend, stellen aber ebenfalls Lernmöglichkeiten dar." (HUBBARD, MEHAN, & STEIN, 2006, S. 17).

Die Analyse der diskontinuierlichen Eigenschaft expansiven Lernens verlangt nach neuen vermittelnden begrifflichen Werkzeugen. Ein Anfang in diese Richtung wurde in einer Studie zu Interventionsfolgen gemacht, die vor 15 Jahren in zwei finnischen Organisationen im Gesundheitswesen angestoßen wurde (ENGESTRÖM, KEROSUO, & KAJAMAA, 2007). Der Begriff der Überbrückung wurde als analytisches Hilfsmittel eingeführt.

> Wenn ein kleiner Zyklus innovativer Lernanstrengungen endet, entsteht gewöhnlich eine mehr oder weniger problematische Unterbrechung im Gesamtprozess. Eine solche banale Diskontinuität erfordert im Allgemeinen Überbrückungshandlungen, die dem nächsten kleinen Zyklus ermöglichen, auf den Ergebnissen und Erfahrungen des vorangegangenen aufzubauen. Solche Überbrückungshandlungen überspannen Unterbrechungen und Zwischenräume im zeitlichen und sozialen Raum, zwischen einzelnen Projekten oder lokalen Anstrengungen. (ENGESTRÖM, KEROSUO, & KAJAMAA, 2007, S. 323)

Ein weiteres wichtiges Ergebnis dieser Untersuchung war die Unterscheidung zwischen gewöhnlichen und gerichteten Diskontinuitäten. Eine gerichtete Diskontinuität entsteht, wenn das ursprüngliche Ziel und Grundprinzip der kollektiven Lernanstrengung verworfen und durch ein anderes ersetzt wird. Eine solche Unterbrechung führt normalerweise zum Zerfall oder zum Stillstand des expansiven Lernprozesses. Beide Organisationen, die in der Studie untersucht wurden, sahen sich einem ähnlichen landesweit auf sie ausgeübten Druck ausgesetzt, einen von oben angeordneten abrupten Richtungswechsel einzuschlagen. Eine der beiden Organisationen hielt dem Druck stand und konnte dadurch den expansiven Prozess fortsetzen. Die Ergebnisse der Studie legen nahe, dass in dieser Organisation „Handlungen der Verbalisierung, Analyse und Erörterung der alternativen Richtungen ständig wiederholt wurden und nicht auf die Anfangsphasen der expansiven Lernzyklus begrenzt waren." (ENGESTRÖM, KEROSUO, & KAJAMAA, 2007, S. 333).

Jüngere tätigkeitstheoretische Untersuchungen zur Schulreform fügen eine entscheidende Einsicht im Verständnis der diskontinuierlichen Eigenschaft expansiven Lernens hinzu.

> Auch wenn lokale Innovationsversuche scheinbar erlöschen, können sie sich immer noch verbreiten, weil andere sie aufnehmen und fortführen. Anders ausgedrückt, die Nachhaltigkeit von Innovationen beruht nicht nur auf lokalen Kontinuitäten, sondern auch auf ihrer Verbreitung und Anwendung in anderen Umgebungen. Solche Anwendungen bedeuten nicht notwendigerweise, dass sich eine Innovation ausdehnt und zu einer systemweiten Reform wird. (SANNINO & NOCON, 2008, S. 326)

Formative Interventionen

Expansive Lernzyklen können beobachtet und verfolgt werden, als wären sie natürlich auftretende Prozesse. Jedoch sind sie recht selten und aufgrund ihres räumlich und zeitlich unterbrochenen Charakters schwierig zu dokumentieren. Entscheidend ist allerdings, dass die Nachfrage von Arbeitsgemeinschaften nach Unterstützung und Prozessbegleitung wächst, um drängende Widersprüche zu beseitigen und qualitativ neue Arbeitsformen in sorgfältig geplanten expansiven Lernanstrengungen erreichen zu können. Diese Nachfrage führte, zusammen mit dem interventionistischen Erbe der kulturhistorischen Tätigkeitstheorie, zu der Entwicklung und Implementierung von Entwicklungsinterventionen als eine Methodologie zur Untersuchung expansiven Lernens.

VYGOTSKIJs methodologisches Prinzip der doppelten Stimulation führt zu einem Begriff von formativer Intervention, der sich radikal von der linearen Interventionsvorstellung unterscheiden, wie sie im traditionellen Konzept des kontrollierten Experiments verankert ist. Die wesentlichen Unterschiede können in vier Punkten zusammengefasst werden (ENGESTRÖM, in Druck):

(1) *Ausgangspunkt*: In linearen Interventionen sind die Inhalte und Ziele der Intervention den Forschern schon vorher bekannt. In formativen Interventionen stehen die Subjekte (ganz gleich, ob Kinder, Erwachsene oder beide) einem problematischen und widersprüchlichem Gegenstand gegenüber, den sie durch die Konstruktion eines neuen Begriffs analysieren und expandieren und dessen Inhalte den Forschern vorher nicht bekannt sind.

(2) *Prozess*: In linearen Interventionen wird von den Subjekten, normalerweise Lehrern und Schülern, erwartet, dass sie die Interventionen widerstandslos ausführen. Schwierigkeiten in der Ausführung werden als Schwächen im Untersuchungsdesign interpretiert, die durch die Verfeinerung des Designs korrigiert werden. In formativen Interventionen unterliegen Inhalte und Interventionsrichtung der Aushandlung; die Gestaltung der Intervention ist letztlich Aufgabe der Subjekte. Doppelte Stimulation als wichtigster Mechanismus bedeutet, dass die Subjekte Handlungsfähigkeit erlangen und die Verantwortung für den Prozess übernehmen.

(3) *Ergebnis*: In linearen Interventionen ist es das Ziel, alle Variablen zu kontrollieren und ein standardisiertes Lösungsmodul zu erreichen – typischerweise eine neue Lernumgebung, die zuverlässig auch dann die gewünschten Resultate generiert, wenn sie in neue Umgebungen übertragen und implementiert wird. In formativen Interventionen sind neue Begriffsbildungen das erklärte Ziel, die in anderen Umgebungen als Rahmen für Entwürfe von regional angemessenen neuen Lösungen genutzt werden können. Ein entscheidendes Ergebnis der formativen Interventionen ist die Handlungsfähigkeit der Teilnehmer.

(4) *Rolle des Forschers*: In linearen Interventionen ist der Forscher bestrebt, alle Variablen zu kontrollieren. Dem gegenüber beabsichtigt der Forscher in Entwicklungsinterventionen, einen expansiven Transformationsprozess auszulösen und zu erhalten, der von den Praktikern geleitet und in Eigenregie durchgeführt wird.

Intervention kann definiert werden als „zielgerichtete Handlung eines menschlichen Vermittlers, um Veränderung hervorzubringen" (MIDGLEY, 2000, S. 113). Diese Definition verdeutlicht, dass der Forscher oder die Forscherin nicht die Verfügungsgewalt über die Interventionen hat. Organisierte Tätigkeitssysteme wie Schulen und Arbeitsplätze werden mit allen möglichen Interventionen von extern Beauftragten bombardiert (Berater, Verwalter, Kunden, Konkurrenten, Partner, Politiker und Journalisten). Zudem führen Praktiker und Manager permanent eigene Interventionen innerhalb des Tätigkeitssystems durch. Forscher sollten keine gradlinigen Ergebnisse ihrer Bemühungen erwarten.

Mitte der 90er Jahre entwickelten Forscher des Helsinki Center ein neues Interventionswerkzeug mit dem Namen *Change Laboratory* (ENGESTRÖM et al, 1996). In vielen Interventionsstudien wurden Varianten dieses Werkzeugs in vielfältigen Zusammenhängen verwendet, angefangen von Postämtern und Fabriken bis hin zu Schulen, Krankenhäusern und Redaktionen. Das Change Laboratory dient als Mikrokosmos, in dem potenziell neue Arbeitsformen erfahren und experimentell erprobt werden können (ENGESTRÖM, 1987).

Ein *Change Laboratory* wird typischerweise in einem Tätigkeitssystem durchgeführt, dem eine große Transformation bevorsteht. Dies ist häufig eine relativ unabhängige Piloteinheit einer großen Organisation. Angestellte, Fachleute und Manager der Einheit führen zusammen mit einer kleinen Gruppe von Interventionsforschern fünf bis zehn aufeinander folgende *Change Laboratory*-Sitzungen durch, häufig mit Folgesitzungen nach einigen Monaten. Wenn möglich, sind auch Kunden oder Klienten eingeladen, an *Change Laboratory*-Sitzungen teilzunehmen, in denen ihre speziellen Fälle detailliert analysiert werden. *Change Laboratories* werden auch als grenzüberschreitende Laboratorien mit Vertretern mindestens zweier Tätigkeitssystemen betrieben, die sich zur Zusammenarbeit oder Partnerschaft verpflichten.

Das *Change Laboratory* baut auf ethnografischen Daten des Tätigkeitsumfelds auf, in dem es durchgeführt wird. Kritische Zwischenfälle, Störungen und Probleme in den Arbeitsabläufen werden aufgenommen und in *Change Laboratory* Sitzungen als *primäre Stimuli* eingebracht. Dieses ‚Spiegelmaterial' wird verwendet, um die Teilnehmenden zu Mitwirkung, Analyse und gemeinsamer Konzeptionierung zu stimulieren.

Um die Analyse und Problemlösung zu ermöglichen führen die Interventionisten normalerweise Begriffswerkzeuge wie das Dreiecksmodell des Tätigkeitssystems (Abb. 5.1) als *sekundären Stimulus* ein. Im Allgemeinen werden die von Interventionisten angebotenen begrifflichen Modelle durch die vermittelnden Begriffsbildungen oder Modelle ersetzt oder mit ihnen kombiniert, die von den Teilnehmern formuliert werden.

Von den Teilnehmenden wird erwartet, dass sie den vermittelnden zweiten Stimulus als ein Instrument zum Entwurf eines *neuen Begriffs* speziell für die Tätigkeit nutzen, die sie zu transformieren versuchen. Die Implementierung des neuen Lösungskonzepts wird üblicherweise als Pilotversuch eingeleitet, noch während die *Change Laboratory*-Sitzungen laufen. Die Implementierung führt normalerweise zu einem ergiebigeren und stärker ausgearbeiteten Begriff.

In der Analyse und in der Konzipierung werden die Teilnehmenden gebeten, zwischen der Vergangenheits-, Gegenwarts- und Zukunftsperspektive zu wechseln. Das bedeutet, dass die geschichtlichen Ursprünge des gegenwärtigen Problems hervorgehoben und modelliert und die Ideen bezüglich eines Zukunftskonzepts in einer antizipierenden Simulation wie z.B. im Rollenspiel durchgespielt werden. Die Laborsitzungen selbst werden zur Analyse mit Video aufgenommen und als Anregung zur Reflexion eingesetzt. Durch das Verfahren werden detaillierte Längsschnittdaten bezüglich der Handlungen und Interaktionen gesammelt, die an bewusst angeregten expansiven Lernzyklen beteiligt sind.

In *Change Laboratories* neigen Teilnehmer dazu, sich weg von relativ isolierten oder individualisierten Positionen hin zur Position eines Mittlers für kollektive Veränderung zu bewegen. Das erfordert neue gemeinsame Werkzeuge, Regeln und Arbeitsteilungen; ein anspruchsvoller Prozess besonders in Interventionen, die mehr als ein Tätigkeitssystem zusammenbringen (VIRKKUNEN, 2006b).

Während zahlreiche Untersuchungen (viele davon wurden in diesem Artikel erörtert) publiziert wurden, die auf in *Change Laboratory*-Interventionen gesammelten Daten basieren, wurde relativ wenig zur Methodologie an sich geforscht (siehe aber COLE & ENGESTRÖM, 2007; ENGESTRÖM, 2000, 2007B; SANNINO, 2008B; VIRKKUNEN, 2004; VIRKKUNEN & AHONEN, in Druck). PIHLAJA (2005) beschreibt und analysiert den ersten *Change Laboratory*-Prozess, der in finnischen Postämtern durchgeführt wurde. TERÄS (2007) analysiert einen Change Laboratory Prozess (Kulturlabor genannt), der eingewanderte Studierende auf die Fachhochschule vorbereitete. AHONEN (2008) präsentiert eine umfassende Analyse eines *Change Laboratory*-Prozesses (Kompetenzlabor genannt), das der die eigeninitiierte Kompetenzentwicklung der Angestellten und Teams eines Telekommunikationsunternehmens anstrebte. In den von Ahonen analysierten Interventionen wurde die traditionelle Kompetenzvorstellung dadurch überschritten, dass die Arbeitsgruppen begannen, ihre künftige Arbeitsherausforderungen zu analysieren und ihre eigenen gemeinsamen Lerntätigkeiten zu planen. BODROŽIĆ (2008) schlägt eine erweiterte historische Perspektive zur Analyse und Zukunftsgestaltung der postindustriellen Interventionen vor.

Die Untersuchung von TERÄS (2007) ist besonders interessant, da sie die Herausforderung der Interkulturalität in Untersuchungen zum expansiven Lernen erschließt. Teräs stellte fest, dass in ihrem heterogenen und gemischten Umfeld multiple Widersprüche zwischen verschiedenen Tätigkeitssystemen von Anfang an in dem Prozess präsent waren und nicht nur am Ende, als das Originalmodell des expansiven Zyklus (Abb. 5.3) einbezogen wurde.

> ... in einem Setting wie dem Kulturlabor, in dem sich verschiedene Vergangenheiten und Gegenwarten vermischen, ist das wesentliche Merkmal des expansiven Zyklus am Anfang eher Externalisierung als Internalisierung. ... Die Studenten mit Migrationshintergrund hatten ihre Lerngewohnheiten während des Enkulturationsprozesses entwickelt und sie bedurften der Externalisierung ihrer früheren Praktiken, bevor sie die aktuellen Praktiken des College erlernen konnten. (TERÄS, 2007, S. 193)

Eine neue Studie von TOIVIAINEN, KEROSUO, und SYRJÄLÄ (2009) ist ein weiteres Beispiel methodologischer Innovation. Die Autoren wandelten das Modell des expansiven Lernzyklus (Abb. 3) in ein Werkzeug namens ‚Entwicklungsradar' um, das von Praktikern und Forschern angewandt wurde, um ein komplexes Entwicklungsprojekt zu kontrollieren und zu verwalten. „Die wesentliche Innovation war die grafische Darstellung sowohl der Schritte des Entwicklungszyklus als auch der parallelen Tätigkeitsebenen des Entwicklungsnetzwerkes, das sich während des Projektes herausbildete" (TOIVIAINEN, KEROSUO, & SYRJÄLÄ, 2009, S. 512). Die gemeinsame Konstruktion des neuen gemeinsamen Lernwerkzeugs – oder des sekundären Stimulus – gab an sich schon Einblick in die expansiven Lerndynamik.

Überblick über die Erfahrungen aus der Forschung

Es scheint, dass Forschung, die auf der Theorie des expansiven Lernens basiert oder von ihr inspiriert ist, in eine Übergangsphase gekommen ist. Der Facettenreichtum der Untersuchungen hat eine ergiebige Zusammenstellung von Forschungsfragen und Themen erschlossen. Allerdings nehmen die verschiedenen Anwendungen häufig nicht bewusst Kenntnis voneinander und es gibt viel zu wenige Beispiele von anwachsender Wissensschöpfung, die auf vorangegangenen Studien aufbaut. Es wird Zeit, dass wir uns von einer hauptsächlich inspirativen hin zu einer systematischen Erforschung des expansiven Lernens bewegen.

Die vom *Helsinki Center* durchgeführten Untersuchungen zum expansiven Lernen sind hauptsächlich auf Veränderungsbemühungen in Arbeitskollektiven ausgerichtet. Einige in anderen Ländern durchgeführte Untersuchungen nehmen eine konservativere Haltung insofern ein, als sie expansives

Lernen aus der Perspektive von Individuen und häufig in formalen Bildungsbereichen erforschen. Wir haben den Eindruck, dass diese beiden Untersuchungsrichtungen in einen Dialog gebracht werden sollten. Untersuchungen der kollektiven Tätigkeitssysteme können von den Analysen der individuellen Entwicklung profitieren – und umgekehrt.

Formative Interventionen wie das *Change Laboratory* sind der Schwerpunkt der methodologischen Entwicklung innerhalb der Theorie des expansiven Lernens. Eine Interventionsmethodologie sollte weiter gefasst werden. Sie muss auch historische und aktuelle Analysen des expansiven Lernprozesses beinhalten, die nicht durch bewusste Interventionsbemühungen herbeigeführt wurden, zumindest nicht durch Bemühungen der Forscher.

Kritik am expansiven Lernen

Kritische Erörterungen der Theorie des expansiven Lernens betonen im Wesentlichen drei verschiedene Schwerpunkte. Erstens gibt es Kommentare von Wissenschaftlerinnen und Wissenschaftlern, die innerhalb der kulturhistorischen Theorie arbeiten (LOMPSCHER, 2004; RÜCKRIEM, 2009). Zum zweiten gibt es Erörterungen von Forschenden, die verwandte Theorien in der Lernforschung verfolgen und interessante Ähnlichkeiten zwischen ihrem eigenen Ansatz und der expansiven Lerntheorie sehen (PAAVOLA et al., 2004; YOUNG, 2001). Schließlich gibt es Kolleginnen und Kollegen, die eine stark marxistische oder dialektische Haltung vertreten und die expansive Lerntheorie wegen ihrer fehlgeleiteten oder konservativen Verdünnung des marxistischen und dialektischen Erbes kritisieren (AVIS, 2007; LANGEMEYER, 2006). Wir werden kurz auf jeden der drei Schwerpunkte eingehen.

In seinem wichtigen Buch zu Lernkulturen und Kompetenzentwicklung erörtert LOMPSCHER (2004) ausführlich das expansive Lernen. Seine Kritik bezieht sich auf das, was er als Vernachlässigung des radikalen transformativen Einflusses des Computers, der Digitalisierung und des Internets sieht. Er argumentiert, dass die Computerisierung eine revolutionäre Veränderung in der Kultur mit sich bringt, die im Kontrast zur dominierenden Buchkultur steht.

> Das Internet ist mehr als eine gerätetechnische Novität, es stellt die materielle Grundlage neuer gesellschaftlicher Tätigkeiten dar, es ist selbst als

> Tätigkeit mit spezifischen Inhalten und Strukturen zu analysieren nicht nur als Mittel bereits bekannter Tätigkeiten). (LOMPSCHER, 2004, S. 388)

Dasselbe Argument wird von RÜCKRIEM (2009) noch erweitert. Ihm zufolge ist die gegenwärtige Tätigkeitstheorie im historisch zu Ende gehenden Medium Druck und Schrift gefangen. Rückriem zufolge verfehlt die gesamte Idee der Vermittlung spezifischer Tätigkeiten durch spezifische Werkzeuge und Zeichen das Thema der kontinuierlichen kulturellen Transformation, die durch Digitale Medien, besonders durch das Web 2.0 hervorgerufen wird. Vermittlung ist ein Aspekt des historischen Leitmediums. Der gesamte Geltungsbereich und Charakter der menschlichen Tätigkeit wird durch das Leitmedium bestimmt.

Wir stimmen LOMPSCHER und RÜCKRIEM zu, dass im Großteil der tätigkeitstheoretischen Literatur zu expansivem Lernen Druck und Schrift als Leitmedien stillschweigend vorausgesetzt werden. Solch eine unausgesprochene Voraussetzung kann uns tatsächlich gegenüber den Konsequenzen und dem Potenzial der digitalen Medien verblenden. Wenn dies jedoch bedeuten soll, dass das Tätigkeitsobjekt zweitrangig ist, widersprechen wir LOMPSCHER und RÜCKRIEM.

Computerisierung und Digitalisierung können sehr wohl Kern und Triebkraft der gegenwärtig andauernden Transformation der Produktion sein (PEREZ, 2002). Aber die Anerkennung der fundamentalen Bedeutung der großen Umbrüche der Produktivkräfte sollte nicht bedeuten, dass wir Technologie als direkte Ursache aller sozial bedeutsamen Entwicklungen sehen. Das Argument bezüglich der entscheidenden Rolle der digitalen Medien ignoriert, welchen Zwecken und Zielen Medien dienen. Konsequenterweise ignoriert es auch die inneren Widersprüche der Objekte im Kapitalismus. Die interessantesten Aspekte des Web 2.0 hängen mit der Zuspitzung der Widersprüche zwischen Tausch- und Gebrauchswert zusammen, zwischen Privat- und Gemeinbesitz, zwischen geschützten und frei zugänglichen Wissens- und Produktionsformen. Obwohl diese Zuspitzung durch das Web 2.0 außerordentlich begünstigt wird, ist sie nicht einfach eine Konsequenz der digitalen Medien. Formen ähnlicher Zuspitzung sieht man in dem Kampf um Produktion und Distribution von Generika (PETRYNA, LAKOFF, & KLEINMAN, 2006), im Kampf um die private Besitznahme und Nutzung von genetischen und biologischen Lebensgrundlagen (COOPER, 2008; ROSE, 2007), in den Auseinandersetzungen um die Zukunft des und Alternativen zum Welternährungssystem (WRIGHT & MIDDENDORF, 2008) oder im Kampf um die Nutzung des Bodens und anderer Ressourcen in Lateinamerika (KLEIN, 2007), um nur einige zeitgemäße Beispiele zu nennen, die nicht direkt auf die Konsequenzen der Digitalisierung und des Internets zurückzuführen sind.

RÜCKRIEM schreibt, dass es eigentlich unmöglich ist, die aufkommenden neuen Arbeits- und Lernformen außerhalb der Digitalisierung angemessen zu analysieren: "Ko-Konfugration zu diskutieren ohne Computer und das Internet zu erwähnen ist so als würde man die Ergebnisse untersuchen ohne nach den Ursachen zu fragen." (RÜCKRIEM, 2009, S. 94) Jedoch zeigen Untersuchungen zur ko-konfigurierter Arbeit in der Pflege von Patienten mit multiplen chronischen Krankheiten eine nur minimale bis keine direkte ursächliche Rolle der Digitalisierung (z.B. KEROSUO, 2006). Der Bedarf an Ko-Konfiguration und *Knotworking* in diesem Bereich entsteht aufgrund der fatalen menschlichen und ökonomischen Konsequenzen der exzessiven Fragmentierung der Pflege. Die Computerisierung der Krankenakte kann neue Möglichkeiten zur Implementierung der Ko-Konfiguration bieten – aber sie kann auch als Entschuldigung verwendet werden, um solche tief greifenden Veränderungen in der Zusammenarbeit und der Arbeitsteilung zu vermeiden oder hinauszögern.

YOUNG (2001) hat in seinem Kommentar die Theorie des expansiven Lernens vom Standpunkt eines kritischen Forschers im Gebiet der Berufsbildung erörtert. Nach YOUNG (S. 159) scheint die Theorie des expansiven Lernens ein Modell zu sein, um inzidentelles Lernen zu fördern. Wie kann dieser Modus in einem Kontext angewendet werden, in dem Lernen das explizite Ziel ist und nicht instrumentalisiert wird für ein anderes Ziel wie z.B. bessere medizinische Versorgung oder Produktivität? Im vorliegenden Artikel haben wir eine Reihe von Untersuchungen zum expansiven Lernen im formalen Bildungswesen erörtert (ENGESTRÖM et al., 2002; HYRKKÄNEN, 2007; KÄRKKÄINEN, 1999; LAMBERT, 1999, NILSSON, 2003; SANNINO, 2008b; SANNINO & NOCON, 2008; TERÄS, 2007). Bildungsinstitutionen sind Arbeitsorganisationen mit ihren eigenen Geschichten, Widersprüchen und Zonen der nächsten Entwicklung. Wenn überhaupt soll der Rahmen des expansiven Lernens den

Forschern helfen, die als Selbstverständlichkeit hingenommenen institutionellen Eigenschaften zu problematisieren, die den ‚Motivationsbereich' von Schulerziehung hinter und jenseits des expliziten Curriculums von Büchern und Unterricht im Klassenzimmer prägen (siehe ENGESTRÖM, 1998).

YOUNG stellt auch eine wichtige Frage zum Wissen, das am expansiven Lernen beteiligt ist: "Wie können Lernende mit Hilfe des expansive Lernzyklus Wissen abzurufen, das nicht direkt aus der Praxis hervorgeht – z.B. medizinisches Wissen über neue Behandlungsformen und Organisationswissen über Gesundheitspolitik?" (YOUNG, 2001, S. 160). Im Lernen durch Expansion (ENGESTRÖM, 1987) wurde eine entscheidende Konkretisierung der Theorie mit Hilfe von KIVIs klassischem Roman *Sieben Brüder* (1929) vorgenommen. Der Roman erzählt die Transformationsgeschichte des Lebens von sieben Jungen, von einer sozial isolierten vorbäuerlichen Jagdkultur zu einer bäuerlichen Kultur mit Landwirtschaft und Dorfgemeinschaft. Ein entscheidendes Element der expansiven Transformation ist der schmerzhafte Prozess des Lesen- und Schreibenlernens. In vielen, wenn nicht sogar allen, umfangreichen expansiven Transformationen von Organisationen und Institutionen sind solche mühevollen Prozesse der Aneignung von kulturellem Wissen als wichtige Elemente eingeschlossen. Wie die Geschichte der sieben Brüder eindrucksvoll verdeutlicht, lässt eben diese Tatsache, die einer größeren expansiven Vision untergeordnet ist, die Aneignung gänzlich anders erscheinen als die linearen Vorstellungen, die gemeinhin mit schulischem Lernen assoziiert werden.

Am Arbeitsplatz bezieht ein komprimierter expansiver Lernprozess, der durch die *Change Laboratory*-Intervention veranlasst wurde, gemeinhin eine bunt gemischte Gruppe von fachkundigen Praktikern ein. Sie sehen sich unter Zeitdruck einer Reihe von Widersprüchen gegenüber, die eine neue Lösung erfordern, die nicht in Büchern über oder bewährten Grundsätzen zu beruflichem Wissen gefunden werden kann. Aber nichts im Prozess hält die Teilnehmer davon ab oder entmutigt sie, verschiedenste bewährte Wissensformen zu suchen und sie in den kollektiven Prozess von Analyse und Entwurf einzubringen. Am häufigsten findet das in Form von Testvergleichen statt, indem Informationen zu vergleichbaren Widersprüchen in ähnlichen Organisationen sowohl innerhalb des Landes als auch im

Ausland gesucht und verwendet werden. Im expansiven Lernprozess des ambulanten Pflegedienstes in Helsinki, der zu Beginn dieses Artikels vorgestellt wurde, sammelten folglich die Teilnehmenden Informationen über aktuelle Lösungen für ambulante Pflege in Schweden und in Großbritannien und verwenden Internet, Berichte von Ortsbegehungen, offizielle Gesetzestexte, Artikel aus Zeitungen und Fachzeitschriften, und persönliche Kontakte. Dieses Testvergleich-Wissen wurde analysiert und wurde zum Sprungbrett, hauptsächlich um Fallstricke zu identifizieren, die im Entwurf des eigenen Modells der Teilnehmer vermieden werden sollten. Dementsprechend wurde Im expansiven Lernprozess, der durch die Interventionen im Kompetenzlabor durch AHONEN in Teams eines Telekommunikationsunternehmens angeregt wurde, wurde dementsprechend ein hochrangiger Manager regelmäßig zu einer Sitzung eingeladen, um von der Unternehmensstrategie und aktuellen Herausforderungen des Unternehmens aus Manager-Sicht zu berichten und um auf die Ideen zu reagieren, die von den Verkäufern im Verlauf des Labors entwickelt wurden (AHONEN & VIRKKUNEN, 2003). Ähnliche Handlungen wurden in zahlreichen Change Laboratory-Interventionen angeleitet. Diese Handlungen zur Wissensakkumulation können versuchsweise als ein aufsteigendes, absteigendes und seitliches Verankern des Lernprozesses charakterisiert werden (ENGESTRÖM, 2004a). YOUNGs Frage weist darauf hin, dass solche Handlungen und Formen des Wissens einer konzentrierten Analyse und eingehenderer Theorieentwicklung bedürfen.

YOUNGs dritte Frage hat mit der Rolle der Macht im expansiven Lernen zu tun. Er weist darauf hin, dass es zwar durchaus möglich ist, dass „Schülerinnen oder Schüler bzw. Auszubildende mit Fragen beginnen, aber später lernen, ruhig zu bleiben – wodurch die Fortführung des expansiven Lernzyklus blockiert ist" (YOUNG, 2001, S. 160). Er fragt: „Was sind die Voraussetzungen bezüglich der Firmen- und Staatspolitik, die expansives Lernen ermöglichen?" (YOUNG, 2001, S. 161) Die in diesem Artikel besprochenen Untersuchungen schließen zahlreiche Fälle ein, in denen ein expansiver Zyklus gebrochen oder behindert wurde, manchmal durch aktive Gegenmaßnahmen des Managements, häufiger aber durch Passivität und fehlende Unterstützung entweder durch das Managements, die Teilnehmer oder durch beide.

In der Tätigkeitstheorie werden Rückschläge als bestimmte gegenstandsspezifische Widersprüche analysiert. Sie als Erscheinungsformen der Macht zu beschreiben, scheint zu einfach zu sein. Aus dieser theoretischen Perspektive wird Macht hauptsächlich als Instrument und Ergebnis in der Verfolgung eines Ziels gesehen, nicht als die eigentliche Ursache von Ereignissen und Handlungen. In dieser Hinsicht scheint YOUNGS Frage hinsichtlich der förderlichen politischen Voraussetzungen für expansives Lernen ebenfalls teilweise fehlgeleitet zu sein. Expansives Lernen findet statt, weil historisch sich entfaltende Widersprüche in Tätigkeitssystemen zu Störungen, Konflikten und Doublebinds führen, die unter den Akteuren neue Handlungsformen auslösen. In diesem Sinne ist expansives Lernen eher eine historische Realität als das Ergebnis einer bestimmten Politik. Auf der anderen Seite macht es keinen Sinn, Strategien zu entwickeln und zu verfolgen, die expansives Lernen weniger schmerzhaft und mühsam machen. Allerdings sind Untersuchungen zu solchen Strategien erforderlich.

PAAVOLA et al. (2004) behandeln die Theorie des expansiven Lernens als einen von drei wichtigen Ansätzen, die die Metapher der Wissensschöpfung veranschaulichen, die anderen beiden sind BEREITERS Theorie der Wissenskonstruktion (2002) und NONAKA und TAKEUCHIS Theorie der korporativen Wissensproduktion (1995). PAAVOLA et al. folgern, dass die Gemeinsamkeiten und Komplementaritäten zwischen den drei Theorien größer sind als ihre Unterschiede. Wir stimmen zu, dass die Betonung der Gemeinsamkeiten auf einer Ebene einer allgemeinen Positionierung der Metaphern von Lernen und Bildung berechtigt ist. Allerdings ist die Bildungsforschung mit einem Eklektizismus geschlagen, der die tiefen epistemologischen Unterschiede zwischen oberflächlich ähnlich anmutenden Theorien ignoriert. Die Theorie des expansiven Lernens ist als eine Entwicklung der kulturhistorischen Tätigkeitstheorie epistemologisch in der marxistischen Dialektik verwurzelt (IL'ENKOV, 1977, 1979). BEREITERS Theorie der Wissenskonstruktion begründet sich epistemologisch auf POPPERS Theorie der drei Welten (1972). NONAKA und TAKEUCHIS Theorie der Wissensproduktion (1995) basiert epistemologisch auf POLANYIS (1958) Theorie des impliziten Wissens. Diese drei Epistemologien sind radikal verschieden und sehr kritisch gegenüber den jeweils anderen. PAAVOLA et al. erwähnen IL'ENKOV und POLANYI in ihrem Artikel nicht. Ohne in die Inhalte dieser drei Epistemologien in diesem Artikel einzusteigen, möchten wir doch betonen, dass die Untersuchung der Unterschiede erhellender sein kann als die Betonung der Gemeinsamkeiten. Wie MARTON wiederholt gezeigt hat, ist das Erkennen von Unterschieden die Mutter allen einsichtigen Lernens: *Variatio est mater studiorum* (MARTON & TRIGWELL, 2000; MARTON, 2006).

LANGEMEYER (2006) vergleicht ENGESTRÖMs Theorie des expansiven Lernens mit der Lerntheorie des kritischen Psychologen HOLZKAMP (1993) und stellt sie ihr gegenüber. Sie behauptet, dass HOLZKAMPs Theorie durch die ausschließliche Betonung der subjektiven und individuellen Aspekte des Lernens begrenzt ist, während ENGESTRÖMs Problem entgegengesetzt ist, nämlich „eine gewisse Vernachlässigung der subjektiven Problematik" (LANGEMEYER, 2006, Abschnitt 4). Anders ausgedrückt, die Theorie des expansiven Lernens „entwirft die Entstehung einer alternativen Praxis oder auch Lösung von Widersprüchen, auf einer kollektiven, aber nicht wirklich subjektiven Ebene." (LANGEMEYER, 2006, Abschnitt 4). Die Theorie unterschätze ihrer Meinung nach die Wahrscheinlichkeit, dass Praktiker, die vor systemischen Widersprüchen stehen, sich nur anpassen, um Konflikte zu vermeiden.

LANGEMEYERs kritische Beobachtung ist eine angemessene Beurteilung eines Großteils der zum expansiven Lernen durchgeführten Forschungsarbeiten. Aber für die Theorie selbst ist der Wechsel zwischen den Perspektiven von subjektiver und systemischer Perspektive grundlegend.

> ... es ist für den Akteur von entscheidender Bedeutung, die Systemperspektive und für den Forscher die persönliche Perspektive einzunehmen. Das bedeutet nicht den Versuch, die beiden Perspektiven zu verbinden oder die Kluft zwischen ihnen zu überbrücken ... Ich trete dafür ein, zwischen den beiden Perspektiven zu wechseln. (ENGESTRÖM, 1990, S. 171)

Der Perspektivwechsel zielt darauf ab, die Dichotomie zwischen dem Subjekt und dem System zu überwinden. Das bedeutet, dass die individuellen Vorstellungen und Erwartungen nicht nur für einen idiosynkratischen Ausdruck der spezifischen Lebensgeschichte des Subjekts gehalten werden, vielmehr stützen sie sich auch auf generalisierte kulturelle Modelle und Motive oder soziale Repräsentationen und interagieren mit ihnen. Dementsprechend generieren Subjekte, wenn sie z.B. in einem *Change Laboratory* gemeinsam eine eigene Zukunftsvision oder einen ‚Wohin'-Gegenstand entwerfen, eine vorläufige imaginierte Systemperspektive, die in ihren subjektiven Erfahrungen, Wünschen und Willen verwurzelt ist.

Jedoch ist der Perspektivwechsel in der Praxis sehr anspruchsvoll und es stimmt, dass theoretische und empirische Forschung zum expansiven Lernen bisher hauptsächlich auf kollektive und systemische Phänomene ausgerichtet war. In jüngsten Untersuchungen haben Bezüge zu Erfahrung, Willen und Wirksamkeit an Bedeutung zugenommen (z.B. SANNINO, 2008a, 2008b; VIRKKUNEN, 2006a, 2006b). Dies erscheint als notwendige Entwicklung (siehe nächster Abschnitt).

Die Kritik von AVIS (2007) hat einen eher politischen Standpunkt. Er argumentiert, dass in Untersuchungen zum expansiven Lernen, „obwohl Widerspruch eine zentrale Kategorie ist ... die Vorstellungen von sozialem Antagonismus, Ausbeutung und Unterdrückung" in ihrer Anwendung „ins Abseits kommen", was zur „Marginalisierung einer radikalisierten und politisierten Agenda" führt (AVIS, 2007, S. 165). AVIS behauptet, dass in Untersuchungen zum expansiven Lernen die primären Widersprüche, die mit den fundamentalen Beziehungen zwischen Gebrauchswert und Tauschwert verbunden sind, faktisch in Klammern gesetzt werden, so dass sich die Aufmerksamkeit auf die Erscheinungen der sekundären Widersprüche und Störungen richtet.

All dies bedeutet für AVIS, dass expansives Lernen sich in Wirklichkeit nur mit ‚peripheren Widersprüchen' und ‚adaptiven Veränderungen' beschäftigt und dadurch in eine ‚konservative Praxis' umschlägt. AVIS behauptet sogar, dass wir uns mit „nichts anderem" beschäftigen „als irgendein Beratungsunternehmen, dass bestrebt ist, Arbeitsabläufe zu verbessern" (AVIS, 2007, S. 169).

Es ist tatsächlich wahr, dass die Untersuchungen zum expansiven Lernen bestrebt sind, Transformationen innerhalb und zwischen Tätigkeitssystemen zu analysieren und zu erzeugen, die nicht notwendigerweise eine groß angelegte politische Konfrontation erfordern. AVIS behauptet, dass „solche Transformationen, die an lokale Kontexte gebunden sind, nur geringe Beziehungen zu weiteren strukturellen Zusammenhängen herausbilden können, und diese sogar unterstützen können, wodurch sie konservative Praktiken werden" (AVIS, 2007, S. 170; siehe auch WARMINGTON, 2008 mit ähnlichem Ansatz).

Um AVIS' Argumentation etwas näher zu untersuchen, kommen wir auf das Beispiel des ambulanten Pflegedienstes für Senioren zurück, das zu Beginn des Artikels eingeführt und in Verbindung mit Abb. 5.2 erörtert wurde. Man mag argumentieren, dass primäre Widersprüche in Abb. 5.2 tatsächlich nicht hervorgehoben werden. Der entscheidende Widerspruch besteht zwischen dem Gegenstand des ambulanten Pflegedienstes und dem Gegenstand des Klienten. Aber bedeutet dies, dass das ambulante Pflegepersonal die Schuld trägt, weil sie ihren Klienten nicht die Art von Dienstleistungen anbieten, die sie wirklich bräuchten? Wenn dies das Ergebnis ist, hätten wir hier allerdings einen Fall von konservativer Praxis, die erfordert, dass Arbeiter ihre Arbeit verbessern, um sich den Bedürfnissen ihrer Klienten anzupassen.

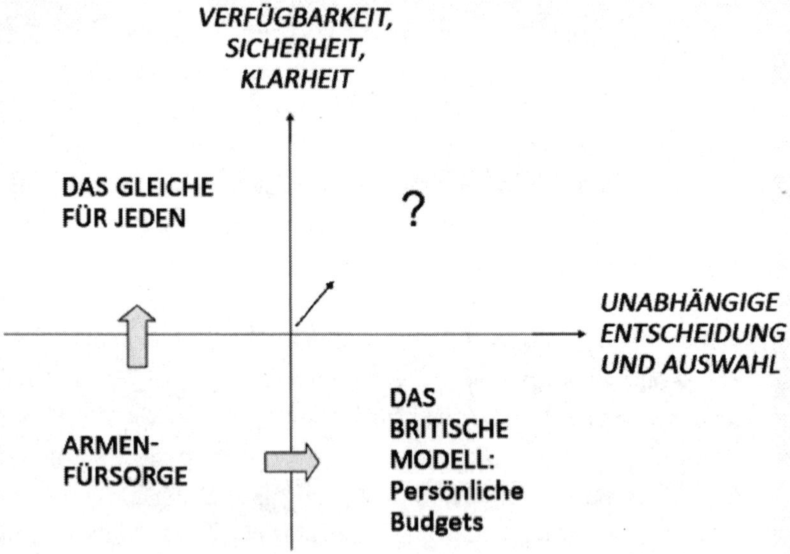

Abb. 5.8. Das historische Transformationsfeld der ambulanten Pflege

Eine solche Interpretation kann nur entstehen, wenn man einen Großteil des tatsächlichen theoretischen und praktischen Inhalts des Ansatzes und seine empirischen Implementierungen ausklammert. Das *Change Laboratory*, das mit den regionalen Managern der ambulanten Pflege in Helsinki von 2008 - 2009 durchgeführt wurde, hat nicht nur das Dreieck der Abb. 5.2 hervorgebracht, sondern auch eine historische Analyse der Alternativen, die der Tätigkeit gegenüberstehen. Ein Analyseergebnis wurde in Abb. 5.8 in einem Diagramm zusammengefasst.

Im Fall der häuslichen Pflege identifizierten die Teilnehmenden die neoliberale politische und ökonomische Tendenz in Richtung Privatisierung und Profitlogik als die größte Bedrohung, wofür das neue britische Modell des so genannten personellen Budgets als Beispiel dient. Diese Tendenz wird durch die Unzufriedenheit mit der Starrheit der bestehenden hierarchischen Massenproduktion genährt. Im bestehenden System manifestiert sich der primäre Widerspruch zwischen dem Gebrauchswert und dem Tauschwert hauptsächlich in Einsparungsbemühungen. In dem privatisierten Modell würde es einen Sprung nach vorne bedeuten, wenn zu einer Ware würde und der Widerspruch würde sich in zunehmendem Maße darin manifestieren, alte Menschen auf Gedeih und Verderb dem Markt auszuliefern.

Diese Art der Analyse ist ein zentrales Merkmal der expansiven Lernprozesse und der *Change Laboratory*-Interventionen. Wie das Fragezeichen in Abb. 5.8 verdeutlicht, fanden die Teilnehmenden keinerlei leichten oder schnellen Auswege. Sie waren sich der Schwierigkeit und Langfristigkeit der Anforderung bewusst, Gleichheit und Flexibilität als Prinzipien zusammenzuführen. Es geht um die Schaffung von etwas qualitativ Neuem und nicht um Anpassung und Verbesserung. Allerdings müssen Zwischenschritte und Experimente gemacht werden, um Wege in Richtung Zukunftsvision zu eröffnen und zu testen. Solche Zwischenschritte und Experimente schließen in diesem Fall eine Reihe von neuen Werkzeugen und Praktiken ein, die innerhalb des Projekts über einen dreijährigen Zeitraum von Praktikern entwickelt wurden (z.B. NUMMIJOKI & ENGESTRÖM, 2009). Ohne eine historische Analyse und eine Vision, wie in Abb. 5.2 und Abb. 5.8 zusammengefasst, könnten diese Zwischenschritte allerdings lediglich Anpassungen und vereinzelte Verbesserungen bleiben.

Ambulante Pflege ist in Helsinki ein *lokaler Kontext*. Trotzdem ist es wesentlich mehr als eine einzelne klar begrenzte Organisation. Es ist ein weites Feld von Tätigkeitssystemen, das von gesetzlich geforderten öffentlichen Diensten der Stadt bis hin zu Organisationen des Dritten (Non-Profit) Sektors und privaten Dienstleistern reicht. Die Zwischenschritte und Experimente, die von den Praktikern im Projekt entworfen und implementiert wurden, umfassen diese vielfältigen Tätigkeitssysteme in verschiedenen Kombinationen. Sie streben die Entwicklung von Kooperations- und Koordinationsmodellen an, die über die Hierarchien und Machtpositionen hinausgehen, wie in Abb. 5.8 dargestellt ist.

AVIS schlägt vor, dass Untersuchungen zum expansiven Lernen „auf die radikalen sozialen Bewegungen ausgerichtet" (AVIS, 2007, S. 174) werden sollten. Beispiele solcher in Untersuchungen zum expansiven Lernen bisher realisierten Ausrichtungen umfassen Forschungen, die in der Allianz mit Biobauern durchgeführt wurde (SEPPÄNEN, 2004), mit Programmieren der Bewegung der *Free and Open Source Software* (FOSS) (SILTALA et al., 2007), und mit einer Bewegung, die die lokale Lebensmittelproduktion in Japan wiederbelebt (YAMAZUMI, 2009). Weitere Entwicklungen in dieser Richtung scheinen notwendig und produktiv zu sein.

Zukünftige Herausforderungen

Das wichtigste Ergebnis des expansiven Lernens ist selbsbestimmtes Handlungsfähigkeit (*agency*) – die Befähigung und der Wille der Teilnehmenden, ihre Tätigkeitssysteme mit zu gestalten. Eine Hauptaufgabe der Untersuchung des expansiven Lernens besteht darin, die neuen Formen selbstbestimmten Handelns, die am expansiven Lernprozess beteiligt sind, zu konzeptualisieren und empirisch zu beschreiben (vgl. EDWARDS, 2009; SANNINO, 2008a; VIRKKUNEN, 2006a, 2006b; YAMAZUMI, 2009). In *Change Laboratory*-Interventionen haben wir versuchsweise die folgenden fünf miteinander verbundenen Formen der Entstehung von Handlungsfähigkeit bei den Teilnehmenden identifiziert, die charakteristisch für diese Interventionsform sind (ENGESTRÖM, in Druck): (1) Widerstand gegenüber dem Interventionisten oder dem Management, (2) Explikation neuer Möglichkeiten und Potenziale in der Tätigkeit, (3) Voraussicht neuer Muster und Modelle der Tätigkeit, (4) Verpflichtung gegenüber konkreten Handlungen, die die Veränderung der Tätigkeit anstreben, (5) Planung entsprechender Handlungen, um die Tätigkeit zu verändern. Im *Change Laboratory*-Prozess werden die entsprechenden Handlungen nach und zwischen den Labor-Sitzungen *in vivo* vorgenommen. Um solche Handlungen aufzunehmen und zu reflektieren, wird verschiedenartiges Datenmaterial in Nachuntersuchungen gesammelt, spezifische Nachfolge-Sitzungen sind in die Längsschnittuntersuchung eingeschlossen.

Diese Liste der oben genannten fünf Formen des selbstbestimmten Handelns ist sicherlich nicht erschöpfend. Weiterführende Untersuchungen zu formativen Interventionen und expansiven Lernzyklen werden weitere Formen und Möglichkeiten einer Theorie der gezielten Förderung der Handlungsfähigkeit aufdecken.

Expansives Lernen ist ein Prozess der Begriffsbildung. Dieser Rahmen legt nahe, dass gerade die Vorstellung von Begriffen neu definiert werden muss. Wie HALL und GREENO herausstellen, entwickeln sich „Begriffe und ihre Bedeutung ... im Praxisumfeld und werden durch Praktiken erhalten, weil sie nützen, die Tätigkeiten der Gemeinschaft anzuleiten." (HALL & GREENO, 2008, S. 213). Aus dieser Perspektive entsprechen Begriffe dem Leben derer, die mit ihnen arbeiten. Solche Begriffe sind in und quer über Tätigkeitssysteme hinweg verkörpert, eingebettet und verbreitet und sind mit vielschichtigen und multimodalen begrifflichen Infrastrukturen oder Vermittlungen ausgestattet (ENGESTRÖM, 2007a). Komplexe zentrale Konzepte sind grundsätzlich mehrdeutig, umstritten, unvollständig und häufig *schwammig*. Verschiedene Interessensvertreter erzeugen einseitige Versionen des Begriffs. Dadurch umfasst die Begriffsbildung und -veränderung sowohl Konfrontation und Streit als auch Verhandlung und Vermengung. Begriffe sind zukunftsorientiert. Sie sind mit Affekten, Hoffnungen, Befürchtungen, Werten und kollektiven Absichten aufgeladen. Von besonderem Interesse sind *Möglichkeitsbegriffe* (ENGESTRÖM, 2007b) und *perspektivische Begriffe* (ENGESTRÖM et al., 2005a, 2005b), die zeitgebundene kollektive Absichten oder Visionen zukünftiger Entwicklung und Veränderung explizieren.

Komplexe Begriffe werden durch Bewegung und Interaktion in vertikalen und horizontalen Dimensionen gebildet und verändert (ENGESTRÖM et al., 2005a, 2005b; ebenso AHONEN, 2008). Die vertikale Dimension kann als Zusammenspiel von Alltags- (bottom-up) und wissenschaftlichen (top-down) Begriffen (VYGOTSKIJ, 2002) verstanden werden, oder als Prozess des Aufsteigens vom Abstrakten zum Konkreten in der Bildung theoretischer Begriffe (DAVYDOV, 1990). Die horizontale Dimension kann als Herstellung kognitiver Pfade in einem Terrain verstanden werden (CUSSINS, 1992, 1993; ebenso HYRKKÄNEN, 2007). Begriffe bilden sich durch einen Zyklus von Stabilisierung und Destabilisierung. Diese Prinzipien bedeuten, dass komplexe Folgebegriffe expansives Potenzial haben. Die Bildung, der Gebrauch, die Erhaltung und die Veränderung solcher Begriffe kann als expansiv verstanden werden hinsichtlich der sozialen und materiellen Verbreitung, der temporalen Reichweite und dem Potenzial des Begriffs, viele Perspektiven einzuschließen und Grenzen zu überwinden. Die Bildung von komplexen Begriffen besteht nicht nur in der Internalisierung von kulturell gegebenen Begriffen, sondern darüber hinaus in der Externalisierung und Bildung von kulturell neuen Begriffen (die ebenfalls im Gebrauch internalisiert werden müssen).

In einer Reihe von jüngeren Untersuchungen zum expansiven Lernen in Organisationen, die sich in Richtung auf ko-konfigurierte Arbeit bewegen (ENGESTRÖM, 2007c), wurde eine wiederkehrende Lücke entdeckt zwischen der hoch motivierten Modellierungsphase, in der die Teilnehmenden einen neuen Begriff für ihre Arbeit entwarfen und der Implementierungsphase, in der zahlreiche Hindernisse und hartnäckige Widerstände tendenziell Überhand nahmen. Diese Lücke konnte vorübergehend in Zwischenhandlungen überbrückt werden, in denen sich die Teilnehmenden selbst in imaginierte, simulierte und reale Situationen versetzten, die persönliches Engagement im Handeln mit den materiellen Objekten und Artefakten (einschließlich anderer Menschen) erforderten, wobei diese Objekte und Artefakte wiederum der Logik des antizipierten oder entworfenen zukünftigen Tätigkeitsmodells entsprachen.

Der Begriff des Erlebens, wie er von VASILYUK (1988) vorgestellt wurde, scheint als Brücke zwischen Entwurf und Implementierung aussichtsreich. Nach VASILYUK ist Erleben eine „besondere innere Arbeit, mit deren Hilfe eine Person eine Krise überwindet, verlorenes spirituelles Gleichgewicht wiederherstellt und den verlorenen Existenzsinn wiederbelebt." (VASILYUK, 1988, S. 10). Mit anderen Worten, VASILYUK definiert Erleben als die Abarbeitung von Widersprüchen, denen Menschen bei der Aufrechterhaltung ihrer Tätigkeiten begegnen.

Wenn einer nur ein Wort verwenden dürfte, um die Eigenschaft solcher

> Situationen zu beschreiben, müsste er sagen, dass es Situationen des *Unmöglichen* sind. Unmöglichkeit von was? Unmöglichkeit zu leben, die inneren Bedürfnisse des Lebens zu verwirklichen. Der Kampf gegen Unmöglichkeiten, der Kampf um die Realisierung innerer Bedürfnisse – das ist Erleben. Erleben ist die Reparatur einer ‚Lebensunterbrechung', eine Arbeit der Wiederherstellung, die verfährt, als stehe sie im rechten Winkel zur Lebensverwirklichung. Wenn die psychologische Theorie der Tätigkeit, übertragen gesprochen, die Art untersucht, in der ein Mensch auf seinen Lebenswegen reist, dann untersucht die Theorie des Erlebens die Art, in der er oder sie fällt und wieder aufsteht, um die Reise fortzusetzen. (VASILYUK, 1988, S. 32)

Praktiker, die großen Transformationen in ihren Arbeitstätigkeiten begegnen, arbeiten tatsächlich die Widersprüche ab und ringen um die Überwindung der Unmöglichkeiten. „Der Erlebensprozess führt die Teilnehmenden nicht direkt zur Erkenntnis ihrer Wünsche. Er führt zur Wiederherstellung der psychologischen Möglichkeiten, um die Tätigkeit weiterzuführen, die für die Verwirklichung dieser Bedürfnisse benötigt wird. Anders ausgedrückt, Erleben kann als ein Prozess gesehen werden, durch den die individuelle Bereitschaft zum Handeln vorbereitet wird" (SANNINO, 2008b, S. 241). Interventionen wie das *Change Laboratory*, die expansives Lernen bezwecken, könnten mit Gewinn als „diskurs- und tätigkeitszentrierter Prozess des Erlebens" (SANNINO, 2008b, S. 253) analysiert werden. In künftigen Interventionsstudien zum expansiven Lernen könnten autobiografische Beschreibungen von krisenhaften Konflikten als wichtiges *Spiegelmaterial* des Erlebens verwendet werden (vgl. SANNINO, 2005, 2008a).

Vielleicht ist die größte Herausforderung künftiger Untersuchungen und Theorieentwicklungen zum expansiven Lernen das Aufkommen von Gemeinschaftsproduktion oder Peer Produktion[13] (BENKLER, 2006). Hier nehmen Tätigkeiten die Form von expansiven Schwärmen und multidirektionalen Pulsationen an, mit der Betonung von Umwegen und Grenzüberschreitungen. Kürzlich haben wir den Begriff der *Lauffeuer* Tätigkeiten (wildfire activities) vorgeschlagen, um herauszustellen, dass Tätigkeiten wie z.B. Vogelbeobachtung, Skateboarding und die Katastrophenhilfe des Roten Kreuzes wichtige Eigenschaften besitzen, die denen der Peer Produktion glei-

---

[13] Freie, nicht-kommerzielle, nicht marktorientierte Produktionsweise, vorzugsweise im IT-Bereich. Bekannte Beispiele: Entwicklung von *Linux*, *Firefox* und *Wikipedia*. (Anm. des Hrsg.)

chen, aber älter als das Internet sind und hauptsächlich außerhalb der Sphäre der virtuellen Realität stattfinden (ENGESTRÖM, 2009).

Das Lernen, das in *Lauffeuer* Tätigkeiten stattfindet, ist gekennzeichnet durch Schwärmen, das Grenzen überschreitet und Akteure miteinander verbindet, die in fragmentierten und häufig ärmlichen Terrains agieren. Diese Eigenschaften fordern eine Umarbeitung von VYGOTSKIJS grundlegendem Begriff der *Zone der nächsten Entwicklung* (1978), und seine kollektive und expansive Neudefinition (ENGESTRÖM, 1987). In den *wildfire activities* ist eine Zone ein Terrain, in dem man verweilt und das man erkundet und nicht nur eine Stufe, die erreicht wird oder ein Raum, der durchquert wird. Die Zone wird erkundet, indem man sich in ihr in verschiedene Richtungen und zu verschiedenen Zielen hin bewegt, vor, zurück und seitwärts. Die hier Beheimateten schaffen Pfade. Die sich kreuzenden Wege führen schrittweise zu einer erweiterten Fähigkeit, sich in der Zone effektiv zu bewegen, unabhängig von einem bestimmten Standort oder Ziel. Die Zone ist niemals, auch nicht zu Beginn, ein leerer Raum; sie hat dominante Pfade und Grenzen, die von anderen geschaffen wurden. Diese sind häufig mit bedrückenden Geschichten verbunden und in sie wurde Energie investiert. Wenn Neuankömmlinge in diese Zone treten, machen sie unter Umständen unangenehme Erfahrungen mit bestehenden Pfaden. Doch beide passen sich den vorherrschenden Pfaden an und ringen darum, sie zu überwinden. Letzteres kann zu neuen Wegen führen, die die kollektive Form und das Verständnis der Zone erweitern und damit auch zu neuen Grenzen führen. Wenn die Ansässigen ein bestimmtes Niveau der Kontrolle der Zone erreicht haben, stoßen sie mehr und mehr mit den ursprünglichen Zonengrenzen zusammen und brechen von dieser auf in neue Zonen.

Die entscheidende Bewährung jeder Lerntheorie besteht in ihrer Fähigkeit zur Anregung eines Lernprozesses, so dass die drängenden Probleme bearbeitet werden können, denen die Menschheit heute und morgen gegenübersteht. Die Theorie des expansiven Lernens erweitert derzeitig ihre Analyse sowohl nach oben und unten als auch nach innen und außen. Die Erweiterung nach oben und außen behandelt das Lernen in Feldern oder Netzwerken von miteinander verbundenen Tätigkeitssystemen mit ihren sich überschneidenden und häufig in Frage gestellten Gegenständen. Die Erweiterung nach unten und innen behandelt dagegen Bereiche der Subjektivität, der Erfahrung, des persönlichen Sinns, der Emotion, der Ausgestaltung, der Identität und der moralischen Verpflichtung. Diese beiden Richtungen könnten inkompatibel scheinen. Es besteht tatsächlich das Risiko, dass sich die Theorie in die Untersuchung von kollektiven Tätigkeitssystemen, Organisationen und Geschichte auf der einen und von Subjekten, Handlungen und Situationen auf der anderen Seite spaltet. Das wäre genau die Art von Spaltung, die die Gründer der Tätigkeitstheorie überwinden wollten. Um die beiden Richtungen zu überbrücken und zu integrieren, sind ernsthafte theoretische und empirische Bemühungen erforderlich.

6 Anhang

Literatur

AHONEN, H. (2008). *Oppimisen kohteen ja oppijan vastavuoroinen kehitys: Teleyrityksen asiakaspalvelun työyhteisöjen oppimiskäytäntöjen uudistaminen osana teknologistaloudellista kumousta.* [Reciprocal development of the object and subject of learning: The renewal of the learning practices of front-line communities in a telecommunications company as part of the techno-economical paradigm change. Helsinki: University of Helsinki, Department of Education]. (in Finnisch).

AHONEN, H., & VIRKKUNEN, J. (2003). Shared challenge for learning: Dialogue between management and front-line workers in knowledge management. *International Journal of Information Technology and Management, 2*, 59–84.

ALT, R. (1975). *Erziehung und Gesellschaft.* Berlin: Volk und Wissen.

ALTSHULLER, G. S. (1984). *Creativity As An Exact Science: The Theory of the Solution of Inventive Problems.* New York: Gordon and Breach Science Publishers.

ARGYRIS, C., & SCHÖN, D. A. (1974). *Theory in Practice.* San Francisco: Jossey-Bass.

Argyris, C. & Schön, D. A. (1978). *Organizational Learning: A Theory of Action Perspective.* Reading: Addison-Wesley.

ARGYRIS, C. & SCHÖN, D. A. (1996). *Organizational Learning 2: Theory, Method, and Practice.* Reading: Addison-Wesley.

ARLIN, P. K. (1984). Adolescent and adult thought: A structural interpretation. In M. L. COMMONS, F. A. RICHARDS, & C. ARMON (Eds.), *Beyond Formal Operations: Late Adolescent and Adult Cognitive Development* (S. 258-271). New York: Praeger.

ARSEN'EV, A. S., BIBLER, V. S., & KEDROV, B. M. (1967). *Die Analyse des Begriffs in der Entwicklung* (Analiz razvivajuscegosja ponjatija). Moskva: Nauka; (Übersetzung I. Maschke-Luschberger) Manuskript, IDM, Universität Bielefeld.

ATLAS, J. A. (1985). A re-opening of the question of primitive mentality. *New Ideas in Psychology, 3*, 335-339.

AVIS, J. (2007). Engeström's version of activity theory: A conservative praxis? *Journal of Education and Work, 20*, 161–177.

BACHTIN, M. M. (1979). *Die Ästhetik des Wortes.* Frankfurt/Main: Suhrkamp.

BACHTIN, M. M. (1989). *Formen der Zeit im Roman - Untersuchungen zur historischen Poetik.* Frankfurt/Main: Fischer.

BAETHGE, M., KITAY, J., & REGALIA, I. (1999). Managerial strategies, human resource practices, and labor relations in banks: A comparative view. In M. REGINI, J. KITAY, & M. BAETHGE (Eds.), *From Tellers to Sellers: Changing Employment Relations in Banks* (S. 3–30). Cambridge, MA: MIT Press.

BAKHTIN, M. M. (1981). *The Dialogic Imagination: Four Essays by M. M. Bakhtin.* Edited by M. HOLQUIST. Austin: University of Texas Press.

BAKHTIN, M. M. (1986). *Speech Genres and Other Late Essays.* Austin: University of Texas Press.

BAKHURST, D. (1991). *Consciousness and Revolution in Soviet philosophy: From the Bolsheviks to Evald Ilyenkov.* Cambridge: Cambridge University Press.

BALTES, P. B., REESE, H.W., & NESSELROADE, J. R. (1977). *Life-span Developmental Psychology: Introduction to Research Methods.* Monterey: Brooks/Cole.

BAROWY, W., & JOUPER, C. (2004). The complex of school change: Personal and systemic co-development. *Mind, Culture, and Activity, 11*, 9–24.

BARTLETT, F. (1941). Fatigue following highiy skilled work. *Proceedings of the Royal Society of London, B 131*, 247-257.

BARTLETT, F. (1958). *Thinking: An Experimental and Social Study.* London: George Allen & Unwin.

BASSECHES, M. (1984). *Dialectical Thinking and Adult Development.* Norwood, N.J.: Ablex.

BATESON, G. (1972). *Steps to an Ecology of Mind.* New York: Ballantine Books.

BATESON, G. (1978). The birth of a matrix or double bind and epistemology. In M. M. BERGER (Ed.) *Beyond the Double Bind* (S. 39-64). New York: Brunner/Mazel.

BATESON, G. (1981). *Ökologie des Geistes - Anthropologische, psychologische, biologische und epistemologische Perspektiven.* Frankfurt/Main: Suhrkamp.

BENKLER, Y. (2006). *The Wealth of Networks: How Social Production Transforms Markets and Freedom.* New Haven: Yale University Press.

BEREITER, C. (1985). Toward a solution of the learning paradox. *Review of Educational Research, 55*, 201-226.

BEREITER, C. (2002). *Education and Mind in the Knowledge Age.* Hillsdale, N.J.: Lawrence Erlbaum.

BERGER, M. M. (Ed.) (1978). *Beyond the Double Bind.* New York: Brunner/Mazel.

BIBLER, V. S. (1970). Hegel, Marx und das Problem der Wandlungen des logischen Aufbaus der wissenschaftlichen Tätigkeit. In T. l. OISERMAN (Hrsg.), *Karl Marx und die moderne Philosophie* (S. 129-168). Moskau: Progress.

BIBLER, V. S. (1983-84). Thinking as creation. (Introduction to the logic of mental dialogue.) *Soviel Psychology*, 22, 33-54.

BLOOMFIELD, B. P. (1986). *Modelling the World: The Social Constructions of Systems Analysts.* Oxford: Basil Blackwell.

BØDKER, S., & ANDERSEN, P. B. (2005). Complex mediation. *Human-Computer Interaction, 20*, 353–402.

BODROŽIĆ , Z. (2008). *Post-industrial Intervention: An Activity-theoretical Expedition Tracing the Proximal Development of Forms of Conducting Interventions.* Helsinki: University of Helsinki, Department of Education.

BOHM, D. (1985). *Die implizite Ordnung: Grundlagen eines dynamischen Holismus.* München: Dianus-Trikont.

BOLGAR, R. R. (1969). The training of elites in Greek education. In R. WILKINSON (Ed.), *Governing Elites: Studies in Training and Selection* (S. 23-49). New York: Oxford University Press.

BRATUS, B. S. (1986). The place of fine literature in the development of a scientific psychology of personality. *Soviet Psychology, 25*, 2, 91-103.

BRATUS, B. S., & LISHIN, 0. V. (1983). Laws of the development of activity and problems in the psychological and pedagogical shaping of the personality. *Soviet Psychology,* 21,1, 38-50.

BRAVERMAN, H. (1974). *Labor and Monopoly Capital: The Degradation of Work in the Twentieth Century.* New York: Monthly Review Press.

BREHMER, B. (1980). In one word: Not from experience. *Acta Psychologica, 45*, 223-241.

BROADBENT, D. E. (1977). Levels, hierarchies, and the locus of control. *Quarterly Journal of Experimental Psychology, 29*, 181 -201.

BRÖDNER, P. (1985). *Skill-based production – The superior concept to the „unmanned factory".* Paper presented at the 8th international Conference on Production Research: Towards the Factory of the Future. August 20-22,1985, Stuttgart.

BRONFENBRENNER, U. (1983). The context of development and the development of context. In R. M. LERNER (Ed.), *Developmental Psychology: Historical and Philosophical Perspectives* (S. 147-184). Hillsdale, NJ: Lawrence Erlbaum.

BRONOWSKI, J. (1978). *The Visionary Eye: Essays in the Arts, Literature, and Science.* Cambridge, MA: The MIT Press.

BROUGHTON, J. M. (1984). Not beyond formal operations but beyond Piaget. In M. L. COMMONS, F. A. RICHARDS, & C. ARMON (Eds.), *Beyond Formal Operations: Late Adolescent and Adult Cognitive Development* (S. 395-412). New York: Praeger.

BROWN, A. L. (1978). Knowing when, where, and how to remember: A problem of metacognition. In R. GLASER (Ed.) *Advances in Instructional Psychology* (Vol. 1, S. 77-165). Hillsdale, NJ: Lawrence Erlbaum.

BROWN, A. L. (1982). Learning and development: the problems of compatibility, access and induction. *Human Development, 25*, 89-115.

BROWN, A. L., CAMPIONE, J. Q., & DAY, J. D. (1981). Learning to learn: On training students to learn from texts. *Educational Researcher, 10*, 14-21.

BROWN, A. L., & DELOACHE, J. S. (1978). Skills, plans, and self-regulation. In R. SIEGLER (Ed.), *Childrens Thinking: What Develops?* (S. 3-35). Hillsdale, NJ: Lawrence Erlbaum.

BROWN, A. L, & FRENCH, L. A. (1979). The zone of proximal development: Implications for intelligence testing in the year 2000. *Intelligence, 3*, 255-277.

BROWN, S. L., & EISENHARDT, K. M. (1998). *Competing on the Edge: Strategy as Structured Chaos.* Boston: Harvard Business School Press.

BRUNER, J. S. (1974). Going beyond the information given. In J. S. BRUNER, *Beyond the Information Given* (S. 218-238). London: George Allen & Unwin.

BRUNER, J. S. (1976). Nature and uses of immaturity. In J. S. BRUNER, A. JOLLY, & K. SYLVA (Eds.), *Play – Its Role in Development and Evolution* (S. 28-64). New York: Basic Books.

BRUNER, J. S. (1985a). On teaching thinking: An afterthought. In S. F. CHIPMAN, J. W. SEGAL, & R. GLASER (Eds.), *Thinking and Learning Skills* (Vol. 2., S. 597-608). Hillsdale, NJ: Lawrence Erlbaum.

BRUNER, J. S. (1985b). Vygotsky: a historical and conceptual perspective. In J. V. WERTSCH (Ed.), *Culture, Communication, and Cognition: Vygotskian Perspectives* (S. 21-34). Cambridge: Cambridge University Press.

BRUNER, J. (1986). *Actual Minds, Possible Worlds.* Cambridge, MA: Harvard University Press.

BUCHWALD, C. (1995). *New Work in Old Institutions: Collaborative Curriculum Work of a Teacherteam. Unpublished dissertation.* Department of Communication, University of California, San Diego.

BULLOWA, M. (Ed.) (1979). *Before Speech: The Beginnings of Human Communication.* Cambridge: Cambridge University Press.

BULMER, R. (1967). Why is the cassowary not a bird? A problem of zoological taxonomy among the Karam of the New Guinea highlands. *Man, 2*, 5-25.

BUNN, J. H. (1981). *The Dimensionality of Signs, Tools and Models.* Bloomington: Indiana University Press.

BUSS, A. R. (1979). Dialectics, history, and development: The historical roots of the individual-society dialectic. In P. B. BALTES, & O. G. BRIM, Jr. (Eds.), *Life-span Development and Behavior* (Vol. 2, S. 313-333). New York: Academic Press.

CAREY, S. (1985). *Conceptual Change in Childhood.* Cambridge, MA: The MIT Press.

CAZDEN, C. B. (1981). Performance before competence: Assistance to child discourse in the zone of proximal development. *The Quarterly Newsletter of the Laboratory of Comparative Human Cognition, 3* (1), 5-8.

CHAIKLIN, S. (1985). *Beyond inferencing: Some cognitive processes that affect the direction of student reasoning in applying physical-science beliefs.* Paper presented at the Conference „Cognitive Processes in Student Learning", Lancaster, England, 18-21 July 1985.

CHERNS, A. (1980). Work and work organizations in the age of the microprocessor. In K. D. DUNCAN, M. M. GRUNEBERG, & D. WALLIS (Eds.), *Changes in Working Life* (S. 253-268). Chichester: Wiley.

CIBORRA, C. and Associates (2000). *From control to Drift: The Dynamics of Corporate Information Infrastructures.* Oxford: Oxford University Press.

COLE, M. (1983). Introduction to V. V. Davydov & A. K. Markova, A concept of educational activity for schoolchildren. *Soviet Psychology, 21* (2), 50-51.

COLE, M. (1985). The zone of proximal development: Where culture and cognition create each other. In J. V. WERTSCH (Ed.), *Culture, Communication, and Cognition: Vygotskian Perspectives* (S. 146-161). Cambridge: Cambridge University Press.

COLE, M. (1986). *Cross-cultural research in the socio-historical tradition.* Paper presented at the First International Congress on Activity Theory, West Berlin, October 3-5,1986.

COLE, M. (1988). Cross–cultural research in the sociohistorical tradition. *Human Development, 31*,137–151.

Cole, M., & Engeström, Y. (2007). Cultural–historical approaches to designing for development. In J. Valsiner, & A. Rosa (Eds.), *The Cambridge Handbook of Sociocultural Psychology* (S. 484-507). Cambridge: Cambridge University Press.

COLE, M., & GRIFFIN, P. (1980). Cultural amplifiers reconsidered. In D. R. OLSON (Ed.), *The Social Foundations of Language and Thought* (S. 343-364). New York: Norton.

COMMONS, M. L., RICHARDS, F. A., & ARMON, C. (Eds.) (1984). *Beyond Formal Operations: Late Adolescent and Adult Cognitive Development.* New York: Praeger.

COOPER, M. (2008). *Life as Surplus: Biotechnology and Capitalism in the Neoliberal Era.* Seattle: University of Washington Press.

COULMAS, F., & EHLICH, K. (Eds.) (1982). *Writing in Focus.* Den Haag: Mouton.

CUBAN, L. (1984). *How Teachers Taught.* New York: Longman.

CUBAN, L. (1986). *Teachers and Machines: The Classroom Use of Technology Since 1920.* New York: Teachers College Press.

CUBAN, L. (2001). *Oversold and Underused. Computers in the Classroom.* Cambridge, MA: Harvard University Press.

CUSSINS, A. (1992). Content, embodiment and objectivity: The theory of cognitive trails. *Mind, 101*, 651–688.

CUSSINS, A. (1993). Nonconceptual content and the elimination of misconceived composites! *Mind & Language, 8*, 234–252.

CUMMINGS, S., & ANGWIN, D. (2004). The future shape of strategy: Lemmings or chimeras. *Academy of Management Executive, 18*(2), 21–36.

CZARNIAWSKA, B. (1998). *A narrative approach to organization studies.* Thousand Oaks, CA: Sage publications.

CZARNIAWSKA, B. (2004). *Narratives in social science research.* London: Sage Publications.

DAMEROW, P. (1980). Handlung und Erkenntnis in der genetischen Erkenntnistheorie Piagets und in der Hegelschen „Logik". In P. FURTH (Hrg.), *Arbeit und Reflexion* (S. 159-187). Köln: Pahl-Rugenstein.

DAMEROW, P., FURTH, P., HEIDTMANN, B., & LEFÈVRE, W. (1980). Probleme der materialistischen Dialektik. In P. FURTH (Hrg.) *Arbeit und Reflexion* (S. 234-282). Köln: Pahl-Rugenstein.

DANIELS, H. (2004). Cultural historical activity theory and professional learning. *International Journal of Disability, Development and Education, 51*(2), 185-200.

DANIELS, H., EDWARDS, A., ENGESTRÖM, Y., GALLAGHER, T., & LUDVIGSEN, S. (Eds.). (2009). *Activity theory in Practice: Promoting Learning Across Boundaries and Agencies.* London: Routledge.

DAVIS, L. E. (1980). Changes in work environments: The next 20 years. In K. D. DUNCAN, M., M. GRUNEBERG, & D. WALLIS (Eds.), *Changes in Working Life* (S. 197-216). Chichester: Wiley.

DAVYDOV, V. V. (1977). *Arten der Verallgemeinerung im Unterricht.* Berlin: Volk und Wissen.

DAVYDOV, V. V. (1982). The psychological structure and contents oft he learning activity in school children. In R. GLASER & J. LOMPSCHER (Eds.), *Cognitive and Motivational Aspects of Instruction* (S. 37-44). Berlin: Deutscher Verlag der Wissenschaften.

DAVYDOV, V. V. (1988). Problems of developmental teaching: The experience of theoretical and experimental psychological research. Excerpts (Part II). *Soviet Education, 30*(9), 3–83.

DAVYDOV, V. V. (1990). *Types of Generalization in Instruction.* Reston, VA: National Councii of Teachers of Mathematics.

DAVYDOV, V. V. LOMPSCHER, J., & MARKOWA, A. K. (1982). *Ausbildung der Lerntätigkeit bei Schülern.* Berlin: Volk und Wissen.

DAVYDOV, V. V, MARKOVA, A. K., & SHUMILIN, E. A. (1980). Psihologicheskie problemy formirovanija potrebnosti i motivov uchebnoi dejatel'nosti. In *Motivy uchebnoi i obschestvenno poleznoi dejatelnosti skolnikov i studentov* (S. 3-23). Moskau: MOPI.

DAVYDOV, V. V. & RADZIKHOVSKIJ, L. A. (1985). Vygotsky's theory and the activity-oriented approach in psychology. In J. V. WERTSCH (Ed.), *Culture, Communication, and Cognition: Vygotskian Perspectives* (S. 35-65). Cambridge: Cambridge University Press.

DAVYDOV, V. V. & ZINCHENKO, V. P. (1982). Das Entwicklungsprinzip in der Psychologie. *Gesellschaftswissenschaft, Nr. 2,* 128-145.

DAY, J. D. (1983). The zone of proximal development. In M. PRESSLEY, & J. R. LEVIN (Eds.), *Cognitive Strategy Research: Psychological Foundations* (S. 155-175). New York: Springer-Verlag.

DE KLEER, J. & BROWN, J. S. (1983). Assumptions and ambiguities in mechanistic mental models. In D. GENTNER, & A. L. STEVENS (Eds.), *Mental Models* (*S.* 155-190). Hillsdale, NJ: Lawrence Erlbaum.

DEEG, R. (2006). Change from within: German and Italian finance in the 1990s. In W. STREECK & K. THELEN (Eds.), *Beyond Continuity: Institutional Change in Advanced Political Economies* (S. 169-202). Oxford: Oxford University Press.

DELL, P. R (1980). Researching the family theories of schizophrenia: An excercise in epistemological confusion. *Family Process, 19,* 321-335.

DELL, P. R (1982). Beyond homeostasis: Toward a concept of coherence. *Family Process, 21,* 21-41.

DENNETT, R.C. (2002). *Darwins gefährliches Erbe. Die Evolution und der Sinn des Lebens.* Hamburg: Hoffmann und Campe.

DES CHENE, M. (1997). Locating the past. In A. GUPTA & J. FERGUSON (Eds.), *Anthropological Locations: Boundaries and Grounds of a Field Science* (pp. 66-85). Berkeley: University of California Press.

DEWEY, J. (1910). *How We Think.* Boston: Heath.

DEWEY, J. (1980). *Kunst als Erfahrung.* Frankfurt/Main: Suhrkamp Verlag.

DIERKES, M., ANTAL, A. B., CHILD, J. & NONAKA, I. (Eds.) (2001). *Handbook of Organizational Learning and Knowledge.* Oxford. Oxford University Press.

DODGSON, M. (1991). *The Management of Technological Learning: Lessons from a Biotechnology Company.* Berlin: de Gruyter.

DOUGHERTY, J. W. D., & KELLER, C. M. (1985). Taskonomy: A Practical Approach to knowledge structures. In J. W. D. DOUGHERTY (Ed.), *Directions in Cognitive Anthropology* (S. 161-174). Urbana: University of Illinois Press.

DREYFUS, H., & DREYFUS, S. (1987). *Künstliche Intelligenz: Von den Grenzen der Denkmaschine und dem Wert der Intuition.* Reinbek: Rowohlt.

DUBINSKAS, F. A. (1988). Janus organizations: Scientists and managers in genetic engineering firms. In F. A. DUBINSKAS (Ed.), *Making Time: Ethnographies of Culture, Time and Organization in High Technology* (S. 170-232). Philadelphia: Temple University Press.

EDWARDS, A. (2005). Let's get beyond community and practice: The many meanings of learning by participating. *The Curriculum Journal, 16*(1), 49–65.

EDWARDS, A. (2009). From the systemic to the relational: Relational agency and activity theory. In A. SANNINO, H. DANIELS, & K. GUTIÉRREZ (Eds.), *Learning and expanding with activity theory* (S. 197-211). Cambridge: Cambridge University Press.

EDWARDS, D., & MIDDLETON, D. (1986). Conversation with Bartlett. *Quarterly Newsletter of the Laboratory of Comparative Human Cognition, 8,* 79-89.

EISENHARDT, K. M. (2000). Paradox, spirals, ambivalence: The new language of change and pluralism. *The Academy of Management Review, 25,* 703-706.

EISENSTEIN, E. (1985). On the printing press as an agent of change. In D. R. OLSON, N. TORRANCE, & A. HILDYARD (Eds.), *Literacy, Language, and Learning: The Nature and Consequences of Reading and Writing* (S. 19-33). Cambridge: Cambridge University Press.

EL'KONIN, D. B. (1977). Toward the problem of stages in the mental development of the child. In M. COLE (Ed.), *Soviet Developmental Psychology* (S. 538-563). White Plains, NY: Sharpe.

ELDREDGE, N. & GOULD, S. J. (1972). Punctuated equilibria: an alternative to phyletic gradualism. In SCHOPF, T.M. (ed.), *Models in Palaeobiology* (pp. 82-115). San Francisco: Freeman Cooper.

ELIOT, T. S. (1950). Introduction. In M. TWAIN, *The Adventures of Huckleberry Finn* (S. vii-xvi). London: The Cresset Press.

ENGELS, F. (1962). Ludwig Feuerbach und der Ausgang der klassischen deutschen Philosophie. In K. MARX, und F. ENGELS, *Werke,* Band 21 (S. 259-307). Berlin: Dietz-Verlag.

ENGELS, F. (1972). Herrn Eugen Dührings Umwälzung der Wissenschaft (Anti-Dühring). In K. MARX, und F. ENGELS, *Werke,* Band 38 (S. 1-303). Berlin: Dietz-Verlag.

ENGELSTED, N., HEDEGAARD, M., KARPATSCHOF, B. & MORTENSEN, A. (Eds.) (1993). *The Societal Subject.* Aarhus: Aarhus University Press.

ENGESTRÖM, R. (1995). Voice as communicative action. *Mind, Culture, and Activity, 2,* 192–214.

ENGESTRÖM, Y. (1987). *Learning by Expanding: An Activity-theoretical Approach to Developmental Research*. Helsinki: Orienta-Konsultit.

ENGESTRÖM, Y. (1990). *Learning, Working and Imagining: Twelve Studies in Activity Theory*. Helsinki: Orienta-Konsultit.

ENGESTRÖM, Y. (1991a). Activity theory and individual and social transformation. *Multidisciplinary Newsletter for Activity Theory*, No. 7/8, 6-17.

ENGESTRÖM, Y. (1991b). Developmental work research: A paradigm in practice. *The Quarterly Newsletter of the Laboratory of Comparative Human Cognition, 13*, 79-80.

ENGESTRÖM, Y. (1991c). Developmental work research: Reconstructing expertise through expansive learning. In M. I. Nurminen, and G. R. S. Weir (Eds.), *Human Jobs and Computer Interfaces* (S. 265-290). Amsterdam: Elsevier Science Publishers.

ENGESTRÖM, Y. (1991d). *Non scolae sed vitae discimus*: Toward overcoming the encapsulation of school learning. *Learning and Instruction, 1*, 243-259.

ENGESTRÖM, Y. (1993). Developmental studies of work as a testbench of activity theory: Analyzing the work of general practitioners. In S. CHAIKLIN, and J. LAVE (Eds.), *Understanding Practice: Perspectives on Activity and Context* (S. 64-103). Cambridge: Cambridge University Press.

ENGESTRÖM, Y. (1994). The working health center project: Materializing zones of proximal development in a network of organizational learning. In T. KAUPPINNEN, and M. LAHTONEN (Eds.), *Action Research in Finland* (S. 233-272). Helsinki: Hakapaino Oy.

ENGESTRÖM, Y. (1995). Innovative organizational learning in medical and legal settings. In L. M. W. Martin, K. Nelson, and E. Tobach (Eds.), *Sociocultural Psychology: Theory and Practice of Doing and Knowing* (S. 326-356). Cambridge: Cambridge University Press.

Engeström, Y. (1996a). Developmental work research as educational research: Looking ten years back and into the zone of proximal development. *Nordisk Pedagogik Journal of Nordic Educational Research, 16*, 131-143.

ENGESTRÖM, Y. (1996b). Development as breaking away and opening up: A challenge to Vygotsky and Piaget. *Swiss Journal of Psychology*, 55, 126–132.

ENGESTRÖM, Y. (1996c). Interobjectivity, ideality, and dialectics. *Mind, Culture and Activity, 3*, 259–265.

ENGESTRÖM, Y. (1996d). Development as breaking away and opening up: A challenge to Vygotsky and Piaget. *Swiss Journal of Psychology, 55*, 126-132.

ENGESTRÖM, Y. (1998). Reorganizing the motivational sphere of classroom culture: An activity-theoretical analysis of planning in a teacher team. In F. Seeger, J. Voigt, & U. Waschescio (Eds.), *The Culture of the Mathematics Classroom* (S. 76-103). Cambridge: Cambridge University Press.

ENGESTRÖM, Y. (1999a). Expansive visibilization of work: An activity-theoretical perspective. *Computer Supported Cooperative Work, 8*, 63–93.

ENGESTRÖM, Y. (1999b). Innovative learning in work teams: Analyzing cycles of knowledge creation in practice. In Y. ENGESTRÖM, R. MIETTINEN, & R.-L. PUNAMÄKI (Eds.), *Perspectives on Activity Theory* (S. 377-404). Cambridge: Cambridge University Press.

ENGESTRÖM. Y. (1999c). *Lernen als Expansion*. Hrsg. u. übers. von F. Seeger. Marburg: BdWi-Verlag, 1999.

ENGESTRÖM, Y. (2000). From individual action to collective activity and back: Developmental work research as an interventionist methodology. In P. LUFF, J. HINDMARSH, & C. HEATH (Eds.), *Workplace Studies* (S. 150-166). Cambridge: Cambridge University Press.

ENGESTRÖM, Y. (2001a). Expansive learning at work: Toward an activity theoretical reconceptualization. *Journal of Education and Work*, 14(1), 133–156.

ENGESTRÖM, Y. (2001b). Making expansive decisions: An activity-theoretical study of practitioners building collaborative medical care for children. In C. M. ALLWOOD, & M. SELART (Eds.), *Decision making: Social and creative dimensions* (S. 281-301). Dordrecht: Kluwer.

ENGESTRÖM, Y. (2003). The horizontal dimension of expansive learning: Weaving a texture of cognitive trails in the terrain of health care in Helsinki. In F. ACHTENHAGEN, & E. G. JOHN (Eds.), *Milestones of Vocational and Occupational Education and Training. Volume 1: The Teaching–Learning Perspective.* Bielefeld: Bertelsmann.

ENGESTRÖM, Y. (2004a). Managing as argumentative history-making. In R. J. BOLAND Jr., & F. COLLOPY (Eds.), *Managing as designing* (S.96-101). Stanford: Stanford Business Books.

ENGESTRÖM, Y. (2004b). New forms of learning in co-configuration work. *Journal of Workplace Learning*, 16, 11–21.

ENGESTRÖM, Y. (2005). *Developmental work research: Expanding activity theory in practice.* Berlin: Lehmanns Media.

ENGESTRÖM, Y. (2007a). Enriching the theory of expansive learning: Lessons from journeys toward coconfiguration. *Mind, Culture, and Activity, 14*(1–2), 23–39.

ENGESTRÖM, Y. (2007b). From stabilization knowledge to possibility knowledge in organizational learning. *Management Learning, 38*, 271–275.

ENGESTRÖM, Y. (2007c). Putting Vygotsky to work: The change laboratory as an application of double stimulation. In H. Daniels, M. Cole, & J. V. Wertsch (Eds.), *The Cambridge Companion to Vygotsky* (S. 363-382). Cambridge: Cambridge University Press.

ENGESTRÖM, Y. (2008). *From Teams to Knots: Activity-theoretical Studies of Collaboration and Learning at Work.* Cambridge: Cambridge University Press.

ENGESTRÖM, Y. (2009). Wildfire activities: New patterns of mobility and learning. *International Journal of Mobile and Blended Learning, 1*(2), 1–18.

ENGESTRÖM, Y. (im Druck). From design experiments to formative interventions. *Theory and Psychology*, 20.

ENGESTRÖM, Y., & AHONEN, H. (2001). On the materiality of social capital: An activity-theoretical exploration. In H. HASAN, E. GOULD, P. LARKIN, & L. VRAZALIC (Eds.), *Information Systems and Activity Theory: Volume 2 Theory and practice* (S. 55–73). Wollongong, Australia: University of Wollongong Press.

ENGESTRÖM, Y., BROWN, K., ENGESTRÖM, R. & KOISTINEN, K. (1990). Organizational forgetting: An activity theoretical perspective. In D. MIDDLETON & D. EDWARDS (Eds), *Collective remembering* (S. 139-168). London: Sage.

ENGESTRÖM, Y., & ENGESTRÖM, R. (1986). Developmental work research: The approach and an application in cleaning work. *Nordisk Pedagogik, 6*(1), 2–15.

ENGESTRÖM, Y, ENGESTRÖM, R., & KÄRKKÄINEN, M. (1995). Polycontextuality and boundary crossing in expert cognition: Learning and problem solving in complex work activities. *Learning and Instruction, 5*, 319–336.

ENGESTRÖM, Y., ENGESTRÖM, R., & KEROSUO, H. (2003). The discursive construction of collaborative care. *Applied Linguistics, 24*, 286–315.

ENGESTRÖM, Y., ENGESTRÖM, R., & SUNTIO, A. (2002). Can a school community learn to master its own future? An activity-theoretical study of expansive learning among middle school teachers. In G. WELLS, & G. CLAXTON (Eds.), *Learning for Life in the 21st Century: Sociocultural Perspectives on the Future of Education* (S. 211-224). Oxford: Blackwell.

ENGESTRÖM, Y., ENGESTRÖM, R., & VÄHÄAHO, T. (1999). When the center does not hold: The importance of knotworking. In S. CHAIKLIN, M. HEDEGAARD, & U. J. JENSEN (Eds.), *Activity*

Theory and Social Practice: Cultural-historical Approaches (S. 345–374). Aarhus, Denmark: Aarhus University Press.

ENGESTRÖM, Y., & ESCALANTE, V. (1996). Mundane tool or object of affection? The rise and fall of the Postal Buddy. In B. A. NARDI (Ed.), *Context and Consciousness: Activity Theory and Human-Computer Interaction* (S. 325-373). Cambridge, MA: The MIT Press.

ENGESTRÖM, Y., KEROSUO, H., & KAJAMAA, A. (2007). Beyond discontinuity: Expansive organizational learning remembered. *Management Learning, 38*(3), 319–336.

ENGESTRÖM, Y., & KEROSUO, H. (2007). From workplace learning to inter-organizational learning and back: The contribution of activity theory. *Journal of Workplace Learning, 19*, 336–342.

ENGESTRÖM, Y., LOMPSCHER, J., & RÜCKRIEM, G. (Eds.). (2005). *Putting Activity Theory to Work: Contributions from Developmental Work Research*. Berlin: Lehmanns Media.

ENGESTRÖM, Y. & MIDDLETON, D. (Eds.) (1993). *Cognition and Communication at Work*. Cambridge: Cambridge University Press.

ENGESTRÖM, Y., MIETTINEN, R., and PUNAMÄKI, R.-L. (Eds.) (1999). *Perspectives on Activity Theory*. Cambridge: Cambridge University Press.

ENGESTRÖM, Y., PASANEN, A., TOIVIAINEN, H., & HAAVISTO, V. (2005). Expansive learning as collaborative concept formation at work. In K. YAMAZUMI, Y. ENGESTRÖM, & H. DANIELS (Eds.), *New Learning Challenges: Going Beyond the Industrial Age System of School and Work* (S. 47–77). Osaka, Japan: Kansai University Press.

ENGESTRÖM, Y., PUONTI, A., & SEPPÄNEN, L. (2003). Spatial and temporal expansion of the object as a challenge for reorganizing work. In D. NICOLINI, S. GHERARDI, & D. YANOW (Eds.), *Knowing in Organizations: A Practice-based Approach* (S. 151-186). Armonk: Sharpe.

ENGESTRÖM, Y., VIRKKUNEN, J., HELLE, M., PIHLAJA, J., and POIKELA, R. (1996). Change laboratory as a tool for transforming work. *Lifelong Learning in Europe*, 1 (2), 10–17.

FALMAGNE, R J. (1995). The abstract and the concrete. In L. M. W. MARTIN, K. NELSON, and E. TOBACH (Eds.), *Sociocultural Psychology: Theory and Practice of Doing and Knowing* (S. 205-228). Cambridge: Cambridge University Press.

FELSTEAD, A., FULLER, A., UNWIN, L., ASHTON, D., BUTLER, P., & LEE, T. (2005). Surveying the scene: Learning metaphors, survey design and the workplace context. *Journal of Education and Work, 18*(4), 359–383.

FENWICK, T. (2006). Toward enriched conceptions of work learning: Participation, expansion, and translation among individuals with/in activity. *Human Resource Development Review, 5*(3), 285–302.

FENWICK, T. (2007). Organisational learning in the 'knots': Discursive capacities emerging in a school-university collaboration. *Journal of Educational Administration, 45*(2), 138–153.

FENWICK, T. J. (2004). Learning in portfolio work: Anchored innovation and mobile identity. *Studies in Continuing Education, 26*(2), 229–245.

FICHTNER, B. (1984). Co-ordination, co-operation and communication in the formation of theoretical concepts in instruction. In M. HEDEGAARD, P. HAKKARAINEN, & Y. ENGESTRÖM (Eds.), *Learning and teaching on a scientific basis* (S. 207-228). Arhus: Aarhus Universitet, Psykologisk Institut.

FICHTNER, B. (1985). Learning and learning activity. In E. BOL, J. P. P. HAENEN, & M. WOLTERS (Eds.), *Education for Cognitive Development* (S. 47-62). Den Haag: SVO/SOO.

FITZSIMONS, G. E. (2003). Using Engeström's expansive learning framework to analyse a case study in adult mathematics education. *Literacy & Numeracy Studies, 12*(2), 47–63.

FLAVELL, J. H. (1976). Metacognitive aspects of problem solving. In L. B. RESNICK (Ed.), *The Nature of Intelligence*, (S. 231-236). Hillsdale, NJ: Lawrence Erlbaum.

FLECK, J. (1994). Learning by trying: The implementation of configurational technology. *Research Policy, 23*, 637–652.

FOOT, K. (2001). Cultural-historical activity theory as practice theory: Illuminating the development of a conflict-monitoring network. *Communication Theory, 11*(1), 56-83.

GAGNÉ, R. M. (1973). *Die Bedingungen menschlichen Lernens*. 3. Auflage. Hannover. Schroedel.

GALLAGHER, J. M. (1978). Reflexive abstraction and education: The meaning of activity in Piagets theory. In J. M. GALLAGHER, & J. A. EASLEY, Jr. (Eds.), *Knowledge and Development. Piaget and Education* (Vol. 2, S. 1-20). New York: Plenum.

GARUD, R. & KARNOE, P. (Eds.) (2001). *Path Dependence and Creation.* Mahwah, NJ: Lawrence Erlbaum.

GATEWOOD, J. B. (1985). Actions speak louder than words. In J. W. D. DOUGHERTY (Ed.), *Directions in Cognitive Anthropology* (S. 199-219). Urbana: University of Illinois Press.

GEE, J. P. (2003). *What Video Games have to teach us about Learning and Literacy*. New York: Palgrave Macmillan.

GEERTZ, C. (1973). *The Interpretation of Cultures: Selected Essays*. New York: Basic Books.

GENTNER, D., & STEVENS, A. L. (Eds.) (1983). *Mental Models.* Hillsdale, NJ: Lawrence Erlbaum.

GERSICK, C. J. G. (1991). Revolutionary change theories: A multilevel exploration of the punctuated equilibrium paradigm. *Academy of Management Review, 16*, 10-36.

GETZELS, J. W., & CSÍKSZENTMIHÁLYI, M. (1976). *The Creative Vision: A Longitudinal Study of Problem Finding in Art.* New York: Wiley.

GHISELIN, M. (1987). Classification as an evolutionary problem. In A. COSTALL, & A. STILL (Eds.), *Cognitive Psychology in Question* (S. 70-86). Brighton: The Harvester Press.

GIDDENS, A. (1982). Labour and interaction. In J. B. THOMPSON, & D. HELD (Eds.), *Habermas: Critical Debates* (S. 149-161). London: Macmillan.

GLADWIN, H. (1985). In conclusion: Abstraction versus „how it is". *Anthropology & Education Quarterly, 16*, 207-213.

GLAZMAN, M. S. (1972). Wissenschaftliches Schöpfertum als Dialog. In G. KRÖBER, & M. LORF (Hrg.), *Wissenschaftliches Schöpfertum* (S. 199-212). Berlin: Akademie-Verlag.

GOODMAN, N. (1978). *Ways of Worldmaking.* Indianapolis: Hackett.

GOODMAN, N. (1983). *Fact, Fiction, and Forecast.* Cambridge, MA: Harvard University Press.

GOODY, E. N. (Ed.) (1982). *From Craft to Industry.* Cambridge: Cambridge University Press.

GOULD, S. J. & ELDREDGE, N. (1993). Punctuated equilibrium comes of age. *Nature, 366*, 223-227.

GRIFFIN, P, & COLE, M. (1984). Current activity for the future: The Zo-ped. In B. ROGOFF, & J. V. WERTSCH (Eds.), *Children's Learning in the »Zone of Proximal Development"* (S. 45-64). San Francisco: Jossey-Bass.

GRUBER, H. E. (1974). *Darwin on Man: A Psychological Study of Scientific Creativity.* New York: Dutton.

GRUBER, H. E. (1984). The emergence of a sense of purpose: A cognitive case study of young Darwin. In M. L. COMMONS, F. A. RICHARDS, & C. ARMON (Eds.), *Beyond Formal Operations: Late Adolescent and Adult Cognitive Development* (S. 3-27). New York: Praeger.

GRÜNEWALD, G. (Ed.) (1985). *Childrens Campaign for Nuclear Disarmament.* Helsinki: International Peace Bureau – Peace Union of Finland.

GRÜTER, B. (1979). „Dialektische Psychologie" – Eine amerikanische Variante kritischer Psychologie? *Forum Kritische Psychologie, 5,* 157-175.

GUTIÉRREZ, K. (2008). Developing a sociocritical literacy in the third space. *Reading Research Quarterly, 43*(2), 148–164.

GUTIÉRREZ, K., & LARSON, J. (2007). Discussing expanded spaces for learning. *Language Arts, 85*(1), 69–77.

GUTIERREZ, K., RYMES, B., and LARSON, J. (1995). Script, counterscript, and underlife in the classroom – James Brown versus Brown v. Board of Education. *Harvard Educational Review, 65,* 445–471.

GUTIÉRREZ, K., & VOSSOUGHI, S. (2010). Lifting off the ground to return anew: Mediated praxis, transformative learning, and social design experiments. *Journal of Teacher Education, 61*(1–2), 100–117.

HAAVISTO, V. (2002). *Court Work in Transition: An Activity-theoretical Study of Changing Work Practices in a Finnish District Court.* Helsinki: Helsinki University Press.

HABERMAS, J. (1981). *Theorie des kommunikativen Handelns.* Bände 1-2. Frankfurt/Main: Suhrkamp.

HABERMAS, J. (1984). *The Theory of Communicative Action. Vol. l: Reason and the Rationalization of Society.* London: Heinemann.

HAGLUND, B. J. A. (1983). Community diagnosis: A theoretical model forprevention in primary health care. *Scandinavian Journal of Primary Health Care, 1,* 12-19.

HAIGH, J. (2007). Expansive learning in the university setting: The case for simulated clinical experience. *Nurse Education in Practice, 7,* 95–102.

HALL, R., & GREENO, J. G. (2008). Conceptual learning. In T. GOOD (Ed.), *21st Century Education: A Reference Handbook* (S. 212–221). London: Sage.

HALLDÉN, 0. (1982). *Elevernas tolkning av skoluppgiften* (Schülerinterpretation einer schulischen Aufgabe). Pedagogiska Institutionen, Stockholms Universitet.

HALLIDAY, M. (1975). *Learning How to Mean.* London: Edwin Arnold.

HALLPIKE, C. R. (1979). *The Foundations of Primitve Thought.* New York: Oxford University Press.

HARRÉ, R. (1970). *The Principles of Scientific Thinking.* London: Macmillan.

HARRÉ, R., CLARKE, D. & DECARLO, N. (1985). *Motives and Mechanisms: An Introduction to the Psychology of Action.* London: Methuen.

HASU, M. (2000). Blind men and the elephant: Implementation of a new artifact as an expansive possibility. *Outlines, 2,* 5–41.

HASU, M., & ENGESTRÖM, Y. (2000). Measurement in action: An activity-theoretical perspective on producer-user interaction. *International Journal of Human-Computer Studies, 53,* 61–89.

HAUG, F. (1977). *Erziehung und gesellschaftliche Produktion: Kritik des Rollenspiels.* Frankfurt/Main-New York: Campus.

HAVELOCK, E. A. (1976). *Origins of Western Literacy.* Toronto: OISE.

HEGEL, G.W.F. (1952). *Phänomenologie des Geistes (1807).* Nach dem Texte der Originalausgabe herausgegeben von J. Hoffmeister. Hamburg: Felix Meiner.

HELENIUS, A. (1982). *Roolileikki ja lasten suhteet* (Rollenspiel und die Beziehungen von Kindern). Jyväskylän yliopisto. Psykologian laitoksen julkaisuja 246 (University of Jyväskylä, Reports from the Department of Psychology 246).

HILL, R., CAPPER, P., WILSON, K., WHATMAN, R., & WONG, K. (2007). Workplace learning in the New Zealand apple industry network: A new co-design method for government "practice making". *Journal of Workplace Learning, 19*(6), 359–376.

HIROMATSU, K. I. (1986). *"Habitus" as a key concept for understanding performance.* Paper presented at the SSRC and JSPS Conference on Cognition and the Arts, Harvard (Project Zero), March 27-30, 1986 (mimeo).

HIRSCHHORN, L. (1982). The soul of a new worker. *Working Papers, 9*(1), 42-47.

HOETKER, J., & AHLBRAND, W. P. Jr. (1969). The persistence of the recitation. *American Educational Research Journal, 6*, 145-167.

HOFFMAN, L. (1981). *Foundations of Family Therapy: A Conceptual Framework for Systems Change.* New York: Basic Books.

HOLLAND, D., and REEVES, J. R (1996). Activity theory and the view from somewhere: Team perspectives on the intellectual work of programming. In B. A. NARDI (Ed.), *Context and Consciousness: Activity Theory and Human-Computer Interaction* (S. 257-281). Cambridge, MA: The MIT Press.

HOLQUIST, M. (1981). Introduction. In M. M. BAKHTIN, *The Dialogic Imagination* (S. xv-xxxiv). Austin: University of Texas Press.

HOLSTEIN, J. A., & GUBRIUM, J. F. (1998). Active interviewing. In D. SILVERMAN (Ed.), *Qualitative research: Theory, method and practice* (pp. 113-129). London: Sage Publications.

HOLZKAMP, K. (1983). *Grundlegung der Psychologie.* Frankfurt/Main: Campus.

Holzkamp, K. (1993). *Lernen: Subjektwissenschaftliche Grundlegung.* Frankfurt/Main: Campus.

HUBBARD, L., MEHAN, H. & STEIN, M. K. (2006). *Reform as learning: School Reform, Organizational Culture, and Community Politics in San Diego.* New York: Routledge.

HUNDEIDE, K. (1985). The tacit background of children's judgments. In J. V. WERTSCH (Ed.), *Culture, Communication, and Cognition: Vygotskian Perspectives* (S. 306-322). Cambridge: Cambridge University Press.

HYRKKÄNEN, U. (2007). *Käsityksistä ajatuksen poluille: Ammatikorkeakoulun tutkimus-ja kehitystoiminnan konseptin kehittäminen.* [From conceptions to cognitive trails: Developing the concept of research and development activity for the university of applied sciences]. Helsinki: University of Helsinki, Department of Education.

HYYSALO, S. (2004). *Uses of Innovation: Wristcare in The practices of Engineers and Elderly.* Helsinki: University of Helsinki, Department of Education.

IL'ENKOV, E. V. (1977). *Dialectical Logic: Essays on its History and Theory.* Moskau: Progress.

IL'ENKOV, E. V. (1979). *Die Dialektik des Abstrakten und Konkreten im „Kapital" von Karl Marx.* Berlin: das europäische buch.

IL'ENKOV, E. V. (1994). *Dialektik des Ideellen. Ausgewählte Aufsätze.* Münster: Lit.

JACKSON, R. M. (1986). Thumbs up for direct teaching of thinking skills. *Educational Leadership, 43*(8), 32-36.

JENSEN, U. J. (1978). Über das Verhältnis zwischen Philosophie und Wissenschaft. In P. PLATH, & H. J. SANDKÜHLER (Hrg.), *Theorie und Labor* (S. 10-35). Köln: Pahl-Rugenstein.

JENSEN, U. J. (1981). Introduction: Preconditions for evolutionary thinking. In U.J. JENSEN, & R. HARRÉ (Eds.), *The Philosophy of Evolution* (S. 1-22). Brighton: The Harvester Press.

JOAS, H. (1980). *Praktische Intersubjektivität. Die Entwicklung des Werkes von G. H. Mead.* Frankfurt/Main: Suhrkamp.

JOHNSON-LAIRD, P. N. (1983). *Mental Models.* Cambridge: Cambridge University Press.

JUDIN, E. G. (1978). *Sistemnyj podchod i princip dejatel'nosti. Metodologiceskie problemy sovremennoj nauki.* Moskau: Nauka. [deutsch: Systemansatz und Tätigkeitsprinzip - Methodologische Probleme der modernen Wissenschaft. Berlin: Lehmann, 2009).

JUNG, C. G. (1971). Die Beziehungen zwischen dem Ich und dem Unbewußten. In C.G. JUNG, *Gesammelte Werke.* Band 7 (S. 131-248). Olten: Walter.

JUNGK, R. (1956). *Heller als tausend Sonnen: Das Schicksal der Atomforscher.* 4. Auflage. München: Heyne.

KAHNEMAN.D., SLOVIC, P, & TVERSKY, A. (Eds.) (1982). *Judgment Under Uncertainty: Heuristics and Biases.* Cambridge: Cambridge University Press.

KÄRKKÄINEN, M. (1996). Compararive analysis of planning trajectories in Finnish and American teaching teams. *Nordisk Pedagogik Journal of Nordic Educational Research, 16,* 167–190.

KÄRKKÄINEN, M. (1999). *Teams as breakers of traditional work practices: A longitudinal study of planning and implementing curriculum units in elementary school teacher teams.* Helsinki: University of Helsinki, Department of Education.

KARMILOFF-SMITH, A., & INHELDER, B. (1975). „If you want to get ahead, get a theory". *Cognition, 3,* 195-212.

KAZLAUSKAS, A., & CRAWFORD, K. (2007). Learning what is not yet there: Knowledge mobilization in a communal activity. In I. VERENIKINA, P. KELL, & G. VOGL (Eds), *Learning and Socio-cultural Theory: Exploring Modern Vygotskian Perspectives* (S. 114-132). Workshop proceedings. Wollongong: University of Wollongong. (http://ro.uow.edu.au/llrg)

KEDROV, B. M. (1966-67). On the question of the psychology of scientific creativity (On the occasion of the discovery by D. I. MENDELEEV of the periodic law). *Soviet Psychology V,* 18-37.

KEDROV, B. M. (1972). Zur Theorie der wissenschaftlichen Entdeckung. In G. KRÖBER, & M. LORF (Hrg.), *Wissenschaftliches Schöpfertum* (S. 34-116). Berlin: Akademie-Verlag.

KEILER, P, & SCHURIG, V. (1978). Einige Grundlagenprobleme der Naturgeschichte des Lernens. *Forum Kritische Psychologie, 3,* 91-150.

KEILER, P. (1981). Natural history and psychology: Perspectives and problems. In U. J. JENSEN, & R. HARRÉ (Eds.), *The Philosophy of Evolution* (S. 137-154). Brighton: The Harvester Press.

KELLER, C. M., & KELLER, J. D. (1996). *Cognition and Tool Use: The Blacksmith at Work.* Cambridge: Cambridge University Press.

KERN, H., & SCHUMANN, M. (1 984). *Das Ende der Arbeitsteilung? München:* Beck.

KEROSUO, H. (2006). *Boundaries in action: An activity-theoretical study of development, learning and change in health care for patients with multiple and chronic illnesses.* Helsinki: University of Helsinki, Department of Education.

KEROSUO, H. KAJAMAA, A. & ENGESTRÖM, Y. (2005). Building bridges between the past, present and future: Narrative and emotional remembering of organizational change efforts. In S. GHERARDI & D. NICOLINI (Eds.), *The Passion for Learning and Knowing* (S. 11-35). Proceedings of the 6th International Conference on Organizational Learning and Knowledge. Trento: University of Trento.

KEROSUO, H., & ENGESTRÖM, Y. (2003). Boundary crossing and learning in creation of new work practice. *Journal of Workplace Learning, 15,* 345–351.

KIDDER, T. (1984). *Die Seele einer neuen Maschine. Vom Entstehen eines Computers.* Reinbek: Rowohlt.

Kivi, A. (1929). *Seven Brothers.* New York: Coward–McCann.

KIVI, A. (1950). *Die sieben Brüder.* Aus dem Finnischen von Edzard Schaper. Zürich: Manesse.

KLEIN, N. (2007). *The shock doctrine: The rise of disaster capitalism.* London: Allen Lane.

KLIX, F. (1982). Are learning processes evolutionary invariant? An unproved assumption in psychology of learning revisited. *Zeitschrift für Psychologie, 190,* 381-391.

KOESTLER, A. (1966). *Der göttliche Funke: Der schöpferische Akt in Kunst und Wissenschaft.* Bern: Scherz.

KÖHLER, C., SCHULTZ-WILD, R., & LUTZ, B. (1983). *Flexible Manufacturing Systems: Manpower problems and policies.* Paper presented at the World Congress on the Human Aspects of Automation, August 8-11,1983, Ann Arbor, Michigan.

KÖHLER, W. (1917). *Intelligenzprüfungen an Anthropoiden I.* Abhandlungen der Preussischen Akademie der Wissenschaften, Physikalisch-Mathematische Klasse, Nr. l.

KOISTINEN, K. (2007). *Kaveriporukasta liiketoiminnaksi: Tuotannon häiriöt ja organisaation oppiminen nopeasti muuttuvassa yrityksessä.* [From a group of friends to a business enterprise: Disturbances of production and learning in a rapidly changing company]. Helsinki: University of Helsinki, Department of Education. (in Finnisch)

KOLMOGOROV, A. N. (1960). Introduction. In H. LEBESQUE, *The Measurement of Quantities* (2nd Russian edition). Moskau: Uchpedgiz.

KONKOLA, R., TUOMI-GRÖHN, T., LAMBERT, P., & LUDVIGSEN, S. (2007). Promoting learning and transfer between school and workplace. *Journal of Education and Work, 20*(3), 211–228.

KOZIELECKI, J. (1986). A transgressive model of man. *New Ideas in Psychology, 4,* 89-105.

KRAMSCH, C. (1993). *Context and Culture in Language Teaching.* Oxford: Oxford University Press.

KRIGMAN, A. (1985). Bhopal: The unanswered questions. *InTech,* May, 9-20.

KUCKHERMANN, R., & WIGGER-KÖSTERS, A. (1985). *Die Waren laufen nicht allein zum Markt ... : Die Entfaltung von Tätigkeit und Subjektitivät in der Geschichte.* Köln: Pahl-Rugenstein.

LAMBERT, P. (1999). *Rajaviiva katoaa: Innovatiivista oppimista ammatillisen opettajankoulutuksen, oppilaitosten ja työelämän organisaatioiden yhteistyönä.* [Boundaries fade away: Innovative learning through collaboration between vocational teacher education, training institutes, and work organizations). (in Finnisch). Helsinki: Helsingin ammattikorkeakoulu.

LANGEMEYER, I. (2006). Contradictions in expansive learning: Towards a critical analysis of self-dependent forms of learning in relation to contemporary socio-technological change. *Forum Qualitative Sozialforschung,* 7(1). Article 12. E-version: http://nbn-resolving.de/urn:nbn:de:0114-fqs0601127.

LANGLEY, R, & SIMON, H. (1981). The central role of learning in cognition. In J. R. ANDERSON (Ed.), *Cognitive Skills and their Acquisition* (S. 361-380). Hillsdale, NJ: Lawrence Erlbaum.

LATOUR, B. (1987). *Science in Action: How to Follow Scientists and Engineers Through Society.* Cambridge, MA: Harvard University Press.

LATOUR, B. (1988). *The Pasteurization of France.* Cambridge, MA: Harvard University Press.

LATOUR, B. (1993). Ethnography of a „high-tech" case: About Aramis. In P. LEMONNIER (Ed.), *Technological Choices: Transformation in Material Cultures Since the Neolithic* (S. 372-398). London: Routledge.

LATOUR, B., & WOOLGAR, S. (1979). *Laboratory Life: The Social Construction of Scientific Facts.* Beverly Hills, CA: Sage.

LAVE, J. (1985). Introduction: Situationally specific practice. *Anthropology & Education Quarterly, 16*, 171-176.

LAVE, J., & WENGER, E. (1991). *Situated Learning: Legitimate Peripheral Participation*. Cambridge: Cambridge University Press.

LEAKEY, R. E., & LEWIN, R. (1983). *People of the Lake: Mankind and its Beginnings.* New York: Avon Books.

LEFÈVRE, W. (1978). *Naturtheorie und Produktionsweise: Probleme einer materialistischen Wissenschaftsgeschichtsschreibung*. Darmstadt: Luchterhand.

LEKTORSKY, V. A. (1984). *Subject, Object, Cognition.* Moskau: Progress.

LENIN, W. I. (1964). Konspekt zu Hegels „Vorlesungen über die Geschichte der Philosophie". In. W.I. Lenin, *Werke,* Band 38 (S. 231-306). Berlin: Dietz-Verlag.

LEONT'EV, A. A. (1980). Tätigkeit und Kommunikation. *Sowjetwissenschaft. Gesellschaftswissenschaftliche Beiträge, 33*, 522-535.

LEONT'EV, A. N. (1971). *Probleme der Entwicklung des Psychischen.* Berlin: Volk und Wissen.

LEONT'EV, A. N. (1985). *Tätigkeit. Bewusstsein. Persönlichkeit.* Köln: Pahl-Rugenstein

LEONT'EV, A. N., & LURIJA, A. R. (1968). The psychological ideas of L. S. Vygotskii. In B. B. Wolman (Ed.), *Historical Roots of Contemporary Psychology* (S. 338-367). New York: Harper & Row.

LEONT'EV, A. N. (1978). *Activity, Consciousness, and Personality*. Englewood Cliffs: Prentice-Hall.

LEONT'EV, A. N. (1981). *Problems of the Development of the Mind.* Moscow: Progress.

LERNER, R. M., & BUSCH-ROSSNAGEL, N. A. (Eds.) (1981). *Individuals as Producers of their Development: A Life-span Perspective.* New York: Academic Press.

LEROI-GOURHAN, A. (1980). *Hand und Wort. Die Evolution von Technik, Sprache und Kunst.* Frankfurt/Main: Suhrkamp.

LÉVI-STRAUSS, C. (1961). *A World on the Wane.* London: Hutchinson.

LEVY, R. I. (1976). A conjunctive pattern in middle class informal and formal education. In T. SCHWARTZ (Ed.), *Socialization as Cultural Communication* (S. 177-188). Berkeley: University of California Press.

Lewin, K. (1947). Frontiers in group dynamics: Concept, method and reality in social science; social equilibria and social change. *Human Relations,* 1(1), 5–41.

LEWONTIN, R. C. (1982). Organism and environment. In H. C. PLOTKIN (Ed.), *Learning, Development, and Culture* (S. 151-169). New York: Wiley.

LOCH, C. H. & HUBERMAN, B. A. (1999). A punctuated-equilibrium model of technology diffusion. *Management Science, 45*, 160-177.

LOCK, A. (Ed.) (1978). *Action, Gesture and Symbol: The Emergence of Language.* London: Academic Press.

LOMOV, B. F. (1980). Die Kategorien Kommunikation und Tätigkeit in der Psychologie. *Sowjetwissenschaft. Gesellschaftswissenschaftliche Beiträge, 33*, 536-551.

LOMPSCHER, J. (2004). *Lernkultur und Kompetenzentwicklung aus kulturhistoricher Sicht: Lernen Erwachsener im Arbeitsprozess.* Berlin: Lehmanns Media.

LOPES, L. M. (1981). Problem solving in a human relationship: The interactional accomplishment of a „zone of proximal development" during therapy. *The Quarterly Newsletter of the Laboratory of Comparative Human Cognition, 3*(1), 1-5.

LURIJA, A. R. (1986). *Die historische Bedingtheit individueller Erkenntnisprozesse.* Weinheim: VCH Verlagsgesellschaft.

MACCOBY, M. (2006). Health care organizations as collaborative learning communities. In C. HECKSCHER, & P. S. ADLER (Eds.*), The Firm as a Collaborative Community: Reconstructing Trust in the Knowledge Economy.* Oxford: Oxford University Press.

MAKINO, Y. (2007). The third generation of e-learning: Expansive learning mediated by a weblog. *International Journal of Web Based Communities, 3*(1), 16–31.

MÄKITALO, J. (2005). *Work-related Well-being in the Transformation of Nursing Home Work.* Oulu: Oulu University Press.

MALINOWSKI, B. (1944). *A Scientific Theory of Culture and other Essays.* Chapel Hill: The University of North Carolina Press.

MALINOWSKI, B. (1974). Das Problem der Bedeutung in primitiven Sprachen. Supplement. In C. K. OGDEN, & I. A. RICHARDS, *Die Bedeutung der Bedeutung,* (S. 323-384). Frankfurt/Main: Suhrkamp.

MARCUS, G. E. (1995). Ethnography in/of the world system: The emergence of multi-sited ethnography, *Annual Review of Ethnography, 24,* 95-117.

MARKOVÀ, I. (1982). *Paradigms, Thought, and Language.* Chichester: Wiley.

MARTIN, D. (2008). A new paradigm to inform inter-professional learning for integrating speech and language provision into secondary schools: A sociocultural activity theory approach. *Child Language Teaching and Therapy, 24*(2), 173–192.

MARTON, F. (2006). Sameness and difference in transfer. *Journal of the Learning Sciences, 15*(4), 499–535.

MARTON, F., & TRIGWELL, K. (2000). Variatio est mater studiorum. *Higher Education Research & Development, 19*(3), 381–395.

MARX, K. (1969). Thesen über Feuerbach. In K. MARX und F. ENGELS, *Werke,* Band 3 (S. 5-7). Berlin. Dietz-Verlag.

MARX, K. (1970) Das Kapital. Erster Band. In K. MARX und F. ENGELS, *Werke,* Band 23. Berlin: Dietz-Verlag.

MARX, K. (1972). Das Kapital. Dritter Band. In K. MARX und F. ENGELS, *Werke,* Band 25. Berlin: Dietz-Verlag.

MARX, K. (o.J.). *Grundrisse der Kritik der politischen Ökonomie (Rohentwurf).* Frankfurt/Main: Europäische Verlagsanstalt.

MARZANO, R. J., & ARREDONDO, D. E. (1986). Restructuring schools through the teaching of thinking skills. *Educational Leadership,* 43(8), 20-26.

MASCHEWSKY, W. (1977). *Das Experiment in der Psychologie.* Frankfurt/Main: Campus.

MCCARTHY, T. (1984). Translator's instroduction. In J. HABERMAS, *The Theory of Communicative Action. Vol. l: Reason and the Rationalization of Society,* (S. v-xxxvii). London: Heinemann.

McNEILL, D. (1985). So you think gestures are nonverbal? *Psychological Review, 92,* 350-371.

MEAD, G. H. (1968). *Geist, Identität und Gesellschaft.* Frankfurt/Main: Suhrkamp.

MEŠČERJAKOV, A. (1979). *Awakening to Life.* Moskau: Progress.

MIDDLETON, D., & EDWARDS, D. (1990). Conversational remembering: A social psychological approach. In D. MIDDLETON, & D. EDWARDS (Eds.), *Collective Remembering* (S. 23-45). London: Sage Publication.

MIDGLEY, G. (2000). *Systemic Intervention: Philosophy, Methodology, and Practice.* New York: Kluwer.

MIETTINEN, R. (1986). *The Craftwork Conception of Science.* Paper presented at the 1st International Congress of Activity Theory, West Berlin, Oct. 3-5, 1986.

MIETTINEN, R. (1993). Methodological issues of studying innovation–related networks. *VTT/Technical Research Center of Finland. Group of Technology Studies*. Working Paper No. 4.

MIKHAILOV, F. T. (1980). *The Riddle of the Self.* Moskau: Progress.

MILLER, A. I. (1984). *Imagery in Scientific Thought: Creating 20th Century Physics*. Boston: Birkhäuser.

MISHLER, E. (1986). *Research Interviewing: Context and Narrative*. Cambridge, MA: Harvard University Press.

MITROFF, I. I., & KILMAN, R. (1978). *Methodological Approaches to Social Science.* San Francisco: Jossey-Bass.

MITROFF, I.I., & MASON, R. 0. (1981). Dialectical pragmatism: A progress report on an interdisciplinary program of research on dialectical inquiring systems. *Synthese,* 47, 29-42.

MORSON, G. S. (Ed.) (1986). *Bakhtin: Essays and Dialogues on His Work.* Chicago: The University of Chicago Press.

MORSS, J. R. (1985). Old Mead in new bottles: The impersonal and the interpersonal in infant knowledge. *New Ideas in Psychology, 3,* 165-176.

MORSS, J. R. (1986). Old Mead in new battles: A reply to Shotter. *New Ideas in Psychology, 4,* 85-88.

MOSCOVICI, S. (1984). *Versuch über die menschliche Geschichte der Natur.* Frankfurt am Main: Suhrkamp.

MURPHY, G. L. & MEDIN, D. L. (1985). The role of theories in conceptual coherence. *Psychological Review, 92,* 289-316.

NADLER, D. A., SHAW, R. B., WALTON, A. E. (1995). *Discontinuous change: Leading organizational transformation.* San Francisco: Jossey-Bass.

NARDI, B. (Ed.) (1996). *Context and Consciousness: Activity Theory and Human–Computer Interaction*. Cambridge, MA: The MIT Press.

NELSON, K. (1979). The role of language in infant development. In M. C. BORNSTEIN, & W. KESSEN (Eds.), *Psychological Development from Infancy: Image to Intention* (S. 307-337). Hillsdale, NJ: Lawrence Erlbaum.

NELSON, K. (1983). The derivation of concepts and categories from event representations. In E. K. SCHOLNIK (Ed.), *New Trends in Conceptual Representation: Challenges to Piaget's Theory* (S. 129-149). Hillsdale, NJ: Lawrence Erlbaum.

NEWMAN, D., GRIFFIN, P, & COLE, M. (1984). Social constraints in laboratory and classroom tasks. In B. ROGOFF, & J. LAVE (Eds.), *Everyday Cognition: Its Development in Social Context* (S. 172-193). Cambridge, MA: Harvard University Press.

NICKERSON, R., PERKINS, D. N., & SMITH, E. (1985). *The Teaching of Thinking.* Hillsdale, NJ: Lawrence Erlbaum.

NILSSON, M. (2003). *Transformation through Integration: An Activity Theoretical Analysis of School Development as Integration of Child Care Institutions and Elementary School.* Karlskrona: Blekinge Institute of Technology.

NONAKA, I., & TAKEUCHI, H. (1995). *The Knowledge-creating Company: How Japanese Companies Create the Dynamics of Innovation*. New York: Oxford University Press.

NORMAN, D. A. (1982). *Learning and Memory.* San Francisco: Freeman.

NORMAN, D. A. (1983). Some observations on mental models. In D. GENTNER, & A. L. STEVENS (Eds.), *Mental Models* (S. 7-14). Hillsdale, NJ: Lawrence Erlbaum.

NUMMIJOKI, J., & ENGESTRÖM, Y. (2009). Towards co-configuration in home care of the elderly: Cultivating agency by designing and implementing themobility agreement. In H. DAN-

IELS, A. EDWARDS, Y. ENGESTRÖM, T. GALLAGHER, & S. LUDVIGSEN (Eds.), *Activity Theory in Practice: Promoting Learning across Boundaries and Agencies* (S. 49-71). London: Routledge.

O'DOWD, T. C. (1988). Five years of heartsink patients in general practice. *British Medical Journal, 97*, 528–530.

OGDEN, C. K., & RICHARDS, I. A. (1974). *Die Bedeutung der Bedeutung.* Frankfurt/Main: Suhrkamp

OLSON, D. R., TORRANCE, N., & HILDYARD, A. (Eds.) (1985). *Literacy, Language, and Learning: The Nature and Consequences of Reading and Writing.* Cambridge: Cambridge University Press.

ONG, W. J. (1977). *Interfaces of the Word: Studies in the Evolution of Consciousness and Culture.* Ithaca: Cornell University Press.

ONG, W. J. (1982). *Orality and Literacy: The Technologizing of the Word.* London: Methuen.

ORLIKOWSKI, W. (1996). Improvising organizational transformation over time: A situated change perspective. *Information Systems Research, 7*, 63-92.

OTTE, M. (1980). On the question of the development of theoretical concepts. *Communication & Cognition,* 13(1), 63-76.

OTTE, M. (1984). The work of E. G. Judin (1930-1976) on activity theory in the light of recent tendencies in epistemological thinking. In M. HEDEGAARD, P. HAKKARAINEN, & Y. ENGESTRÖM (Eds.), *Learning and Teaching on a Scientific Basis* (S. 43-86). Aarhus: Aarhus Universitet.

OTTOMEYER, K. (1980). Marxistische Psychologie gegen Dogma und Eklektizismus. *Forum Kritische Psychologie, 7*, 170-207.

PAAVOLA, S., LIPPONEN, L., & HAKKARAINEN, K. (2004). Models of innovative knowledge communities and three metaphors of learning. *Review of Educational Research, 74*, 557–576.

PARMENTIER, R. J. (1985). Signs' place in medias res: Peirce's concept of semiotic mediation. In E. MERTZ, & R. J. PARMENTIER (Eds.), *Semiotic mediation: Sociocultural and Psychological perspectives* (S. 23-48). Orlando, FL: Academic Press.

PEIRCE, C. S. (1931-1935). *Collected Papers of Charles Sanders Peirce.* Edited by C. HARTSHORNE & P. WEISS. Cambridge, MA.: Harvard University Press.

PEREIRA-QUEROL, M., & SEPPÄNEN, L. (2009). Learning as changes in activity systems: The emergence of on-farm biogas production for carbon credits. *Outlook on Agriculture,* 38(2), 147–155.

PEREZ, C. (2002). *Technological Revolutions and Financial Capital: The Dynamics of Bubbles and Golden Ages.* Cheltenham: Edward Elgar.

PETRYNA, A., LAKOFF, A., & KLEINMAN, A. (Eds.). (2006). *Global Pharmaceuticals: Ethics, Markets, Practices.* Durham: Duke University Press.

PETTIGREW, A. (1995). Longitudinal field research on change: Theory and practice. In G. HUBER, & A. VAN DE VEN (Eds.), *Longitudinal Field Research Methods: Studying Processes of Organizational Change.* Thousand Oaks: Sage.

PHARIES, D. A. (1984). *Charles S. Peirce and the Linguistic Sign.* New York: Benjamins.

PIAGET, J. (1977). The role of action in the development of thinking. In W. F. OVERTON, & J. M. GALLAGHER (Eds.), *Knowledge and Development. Vol. I. Advances in Research and Theory* (S. 17-42). New York: Plenum.

PIHLAJA, J. (2005). *Learning in and for Production: An Activity-theoretical Study of the Historical Development of Distributed Systems of Generalizing*. Helsinki: University of Helsinki, Department of Education.

PODDJAKOV, N. (1981). *Die Denkentwicklung beim Vorschulkind.* Berlin: Volk und Wissen.

POLANYI, M. (1958). *Personal Knowledge. Towards a Post-Critical Philosophy*. London: Routledge & Kegan Paul.

POOLE, M. S., VAN DE VEN, A. H., DOOLEY, K., & HOLMES, M. E. (2000). *Organizational Change and Innovation Processes: Theory and Methods for Research.* Oxford: Oxford University Press.

POPPER, K. (1972). *Objective Knowledge: An Evolutionary Approach.* Oxford: Oxford University Press. [Deutsch: *Objektive Erkenntnis: Ein evolutionärer Entwurf.* Hamburg: Hoffmann und Campe, 1974].

POPPER, K. R., & ECCLES, J. C. (1982). *Das Ich und sein Gehirn.* München: Piper.

PRICE, D. J. DE S. (1963). *Little Science, Big Science.* New York: Columbia University Press.

PRIGOGINE, I. (1984). A new model of time, a new view of physics. In J. RICHARDSON (Ed.), *Models of Reality: Shaping Thought and Action* (S. 303-316). Mt. Airy, MD: Lomond Books.

PRIGOGINE, I. (1985). *Science, Civilization and Democracy.* Keynote presentation at the 6th Parliamentary and Scientific Conference of the Council of Europe, Tokyo/Tsukuba, 3-6 June 1985 (mimeo).

PRIGOGINE, I. & STENGERS, I. (1986). *Dialog mit der Natur. Neue Wege naturwissenschaftlichen Denkens.* Fünfte, erweiterte Auflage. München: Piper.

PROJEKT AUTOMATION UND QUALIFIKATION (1980). *Automationsarbeit: Empirische Untersuchungen. Teil l.* Argument-Sonderband 43. Berlin: Argument-Verlag.

PROJEKT AUTOMATION UND QUALIFIKATION (1981). *Automationsarbeit: Empirische Untersuchungen. Teil 2.* Argument-Sonderband 55. Berlin: Argument-Verlag.

PRUSAK, L. (1997). *Knowledge in Organizations.* Oxford: Butterworth-Heinemann.

PUONTI, A. (2004). *Learning to Work Together: Collaboration between Authorities in Economic-Crime Investigation.* Vantaa: National Bureau of Investigation.

QUINN, R. E., & CAMERON, K. S. (Eds.) (1988). Paradox and Transformation: Towards a Theory of Change in Organization and Management. Cambridge: Ballinger.

RADLEY, A. & TAYLOR, D. (2003). Remembering one's stay in hospital: A study in photography, recovery and forgetting. *Health, 7*(2), 129-159.

RADZIKHOVSKIJ, L. A. (1984). Activity: Structure, genesis, and units of analysis. *Soviet Psychology, 21*, 1/2, 35-53.

RADZIKHOVSKIJ, L. A. (1987). The dialogic quality of consciousness in the works of M. M. Bakhtin. *Soviet Psychology, 25*, 2, 3-28.

RAEITHEL, A. (1983). *Tätigkeit, Arbeit und Praxis.* Frankfurt/Main: Campus.

RASMUSSEN, I., & LUDVIGSEN, S. (2009). The hedgehog and the fox: A discussion of the approaches to the analysis of ICT reforms in teacher education of Larry Cuban and Yrjö Engeström. *Mind, Culture, and Activity, 16*(1), 83–104.

RASMUSSEN, J. (1980). What can be learned from human error reports? In K. D. DUNCAN, M. M. GRUNEBERG, & D. WALLIS (Eds.), *Changes in Working Life* (S. 97-114). Chichester: Wiley.

RASMUSSEN, J., DUNCAN, K. & LEPLAT, J. (Eds.) (1987). *New Technology and Human Error.* Chichester: Wiley.

RAVETZ, J. R. (1973). *Die Krise der Wissenschaft. Probleme der industrialisierten Forschung.* Neuwied: Luchterhand.

REYNOLDS, P. C. (1981). *On the Evolution of Human Behavior.* Berkeley, CA: University of California Press.

REYNOLDS, P. C. (1982). The primate constructional System: The theory and description of instrumental object use in humans and chimpanzees. In M. VON CRANACH, & R. HARRÉ (Eds.), *The Analysis of Action: Recent Theoretical and Empirical Advances* (S. 343-386). Cambridge: Cambridge University Press.

RICHARDS, F. A., ARMON, C., & COMMONS, M. L. (1984). Perspectives on the development of thought in late adolescence and adulthood: An introduction. In M. L. COMMONS, F. A. RICHARDS, & C. ARMON (Eds.), *Beyond Formal Operations: Late Adolescent and Adult Cognitive Development* (S. xiii-xxviii). New York: Praeger.

RICHARDSON, J. M. (1984). Global modeling in the 1980s. In J. RICHARDSON (Ed.), *Models of Reality: Shaping Thought and Action* (S. 115-129). Mt. Airy, MD: Lomond Books.

RIEGEL, K. (1973). Dialectic operations: The final period of cognitive development. *Human Development, 16*, 346-370.

RIEGEL, K. F. (1979). *Foundations of Dialectical Psychology.* New York: Academic Press.

ROGOFF, B., & WERTSCH, J. V. (Eds.) (1984). *Children's Learning in the „Zone of Proximal Development".* San Francisco: Jossey-Bass.

ROMANELLI, E. & TUSHMAN, M. (1994). Organizational transformation as punctuated equilibrium: An empirical test. *Academy of Management Journal, 37*, 1141-1166.

ROSE, N. (2007). *The Politics of Life Itself: Biomedicine, Power, and Subjectivity in the Twenty-First Century*. Princeton: Princeton University Press.

ROSET, I. (1984). *The Psychology of Phantasy.* Moskau: Progress.

ROTH, W.-M., & LEE, Y.-J. (2007). Vygotsky's neglected legacy: Cultural–historical activity theory. *Review of Educational Research, 77*(2), 186–232.

ROUSE, W. B., & MORRIS, N. M. (1985). *On Looking into the Black Box: Prospects and Limits in the Search for Mental Models.* Center for Man-Machine Systems Research. Georgia Institute of Technology. Report no. 85-2.

RUBEN, P. (1978). *Dialektik und Arbeit der Philosophie.* Köln: Pahl-Rugenstein.

RUBEN, P. (1981). From moralization to class society or from class society to moralization: Philosophical comments on Klaus Eders hypothesis. In U. J. JENSEN, & R. HARRÉ (Eds.), *The Philosophy of Evolution* (S. 120-136). Brighton: The Harvester Press.

RÜCKRIEM, G. (2009). Digital technology and mediation: A challenge to activity theory. In A. SANNINO, H. DANIELS, & K. GUTIÉRREZ (Eds.), *Learning and Expanding with Activity theory* (S. 88-111). Cambridge: Cambridge University Press.

SAARELMA, 0. (1993). Descriptions of subjective networks as a mediator of developmental dialogue. *The Quarterly Newsletter of the Laboratory of Comparative Human Cognition, 15*, 102–112.

SAAREN-SEPPÄLÄ, T. (2004). *Yhteisen potilaan hoito: Tutkimus organisaatiorajat ylittävästä yhteistoiminnasta sairaalan, terveyskeskuksen ja lapsipotilaiden vanhempien suhteissa.* [The care of a shared patient: A study of collaboration across organizational boundaries between hospital, health center and parents of child patients]. Tampere: University of Tampere. (in Finnisch)

SANNINO, A. (2005). Cultural-historical and discursive tools for analyzing critical conflicts in students' development. In K. YAMAZUMI, Y. ENGESTRÖM, & H. DANIELS (Eds.), *New Learning Challenges: Going Beyond the Industrial Age System of School and Work* (S. 165-195). Osaka: Kansai University Press.

SANNINO, A. (2008a). Experiencing conversations: Bridging the gap between discourse and activity. *Journal for the Theory of Social Behaviour, 38*(3), 267–291.

SANNINO, A. (2008b). From talk to action: Experiencing interlocution in developmental interventions. *Mind, Culture, and Activity, 15*, 234–257.

SANNINO, A. (2010). Breaking out of a professional abstraction: The pupil as materialized object for teacher trainees. IN V. ELLIS, A. EDWARDS, & P. SMAGORINSKY (Eds.), *Cultural-historical Perspectives on Teacher Education and Development: Learning Teaching* (S. 146-159). London: Routlege.

SANNINO, A., & NOCON, H. (2008). Introduction: Activity theory and school innovation. *Journal of Educational Change, 9*(4), 325–328.

SANNINO, A., DANIELS, H., & GUTIERREZ, K. (2009). Activity theory between historical engagement and future-making practice. In A. SANNINO, H. DANIELS, & K. GUTIÉRREZ (Eds.), *Learning and Expanding with Activity Theory* (S. 1-15). Cambridge: Cambridge University Press.

SCARBROUGH, H., BRESNEN, M., EDELMAN, L. F., LAURENT, S., NEWELL, S. & SWAN, J. (2004). The processes of project-based learning. *Management Learning, 35*(4), 491-506.

SCHMANDT-BESSERAT, D. (1978). The earliest precursor of writing. *Scientific American, 238* (6), 50-59.

SCHÖN, D. A. (1983). *The Reflective Practitioner: How Professionals Think in Action*. London: Temple Smith.

SCHURIG, V. (1976). *Die Entstehung des Bewusstseins.* Frankfurt/Main: Campus.

SCRIBNER, S. (1985). Vygotskys uses of history. In J. V. WERTSCH (Ed.), *Culture, Communication and Cognition: Vygotskian Perspectives* (S. 119-145). Cambridge: Cambridge University Press.

SCRIBNER, S., & COLE, M. 1981. *The Psychology of Literacy.* Cambridge, MA: Harvard University Press.

SEIDEL, R. (1976). *Denken – Psychologische Analyse der Entstehung und Lösung von Problemen.* Frankfurt/Main: Campus.

SELZ, O. (1924). *Gesetze der produktiven und reproduktiven Geistestätigkeit.* Bonn: Cohen.

SENGE, P. (1990). *The Fifth Discipline: The Art and Practice of the Learning Organization.* New York: Doubleday.

SEPPÄNEN, L. (2004). *Learning challenges in organic vegetable farming: An activity-theoretical study of on-farm practices.* Helsinki: University of Helsinki, Institute for Rural Research and Training.

SFARD, A. (1998). On two metaphors of learning and the dangers of choosing just one. *Educational Researcher, 27*(2), 4–13.

SHARP, D. W., COLE, M., & LAVE, C. (1979). Education and cognitive development: The evidence from experimental research. *Monographs of the Society for Research in Child Development, 44* (1-2, Serial No. 178).

SHOTTER, J. (1982). Consciousness, self-consciousness, inner games, and alternative realities. In G. UNDERWOOD (Ed.), *Aspects of Consciousness. Vol. 3. Awareness and Self-awareness* (S. 27-62). London: Academic Press.

SHOTTER, J. (1986). Realism and relativism, rules and intentionality, theories and accounts: A response to Morss. *New Ideas in Psychology, 4*, 71-84.

SIGEL, I. E. (1983). Is the concept of the concept still elusive or what do we know about concept development? In E. K. SCHOLNICK (Ed.), *New trends in Conceptual Representation: Challenges to Piaget's Theory?* (S. 239-273). Hillsdale, NJ: Lawrence Erlbaum.

SILTALA, J., FREEMAN, S., & MIETTINEN, R. (2007). *Exploring the Tensions Between Volunteers and Firms in Hybrid Projects.* Helsinki: Center for Activity Theory and Developmental Work Research. (Working Paper 36).

SIMON, H. A. (1983). *Reason in Human Affairs.* Oxford: Basil Blackwell.

SLUZKI, C. E., & RANSOM, D. C. (Eds.) (1976). *Double Bind: The Foundation of the Communication Approach to the Family.* New York: Grune & Stratton.

SNYDER, B. R. (1971). *The Hidden Curriculum.* New York: Knopf.

STAR, S. L., & GRIESEMER, J. R. (1989). Institutional ecology, 'translations' and boundary objects: Amateurs and professionals in Berkeley's Museum of Vertebrate Zoology, 1907-1939. *Social Studies of Science, 9,* 387–420.

STREECK, W., & THELEN, K. (Eds.) (2005). *Beyond Continuity: Institutional Change in Advanced Political Economies.* Oxford: Oxford University Press.

STÜRMER, M. (Hrg.) (1979). *Herbst des alten Handwerks.* München: Deutscher Taschenbuch Verlag.

SVECHNIKOV, G. A. (1971). *Causality and the Relation of States in Physics.* Moskau: Progress.

TERÄS, M. (2007). *Intercultural Learning and Hybridity in the Culture Laboratory.* Helsinki: University of Helsinki, Department of Education.

TODOROV, T. (1984). *Mikhail Bakhtin: The Dialogical Principle.* Minneapolis: University of Minnesota Press.

TOIKKA, K. (1986). *Development of work in FMS – Case study on new manpower strategy.* Paper presented in the IFAC Workshop „Skill Based Automated Manufacturing", Karlsruhe, Germany, September 3-5, 1986.

TOIKKA, K., ENGESTRÖM, Y, & NORROS, L. (1985). Entwickelnde Arbeitsforschung. Theoretische und methodologische Elemente. *Forum Kritische Psychologie, 15,* 5-41.

TOIKKA, K., HYÖTYLÄINEN, R., & NORROS, L. (1986). Development of work in flexible manufacturing. *Nordisk Pedagogik, 6*(1), 16–24.

TOIVIAINEN, H. (2003). *Learning Across Levels: Challenges of Collaboration in a Small-firm Network.* Helsinki: University of Helsinki, Department of Education.

TOIVIAINEN, H. (2007). Inter-organizational learning across levels: An object-oriented approach. *Journal of Workplace Learning, 19*(6), 343–358.

TOIVIAINEN, H., KEROSUO, H., & SYRJÄLÄ, T. (2009). „Development Radar": The co-configuration of a tool in a learning network. *Journal of Workplace Learning, 21*(7), 509–524.

TOLMAN, C. (1981). The metaphysic of relations in Klaus Riegel's „dialectics" of human development. *Human Development, 24,* 33-51.

TOULMIN, S. (1982). *The Return to Cosmology: Postmodern Science and the Theology of Nature.* Berkeley, CA: University of California Press.

TRAN DUC THAO (1984). *Investigations into the Origin of Language and Consciousness.* Dordrecht: Reidel.

TREVARTHEN, C., & HUBLEY, P. (1978). Secondary intersubjectivity: Confidence, confiding and acts of meaning in the first year. In A. LOCK (Ed.), *Action, Gesture and Symbol: The Emergence of language* (S. 183-230). London: Academic Press.

TSUI, A. B. M., & LAW, D. Y. K. (2007). Learning as boundary-crossing in school–university partnership. *Teaching and Teacher Education, 23,* 1289–1301.

TUOMI-GRÖHN, T., & ENGESTRÖM, Y. (Eds.). (2003). *Between School and Work: New Perspectives on Transfer and Boundary-crossing.* Amsterdam: Pergamon.

TURKLE, S. (1995). *Life on the Screen.* Cambridge, MA: MIT Press.

TWAIN, M. (1985). *Huckleberry Finns Abenteuer.* Deutsch von Barbara Cramer-Neuhaus. Frankfurt/Main: Insel.

TWENEY, R. D., DOHERTY, M. E., & MYNATT, C. R. (1981). Epilogue. In R. D. TWENEY, M. E. DOHERTY, & C. R. MYNATT (Eds.), *On Scientific Thinking* (S. 399-417). New York: Columbia University Press.

VAN DE VEN, A. H., & POOLE, M. S. (1988). Paradoxical requirements for a theory of organizational change. IN R. E. QUINN & K. S. CAMERON (Eds.), *Paradox and Transformation: Towards a Theory of Change in Organization and Management* (S. 19-63). Cambridge: Ballinger.

VAN DER VEER, R., & VALSINER, J. (1991). *Understanding Vygotsky: A Quest for Synthesis.* Oxford: Blackwell.

VAN OERS, B., WARDEKKER, W., ELBERS, E., & VAN DER VEER, R. (Eds.). (2008). *The Transformation of Learning: Advances in Cultural–historical Activity Theory.* Cambridge: Cambridge University Press.

VASILYUK, F. (1988). *The Psychology of Experiencing.* Moscow: Progress.

VERENIKINA, I., KELL, P., & VOGL, G. (Eds), *Learning and Socio-cultural Theory: Exploring Modern Vygotskian Perspectives.* Workshop proceedings. Wollongong: University of Wollongong. ISBN 978-1-74128-138-5. E-version: http://ro.uow.edu.au/llrg.

VICTOR, B., & BOYNTON, A. C. (1998). *Invented Here: Maximizing Your Organization's Internal Growth and Profitability.* Boston: Harvard Business School Press.

VIRKKUNEN, J. (2004). Developmental interventions in work activities: An activity theoretical interpretation. In T. KONTINEN (Ed.), *Development Intervention: Actor and Activity Perspectives* (S. 37-66). Helsinki: Center for Activity Theory and Developmental Work Research and Institute for Development Studies, University of Helsinki.

VIRKKUNEN, J. (2006a). Dilemmas in building shared transformative agency. *Activités Revue Électronique, 3*(1), 44-66.

VIRKKUNEN, J. (2006b). Hybrid agency in co-configuration work. *Outlines, 8*(1), 61–75.

VIRKKUNEN, J., & AHONEN, H. (2004). Transforming learning and knowledge creation on the shop floor. *International Journal of Human Resources Development and Management, 4*(1), 57–72.

VIRKKUNEN, J. & AHONEN, H. (forthcoming). Supporting expansive learning through theoretical-genetic reflection in the Change Laboratory. *Journal of Organizational Change Management.*

VON BERTALANFFY, L. (1968). *General System Theory: Foundations, Development, Applications.* New York: Braziller.

VYGOTSKIJ, L. S. (1976). *Psychologie der Kunst.* Dresden. Verlag der Kunst.

VYGOTSKIJ, L. S. (1978). *Mind in Society: The Development of Higher Psychological Processes.* Cambridge, MA: Harvard University Press.

VYGOTSKIJ, L. S. (1985). Die instrumentelle Methode in der Psychologie. In J. LOMPSCHER (Hrsg.), *Lew Wygotski. Band l. Arbeiten zu theoretischen und methodologischen Problemen der Psychologie* (S. 309-317). Köln: Pahl-Rugenstein.

VYGOTSKIJ, L. S. (1987). Unterricht und geistige Entwicklung im Schulalter. In J. LOMPSCHER (Hrsg.), *Lew Wygotski. Band 2. Arbeiten zur psychischen Entwicklung der Persönlichkeit* (S. 287-306). Köln: Pahl-Rugenstein.

Vygotsky, L. S. (1997). *The history of the development of higher mental functions. In R. W. Rieber (Ed.), The Collected Works of L. S. Vygotsky. Vol. 4: The history of the development of higher mental functions.* New York: Plenum.

VYGOTSKIJ, L. S. (2002). *Denken und Sprechen.* Weinheim: Beltz.

WALES, C. E., NARDI, A. H., & STAGER, R. A. (1986). Decision making: New paradigm for education. *Educational Leadership, 43* (8), 37-41.

WARMINGTON, P. (2008). From 'activity' to 'labour': Commodification, labour-power and contradiction in Engeström's activity theory. *Outlines, 10*(2), 4–19.

WARTOFSKY, M. (1968). *Conceptual Foundations of Scientific Thought: An Introduction to the Philosophy of Science.* New York: MacMillan.

WARTOFSKY, M. (1979). *Models: Representation and Scientific Understanding.* Dordrecht: Reidel.

WARTOFSKY, M. (1983). From genetic epistemology to historical epistemology: Kant, Marx, and Piaget. In L. S. LIBEN (Ed.), *Piaget and the Foundations of Knowledge* (S. 1-18). Hillsdale, NJ: Lawrence Erlbaum.

WEINBERG, A. M. (1967). *Probleme der Großforschung.* Frankfurt/Main: Suhrkamp.

WENGER, E. (1998). *Communities of Practice: Learning, Meaning and Identity.* Cambridge: Cambridge University Press.

WERNER, H. (1961). *Comparative Psychology of Mental Development.* New York: Science Editions.

WERTHEIMER, M. (1964). *Produktives Denken.* Zweite Auflage. Frankfurt/Main: Kramer.

WERTSCH, J. V. (Ed.) (1985a). *Culture, Communication, and Cognition: Vygotskian Perspectives.* Cambridge: Cambridge University Press.

WERTSCH, J. V. (1985b). The semiotic mediation of mental life: L. S. Vygotsky and M. M. Bakhtin. In E. MERTZ, & R. J. PARMENTIER (Eds.), *Semiotic Mediation: Sociocultural and Psychological Perspectives* (S. 49-72). Orlando: Academic Press.

WERTSCH, J. V. (1985c). *Vygotsky and the Social Formation of Mind.* Cambridge, MA: Harvard University Press. [deutsch: *Vygotskij und die gesellschaftliche Bildung des Bewußtseins.* Marburg: BdWi-Verlag, 1996].

WERTSCH, J. V. (1991). *Voices of the Mind: A Sociocultural Approach to Mediated Action.* Cambridge, MA: Harvard University Press.

WILHELMER, B. (1979). *Lernen als Handlung.* Köln: Pahl-Rugenstein.

WILLIAMS, R., STEWART, J., & SLACK, R. (2005). *Social Learning in Technological Innovation: Experimenting with Information and Communication Technologies.* Cheltenham, UK: Edward Elgar.

WOOD, D. J. (1980). Teaching the young child: Some relationships between social interaction, language, and thought. In D. R. OLSON (Ed.), *The Social Foundations of Language and Thought* (S. 280-298). New York: Norton.

WOOD, D., BRUNER, J. S., & ROSS, G. (1976). The role of tutoring in problem solving. *Journal of Child Psychology and Psychiatry, 17,* 89-100.

WOOD, S. (1987). The deskilling debate, new technology and work organization. *Acta Sociologica, 30,* 3-24.

WOOD, S. (Ed.) (1982). *The Degradation of Work?* London: Hutchinson.

WRIGHT, W., & MIDDENDORF, G. (Eds.). (2008). *The Fight over Food: Producers, Consumers, and Activists Challenge the Global Food System.* University Park: The Pennsylvania State University Press.

YAMAZUMI, K. (2008). A hybrid activity system as educational innovation. *Journal of Educational Change, 9*(4), 365–373.

YAMAZUMI, K. (2009). Expansive agency in multi-activity collaboration. In A. SANNINO, H. DANIELS, & K. GUTIÉRREZ (Eds.), *Learning and Expanding with Activity Theory* (S. 212-227). Cambridge: Cambridge University Press.

YOUNG, M. (2001). Contextualising a new approach to learning: Some comments on Yrjö Engeström's theory of expansive learning. *Journal of Education and Work, 14*(1), 157–161.

ZILSEL, E. (1976). *Die sozialen Ursprünge der neuzeitlichen Wissenschaft.* Frankfurt/Main: Suhrkamp.

ZINCHENKO, P. I. (1983/84). The problem of involuntary memory. *Soviet Psychology,* 22, 55-111.

ZINCHENKO, V. P. (1985). Vygotsky's ideas about units for the analysis of mind. In J. V. WERTSCH (Ed.), *Culture, Communication, and Cognition: Vygotskian Perspectives* (S. 94-118). Cambridge: Cambridge University Press.

ZIVIN, G. (Ed.) (1979). *The Development of Self-Regulation Through Private Speech.* New York: Wiley.

Personenregister

S

T

U

V

W

Y

Z

Sachregister

C

D

E

F

G

H

I

K

L

M

Ü

V

W

Z

ICHS

International Cultural-historical Human Sciences

Herausgegeben von / Series Editors: Hartmut Giest und/and Georg Rückriem

Bisher erschienen / Already published:

Band 1:	Aleksej N. Leont'ev: Frühschriften. Hrsg. von Georg Rückriem. Berlin 2001.
Band 2:	Erkennen und Handeln: Momente einer kulturhistorischen (Behinderten-) Pädagogik und Therapie. Hrsg. von Georg Feuser und Ernst Berger. Berlin 2002.
Band 3:	Ulrike Burrmann: Vygotskij und Piaget – eine notwendige Verbindung für die Gestaltung effektiver Unterrichtsprogramme. Berlin 2002.
Band 4:	Aleksandr R. Lurija: Kulturhistorische Humanwissenschaft. Ausgewählte Schriften. Hrsg. von Wolfgang Jantzen, Berlin 2002.
Band 5.1:	Lev Vygotskij: Ausgewählte Schriften, Bd. 1. Arbeiten zu theoretischen und methodologischen Problemen der Psychologie. Hrsg. von Joachim Lompscher. Nachdruck. Berlin 2003.
Band 5.2:	Lev Vygotskij: Ausgewählte Schriften, Bd. 2. Arbeiten zur Entwicklung der Persönlichkeit. Hrsg. von Joachim Lompscher. Nachdruck. Berlin 2003.
Band 6:	Wolfgang Jantzen und Birger Siebert (Hrsg.): Ein Diamant schleift den anderen. Eval'd Vasil'evič Il'enkov und die Tätigkeitstheorie. Berlin 2003.
Band 7:	Joachim Lompscher: Lernkultur und Kompetenzentwicklung aus kulturhistorischer Sicht – Lernen Erwachsener im Arbeitsprozess. Berlin 2004.
Band 8:	Wolfgang Jantzen (Hrsg.): Die Schule Gal'perins – Tätigkeitstheoretische Beiträge zum Begrifferwerb im Vor- und Grundschulalter. Berlin 2004.
Band 9:	Wolfgang Jantzen (Hrsg.): Gehirn, Geschichte und Gesellschaft – Die Neuropsychologie Alexandr R. Lurijas (1902-1977). Berlin 2004.
Band 10:	Georg A. Litsche: Theoretische Anthropologie - Grundzüge der theoretischen Rekonstruktion der menschlichen Seinsweise. Berlin 2004.
Band 11:	Marie Cécile Bertau (Ed.): Aspects of the Dialogical Self - Extended proceedings of a symposium on the Second International Conference on the Dialogical Self (Ghent, Oct. 2002), including psycholinguistical, conversational, and educational contributions. Berlin 2004.

Band 12: Yrjö Engeström: Developmental Work Research - Expanding Activity Theorie In Practice. Berlin 2005.

Band 13: Yrjö Engeström; Georg Rückriem; Joachim Lompscher (Eds.): Putting Activity Theory to Work – Contributions from Developmental Work. Berlin 2005.

Band 14: W.-M. Roth; S.W. Hwang; Y.J. Lee; M.I.M. Goulart: Participation, Learning, and Identity – Dialectical Perspectives. Berlin 2005.

Band 15: Hartmut Giest; Joachim Lompscher: Lerntätigkeit – Lernen aus kultur-historischer Perspektive – Ein Beitrag zur Entwicklung einer neuen Lernkultur im Unterricht. Berlin 2006.

Band 16: Georg Rückriem (Hrsg.): Aleksej N. Leont'ev – Frühe Schriften • Band II. Berlin 2006.

Band 17: Hartmut Giest (Hrsg.): Erinnerungen für die Zukunft - Pädagogische Psychologie in der DDR Tagungsband des Symposiums zum Andenken an Joachim Lompscher am 31. Aug. 2005 in Berlin. Berlin 2006.

Band 18: Birger Siebert: Begriffliches Lernen und entwickelnder Unterricht – Grundzüge einer kulturhistorischen Didaktik für den integrativen Unterricht. Berlin 2006.

Band 19: Joachim Lompscher: Tätigkeit Lerntätigkeit Lehrtätigkeit – Die Theorie der Lerntätigkeit und ihre empirische Erforschung. Redaktionell bearbeitet und herausgegeben von Hartmut Giest und Georg Rückriem. Berlin 2006.

Band 20: Wolfgang Jantzen: Allgemeine Behindertenpädagogik – Teil 1: Sozialwissenschaftliche und psychologische Grundlagen; Teil 2: Neurowissenschaftliche Grundlagen, Diagnostik, Pädagogik und Therapie. Berlin 2007.

Band 21: Georg Rückriem (Hrsg.): L. S. Vygotskij – Briefe/Correspondence. Berlin 2007.

Band 22: Wolfgang Jantzen: Kulturhistorische Psychologie heute – Methodologische Erkundungen zu L. S. Vygotskij. Berlin 2008.

Band 23: Katja Manski: Lernen im Medienumbruch – Ein Beitrag zur Integration von Lernen und Arbeiten am Beispiel der Arbeitsprozessorientierten Weiterbildung in der IT-Branche (APO-IT). Berlin 2008.

Band 24: Bernd Fichtner: Lernen und Lerntätigkeit – Ontogenetische, phylogenetische und epistemologische Studien. Berlin 2008.

Band 25: Yrjö Engeström: Entwickelnde Arbeitsforschung. Die Tätigkeitstheorie in der Praxis (übersetzt und herausgegeben von Lisa Rosa). Berlin 2008.

Band 26: Wolf Michael Roth; Yew Jin Lee; Leanna Boyer: The Eternal Return – Reproduction and Change in Complex Activity Systems. The Case of Salmon Enhancement. Berlin 2008.

Band 27:	Michael Herschelmann: „Boys-Talk" – Eine explorative Untersuchung zur narrativ-biographischen (Re) Konstruktion sozialer (selbst-reflexiver) Geschlechtsidentität. Berlin 2009.
Band 28:	Georg Rückriem: Erik Grigo'evič Judin – Systemansatz und Tätigkeitsprinzip. Methodologische Probleme der modernen Wissenschaft. Berlin 2009.
Band 29:	Raijo Miettinen: Dialogue and Creativity – Activity Theory in the Study of Science, Technology and Innovations. Berlin 2009.
Band 30:	Michalis Kontopodis (Ed.): Culture and Emerging Educational Challenges. A Dialogue with Brazil / Latin America. Berlin 2009.
Band 31:	Kristine Baldauf-Bergmann: Lernen im Lebenszusammenhang. Der Beitrag der subjektwissenschaftlichen Arbeiten Klaus Holzkamps zu einer pädagogischen Theorie des lebensbegleitenden Lernens. Berlin 2009.
Band 32:	Hartmut Giest; Georg Rückriem: Tätigkeitstheorie und (Wissens-) Gesellschaft. Fragen und Antworten tätigkeitstheoretischer Forschung und Praxis. Berlin 2010.
Band 33:	Dimitris Papadopoulos: L. S. Wygotski. Werk und Rezeption. Berlin 2010.
Band 34:	Daniil Borisovič Ėl'konin: Psychologie des Spiels. Hrsg.: Birger Siebert und Georg Rückriem. Berlin 2010.
Band 35:	Georg Rückriem (Hrsg.): L.S. Vygotskij. Vorlesungen über Psychologie. Berlin 2011.

Diplomarbeiten im Rahmen der ICHS-Reihe / MA Dissertations in the context of ICHS-Series:

Bruno Jeup: Bljuma V. Zejgarnik und ihre Forschungen zur Pathologie des Denkens. Berlin 2005.

Michael Blinzler: Zonen des Übergangs – Über Verbindungen dialogischer Philosophie und kulturhistorischer Theorie (Vygotskij). Berlin 2006.

Martina Klatt: Die pränatale Entwicklung – Ein dynamischer Ansatz unter besonderer Berücksichtigung der Austauschverhältnisse zwischen Mutter und Kind und deren Auswirkungen auf die kindliche Entwicklung. Berlin 2007.

Stefanie Surd-Büchele: Bilingualer Schriftspracherwerb – Kognitive Voraussetzungen und gesellschaftliche Rahmenbedingungen aus kulturhistorischer Perspektive. Berlin 2009.

Andrea Karsten: Vielfalt des Schreibens – Zur Dialogizität schriftlicher Äußerungen im Spannungsfeld von Konventionalisierung und Positionierung. Berlin 2009.

Barbara Kötter: Die Dimension der Intentionalität im Spätwerk von Vygotskij. Berlin 2010.

Bücher über die Begründer der kulturhistorischen Traditionslinie / Books about the founders of cultural-historical school in German:

Wolfgang Jantzen (Hrsg.): Die neuronalen Verstrickungen des Bewusstseins. Zur Aktualität von A. R. Lurijas Neuropsychologie. Münster/Hamburg: Lit 1994.

Joachim Lompscher (Hrsg.): Entwicklung und Lernen aus kulturhistorischer Sicht. Was sagt uns Wygotski heute. Bd. 1 und 2. Marburg: BdWi-Verlag 1996.

Gita L. Vygodskaja & Tamara M. Lifanova: Lev Semjonovič Vygotskij. Leben – Tätigkeit – Persönlichkeit. Hrsg. von Joachim Lompscher und Georg Rückriem. Hamburg: Kovač 2000.

Übersetzungen / German Translations:

In deutscher Übersetzung erschienen bisher folgende Werke (nur Bücher) der Begründer der kulturhistorischen Traditionslinie:

Lev Semjonovič Vygotskij (manchmal Wygotski)

Psychologie der Kunst. Dresden: Verlag der Kunst 1976.

Ausgewählte Schriften, Bd. 1 und 2. Berlin: Volk und Wissen 1985/87.
Lizenzausgabe bei Pahl-Rugenstein, Köln 1985/87.
Nachdruck Lehmanns Media – LOB.de, Berlin 2003.

Geschichte der höheren psychischen Funktionen. Münster/Hamburg: LIT 1996.

Die Lehre von den Emotionen. Münster/Hamburg: LIT 1992.

Vorlesungen über Psychologie. Marburg: BdWi-Verlag 1996.

Denken und Sprechen. Berlin: Akademie-Verlag 1964.
Neu übersetzt und mit einem wissenschaftlichen Apparat versehen von Joachim Lompscher und Georg Rückriem. Weinheim: Beltz-Taschenbuchverlag 2002.

Aleksej Nikolajevič Leont'ev (manchmal Leontjew)

Probleme der Entwicklung des Psychischen. Berlin: Volk und Wissen 1964.
Lizenzausgabe bei Pahl-Rugenstein, Köln 1967.

Tätigkeit – Bewußtsein – Persönlichkeit. Berlin: Volk und Wissen 1979.
Lizenzausgabe bei Pahl-Rugenstein, Köln, 1982.

Frühschriften. Herausgegeben von Georg Rückriem. Berlin: Pro Business 2001.

Frühe Schriften. Band II. Herausgegeben von Georg Rückriem. Berlin: Lehmanns Media – LOB.de 2006.

Aleksandr Romanovič Lurija (manchmal Luria)

Die Funktion der Sprache in der geistigen Entwicklung des Kindes. Düsseldorf: Schwann 1970 (zusammen mit F. I. Judovič).

Die höheren kortikalen Funktionen des Menschen und ihre Störungen bei örtlichen Hirnschädigungen. Berlin: Deutscher Verlag der Wissenschaften 1970.

Sprache und Bewusstsein.Berlin: Volk und Wissen 1982.
Lizenzausgabe bei Pahl-Rugenstein, Köln 1982.

Die historische Bedingtheit individueller Erkenntnisprozesse. Berlin: Deutscher Verlag der Wissenschaften 1987.

Der Mann, dessen Welt in Scherben ging. Reinbek: Rowohlt 1991.

Das Gehirn in Aktion. Reinbek: Rowohlt 1992.

Romantische Wissenschaft. Reinbek: Rowohlt 1993.

Danielle Ferrari, Sonja Kuipers: P.J. Gal'perin. Auf der Suche nach dem Wesen des Psychischen. Butzbach/Griedel: AFRA, 2001.

Kulturhistorische Humanwissenschaft. Ausgewählte Schriften, hrsg. von Wolfgang Jantzen in der ICHS-Schriftenreihe 2002.